DIDEROT
L'ENCYCLOPÉDIE

Boo*kk*ing International

DIDEROT
L'ENCYCLOPÉDIE

Planches sélectionnées et présentées par
Clara Schmidt

Les commentaires et les numéros des planches que nous reproduisons sont ceux publiés par Diderot.

La présente édition est publiée par Bookking International avec l'aimable autorisation des éditions L'Aventurine.

AVANT-PROPOS

« Grâce à nos travaux, ceux qui viendront après nous pourront aller plus loin. Sans prononcer sur ce qu'ils auront encore à faire, nous leur transmettrons du moins le plus beau recueil d'instruments et de machines qui ait existé, avec les Planches relatives aux Arts mécaniques, la description la plus complète qu'on en ait encore donnée et sur toutes les sciences une infinité de morceaux précieux. »
Avertissement *du Tome VIII, 1765.*

Au beau milieu d'un siècle passionné par les dictionnaires, le libraire parisien Le Breton a l'idée de publier une traduction de la *Cyclopaedia or an Universal Dictionnary of Arts and Sciences* de l'anglais Chambers.
Non seulement Le Breton est anglomane, mais encore s'intéresse-t'il de près aux idées nouvelles du siècle des Lumières.
En 1746, il confie la direction de ce projet à Diderot qui, emporté par son enthousiasme, lui donne immédiatement une ampleur beaucoup plus grande. Il ne s'agira pas d'une simple traduction, mais de la mise en pratique d'une philosophie à travers l'élaboration d'une Encyclopédie qui donne à voir la réalité du monde.
Ainsi, Diderot rassemblera-t'il autour de lui plus de deux cents collaborateurs, tous de la plus haute compétence dans chaque domaine des Arts et des Sciences, d'Alembert en tête, pour faire une « œuvre de progrès ».
Dès le départ, l'équipe de *L'Encyclopédie* a l'idée d'un volume de planches. La *Cyclopaedia* de Chambers en comportait elle-même plusieurs. Mais surtout, la volonté qu'ont Diderot et ses collaborateurs de faire triompher la raison et de dissiper les préjugés en accordant, pour la première fois, une large place aux arts mécaniques, les conduit tout naturellement à pratiquer une observation directe de leur sujet et à en établir un compte rendu fidèle et détaillé.
Le prospectus distribué en 1750 présente les planches à venir en ces termes : « Un coup d'œil sur l'objet ou sa représentation en dit plus long qu'une page de discours. » Il s'agit de donner à voir le monde tel qu'il est. Pour cela, la méthode de travail sera empirique : on fera de véritables enquêtes sur place chez les artisans, en les interrogeant et en dessinant leurs outils, les machines qu'ils utilisent, leurs gestes. On voyagera.
Diderot fait appel à des dessinateurs, dont un certain Goussier « qui joint la pratique du dessin à beaucoup de connaissances de la mécanique... » et qui deviendra un véritable reporter, sillonnant les routes de France à la recherche des meilleurs artisans, des meilleurs techniciens pour faire un compte rendu visuel minutieux des arts mécaniques qu'il observe.
D'autres planches seront copiées et révisées, tirées de la *Cyclopaedia* de Chambers, ou d'ouvrages techniques appartenant à la Bibliothèque Royale.
Finalement, ce sont onze volumes qui paraissent entre 1762 et 1772, réunissant quelque deux mille huit cent planches et constituant un document unique sur les techniques de l'époque.
Nous présentons aujourd'hui une sélection de plus de trois cents planches avec leur descriptif, choisies pour ce qu'elles reflètent de la vie française au XVIIIe siècle, mais aussi pour la qualité du dessin et le charme qu'elles nous procurent encore aujourd'hui.

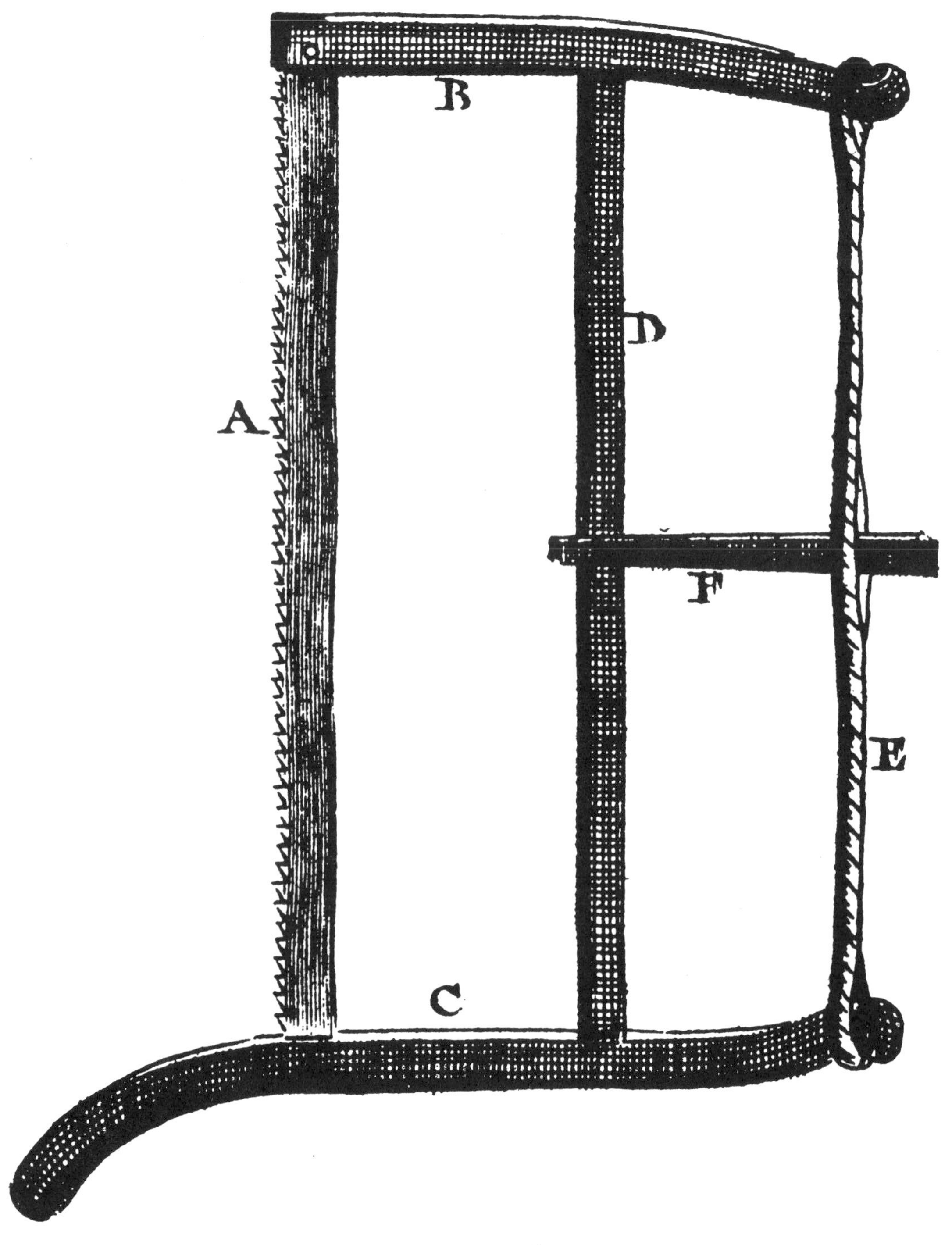
B
D
A
F
E
C

PETITS MÉTIERS

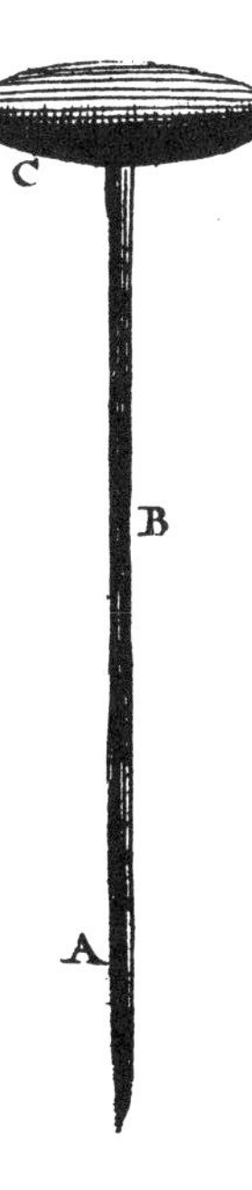

« ***Distribution des arts en libéraux et mécaniques.*** Cette distinction, quoique bien fondée, a produit un mauvais effet, en avilissant des gens très estimables et très utiles, et en fortifiant en nous je ne sais quelle paresse naturelle, qui ne nous portait déjà que trop à croire que donner une application constante et suivie à des expériences et à des objets particuliers, sensibles et matériels, c'était déroger à la dignité de l'esprit humain, et que de pratiquer ou même d'étudier les arts mécaniques, c'était s'abaisser à des choses dont la recherche est laborieuse, la méditation ignoble, l'exposition difficile, le commerce déshonorant, le nombre inépuisable et la valeur minutielle. »
*Extrait de l'article **Art**. Volume I, 1751.*

L'Encyclopédie met l'artisanat à l'honneur. Ce regard attentif et respectueux sur un savoir-faire méprisé par « l'honnête homme » constitue une première tentative de réhabilitation du travail manuel. C'est aussi un document irremplaçable sur cette France de l'atelier et de la boutique, avec ses techniques, ses traditions et ses mystères, dans ce XVIIIe siècle qui est à l'apogée d'un âge où la technique est encore à la mesure de l'homme. Un document unique sur la vie quotidienne des hommes de cette époque où la majeure partie de la production est assurée par des artisans qui possèdent une simple échoppe et n'emploient que quelques ouvriers.

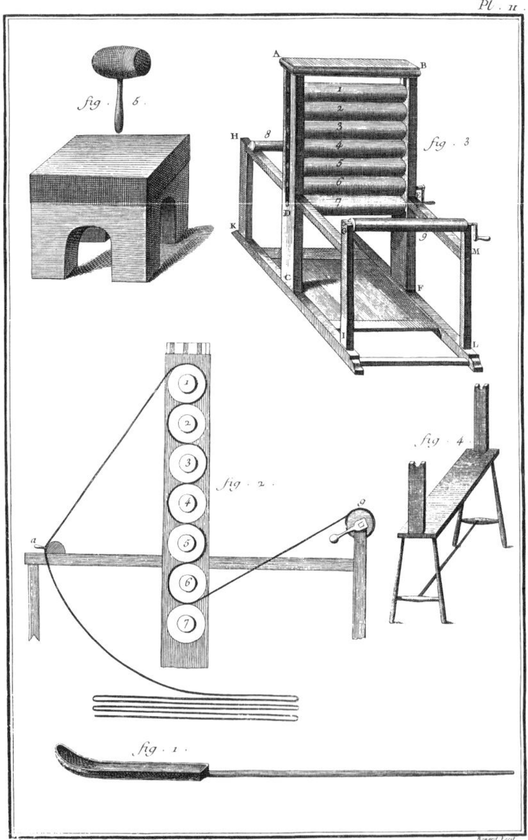

Blanchissage des Toiles.

BLANCHISSAGE DES TOILES

PLANCHE Ière *(page 9)*

Cette planche montre plusieurs ateliers.
Premier atelier. D, E, F, bacs où l'on dépouille la soude et les cendres de leurs sels.
G,H,I, autres bacs où la lessive est reçue chargée des sels dissous, au sortir des bacs D, E, F.
B, autre bac, qu'on appelle bac à brasser, où l'on achève d'épuiser la soude et les cendres de leurs sels.
A, chaudière de fer sous laquelle il y a un fourneau ; cette chaudière se remplit d'eau. On laisse couler de cette chaudière l'eau chaude dans le bac B, pour l'épuisement des sels des matières déposées dans le bac B, au sortir des bacs D, E, F.
C, bac où la lessive passe au sortir du bac B lorsqu'elle est éclaircie.
P, Q, R, S, autres chaudières établies chacune sur un fourneau, d'où la lessive éclaircie du bac C passe par des rigoles.
Y, Y, Y, ouverture des fourneaux qui chauffent les chaudières P, Q, R, S.
K, L, M, N, cuviers placés vis-à-vis des chaudières P, Q, R, S. C'est dans ces cuviers que sont les toiles à blanchir, sur lesquelles on jette la lessive que l'on puise dans les chaudières P, Q, R, S, où elle retourne dans les tuyaux X, qui sont au nombre de deux pour chaque chaudière et chaque cuvier.
Deuxième atelier. a, b, c, d, e, f, g, h, i, j, k, l, m, n, o, p, pré où les toiles sont étendues. Il est coupé de dix toises en dix toises de canaux où l'on a détourné l'eau de la rivière qui les remplit, et qui sert à arroser les toiles étendues.
Troisième atelier au-dessous du pré. Cet atelier est celui que l'on appelle le trottoir.
A, B, C, baquets ou plateaux à savonner les lisières.
D, D, E, E, chantier.
X, X, X, tinette des plateaux.
F, F, écuelles qui tiennent le savon.
G, G, pieds des écuelles.
Fig.I. même Pl. Instrument à égoutter les toiles, appelé chaise.

PLANCHE II.

Fig. I. Ecope à arroser la toile sur le pré.
2. Profil du rouloir, espèce de calende à effacer les plis de la toile.
3. Le rouloir cité *fig* 2. Pl.III., au lieu de *fig.* 3. Pl.II.
4. Porte-rouleau, ou machine à mettre la toile en botte.
5. Mailloir, marbre ou pierre dure et lisse, sur laquelle les toiles en botte sont battues avec des maillets de bois. On voit un de ces maillets au-dessus du mailloir.

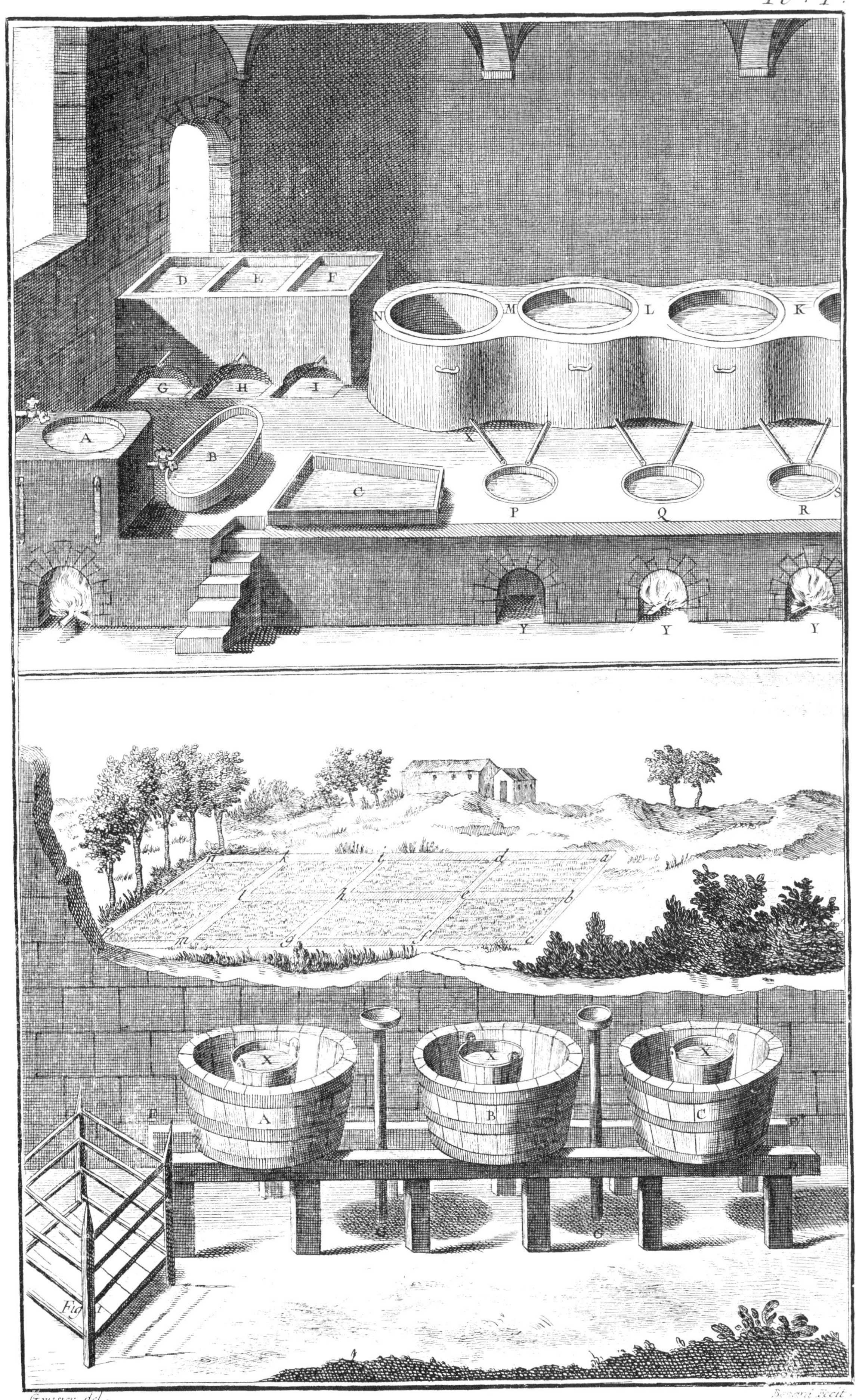

Goussier del.

Benard Fecit.

Blanchissage des Toiles.

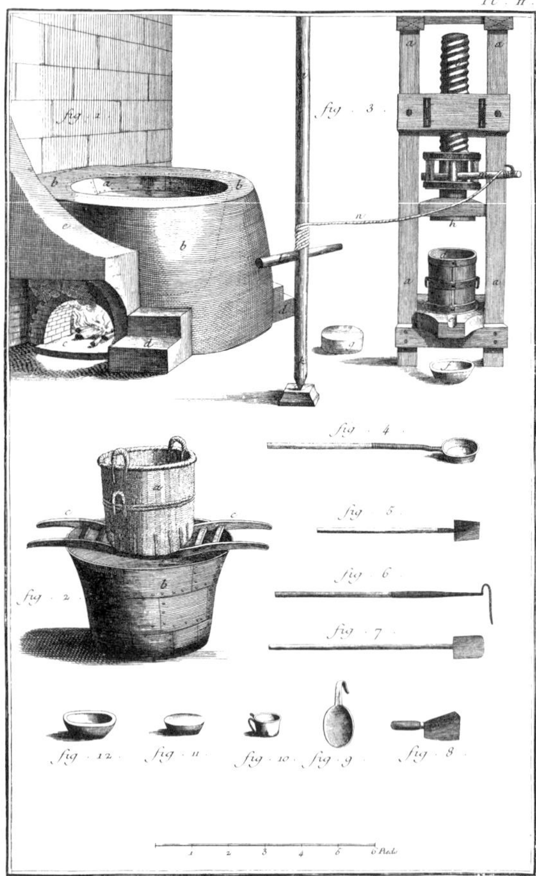

Boucher.

BOUCHER

PLANCHE Ière *(page 11)*

La vignette ou le haut de la planche représente la tuerie.
Fig. I. Bœuf attaché la tête fort basse, par une corde liée à ses cornes, et passée dans un anneau scellé dans la pierre en *a*.
2. Boucher, les bras levés, prêt à assommer le bœuf à coups de merlin.
3. Boucher qui écorche un mouton, après l'avoir égorgé. *b*, poulie pour enlever les bœufs, comme on les voit en *cc*, par le moyen du moulinet *d*.
Bas de la planche.
5. Merlin pour assommer les bœufs.
6. Lancette pour ouvrir la gorge du bœuf.
7. Petit fendoir pour fendre les moutons.
8. Couteau servant à couper les pieds des bœufs, moutons, etc.
9. Hache pour fendre les bœufs, par moitiés et par quartiers.
10. Fendoir à bœufs pour les diviser en petites parties.
11. Soufflet à bœufs et à moutons.
12. Broche qu'on introduit par le bout *a* dans une fente qu'on fait à la peau du ventre du bœuf, pour y introduire ensuite les soufflets.
13. Etou, espèce de chevalet sur lequel on égorge et écorche les moutons et les veaux.
14. Tempe, morceau de bois plat, qui sert à tenir le ventre d'un bœuf, mouton ou veau ouvert, lorsqu'il est suspendu, comme on en voit dans la vignette.
15.*a*, boutique ou étui. *b, b, b,* lancettes et couteaux. *c,* fusil. *d, d,* ceinture de la boutique. *e,* boucle de la ceinture.
16. Croc à bœufs.

PLANCHE II.

Fig. a, chaudière de cuivre, dans laquelle on met les graisses qu'on veut faire fondre. *b, b, b,* massif de plâtre, dans lequel est scellée la chaudière. *c,* bouche du fourneau pratiquée sous la chaudière. *e,* hotte du fourneau. d, degré de pierre pour travailler plus facilement à écumer le suif fondu.
2.*a*, banatte d'osier. On approche cette banatte et la cuve *b* qui est au-dessous de la chaudière *a, fig.* I. et on verse par le moyen d'une puisette toute la graisse fondue dedans. Le suif passe au travers de la banatte, et les cretons restent dedans. *b,* cuve sous la banatte, pour recevoir le suif passé à clair. *cc,* chevalet ou civière pour transporter la banatte près de la presse où l'on exprime les cretons.
3. *a a a a,* presse pour exprimer les cretons. *b,* vis. *c,* lanterne. *d,* seau de fer percé, que l'on emplit de cretons pour être pressés. *e,* rigole qui conduit le suif dans la jatte *f* qui est au-dessous. *g,* noyau de bois, dont le diamètre est plus petit que celui du seau, et dont on charge les cretons. C'est sur ce noyau que la partie *h* porte, lorsqu'on fait descendre la vis. *b* On met autant de noyaux qu'il est nécessaire pour exprimer tout le suif des cretons, à mesure qu'ils s'affaissent. *i k l,* tourniquet de la presse. *m,* boulon de bois qu'on introduit entre les fuseaux de la lanterne pour faire descendre la vis par le moyen de la corde *n* qui se dévide sur l'arbre *i k* du tourniquet qu'un homme fait tourner.
4. Puisette.
5. Ratissoire pour enlever le suif qui peut tomber par terre lorsqu'il est figé.
6. Fourgon pour le fourneau.
7. Aviron, espèce de pelle de bois pour remuer les graisses dans la chaudière du fourneau.
8. Hachoir pour réduire les gros morceaux de graisse en petits, afin qu'ils fondent plus aisément.
9. Ecuelle.
10. Mesure.
11. Pain de suif sorti de la jatte.

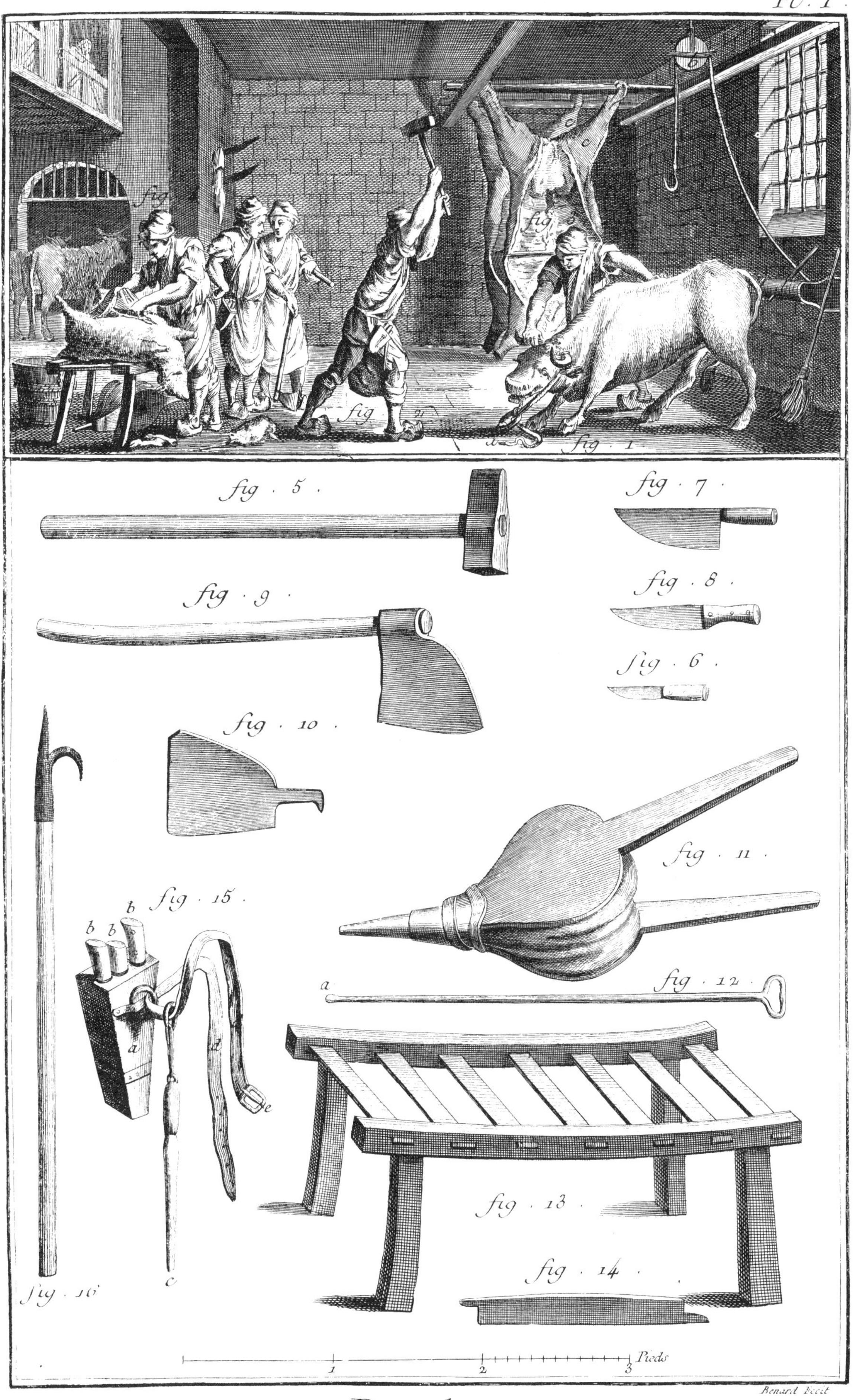

Benard Fecit

Boucher.

BOULANGER

La vignette représente la boutique d'un boulanger, et les différentes opérations pour faire le pain.

Fig.I. Boulanger occupé à pétrir. A, le pétrin. B, la pâte. C, seau plein d'eau.

2. Boulanger qui pèse la pâte.

3 et 4. Deux boulangers occupés à former les pains. D, clayon sur lequel on met les pains ronds dans le four.

5. Le fournier devant son four.

Bas de la planche

I. Le four vu de face. ABCD, bouche du four. FE, plaque qui la ferme. GH, hotte. M, cheminée.

2. Profil du four. Les mêmes lettres désignent les mêmes parties qu'à la *fig*.I.

3. Banneton.

4. Bassin.

5. Coupe-pâte.

6. Rable.

7. n°I. A, bluteau. n°2. AA, profil du bluteau.

8. Ecouvillon.

9. Pétrin.

I0. Pelle de bois à enfourner.

II. Ratissoire.

I2. Pelle de tôle pour retirer la braise.

I3. Râpe.

I4. Couteau à chapeller.

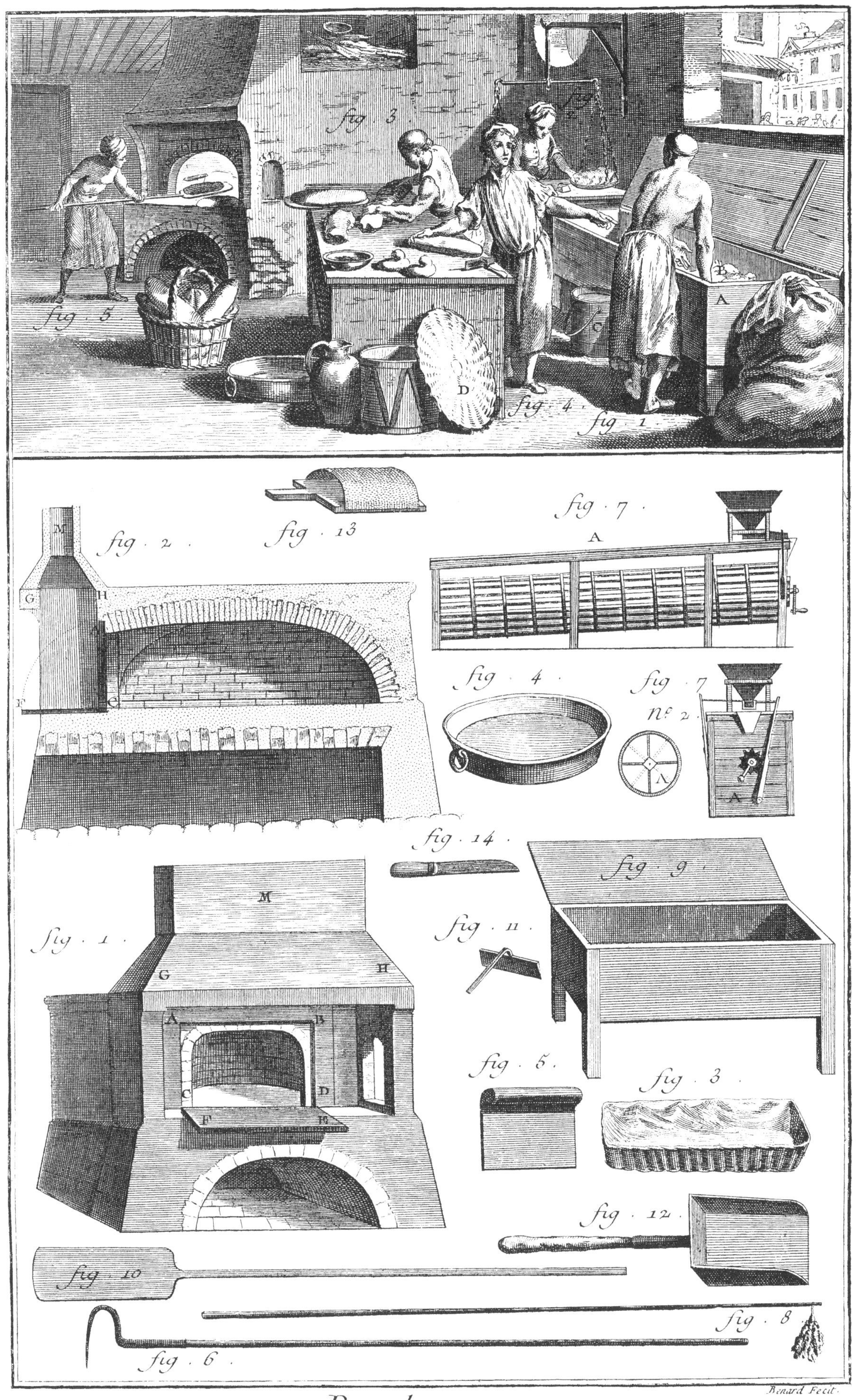

Benard Fecit.

Boulanger.

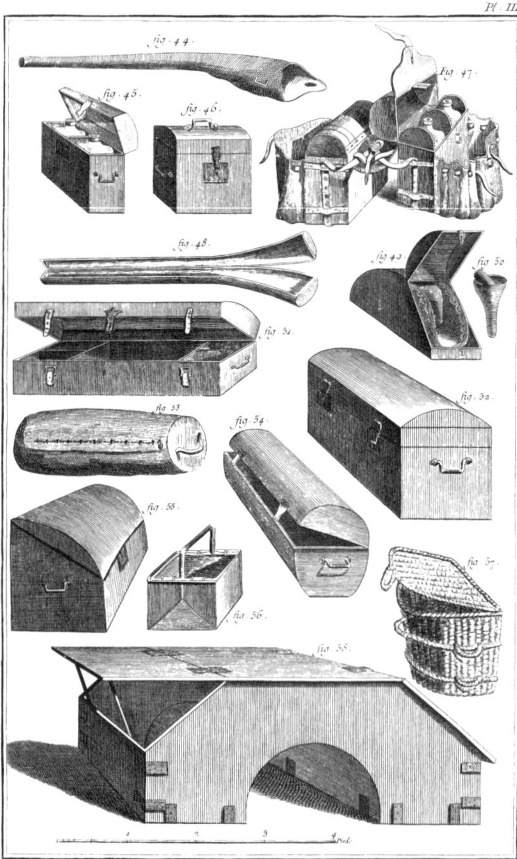

COFFRETIER MALLETIER

PLANCHE Ière *(page 15)*

La vignette représente l'intérieur d'une boutique de ces sortes d'ouvriers, vu du côté de l'entrée. On y voit plusieurs ouvriers occupés à différentes opérations de la profession.

Fig. I. Ouvrier nommé fustier qui assemble les unes avec les autres plusieurs douves qu'il a auparavant passées sur la colombe, et qu'il a gougeonnées. Il tient de la main droite la masse à joindre.

2. Ouvrier qui couvre le fust avec une peau ou un cuir. Il ratisse avec un demi-cercle de bois, pour bien étendre le cuir, et faire sortir le superflu de la colle.

3. Ferreur qui, assis sur la selle, coupe avec les cisailles la tôle dont il forme les équerres et les cantonnières qui fortifient l'assemblage des différents ouvrages de cette profession.

4. Ouvrier qui, de même que les bourreliers, coud certains ouvrages à deux soies passantes.

Bas de la planche.

1. Chasse-clou en perspective et en coupe.
2. Enclume ou petit tas.
3. A, B, C, roinette vue sous différents aspects.
4. Effette.
5. Couteau à hacher le bois, pour y monter les ferrures, etc.
6. A, B, C, Différents emporte-pièces.
7. *a, b, c*, Différentes sortes de poinçons.
8. Vrilles.
9. Compas.
10. Alène.
11. Ciseaux.
12. Pinces à étirer les peaux.
13. Tenailles pour couper les clous.
14. Etau à main.
15. Tas du ferreur.
16. Ciseaux.
17. Masse à joindre.
18. Rape à bois.

PLANCHE III.

Fig. 44. Fourreau de fusil en cuir.
45 et 46. Cantines jumelles.
47. Cantines de camp.
48. Etui de fusil en bois.
49. Etui de chapeau en bois.
50. Fourreau de pistolet.
51. Bahut plat comparti.
52. Bahut commun.
53. Porte-manteau de cuir.
54. Malle.
55. Grande malle pour l'armée.
56. Seau de cuir pour l'armée.
57. Panier de timbales pour l'armée.
58. Ferrandinier pour l'armée. Il sert de table, contient les effets d'un officier, et se charge sur un mulet.

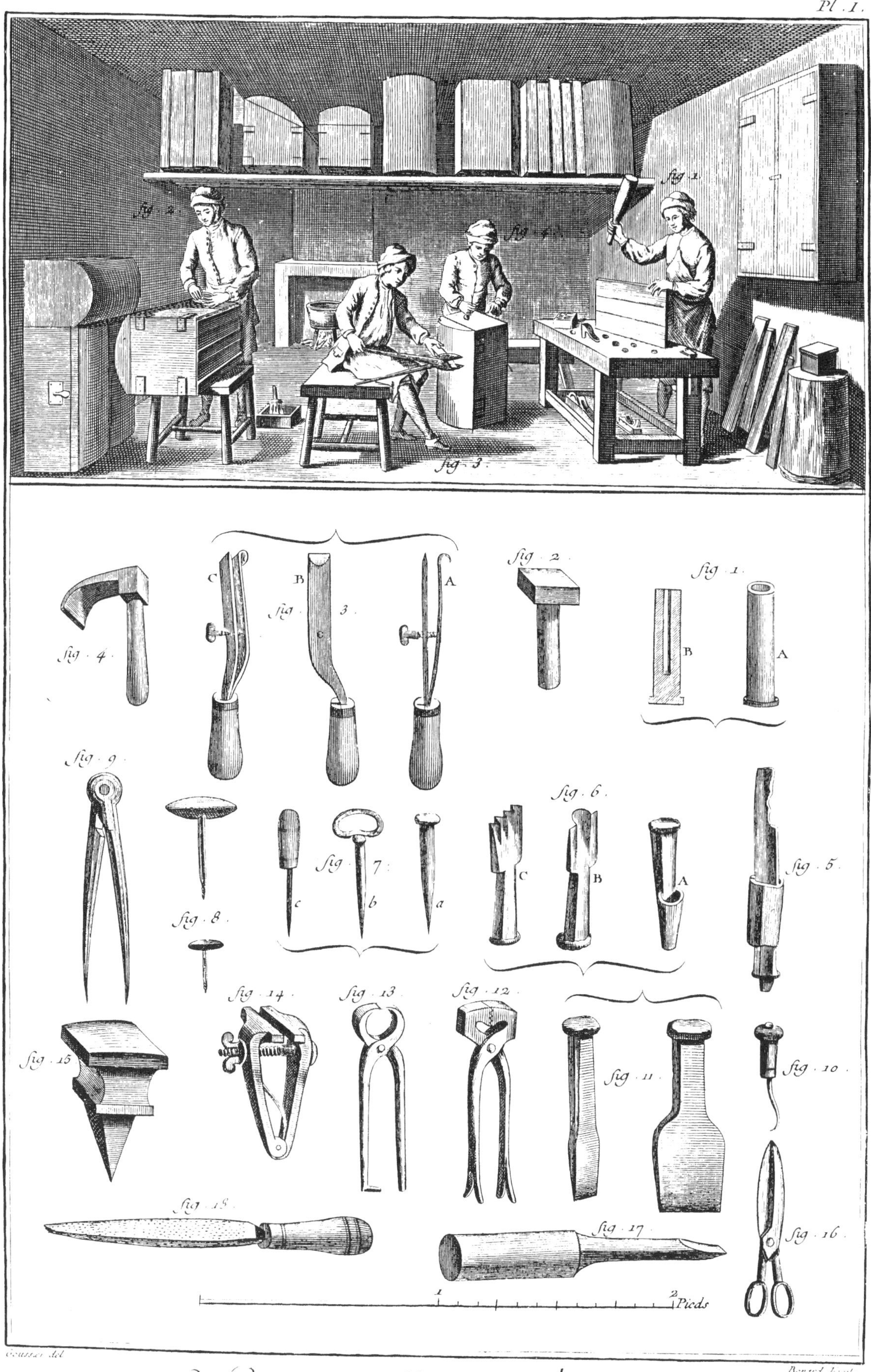

Goussier del. Benard fecit.

Coffretier-Malletier-Bahutier.

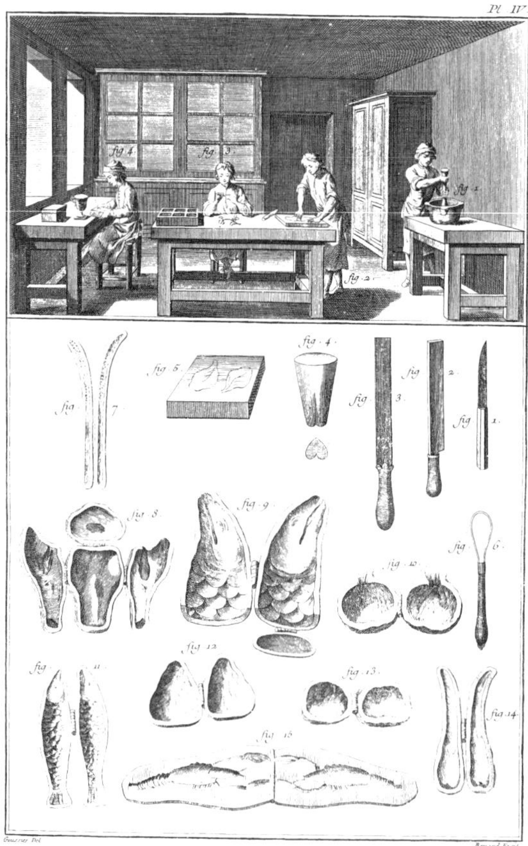
Confiseur, Pastillage et Moulles pour les Glaces.

CONFISEUR

PLANCHE Ière *(page 17)*

La vignette représente l'intérieur d'un premier laboratoire au rez-de-chaussée, où l'on voit un fourneau triple placé sous une hotte de cheminée ; à côté de ce fourneau, un réservoir double de plomb, et sur le pourtour, un grand nombre de tables et de tablettes contre les murs.

Fig. I. Ouvrier qui avec la fourchette charge des fruits candis sur les grilles du moule à candi. 2. Ouvrier qui travaille au fourneau à praliner en blanc ou en rouge.

Bas de la planche.

1. Egouttoir. Cet ustensile d'office est de cuivre rouge, de grandeur d'un plat, et percé comme une écumoire. Il faudrait bannir le cuivre de tous les arts où l'on traite des substances acides, ou qui tendent à l'acidité, en séjournant dans les vaisseaux, comme le lait. J'ai ouï dire que les cafetiers empêchaient leur lait de tourner en été, en le tenant dans le cuivre. L'acide agît sur les parois du vaisseau, forme avec le cuivre un sel neutre, et le reste de la masse du lait se conserve non tournée ; mais cette précaution n'est pas moins pernicieuse que celle des marchands de vin, qui ramassent les égouttures de leur vin sur des comptoirs doublés de plomb, dont la dissolution les litargirise et empoisonne. 2. Ecumoire. Elle est aussi de cuivre. 3. Spatule. 4. Spatule carrée. 5. Grilles du moule à candi. Il y en a de différentes grandeurs. Elles sont faites de fil de laiton ; il vaudrait mieux qu'elles fussent de tout autre métal, excepté de plomb. Les grandes servent pour le tirage ; on y met les fruits pour les égoutter de l'excès de sucre. Les petites se placent les unes sur les autres dans leur moule ; les fruits à candir sont entre deux. Les grilles empêchent qu'ils ne s'attachent en candissant. 6. Moule à candi. 7. Chauffe à filtrer et à clarifier. Cette opération se fait dans la vignette, derrière la *fig*.I. 8. Chassis. C'est un cadre de bois qui porte à chaque angle un crochet de fer. On y attache une étamine ; on pose le cadre sur un vaisseau qui reçoit la liqueur clarifiée à travers l'étamine. 9. Poêle de cuivre à différents usages. 10. Chevrette ou support de la poêle, fig.*c*. Par ce moyen la poêle assez éloignée du fourneau laisse à l'air un accès plus libre. 11, 12, 13. Fourneau triple. On le voit à la partie 11 garni de la chevrette ; à la partie 12, sans chevrette, et à la partie 13, sa partie antérieure abattue, pour montrer la grille et le cendrier.

PLANCHE IV

La vignette représente l'intérieur d'un quatrième laboratoire, où différents ouvriers sont occupés aux opérations du pastillage.

Fig. I. Ouvrier qui pile dans un mortier de marbre la gomme adragante. 2. Ouvrier qui découpe des fleurs dans une abaisse de pastillage qu'il a formée au moyen d'un rouleau, sur le marbre placé devant lui. 3. Ouvrier qui assemble les feuilles d'une fleur. La boîte qui est à côté de lui contient des pâtes de différentes couleurs. 4. Ouvrier qui moule l'anse d'un vase de pastillage. Le pastillage est une pâte de sucre, qui se prépare comme on dira à l'article Pastillage, dont on fait toutes sortes de représentations et d'ornements, et qui employé se sèche à l'étuve. Les Italiens appelent pasteca, pastèque, ce que nous nommons pastillage.

Bas de la planche.

Fig. I, 2, 3. Couteaux d'office. I. Couteau à tourner. 2. Couteau à bâtonnage. 3. Couteau à pâte. Le couteau à tourner a le taillant droit ; sa longueur est de deux pouces. La lame du couteau à pâte est comme une règle mince des deux côtés. Tourner est la même chose que cerner. Le bâtonnage est une abaisse de pastillage de l'épaisseur d'une ligne, coupée en petits bâtons, et séchée à l'étuve sur des feuilles de cuivre saupoudrées d'amidon. Le bâtonnage ne doit être ni gercé ni raboteux. On fera aussi du bâtonnage avec des pâtes de coings, de pommes, d'angélique confite etc. 4. Découpoir, et sous cet outil son empreinte ; il est de fer-blanc. Il y en a autant de figures que l'on veut. Ses bords sont tranchants, ce sont des emporte-pièces, ou plutôt coupe pâte. 5. Nervoir. Espèce d'estampoir pour donner aux pastillages les nervures des feuilles. Les figures suivantes sont de la manière de faire les fruits glacés, et doivent se rapporter à la suite des figures de la *Planche II*. 6. Houlette. Elle est de fer blanc ; elle en a la forme. Elle sert à travailler les neiges dans les sarbotières. 7. Moule d'asperge. 8. Moule de hure de sanglier.9. Moule de hure de saumon.

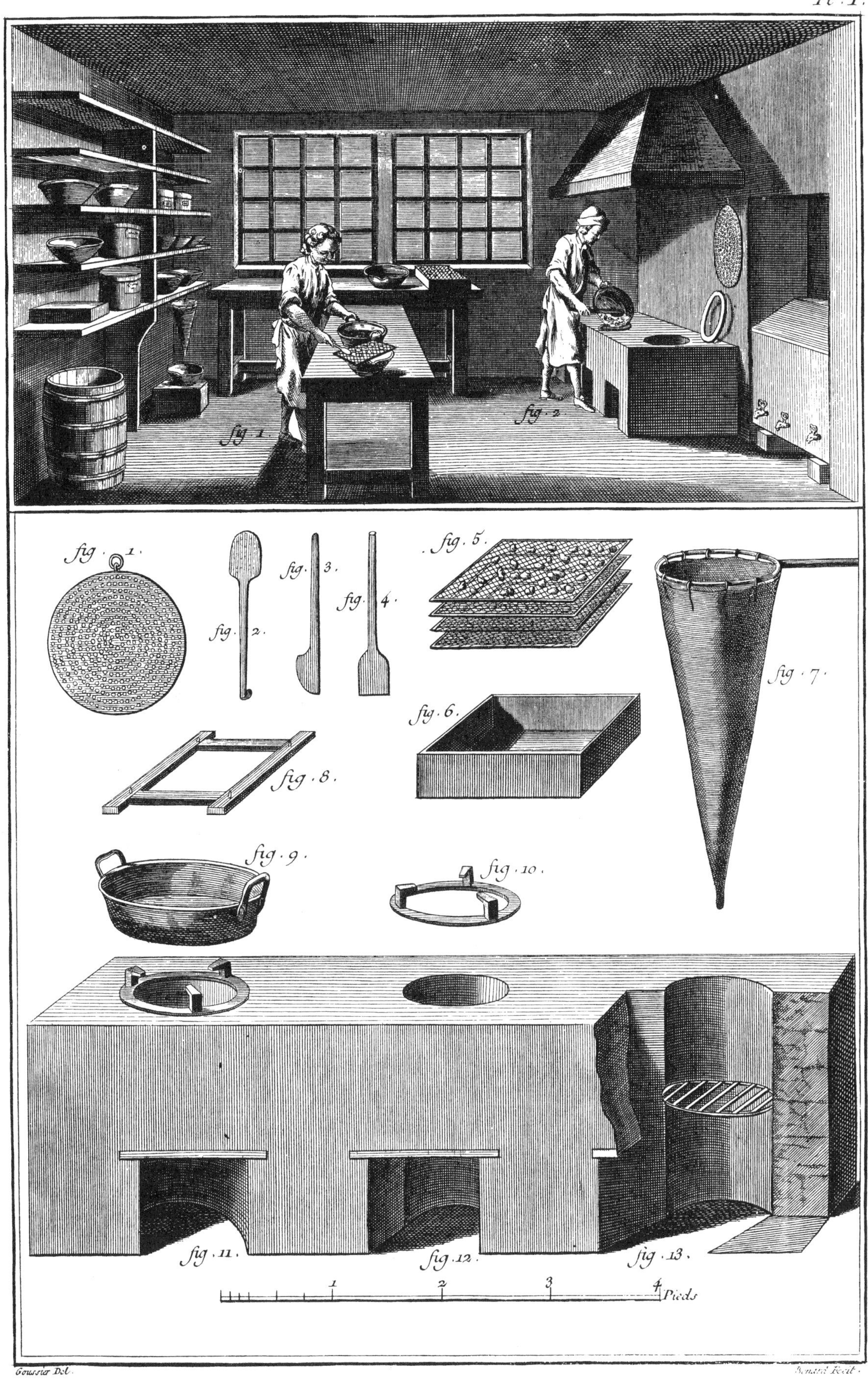

Goussier Del.

Benard Fecit.

Confiseur, Confiture Fourneau.

PLANCHE V.

La vignette montre l'intérieur d'un cinquième laboratoire au rez-de-chaussée, comme les autres, où l'on fabrique le chocolat. *Fig*.I. Ouvrier qui brûle ou torréfie du cacao dans une chaudière de fer, sur un fourneau semblable à celui de la Pl. I. 2. Ouvrier qui vanne les amandes. 3. Ouvrier qui les pile dans un mortier de fer qu'on a échauffé auparavant, et sous lequel l'on tient du feu. 4. Ouvrier qui broie le chocolat sur une pierre dure échauffée, avec un rouleau de fer. Le chocolat est une pâte dure, sèche, assez pesante, formée en pain ou en rouleau, d'une couleur brune rougeâtre. Pour la faire, il faut avoir du meilleur cacao ; le torréfier, séparer des amandes tout ce qui n'est pas leur chair ; les éplucher soigneusement de ce qu'il y a de gâté ou rance ; les torréfier derechef ; les piler sèches dans un mortier chaud, les écraser, les broyer sur une pierre dure ; les mettre en pâte bien douce ; ajouter un peu de sucre ; et cela s'appellera *le chocolat de Santé.* L'autre chocolat est vanillé. Pour le vaniller, on prend quatre livres de chocolat de santé qu'on remet sur la pierre chaude ; on y incorpore au rouleau trois livres de sucre fin ; on broie, on ajoute une poudre faite de dix-huit gousses de vanille, d'une drachme et demie de cannelle, de huit clous de girofle, et deux grains d'ambre-gris, si l'on veut. Le tout bien et laborieusement mélangé, on le mettra ou en tablettes ou en pains, qu'on fera sécher et durcir à l'étuve sur du papier blanc. Il faut que la pâte soit bien lisse, avant que de la vaniller, et observer de ne la tenir que très peu de temps vanillée sur la pierre chaude.

Bas de la Planche.

Fig. I. Chaudière à torréfier le cacao.

2. Spatule à remuer le cacao dans la chaudière.

3. Table à broyer, avec la pierre dessus, et la poêle à feu dessous.

4. Le rouleau avec ses deux poignées de bois.

Les figures suivantes sont relatives à la manière de glacer les fromages. Voyez les articles GLACES et NEIGE.

5. Moule à fromage.

6. Moule du fromage parmesan.

7. Moule du fromage à la Gentilli.

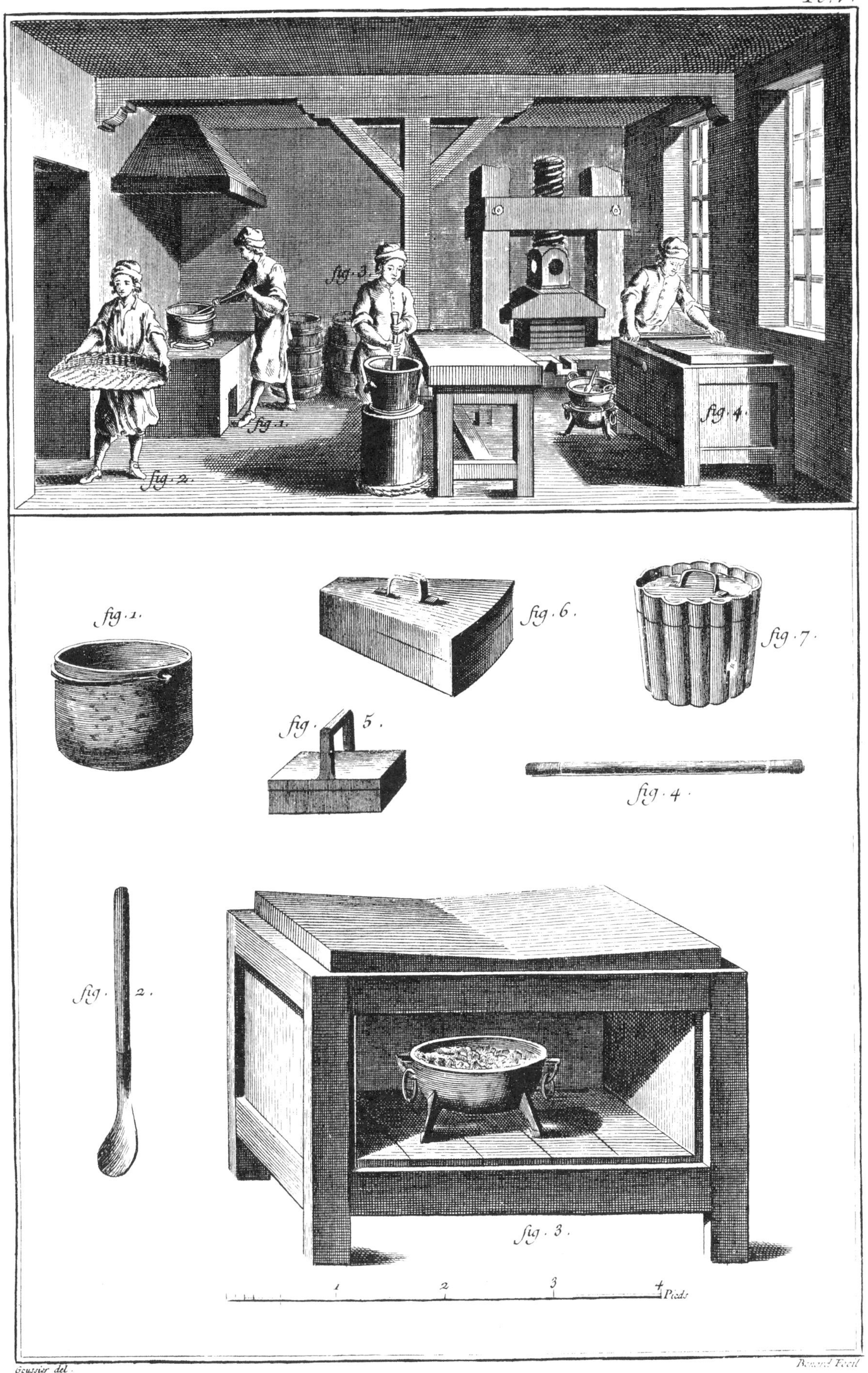

Goussier del. Benard Fecit

Confiseur, Chocolat et Moules pour les Fromages.

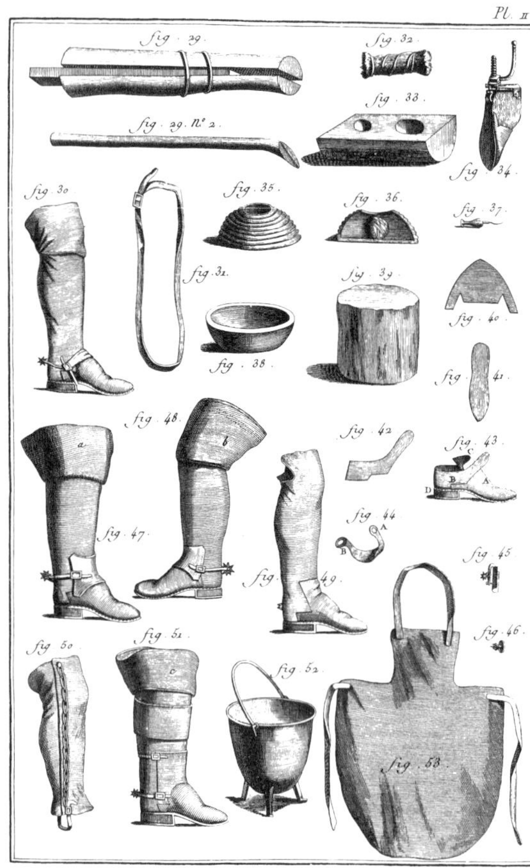

Cordonnier et Bottier.

CORDONNIER, BOTTIER

PLANCHE Ière. *(page 21)*

La vignette ou le haut de la Planche représente la boutique d'un cordonnier.

Fig. I. Cordonnier qui prend mesure.
2. Ouvrier qui cherche la forme qui convient.
3. Ouvrier qui coud une semelle.
4. Ouvrier qui enforme un botte.
5, 6. Deux compagnons.
7. Un savetier sous son échoppe.
a, b, c, rangs de différentes formes.
d, formes de bottes.
e, e, bottes toutes faites.
f, mesures.
g, patron d'empeigne.
h, table chargée de différents outils.

Bas de la Planche.

Fig. I. Pince.
2. Tenaille.
3. Chausse-pied anglais.
4. Range trépointe de derrière.
5. Bésaigue ou buis.
6, 6. Tranchets.
7. Botte renvoyée à la *fig.* 48 de la seconde Planche.
8. n. I. Astic de buis.
8. n. 2. Couteau à pied.
9. Astic d'os.
10. Clou à trois têtes.
11. Clou à deux têtes.
12. Clou à monter.
13. Clou d'épingle.
14. Compas ou mesure.
15. Carrelet.
16. Marteau.
17. Claques d'homme.
18. Claques de femme.
19. Range-couture anglais.
20. Tranchet à ficher.
21. Etoile.
22, 23, 24, 25, 26, 27. A, B, C, D, E, F, alênes à l'anglaise.
28. n° I. Forme à monter.
28. n° 2. Forme brisée.
28. n° 3. Autre forme brisée.

PLANCHE II.

Fig. 29. n° I. Embauchoir.
29. n° 2. Clé de l'embauchoir.
30. Bottines.
31. Tirepied.
32. Gipon.
33. Buisse.
34. Tendoir monté.
35. Caillebotin.
36. Coupe du caillebotin avec sa pelote de fil.
37. Petite alêne à l'usage du bottier.
38. Sibille à tremper les semelles.
39. Billot à battre les semelles.
40. Empeigne.
41. Semelle.
42. Quartier.
43. Soulier. A, l'empeigne. B, le quartier. C, coup de pied ou oreille. D, talon.
44. Manique. A, B, ses trous.
45. Eperon anglais.
46. Eperon à la housarde.
47. Botte forte. *a,* chaudron.
48. Botte de chasse ou de cour. *b,* genouillère.
49. Botte à la housarde.
50. Botte à passant ou à la dragonne.
51. Botte de courrier à bonnet. *c,* genouillère.
52. Marmite au noir.
53. Tablier.

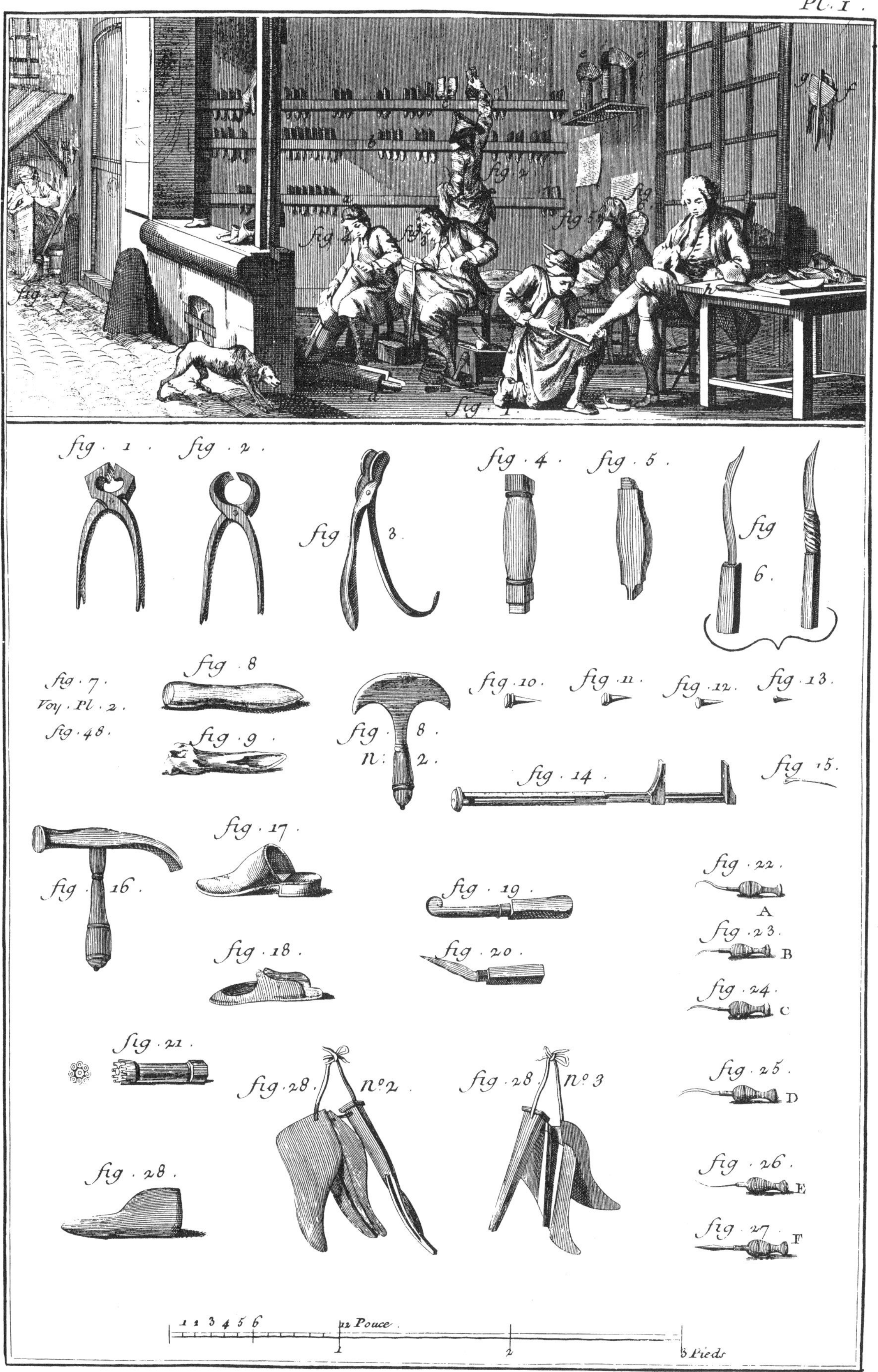

Benard Fecit.

Cordonnier et Bottier.

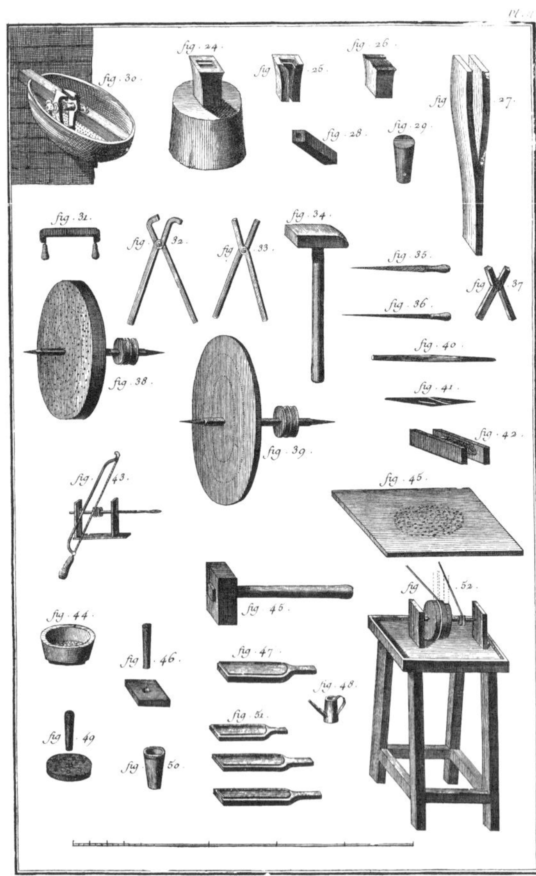

Coutelier,

COUTELIER

PLANCHE Ière. *(page 23)*

La vignette ou le haut de la Planche montre la boutique d'un coutelier de Paris.

Fig. I. Forge. 2. Ouvrier sur la planche qui polit ou émoud. 3. Ouvrier qui repasse un rasoir sur la pierre. 4. Ouvrier qui fore à l'arçon. 5. Ouvrier qui lime. 6. La maîtresse qui range de l'ouvrage. 7. Tourneur de roue. *a,* l'enclume avec son billot et le marteau. 8, polissoire.

Bas de la planche.

Fig. I. Foret avec son archet et sa plaque. 2. Tourne-vis. 3. Pierre douce d'Allemagne. 4. Tenailles. 5. Etau à main. 6. Pince plate. 7. Pince ronde. 8. Scie. 9. Brunissoir. 10. Marteau de forge. 11. Marteau à dresser. 12. Lime à couteau. 13. Pierre à affiler les rasoirs. 14. Cuir à repasser. 15. Marteau d'établi. 16. Enclume d'établi. 17. Poinçon. 18. Ciseau. 19. Lime plate. 20. Grand étau. 21. Enclume. 22. Polissoire. 23. La meule avec son équipage. A, la roue. B, la manivelle. C, la corde. D, la planche. E, la meule. F, la poulie. G, l'auge.

PLANCHE II.

24. Tas ; il doit être de fer travaillé au-dedans, comme on le voit par le profil, *fig.*25. Cet outil sert à relever les mitres des couteaux. 25. Profil du tas, et sa construction intérieure. 26. Autre tas ; il doit aussi être de fer, et sert à évider les rasoirs. 27. Mordache ; c'est une espèce de pince faite d'un morceau de bois, dont on se sert pour ne pas gâter l'ouvrage en le finissant. 28. Chasse ; elle doit être de fer percé au-dedans d'outre en outre par un trou rond, elle sert à retirer les mitres des couteaux. 29. Troisième tas de fer ; il sert à redresser les lames de couteaux. 30. Poche de cuir, soutenue par une traverse de bois, scellée dans le mur, et embassant un étau ; elle sert à ramasser la limaille des métaux précieux. 31. Planne ; elle sert à couper le bois et la corne. 32. Tenailles courbes pour la forge. 33. Tenailles droites. 34. Marteau à frapper devant. 35. Limes servant à limer les couteaux, ciseaux, rasoirs, canifs, et autres instruments ; les autres limes vont toujours en diminuant. 36. Queue de rat ; elle sert à limiter les anneaux des ciseaux. 37. Tenailles en bois, servant à tenir les lames de couteaux, lorsqu'il faut les émoudre. 38. Meule à émoudre les lames de couteaux. Il y en a de différentes hauteurs. 39. Polissoir ou meule de bois de noyer, propre à polir les couteaux. Les polissoirs des plus petits diamètres servent à polir les rasoirs, canifs et ciseaux. 40. Mandrin pour les viroles des couteaux, soit en or ou en argent. Cet outil doit être ovallé d'un bout, et à huit côtés de l'autre bout. 41. Gratteau d'acier trempé ; il sert à gratter l'acier non trempé, les manches des canifs, couteaux et rasoirs. 42. Deux plaques de fer à dresser de la corne pour les manches de couteaux à ressort et à gaine. 43. Chevalet de fer, avec son foret. 44. Boîte de bois, pour le ciment à cimenter les couteaux, canifs et grattoirs. 45. Plaque de fer, avec sa masse, servant à broyer l'émeri. 46. Tas ou plaque, avec son poinçon de fer, pour percer les petits ouvrages. 47. Bois couverts de bufle, pour frotter les viroles d'argent. 48. Borasseau, boîte de cuivre contenant le borax à souder. 49. Plomb et rosetier d'acier à couper les rosettes. 50. Boîte à émeri. 51. Trois différentes pierres à repasser les lancettes. 52. Tour à lancettes. Voyez, pour l'art et ses détails *l'art.* COUTELIER et autres, dans les Volumes publiés.

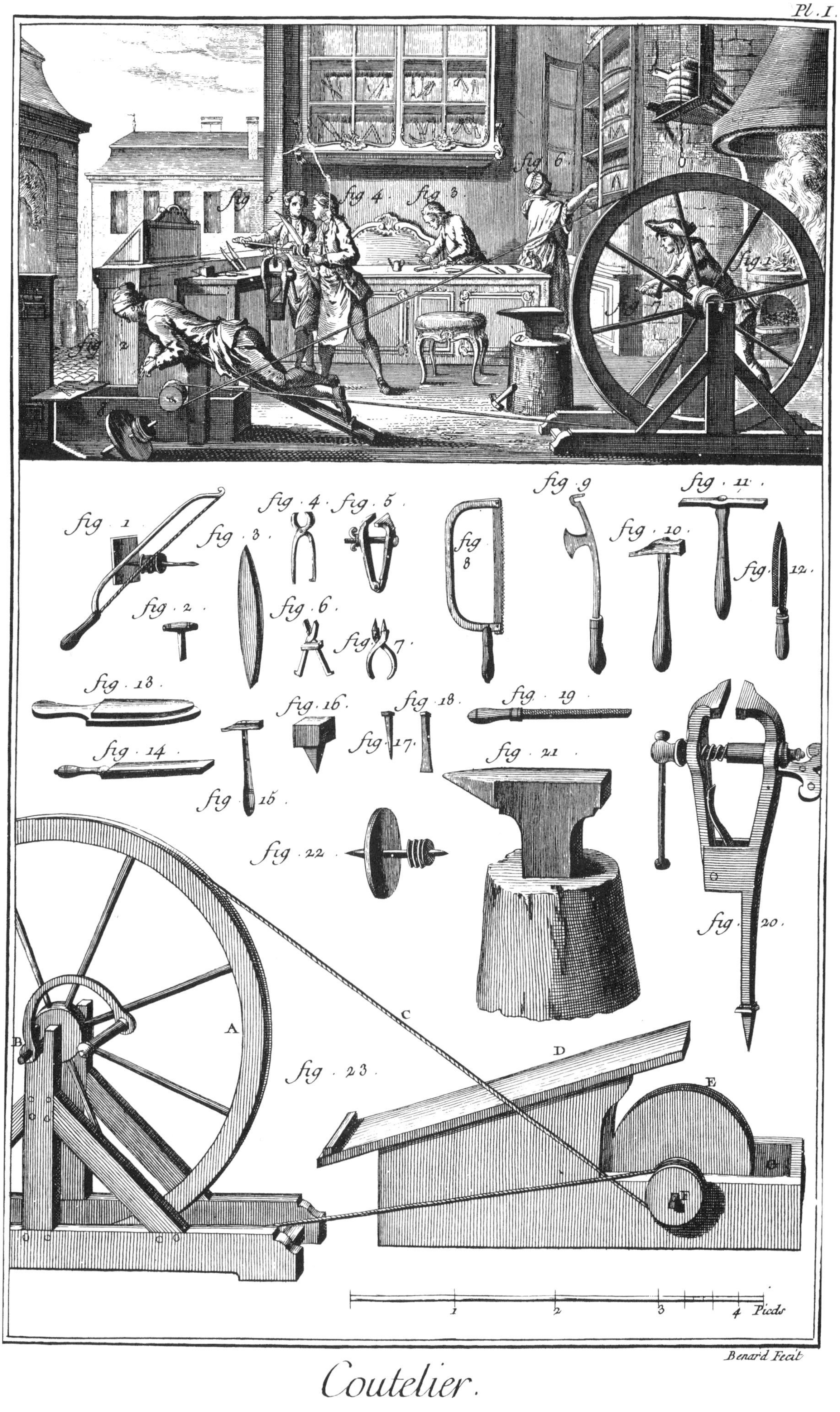

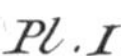

fig. 6
fig. 5
fig. 4
fig. 3
fig. 1
fig. 2
a
fig. 1
fig. 2
fig. 3
fig. 4
fig. 5
fig. 6
fig. 7
fig. 8
fig. 9
fig. 10
fig. 11
fig. 12
fig. 13
fig. 14
fig. 15
fig. 16
fig. 17
fig. 18
fig. 19
fig. 20
fig. 21
fig. 22
fig. 23
A
B
C
D
E
F
G
1
2
3
4 Pieds

Benard Fecit

Coutelier.

DOREUR SUR CUIR

Figure I. Ouvrier qui amollit les peaux.
2. Ouvrier qui corroie les peaux. A, tas de peaux battues.
3. Ouvrier occupé à détirer les peaux.
4. Ouvrier qui taille une peau en se réglant sur un châssis de la grandeur de la planche qui doit servir à l'imprimer.
5. Ouvrier qui étend les peaux.
6. Ouvrier qui vernit.
7. Ouvrier qui étend le vernis que celui de la figure précédente a appliqué sur le cuir, en traçant, avec sa main, plusieurs lignes courbes à quelque distance les unes des autres.
8. Ouvrier qui frappe à petits coups sur le vernis pour qu'il s'imbibe mieux avec les feuilles d'argent.
9. Ouvrier qui enlève, avec un petit couteau, le vernis dans les parties du cuir doré qui doivent rester en argent.
10. Ouvrier qui nettoie avec un linge les endroits d'où il a enlevé le vernis, afin que l'argent paraisse sans altération. B, planches sur lesquelles sont clouées des cuirs vernissés, et que l'on expose au soleil, afin qu'ils sèchent plus promptement. C, pierre sur laquelle on escarne les cuirs. D, croix, instrument servant à porter les cuirs et à les étendre sur les cordes pour les faire sécher. EE,F, ressort semblable à celui dont on se sert pour polir les glaces, pour lisser les cartes à jouer, et regardé par M. Fougeroux de Bondaroy comme plus avantageux à employer que le brunissoir, *fig*.6 et 7, du *Dict. rais. des Sciences*, etc. G, comme on a perfectionné la presse à imprimer les cuirs, on a substitué à la place des deux jumelles qui forment les côtés de la presse que l'on voit dans la vignette de la planche du doreur sur cuivre dans le *Dict. rais. des Sciences*, etc. le montant qui est ici représenté. H, I, K, dans l'ouverture que l'on aperçoit dans la partie moyenne du montant G, on met les deux coussinets I, K, et on y ajoute plusieurs feuilles de carton H, pour rendre la pression plus moelleuse. On peut voir dans *L'Art de travailler les cuirs dorés*, par M. Fougeroux de Bondaroy, l'explication de cette presse, et des changements qu'elle a éprouvés. I, M, deux espèces de galoches nécessaires pour le service de la presse.

Doreur sur Cuir.

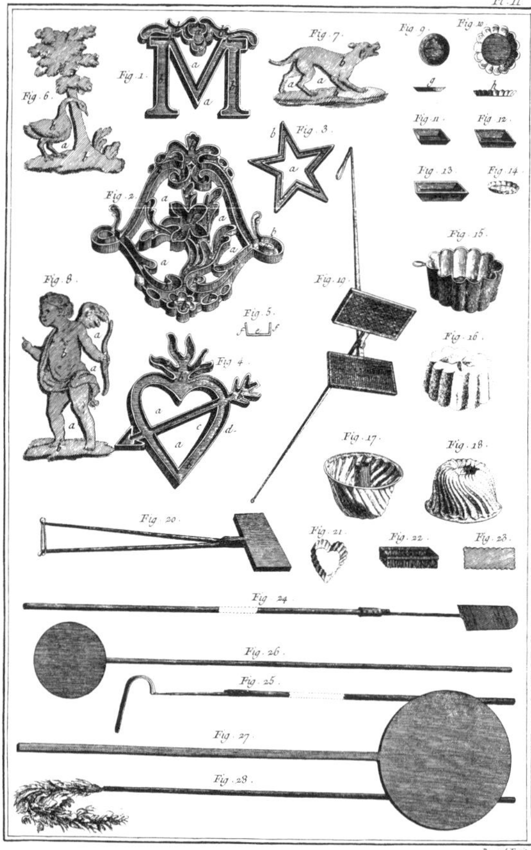

Patissier, Tourtieres, Moules, Gaufrier, Peles &c.

PÂTISSIER

PLANCHE Ière. *(page 27)*

La vignette représente la boutique d'un pâtissier.

Fig. I. Représente un homme qui pétrit. 2. Autre qui forme un pâté. 3. Jeune homme qui fouette des blancs d'œufs pour les biscuits. 4. Homme qui enfourne. 5. Autres employés à des ouvrages de pâtisserie. 6. Cheminée où l'on voit une chaudière sur le feu, servant à faire les échaudes et à d'autres usages. 7. Le coffre à farine dont la table est amovible et sert à former la pâtisserie. 8. Billot. 9. Ouvrier tenant une manne remplie d'échaudés.

Bas de la Planche.

Fig. I. Plafond de tôle ou de cuivre sur lequel on pose les menues pâtisseries pour les mettre au four. 2. Tourtière vue par-dedans. 3. Tourtière vue de profil. 4. Couvercle de tourtière vu en-dessus. 5. Tourtière. 6. Mortier de marbre blanc. *a*, le billot du mortier. 7. Pilon de buis. 8. Bassine de cuivre pour battre les blancs d'œufs et les amalgamer avec la pâte dont on fait le biscuit. *b c*, spatule pour amalgamer la pâte des biscuits avec les blancs d'œufs. 9. Poêle à confitures. 10. Verge pour fouetter les blancs d'œufs. 11. Tour à pâte sur lequel on pétrit. *d*, la table, *e*, tas de farine. *f*, morceau de pâte sur lequel le rouleau a passé. *g*, rouleau de buis. *h*, pot d'étain nommé mouilloir. 12. Petit pinceau nommé doroir. 13. Hache pour fendre le bois. 14. Gratte-pâte. 15. Ratissoire pour nettoyer la table du tour à pâte. 16. Hachoir pour hacher les viandes qu'on emploie dans les pâtisseries. 17. Couperet. 18. Tamis pour passer les jus et coulis.

PLANCHE II

Tourtières, Moules, Gaufrier, Pelles, etc.

Fig. I. 2. 3. et 4. sont des moules de fer-blanc pour exécuter des pièces en pâte de gâteau d'amande, ou en pâte de biscuit ; les parties *a a a a*, indiquent les cellules ou canaux du moule dans lesquels on coule la pâte préparée. Ces cellules ont un fond et deux rebords ; c'est dans ces moules que les pièces qu'on y a coulées se mettent cuire au four. 5. Le profil ou coupe tranversale d'un des canaux du moule, prise sur la ligne *c, d*, de la figure 4. *e*, le fond. *f, f*, ses rebords. C'est toujours le fond *e* qui donne à l'objet qui en sort la fatigue la plus conforme à la chose qu'on a voulu représenter. 6. 7. et 8. Sont des pièces de gâteau d'amande ou de pâte de biscuit qu'on a représentées sorties de leur moule ; les parties *a, a, a, a*, sont vides, et les parties *b, b, b*, etc. sont les objets en pâte qui étaient contenus dans les cellules ou canaux du moule. Les pâtissiers qui sont assortis ont des moules variés à l'infini, ils peuvent exécuter des arbres, des animaux, des figures, des bâtiments, etc. mais comme la difficulté de bien rendre tous ces objets dépend de la perfection du moule et de l'art du ferblantier qui les fait, il arrive toujours que la connaissance du dessin et de l'architecture étant fort rarement du ressort de la ferblanterie, que ces moules sont de mauvais goût et de mauvaises proportions, et les figures qui en sortent ridiculement dessinées ; ce que les pâtissiers éxécutent le mieux dans ce genre sont les lettres initiales d'un nom, comme un M , un F, un L, etc. des cœurs et des étoiles ; ainsi on s'est contenté en donnant les *Fig*.6. 7. et 8. d'indiquer ce que l'on pourrait faire dans les différents genres avec de bons moules. 9. Petite tourtière pour les pâtes au jus. *g*, son profil. 10. Tourtière ronde goudronnée. *h*, son profil. 11, 12, 13, 14, Moules à biscuit de différents prix ; c'est dans ces moules que les biscuits se mettent au four. 15. Moule de fer-blanc nommé bastion, pour éxécuter une pièce en pâte de gâteau d'amande, ou en pâte de biscuit. 16. Le bastion sorti de son moule. 17. Moule de bonnet de Turc. 18. Bonnet de Turc sorti du moule, fait en pâte de biscuit ou en gâteau d'amande. 19. Gauffrier ouvert. 20. Gauffrier fermé. 21. Coupe-pâte de fer-blanc, en forme de cœur. 22. Autre coupe-pâte de fer-blanc. 23. Le même vu en-dessus. 24. Pelle à enfourner les menues pâtisseries ; le manche est de bois et la pelle de fer. 25. Fourgon ; c'est un crochet de fer à ranger le feu dans le four ; le manche est de bois. 26. et 27. Pelles de bois de différentes grandeurs, pour enfourner les pains à bénir. 28. Ecouvillon ; c'est une espèce d'assemblage de vieilles cordes effilées et de vieux chiffons, emmanchés au bout d'un bâton, servant à nettoyer le four.

Benard Fecit.

Patissier, Tour à Pâte, Bassines, Mortier &c.

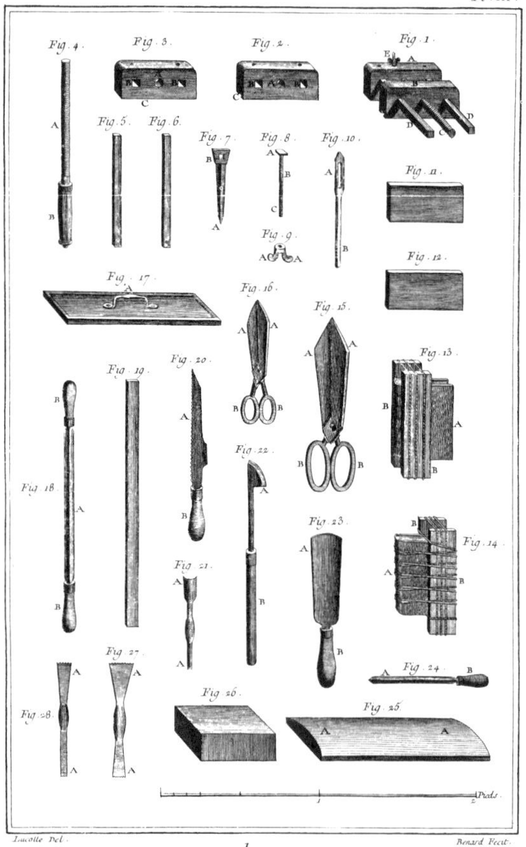

Relieur

RELIEUR

PLANCHE Ière. *(page 29)*

Le haut de cette Planche représente un atelier de relieur, où plusieurs ouvriers sont occupés, l'un en *a*, à battre les reliures ; une ouvrière en *b*, appelée couseuse ou brocheuse, à coudre ou brocher un livre ; un autre ouvrier en *c*, à couper la tranche sur la presse ; un autre en *d*, à serrer la grande presse : le reste de l'atelier est employé à divers ouvrages de reliure.

Fig. I. Marbre à battre. A, le marbre. B, le billot.
2. Billot du marbre à battre. AA, l'entaille.
3. Marteau à battre. A, la tête acérée. B, le manche.
4. Table à brocher. AA, le dessus de la table. BB, la mortaise. CC, les pieds. DD, les vis du cousoir. E, la barre. FF, les fils.
5. et 6. Pelotes de fil à coudre les livres.
7. La barre du cousoir. A, la partie arrondie. BB, les écrous.
8. et 9. Figure du cousoir. AA, les vis. BB, les pivots.
10. et 11. Les viroles des vis du cousoir.
12. Temploie. AA, les échancrures.

PLANCHE III.

Fig. I. Fût de la presse. A, le sabot de devant. B, le sabot de derrière. C, la vis. DD ; les conduits. E, le boulon du couteau.
2. Sabot de derrière. A, le trou de l'écrou. BB, les trous de conduite. C, l'échancrure à traîner.
3. Sabot de devant . A, le trou de la vis. BB, les trous des conduits. C, l'entaille du couteau.
4. Vis. A, la vis. B, le manche.
5. et 6. Conduits.
7. Couteau à rogner. A, la pointe tranchante. B, l'œil.
8. Boulon du couteau à rogner. A, la tête. B, la tige. C, la vis.
9. Ecrou du boulon. AA, les oreilles.
10. Clé de l'écrou du boulon. A, l'œil. B, le manche.
11. et 12. Ais à endosser ou à fouetter.
13. Livre endossé. A, le livre, BB, les ais.
14. Livre fouetté. A, le livre. BB, les ais.
15. Forces. AA, les taillants. BB, les anneaux.
16. Ciseaux. AA, les taillants. BB, les anneaux.
17. Règle à couper le carton entier. A, la main.
18. Couteau à parer les peaux. A, le couteau. BB, les manches.
19. Règle ou tringle à rabaisser.
20. Scie appellée grecque. A, la scie. B, le manche.
21. Grattoir. AA, les taillants.
22. Fer à polir. A, le fer. B, le manche.
23. Couteau à parer. A, le taillant. B, le manche.
24. Pointe. A, la pointe. B, le manche.
25. Douve ou planche à ratisser les peaux. AA, la partie convexe.
26. Pierre à parer.
27. et 28. Frottoir. AA, etc. les dents.

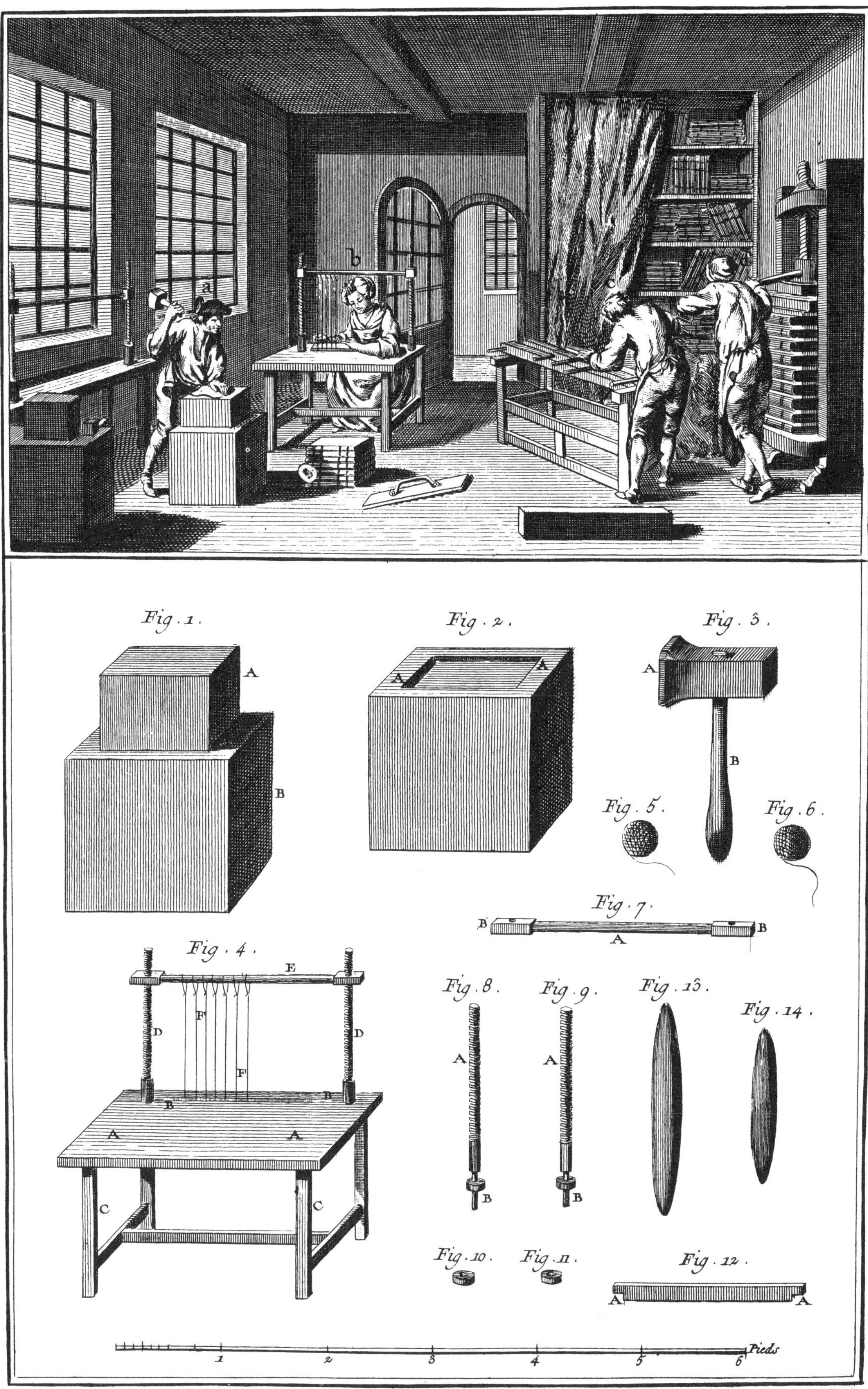

Lucotte Del.

Benard Fecit.

Relieur.

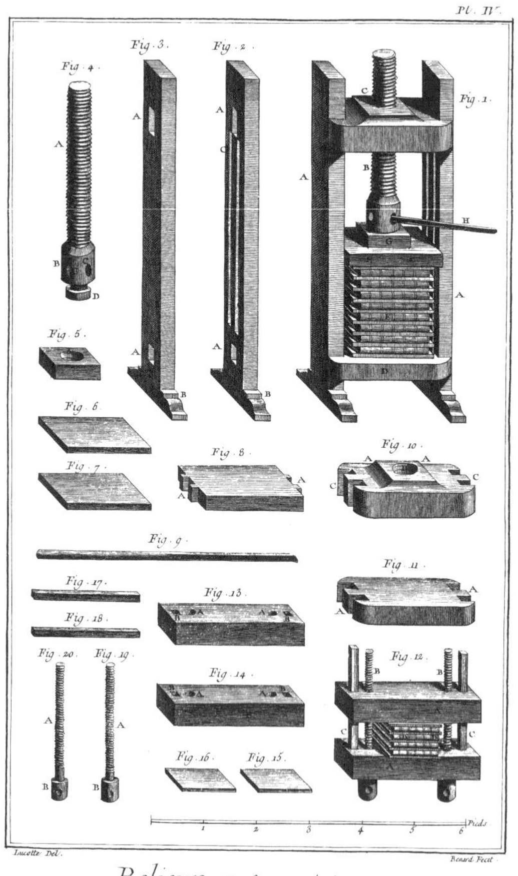

Relieur, Presse et Développemens.

PLANCHE IV.

Fig. I. Grande presse. AA, les jumelles. B, la vis. C, le plateau servant d'écrou. D, le plateau immobile servant d'appui. E, le plateau mobile. F, les livres en presse entre ais. G, le petit plateau. H, le levier.
2. et 3. Jumelles. AA, etc. les mortaises. BB, les pieds. CC, les rainures.
4. Vis. A, la vis. B, la tête. CC, les trous. D, le touret.
5. Petit plateau. A, le trou du touret de la vis.
6. et 7. Ais à presser.
8. Plateau mobile. AA, les tenons de conduite.
9. Levier de la presse.
10. Plateau servant d'écrou. AA, la hausse. B, le trou de l'écrou. CC, les tenons.
11. Plateau servant d'appui. AA, les tenons.
12. Presse à main. AA, les jumelles. BB, les vis. CC, les conduits. DD, les livres en presse entre ais.
13. Jumelles de derrière. AA, les écrous. BB, les trous de conduite.
14. Jumelle de devant. AA, les trous de vis. BB, les trous des conduits.
15. et 16. Petit ais à presser.
17. et 18. Tringle de conduite de la presse à main.
19. et 20. Vis. AA, les vis. BB, les têtes.

PLANCHE V. *(page 31)*

Le haut de cette Planche représente un atelier de relieur-doreur, où plusieurs ouvriers sont occupés ; l'un en *a*, à dorer sur tranche ; un autre en *b*, à pousser la roulette sur le plat d'un volume ; près de lui est le fourneau à faire chauffer les fers : une ouvrière en *c*, à coucher l'or sur le dos des volumes.
Fig. I. Table à dorer sur les livres. AA, le dessus. BB, les pieds.
2. Coussin à dorer. AA, les dessus. BB, les bords. C, petit livret rempli de feuilles d'or. D, feuille d'or coupé.
3. Petit coussin à dorer sur tranche. A, le dessus. BB, les bords.
4. Fourneau servant à chauffer les fers à dorer. A, le cendrier. B, la grille. CC, les bords. DD, les pieds.
5. Presse à dorer sur tranche.AA, les jumelles. BB, les vis. CC, les livres pressés entre ais.
6. Jumelles de dernière. AA, le trou des écrous.
7. Jumelles de devant. AA, les trous de vis.
8. et 9. Vis de la presse à dorer. AA, les vis. BB, les têtes.
10. Petit livret rempli de feuilles d'or. A, la feuille d'or.
11. Petit pot au blanc d'œuf. A, le pot. B, le pinceau.
12. et 13. Ais à dorer.
14. Baquet à mettre sous la presse à dorer, pour recevoir l'eau qui en tombe.

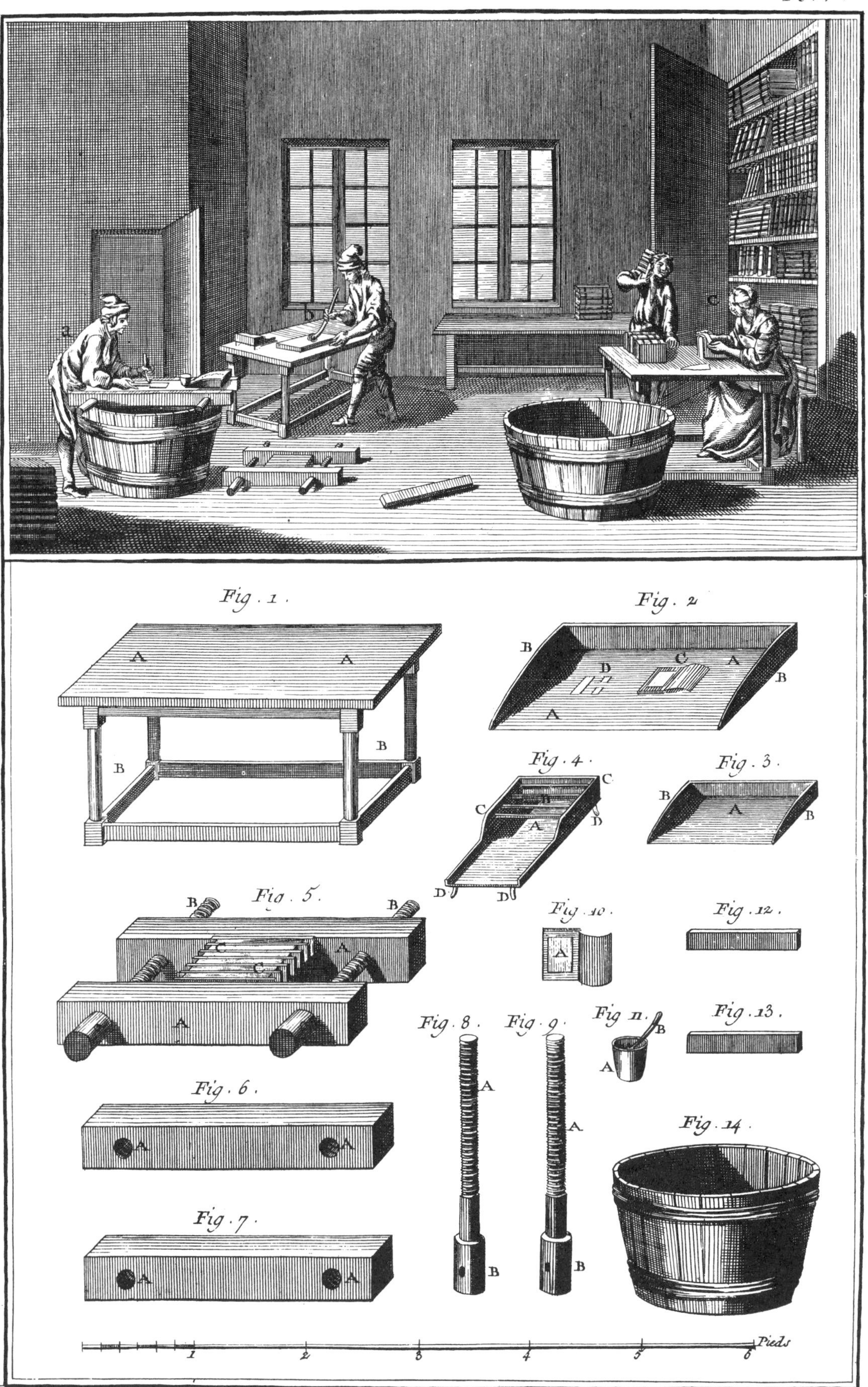

Iacolte Del. Benard Fecit.

Relieur Doreur.

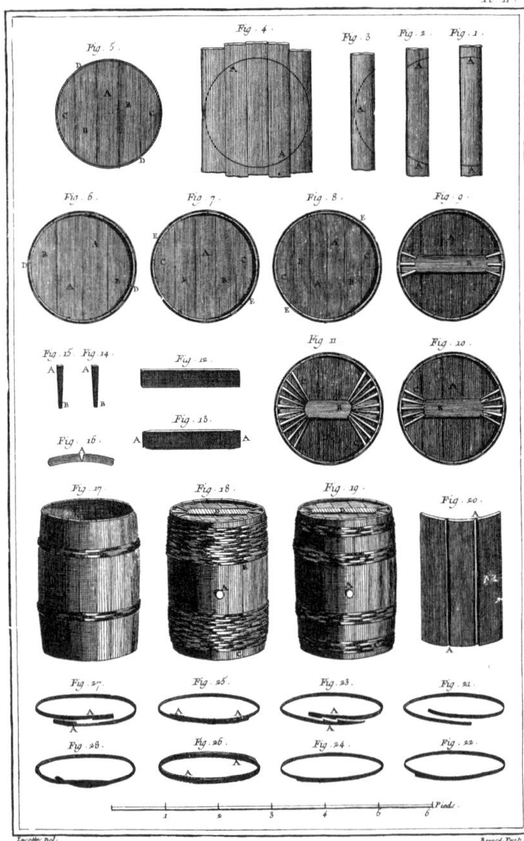

TONNELIER

PLANCHE Ière. *(page 33)*

Le haut de cette Planche représente un atelier où plusieurs ouvriers sont occupés à divers ouvrages de Tonnellerie ; l'un en *a*, à préparer le mérain sur le charpi avec la cochoire ; un en *b*, à placer la douve sur la selle ; un en *c*, à passer la douve sur la colombe ; un en *d*, à monter un tonneau ; un en *e*, à serrer le tonneau avec le bâtissoir ; un en *f*, à former la coche sur le cercle ; un en *g*, à mettre des cercles avec le tiretoir ou tire-à-cercle ; et un autre en *h*, à chasser des cercles avec le chassoir.

Fig. I. Mérain propre à faire une douve.

2. Douve arrondie.

3. Douve taillée. A, la partie du milieu disposée à faire le tonneau renflé.

4. Douves disposées pour bâtir un tonneau. A, le paquet des douves. B, la douve en contrefiche. C, le cercle.

5. La moitié du tonneau bâti. A, le paquet des douves. B, la douve en contrefiche. CC, les douves rangées. D, le cercle.

6. Tonneau bâti. AA, les douves retenues. BB, les cercles qui les retiennent.

7. Tonneau garni d'un bâtissoir propre à faire rapprocher les douves tendantes à se séparer. AA, les douves. B, le cercle. C, le bâtissoir. D, la corde du bâtissoir.

8. Tonneau bâti et retenu par quelques cercles. AA, les douves qui composent le tonneau. BB, les cercles.

PLANCHE II.

Fig. I. Traversin destiné à faire un chanteau, pièce du milieu du fond d'un tonneau. AA, sont les traces du compas qui marquent où il doit être coupé.

2. Traversin destiné à faire l'une des deux esselières, deuxième pièce du fond. AA, sont les traces du compas.

3. Traversin destiné à daire l'une des deux maîtresses pièces, dernière planche du fond. A, est la trace du compas.

4. Des traversins montés et tracés prêts à faire un fond. AA, la trace du compas.

5. Le fond monté et chanfriné prêt à être mis en place. A, le chanteau. BB, les esselières. CC, les maîtresses pièces. DD, le chanfrin.

6. Fond composé de quatre pièces montées à l'extrémité d'un tonneau. AA, les chanteaux. BB, les maîtresses pièces. CC, l'extrémité des douves du tonneau. DD, le cercle qui les retient.

7. Fond composé de cinq pièces. A, le chanteau. BB, les esselières. CC, les maîtresses pièces. DD, l'extrémité des douves. EE, le cercle qui les retient.

8. Fond composé de six pièces. AA, les chanteaux. BB, les esselières. CC, les maîtresses pièces. DD, l'extrémité des douves. EE, le cercle qui les retient.

9. Fond barré retenu de chaque côté par trois chevilles. A, le fond. B, la barre. CC, les chevilles.

10. Fond barré retenu de chaque côté par cinq chevilles. A, le fond. B, la barre. CC, les chevilles.

11. Fond barré retenu de chaque côté par dix chevilles. A, le fond. B, la barre. CC, les chevilles.

12. Barre prête à faire.

13. Barre faite. AA, les extrêmités amincies.

14. et 15. Chevilles. AA, les têtes. BB, les pointes.

16. Joint appelé appellé clain de deux morceaux de douves vues de profil. A, le joint.

17. Tonneau prêt à jabler ; c'est faire la rainure du fond.

Fig. 18. Tonneau monté de ses fonds barrés, relié en plein. A, le bondon. BB, les cercles du bouge. CC, les cercles du jable. D, la barre.

19. Tonneau monté de ses fonds barrés, relié tant plein que vide. A, le bondon. BB, les cercles du bouge. CC, les cercles du jable. D, la barre.

20. Plusieurs douves réunies faisant voir la manière d'en faire les joints ou clains. AA, les joints ou clains.

21. Cercle à faire.

22. Cercle mis de longueur.

23. Cercle coché. AA, les coches.

24. Cercle coché et ajusté.

25. Cercle lié. AA, les liens.

26. Cercle appellé sommier ; ce sont deux cercles liés ensemble. AA , les liens.

27. Cercle coché et préparé à être noué. AA, les coches.

28. Cercle noué, la pression des deux extrémités l'une sur l'autre le retient.

Lucotte Del.

Benard Fecit.

Tonnelier.

PLANCHE III. *(page 35)*

Fig. I. Petit baquet en cœur à placer sous les pièces. A, la goulotte.

2. Autre petit baquet en cœur servant d'entonnoir. A, la goulotte. B, le canon.

3 Seau. A, l'anse. B B, les oreillons.

4. Petite fontaine. A, l'anse. B, la canule. C, le couvercle.

5. Baril à vinaigre. A, la canule. C, le couvercle.

6. Broc préparé et cerclé. A A, les cercles.

7. Broc fait. A, l'anse.

8. Autre broc plus petit. A, l'anse.

9. Petit baquet ou petit cuvier à laver. A A, les anses.

10. Tinette à beurre fondu, ou viande salée. A A, les anses.

11. Baratte propre à battre le beurre. A, le couvercle ou bouchon. B, le manche du bat-beurre.

12. Pipe à eau-de-vie ou tonne à huile contenant 500 à 600 pintes.

13. Bouée servant dans les ports de mer pour connaître le lieu où l'ancre a été jetée.

14, 15 et 16. Barils à olive, les plus petits à moutarde.

17. Autre bouée servant dans les ports de mer.

18. Baignoire, cuve à prendre le bain.

19. Cuve en tinette propre aux raisins ou aux viandes salées.

20. Cuve propre aux raisins ou aux lessives.

21. Cuve quarrée retenue par des barres et traverses.
A A, les barres. B B, les traverses.

PLANCHE IV *(page 36)*

Fig. I. Patron ou crochet servant de modèle pour arrondir les douves. A, le crochet. B, la partie cintrée

2. Patron ou crochet de baignoire ou tinette. A A, les crochets. B B, les parties cintrées.

3. Autre patron ou crochet plus petit. A, le crochet. B, la partie cintrée.

4. Jabloire pour les rainures de cuves. A, la platine immobile. B, la platine mobile. C C, les quarrés. D, le fer. E, le coin. F, la lumière.

5. Platine mobile de la jabloire. A A, les trous des quarrés. B, la lumière de fer.

6. Platine immobile de la jabloire. A A, les trous des quarrés.

7 et 8. Quarrés des jabloires. A A, les trous pour arrêter la platine immobile.

9. Fer de la jabloire. A, le taillant. B, la tête.

10. Coin du fer de la jabloire. A, la tête.

11. Coin des quarrés de la jabloire. A, la tête.

12. Coin du quarré de la jabloire à tonneau. A, la tête.

Fig 13. Jabloire à tonneau. A, la platine. B, le quarré.
C, le coin.

14. Platine de la jabloire. A, le trou du quarré.

15. Quarré de la jabloire. A, la languette.

16. Pièce d'entrée. A, les dents. B, la platine. C C, les pointes.

17. Autre jabloire à tonneau. A, la platine. B, le quarré.
C, le coin. D, le fer. E, le coin du fer.

18. Fer de la jabloire. A, la tête. B, le taillant.

19. Le coin du fer. A, la tête.

20. Coin du quarré de la jabloire. A, la tête.

21. Quarré de la jabloire. A, le trou du fer.

22. Grand utinet ou maillet pour les grandes cuves.
A, maillet. B, le manche.

23. Petit utinet ou maillet pour les tonneaux. A, le maillet. B, le manche.

24. Tiretoir ou tire-à-barre propre à cercler les tonneaux.
A, le crochet de fer. B, le manche. C, la ferrure du bout.

25. Autre tiretoir ou tire-à-barrer propre à cercler les cuves. A, le crochet de fer. B, l'anneau. C, le manche.

26. Scie à main. A, la scie. B, le manche.

27. Grande scie. A, le fer. B,le montant simple. C, le montant à manche. D, la traverse. E, la corde. F, le garrot.

28. Perçoir. A, le vilebrequin. B, la mêche à pointe.

29. Autre perçoir. A, le vilebrequin. B, la mêche.

30. Etanchoir, espèce de couteau à poser des étoupes.
A, la lame. B, le manche.

31. Foret. A, le perçoir. B, le manche.

32. Barroir ou vrille à barrer. A, la vrille. B, la tige. C, le manche.

33. Bondonnière. A, le perçoir. B, la tige. C, le manche.

PLANCHE VIII. *(page 37)*

Fig. I. Moufles montées propres à monter et descendre les tonnes et tonneaux en cave par les trappes. A, la moufle supérieure. B, l'esse. C, la moufle inférieure. D, le cordage. E, le barreau. F, la tonne ou tonneau.

2. Esse de la moufle.

3. Moufles supérieure. A A, les boucles. B B, les mortaises des poulies.

4. Moufles inférieure. A A, les crochets. B B, les mortaises des poulies.

5 et 6. Poulies des moufles.

7 et 8. Boulons des poulies. A A, les têtes. B B, les tiges.

Fig. 9. Serrure de la moufle supérieure. A A, les boucles.

10. Serrure de la moufle supérieure. A A, les crochets.

11. Cordage ou cable enroulé.

12. Manière de descendre ou monter les pièces avec un seul cordage. A, le cordage. B, le nœud coulant. C C, les crochets. D, la pièce.

13 et 14. Crochet à boucler les pièces. A A, les crochets.
B B, les trous pour le passage du cordage.

15. Profil.

16. Elévation latérale.

17. Plan d'un haquet, petite voiture à transporter les pièces. A, l'essieu de bois ou de fer. B, l'échantignole.
C C, les brancards. D D, les traverses. E E, les supports du moulinet. F, le timon. G, la traverse.

18. Essieu de fer. A, l'essieu. B B, les tourillons. C C, les vis à écrou.

19. Essieu de bois. A, l'essieu. B B, les tourillons. C C, les esses.

20. Moulinet. A, le treuil. B, le quarré. C C, les tourillons.

21. Le haquet vu en perspective. A, la traverse. B, le timon. C C, les brancards. D D, les traverses. E, le moulinet. F, l'essieu. G G, les roues.

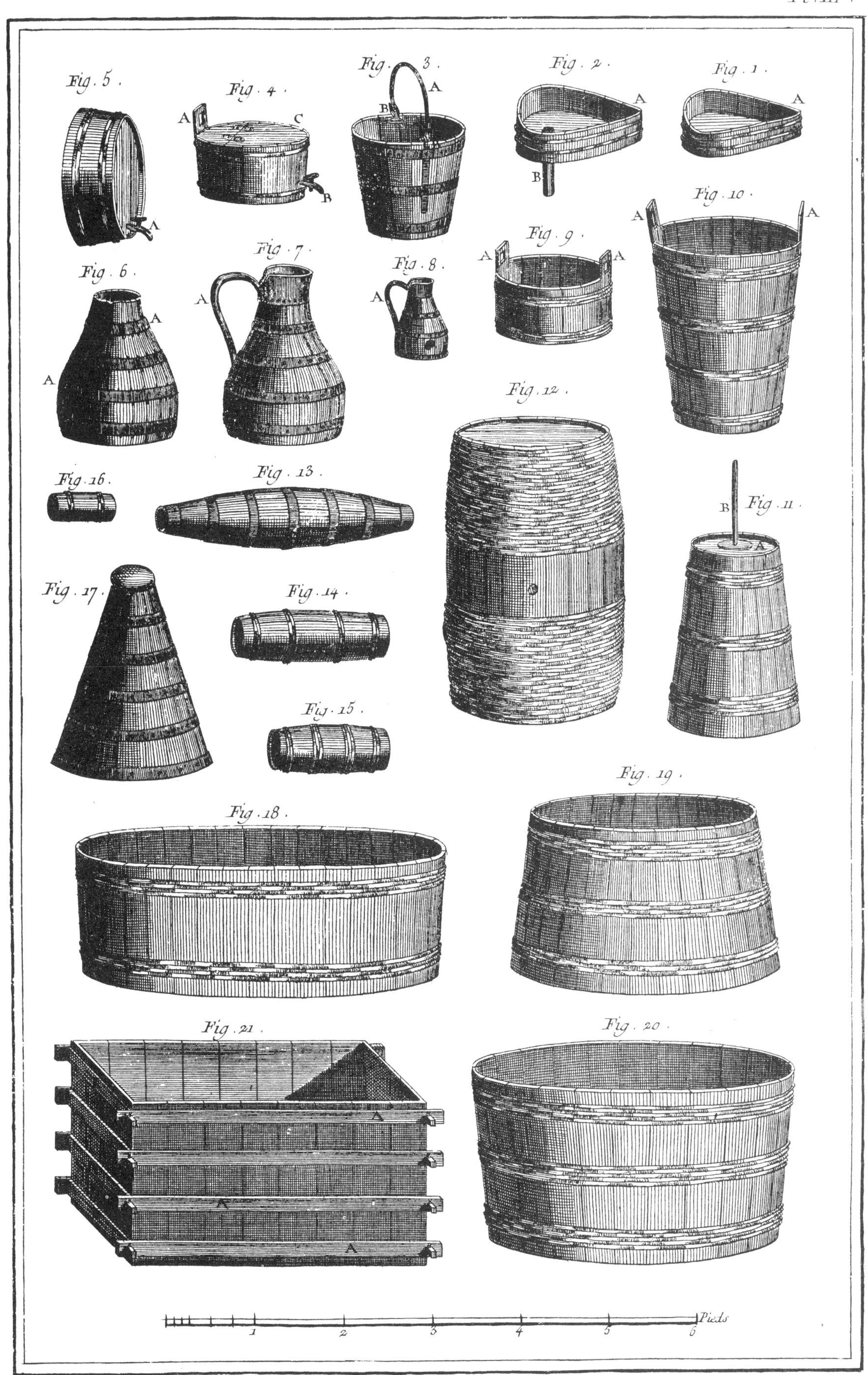

Lucotte Del.

Benard Fecit.

Tonnelier.

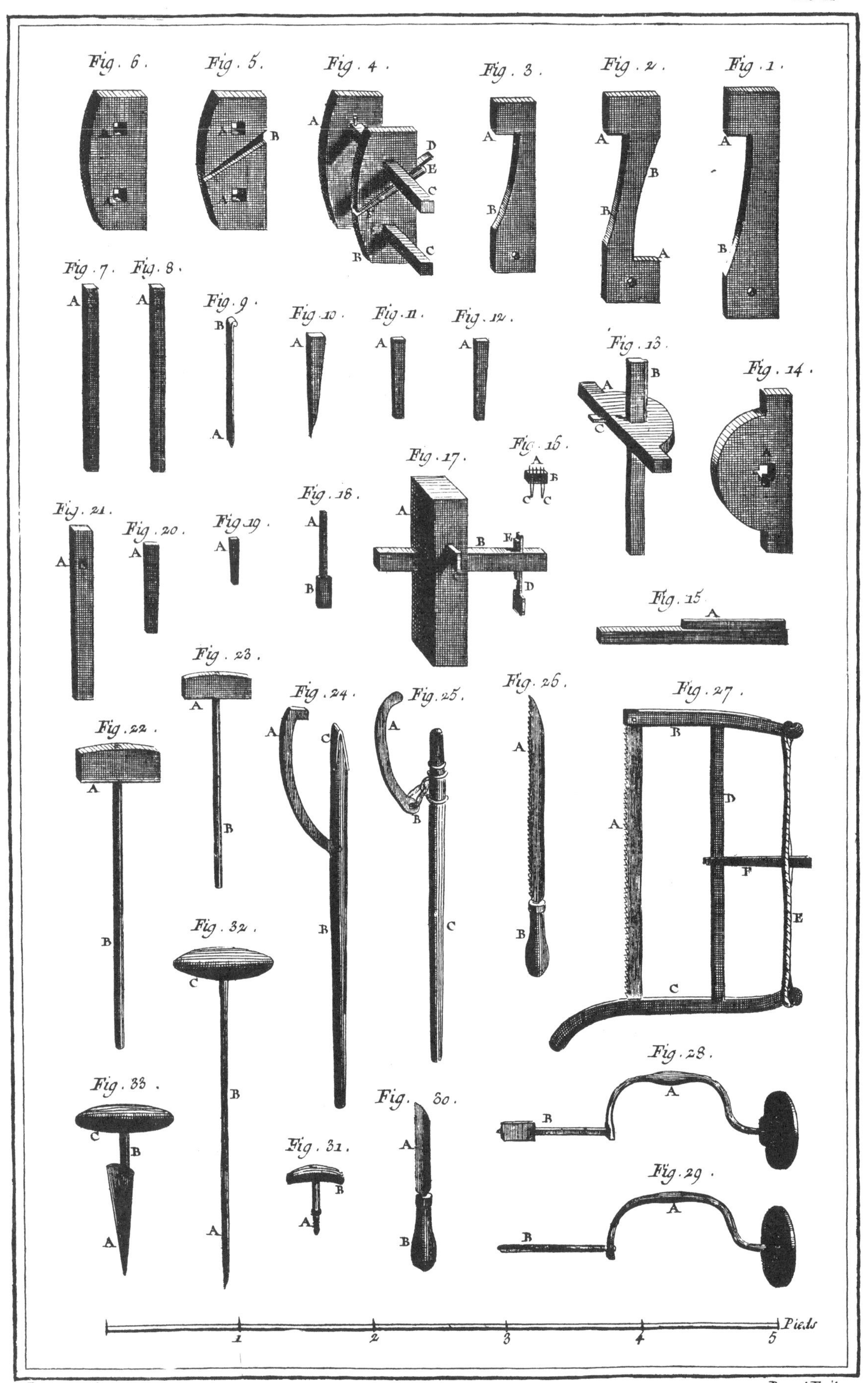

Lucotte Del. Benard Fecit.

Tonnelier.

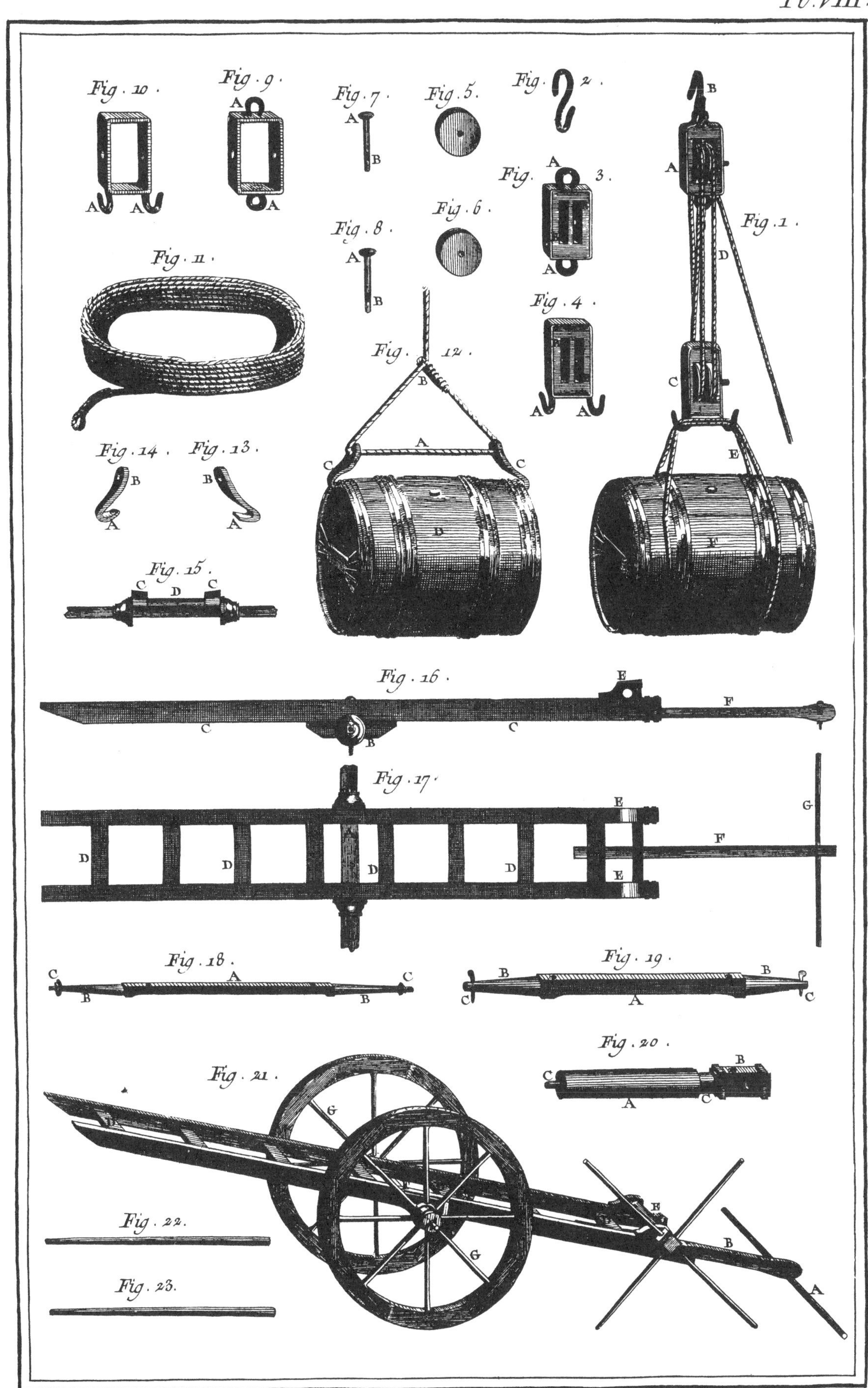

Lucotte Del. Benard Fecit.

Tonnelier.

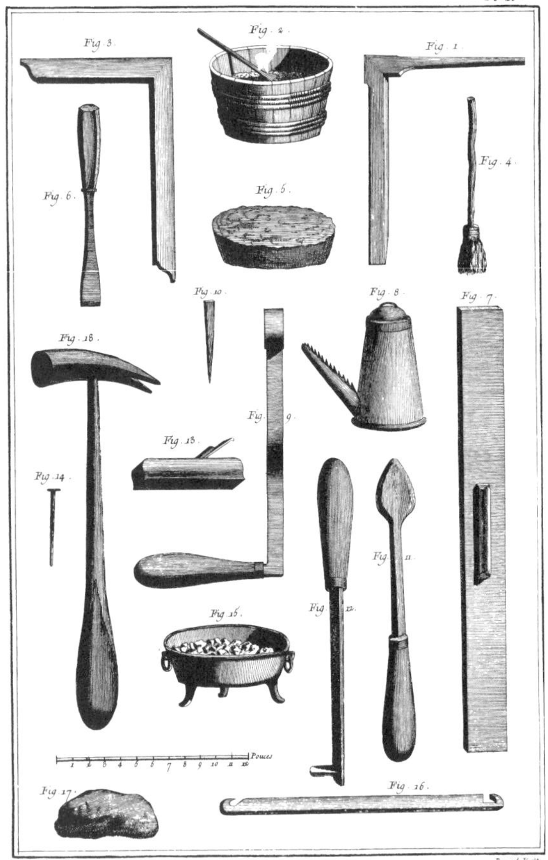

VITRIER

PLANCHE Ière. (*page 39*)

Fig. I. Ouvrier qui passe du plomb à la filière. 2. Ouvrier qui nettoie les vitres avec du sable. 3. Ouvrier qui coupe le verre avec le diamant. 4. Ouvrier qui colle des bandes de papier sur les carreaux. 5. Ouvrier qui égrise du verre. 6. Ouvrier qui nettoie un châssis. 7. Plomb passé à la filière.
Bas de la planche.
Fig. I. Compas de fer pour prendre les différentes mesures des carreaux. 2. Marteau de fer dont l'extrémité du manche est de bois. 3. Outil appellé diamant ; il sert à couper le verre. 4. Tenaille. 5. Couteau à unir le plomb lorsqu'on monte des vitres. 6. Grugeoir ; cet outil sert à égriser le verre et à le rendre droit. 7. Tringlette dont on se sert pour unir le plomb.

PLANCHE II.

Fig. I. Pousse-fiche de fer, qui sert à faire ressortir les fiches des châssis. 2. Baquet pour mettre la colle. 3.Equerre pour couper le verre quarrément. 4. Grosse brosse pour coller les vitres. 5. Tasseau de plomb pour redresser les pointes. 6. Gouge ou fermoir. Fig. 7. Règle pour tracer les différentes espèces de carreaux. 8. Bourasseau pour mettre le borax. 9. Main en petit de la filière de la Planche III. *figure* I. 10. Pointe pour arrêter les carreaux. 11. Fer à souder. 12. Autre fer à souder. 13. Rabot. 14. Pointes pour les plus petites fiches. 15. Poële pour mettre le feu pour chauffer le fer à souder.

Pl. I.

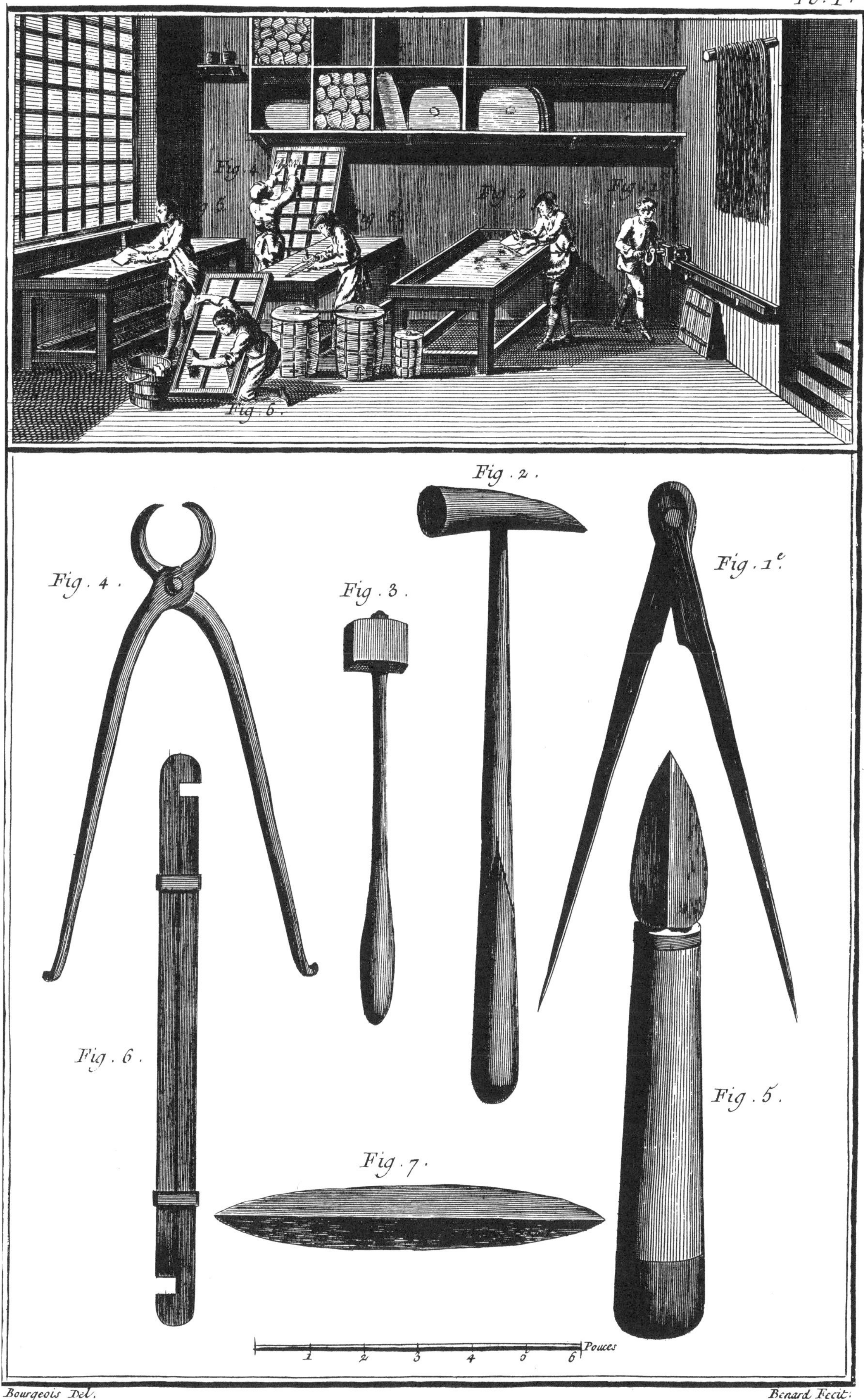

Bourgeois Del. Benard Fecit.

Vitrier, Outils.

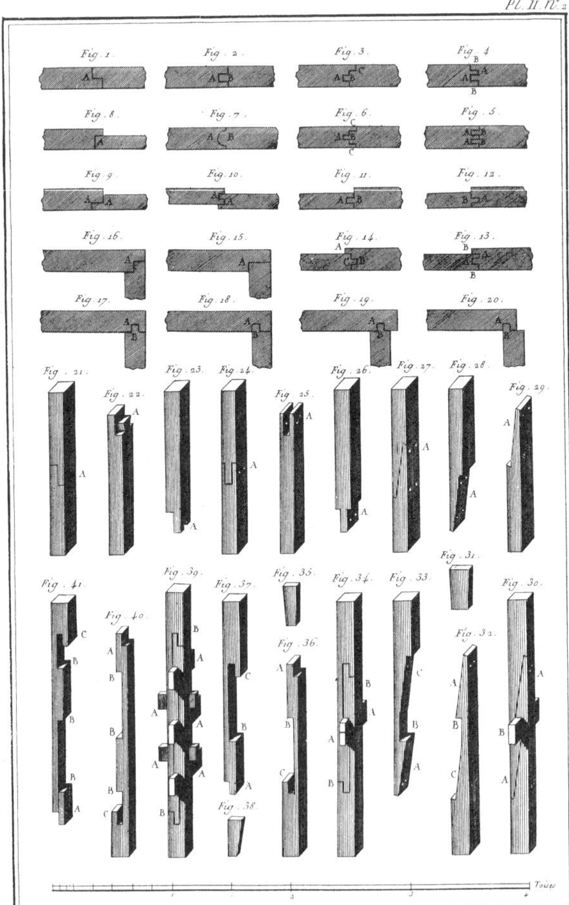

MENUISIER

PLANCHE Ière. *(page 41)*

Le haut de cette Planche représente un chantier de Menuisier, où plusieurs ouvriers occupés, les uns en *a* à débiter des bois ; d'autres dans l'atelier en *b* à d'autres ouvrages ; et les autres en *g* à ranger le bois sur les piles. *h h* sont des piles de bois de menuiserie.

Assemblages.

Fig. I. Assemblage quarré à moitié bois. A B les pattes. 2. Assemblage quarré à tenon et mortaise. A le tenon. B la mortaise. 3. Assemblage quarré à bouement avec alaise à tenon et mortaise. A le tenon. B la mortaise. 4. Assemblage quarré à bouement au milieu à tenon et mortaise. A A, l'assemblage. 5. Assemblage quarré à bouement croisé à tenon et mortaise. A A, A A les assemblages. 6. 7. 8. Assemblages à queue d'aronde, à queue d'aronde tout court, à queue d'aronde perdue, à queue percée.

PLANCHE II. N°. 2.

Assemblages. Les bois de même épaisseur.

Fig. I. Assemblage à feuillure. A la feuillure. 2. Assemblage à rainure et languette. A la rainure. B la languette. 3. Assemblage à rainure et languette avec feuillure. A la rainure. B la languette. C la feuillure. 4. Assemblage à rainure et double languette. A A les rainures. B B les doubles languettes. 5. Assemblage à double rainure et languette. A A les rainures. B B les languettes. 6. Assemblage à rainure et languette avec double feuillure. A la rainure. B la languette. C C les doubles feuillures. 7. Assemblage à noix. A la noix creuse. B la noix ronde. 8. Assemblage de différente épaisseur à feuillure simple. A la feuillure. 9. Assemblage à feuillure double. A la feuillure. 10. Assemblage à double rainure. A A les doubles rainures. 11. Assemblage en avant à rainure et languette. A la rainure. B la languette. 12. Autre assemblage en avant à rainure et languette. A la rainure. B la languette. 13. Assemblage en avant à rainure et double languette. A A les rainures. B B les doubles languettes. 14. Assemblage à recouvrement, à rainure et languette. A le recouvrement. B la rainure. C la languette. Assemblages angulaires. 15. Assemblage à feuillure à bois entier. A la feuillure. 16. Assemblage à feuillure à moitié bois. A la feuillure. 17. Assemblage à rainure et languette à moitié bois. A la rainure. B la languette. 18. Assemblage à rainure et languette d'un côté. A la rainure. B la languette. 19. Assemblage à rainure en arrière. A la rainure. B la languette. 20. Assemblage à rainure et languette en avant. A la rainure. B la languete. Assemblages à pattes. 21. Assemblage à pattes et à queue-d'aronde. A la queue-d'aronde. 22. Pièce d'assemblage portant la queue d'aronde. A la queue. 23. Pièce d'assemblage portant l'entaille de la queue d'aronde. A l'entaille. 24. Assemblage à tenon et mortaise bout à bout. A l'assemblage. 25. Pièce d'assemblage portant la mortaise. A la mortaise. 26. Pièce d'assemblage portant le tenon. A le tenon. 27. Assemblage à patte à moitié bois et chevillé. A l'assemblage. 28. 29. Pièces d'assemblage. A A les pattes.

Assemblages en traits de pupitre.

30. Assemblage en trait de pupitre à patte. A A les pattes. B le coin. 31. Coins de l'assemblage. 32. 33. Pièces de l'assemblage. A A les pattes. B B les talons. C C les entailles des pattes. 34. Assemblage en trait de pupitre simple. A A les coins. B B les pattes. 35. Coins. 36. 37. Pièces de l'assemblage. A A les pattes. B B les talons. C C les entailles des pattes. 38. Coins. 39. Assemblage en trait de pupitre doublé. A A les coins. B B les pattes. 40. 41. Pièces de l'assemblage. A A les pattes. B B les talons. C C les entailles des pattes.

Fig. 9.
h
h
h
Fig. b.
Fig. a.
C
B
A
Fig. 1.
B
A
Fig. 2.
A
B
A
Fig. 3.
A
A
Fig. 4.
Fig. 5.
A
A
A
A
Fig. 6.
A
A
B
A
Fig. 7.
B
A
A
C
B
C
B
C
Fig. 8.

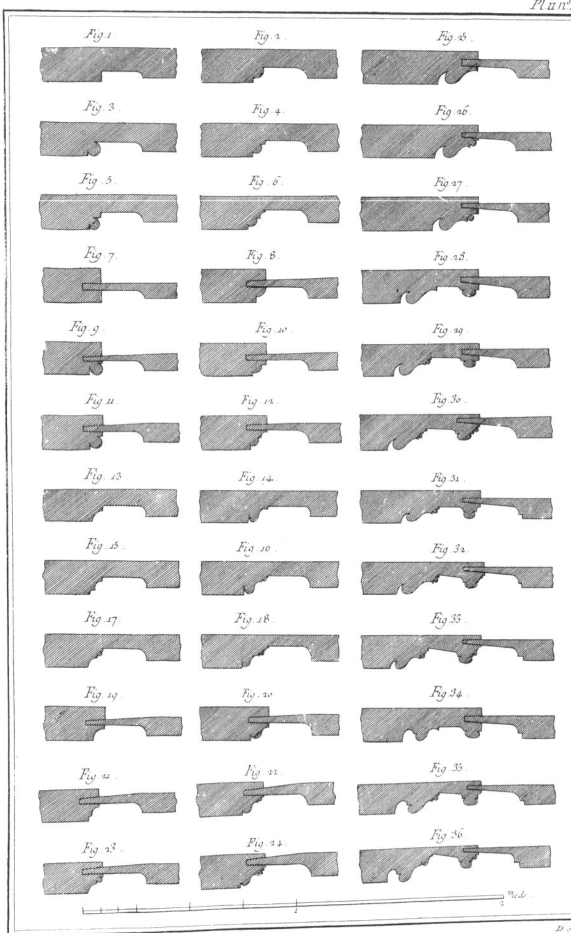

PLANCHE II. *(page 43)*

Le haut de la Planche représente un atelier de menuiserie, où plusieurs ouvriers sont occupés à différents ouvrages de menuiserie en bâtiment ; l'un en *a* à refendre ; un en *b* à scier ; deux autres en *c* à débiter des bois ; un en *d* à percer au vilebrequin ; deux en *e* à pousser des rainures et languettes ; un en *f* à monter une feuille de parquet. *g* et *h* sont différents ouvrages de menuiserie préparés.

Assemblages.

Fig. 9. Assemblage à clé. A A les mortaises des clés. B B les clés.

10. Assemblage en onglet entaillé à moitié bois. A B les onglets.

11. Assemblage en onglet à tenon et mortaise.

12. Assemblage en fausse coupe.

13. Assemblage en adent ou à rainure et languette. A la rainure. B la languette.

14. Assemblage en emboiture. A l'emboiture. B la rainure. C la languette. D D D les mortaises des clés. E E E les clés. F F F les planches assemblées.

PLANCHE II. N°3.

Moulures à cadres embrasés. Cadres à panneaux liés.

Fig. I. Cadre à filet.

2. Cadre à quart de rond et filet.
3. Cadre à baguette.
4. Cadre à quart de rond et double filet.
5. Cadre à baguette et filet.
6. Cadre à quart de rond, double filet et congé.

Cadres à panneaux détachés.

7. Cadre à filet.
8. Cadre à quart de rond et filet.
9. Cadre à baguette.
10. Cadre à quart de rond et double filet.
11. Cadre à baguette et filet.
12. Cadre à quart de rond ; double filet et congé.

Cadres à panneaux liés.

13. Cadre à congé.
14. Cadre à bouement.
15. Cadre à congé et filet.
16. Cadre à bouement, à baguette et filet.
17. Cadre à congé, baguette et filet.
18. Cadre à bouement, baguette et congé.

Cadres à panneaux détachés.

19. Cadre à congé.
20. Cadre à bouement.
21. Cadre à congé à filet.
22. Cadre à bouement, baguette et filet.
23. Cadre à congé, baguette et filet.
24. Cadre à bouement, baguette et congé.

Cadres à demi-gorge à panneaux détachés.

25. Cadre à bouement.
26. Cadre à bouement, baguette et filet.
27. Cadre à bouement, baguette et congé.
28. Cadre à bouement et boudin.
29. Cadre à bouement, à baguette et boudin.
30. Cadre à bouement, à baguette et congé, et boudin à baguette.
31. Cadre à bouement, à baguette et boudin à congé.
32. Cadre à bouement, à baguette et boudin à baguette et congé.
33. Cadre à bouement, à baguette et congé, et boudin à baguette et congé.

Cadres à gorge à panneaux détachés.

34. Cadre à bouement et boudin.
35. Cadre à bouement et boudin à congé.
36. Cadre à bouement, à baguette et congé à boudin à baguette et congé.

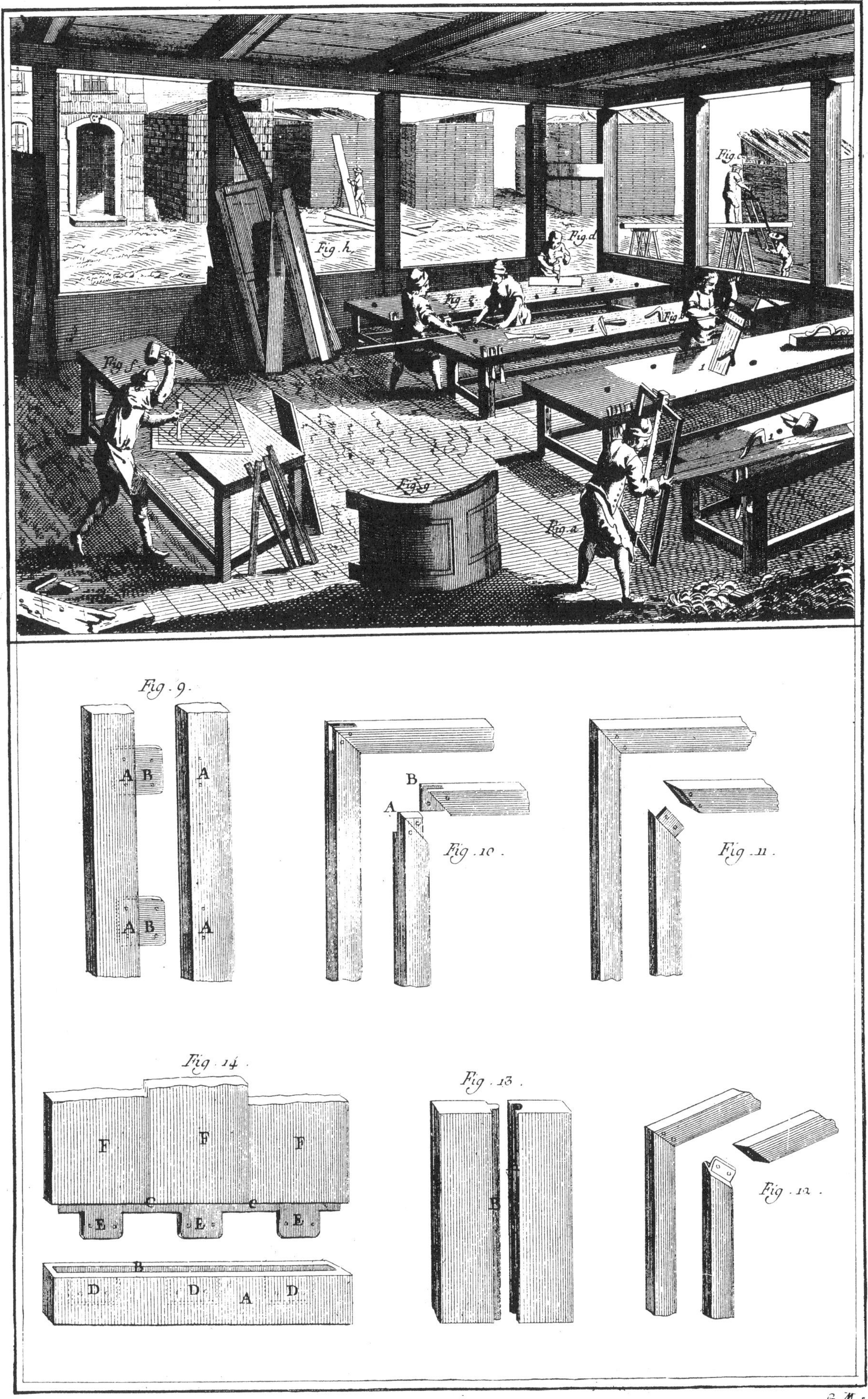

G. M. s.

Menuiserie

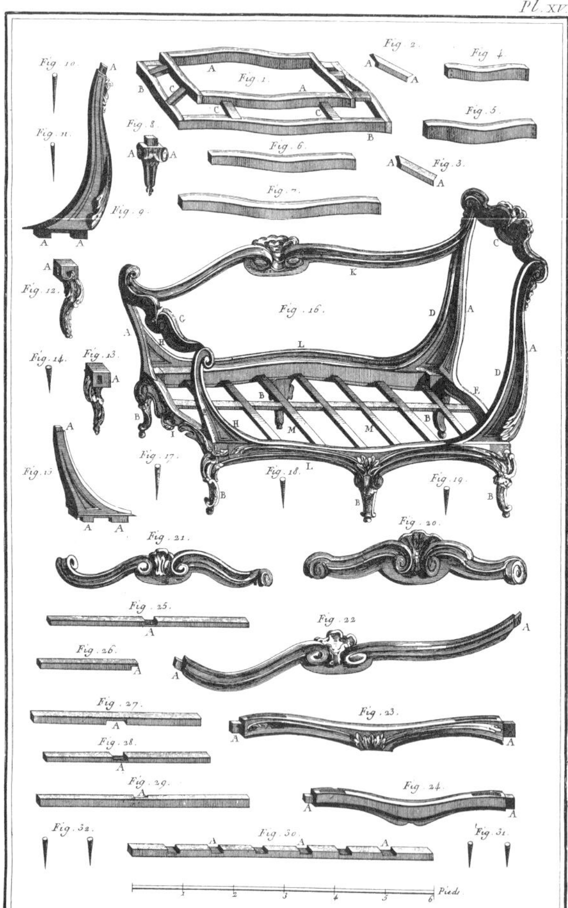

MENUISIER EN MEUBLES

PLANCHE XV.

Fig. I. Ciel de lit. A A les châssis intérieurs. B B châssis extérieurs. C C les barres à pattes.
2. 3. Barres à pattes du ciel.
3. Traverse du petit châssis intérieur.
5. Traverse longue du petit châssis intérieur.
6. Traverse du grand châssis extérieur.
7. Traverse longue du grand châssis extérieur.
8. Pied de milieu du lit à la polonaise. A A les volutes.
9. Oreillon du chevet. A A A les tenons.
10. 11. Chevilles.
12. 13. Pieds corniers. A A les mortaises.
14. Cheville.
15. Oreillon du pied. A A les tenons.
16. Lit à la polonaise. A A les montants de dossier du chevet. B B les pieds. C la traverse du dossier. D D les oreillons du chevet. E E les traverses de bois. F F les montants du pied. G la traverse du pied. H H les oreillons du pied. I traverse du bois. K la longueresse du haut. L L les longueresses du bois. M M les barres.
17. 18. 19. Chevilles.
20. Traverses du chevet.
21. Traverses du pied.
22. Longueresse. A A les tenons.
23. Longueresse du bois. A A les tenons.
25. 26. 27. 28. 29. Barres du lit. A A les entailles.
30. Barre de milieu. A A les entailles.
31. 32. Chevilles.

PLANCHE XIII *(page 45)*

Buffet

Fig. I. Buffet. A A les pieds-corniers de l'armoire du haut. B B les portes. C la face latérale. D D la corniche. E E les pieds corniers du bas. F F les portes. G la face latérale. H la tablette.
2. 3. 4. Pieds corniers de l'armoire du haut. A A les mortaises. B B les tenons. C C les rainures.
5. Traverse portant le devant de la corniche. A A les tenons.
6. Traverse portant le derrière de la corniche. A A les tenons.
7. 8. Traverses latérales du châssis de la corniche. A A les tenons.
9. 10. Battants des portes. A A les tenons. B B les rainures.
11. 12. Moulures des panneaux des portes. A A les tenons.
13. 14. Parties du devant de la corniche. A A les mortaises.
15. 16. Parties latérales de la corniche. A A les mortaises.
17. Chevilles.
18. Panneau latéral.
19. Panneau de porte.
20. Frise. A A les tenons.

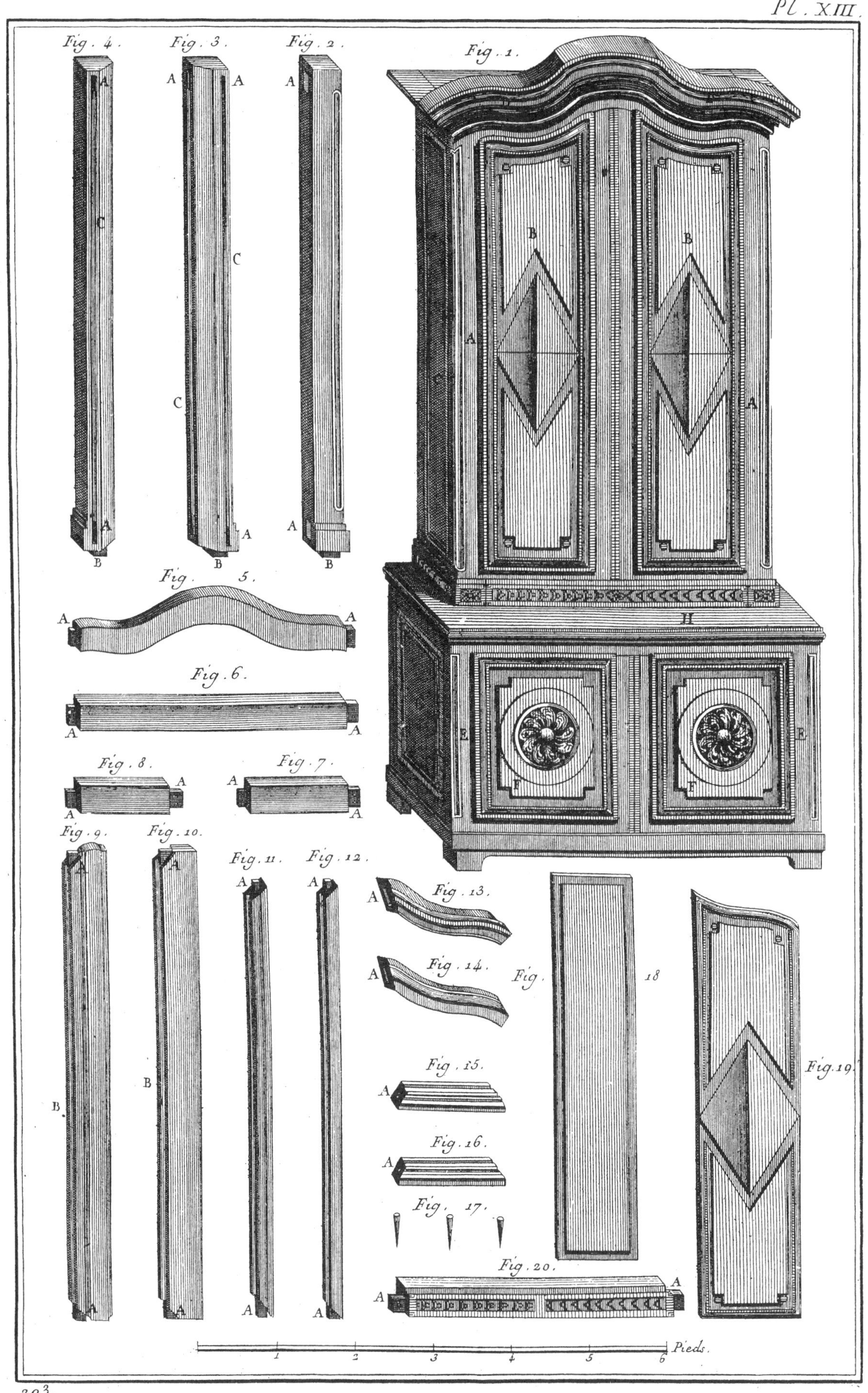

Menuisier en Meubles, Buffet.

SERRURIER

PLANCHE XI.

Fig. I. et 2. Appui et rampe à barreaux simples et sans châssis. A A, C. les barreaux. B B, les pointes pour être enfoncées dans les limons. C C, les plates-bandes de limon. D D, les plates-bandes d'appui.
3. et 4. Appui en rampe à barreaux simples avec châssis. A A, C, les barreaux. B B, les quarrés de limon. C C, les quarrés d'appui. D D, les plates-bandes.
5. et 6. Appui et rampe à arcades à tenon. A A, les arcades. B B, les liens à cordons. C C, les quarrés de limons. D D, les quarrés d'appui. E E, les plates-bandes.
7. et 8. Appui en rampe à arcades haut et bas. A A, les arcades. B B, les liens à cordons. C C, les quarrés de limon. D D, les quarrés d'appui. E E, les plates-bandes.
9. et 10. Appui et rampe à arcades en haut et volute en bas. A A, les arcades. B B, les liens à cordons. C C, les volutes. D D, petits liens à cordons des volutes. E E, les quarrés des limons. F F, les quarrés d'appui. G G, les plates-bandes.
11. et 12. Appui et rampe à cadres. A A, les cadres. B B, les quarrés de limons. C C, les quarrés d'appui. D D, les-plate-bandes.
13. Panneau cintré et tambouriné, c'est-à-dire garni de planches cintrées, sur lesquelles on donne le contours aux volutes en place.
14. Fragment de rampe à panneaux cintrés par en bas.
15. Autre panneau à cadre cintré.
16. Fragment de rampe à panneaux encadrés.

PLANCHE XVII. *(page 47)*

Fig. 131. Couronnement de grille composé des pièces ci-dessous nommées. A A, queues de cochon. B B, C, rinceaux. C, coquille. D, rosette. E, cornet d'abondance. F, palme. G, feuilles, fruits et fleurs. H H, lauriers ou autres feuillages.
132. Vase. A A, le vase. B B, le socle. C C, un chapiteau de pilastre.
133. Potence ou porte-enseigne composé des pièces ci-après nommées. A, console. B, pivot. C, masque. D, cep de vigne. E E, grande console saillante. F, plateau. G, bélier servant d'enseigne.
134. Autre potence ou porte-enseigne composé des pièces ci-dessous nommées. A A, esse. B, pivot. C C, vases. D D, lacets à scellement.

Serrurerie, Grands Ouvrages, Couronnement, Vase et Porte-Enseignes.

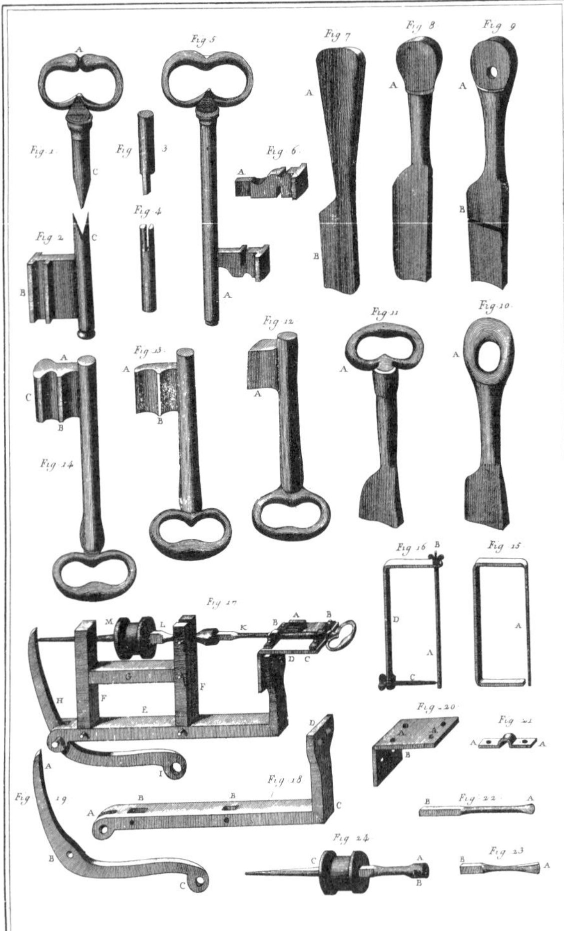

PLANCHE XVIII. *(page 49)*

Ornements de relevure.

Fig. I. Demi-culots en chapelet. A A, C.les demi-culots. B, queues de poireaux. C C, C. les chapelets. D, la queue de cochon.

2. Culot simple.

3. Culot composé. A, le culot. B B, feuilles de revers. C, petit culot supérieur. D, queues de poireaux.

4. Petit fleuron rampant.

5. Agraphe.

6. Petite agraphe.

7. Feuilles d'eau adossées.

8. Petit rinceau duquel sort une branche de laurier.

9. Autre rinceau.

10. Grand rinceau.

PLANCHE XX

Brasures clés.

Fig. I. Anneau de clé préparé pour être brasé (c'est faire couler du cuivre dans tous les joints par la chaleur du fer à l'aide du borax) avec le panneton, *fig.* 2. par la tige. A, l'anneau. B, le panneton. C C, la tige.

3. et 4. Autre tige de clé préparée d'une autre manière pour être brasée.

5. Clé préparée pour y mettre une dent. A, la mortaise dans laquelle doit entrer la dent.

6. Dent préparée à être rivée au bout de la tige de la clé. A, le tenon qui doit entrer dans la mortaise.

7. Première chaude pour former une clé, ce qu'on appelle enlever une clé. A, le côté de l'anneau. B, le côté du panneton.

8. Seconde chaude. A, l'anneau épaulé.

9. Troisième chaude. A, l'anneau percé, et B, le panneton coupé ou tranché.

10. Quatrième chaude. A, l'anneau bigorné.

11. Cinquième chaude. A, l'anneau ravalé et fini.

12. Sixième chaude. A, le panneton corroyé et refoulé.

13. Septième chaude. A, le panneton tiré. B, l'arc formé.

14. Huitième et dernière chaude. A, le panneton fini. B, l'ere. C, le museau. Il y a des ouvriers qui font une clé en trois ou quatre chaudes.

15. Calibre de clé pour en égaliser la tige d'épaisseur, après avoir été forée. A, la partie qui entre dans la forure.

16. Autre calibre. A, la partie qui entre dans la forure. B, sa vis à écroux. C, la vis d'épaisseur. D, le châssis.

17. Chevalet à dorer les clés. A, la clé montée. B B, les coussinets d'arrêt. C, la platine coudée. D D, les vis pour arrêter la platine. E, le sommier du chevalet. F F, les jumelles. G, la traverse. H, la bascule. I, l'anneau de la bascule pour être chargée d'un poids. K, le foret. L, l'essieu. M, la boîte.

18. Sommier du chevalet. A, la charnière. B B, les mortaises des jumelles. C, le coude. D, la patte.

19. Bascule du chevalet. A, différents trous servant de pivots à l'essieu. B, le point d'appui. C, l'anneau.

20. Platine coudée. A A, les trous des coussinets. B B, les trous pour l'arrêter sur le sommier du chevalet.

21. Coussinet ou cramponel à patte. A A, les pattes.

22. Foret en langue de carpe. A, le taillant. B, la tige quarrée.

23. Foret quarré. A, le taillant. B, la tige.

24. Essieu. A, le canon de l'essieu. B, la vis pour retenir le foret. C, la boîte.

68.

Serrurerie, Ornémens de Relevures, Grands Ouvrages.

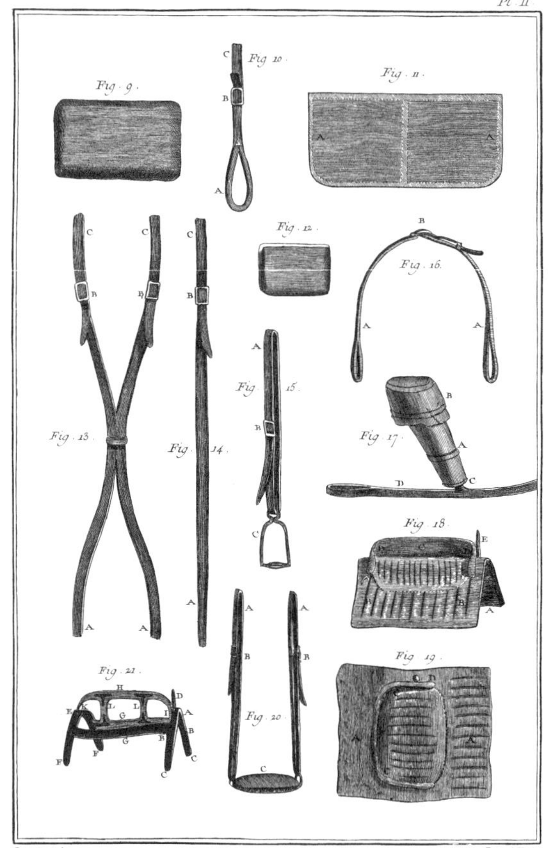

Sellier - Carossier, Selles

CARROSSIER

PLANCHE Ière. (*page 51*)

Le haut de cette Planche représente un atelier de sellier-carrossier, dont le devant est occupé d'ouvriers travaillant à divers ouvrages de sellerie, et le derrière est garni de toutes sortes de carrosses, chaises et autres équipages.
Fig. I. Elévation perspective. 2. Plan d'une selle à piquer. A, l'un des panneaux. B B, les quartiers. C, le siège. D, la batte de devant. E, la batte de derrière. F, le pommeau. G G, les crampons de courroie. 3. Selle de chasse. A, l'un des panneaux. B B, les quartiers. C, le siège. D, la batte de devant. E, le crampon de courroie. 4. Selle rase ou à l'anglaise. A, l'un des panneaux. B B, les quartiers. C, le siège.
5. Arçon de selle. A, le garrot. B B, les mamelles. C C, leurs pointes. D, le troussequin. E E, les pointes. F F, les bandes. 6. Elévation du devant d'un arçon. A, le garrot. B B, les mamelles. C C, les pointes. 7. Elévation du devant d'un autre arçon. A, le garrot. B B, la batte coupée. C C, les mamelles. D D, les pointes. 8. Elévation du derrière d'un arçon. A, le troussequin. B B, les pointes. C C, la batte coupée.

PLANCHE II.

Fig. 9. Panneau de selle. 10. Courroie de croupière. A, la croupière. B, la boucle. C, le sanglot. 11. Housse. A A, le galon ou la broderie. 12. Coussinet. 13. Sangle. A A, les bouts arrêtés à l'arçon de la selle. B B, les boucles. C C, les sanglots. 14. Contre-sangle. A, le bout arrêté à l'arçon de la selle. B, la boucle. C, le sanglot. 15. Courroie d'étrier. A, la courroie. B, la boucle. C, l'étrier. 16. Ventrière. A A, les courroies. B, la boucle. 17. Sout. A, le fouet. B, le faux fourreau. C, le montant. D, la ventrière. 18. Selle pour femme. A, les panneaux. B B, la garniture. C, le dossier. D D, les battes. E, le pommeau.

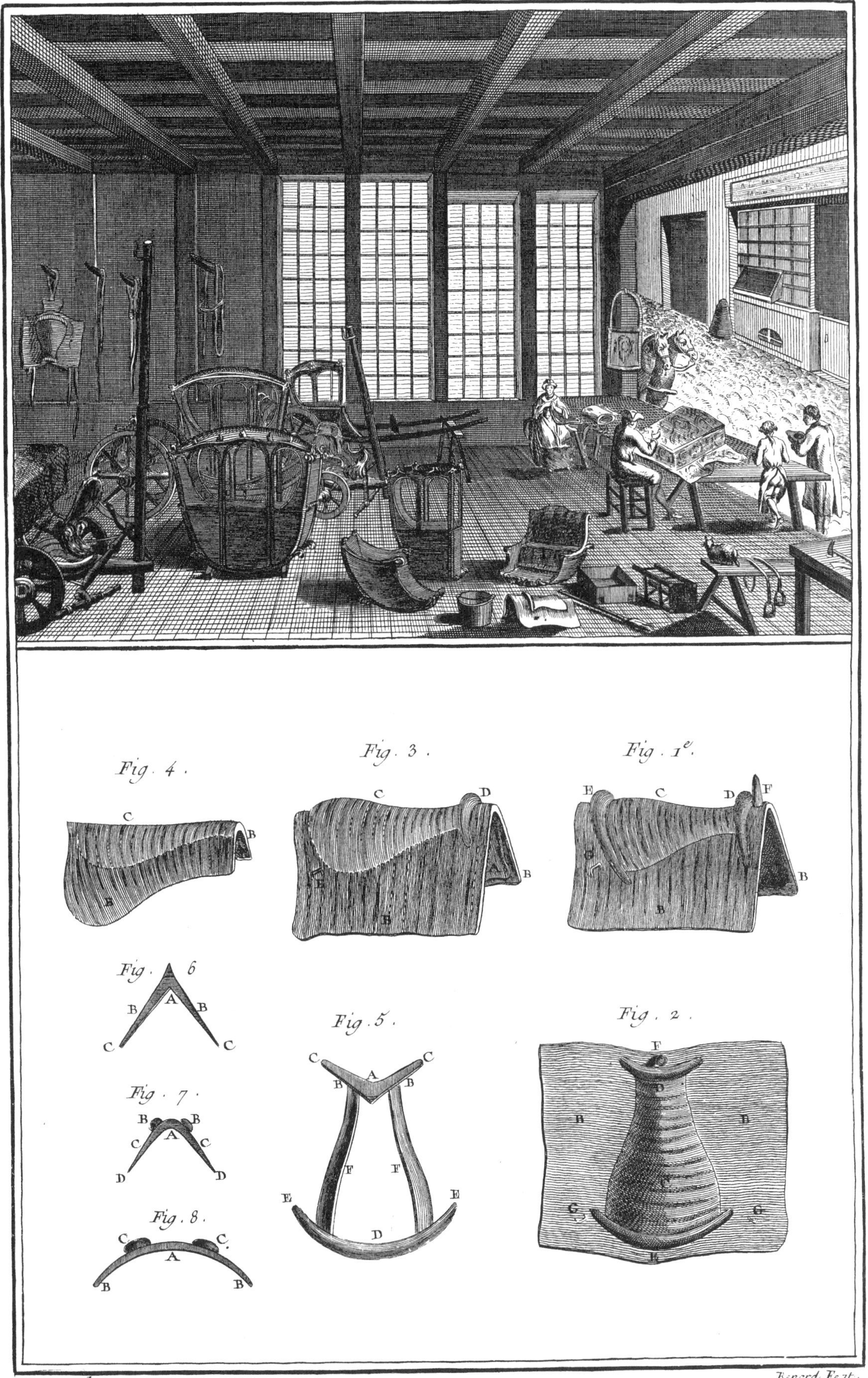

Lucotte Del. Benard Fecit.

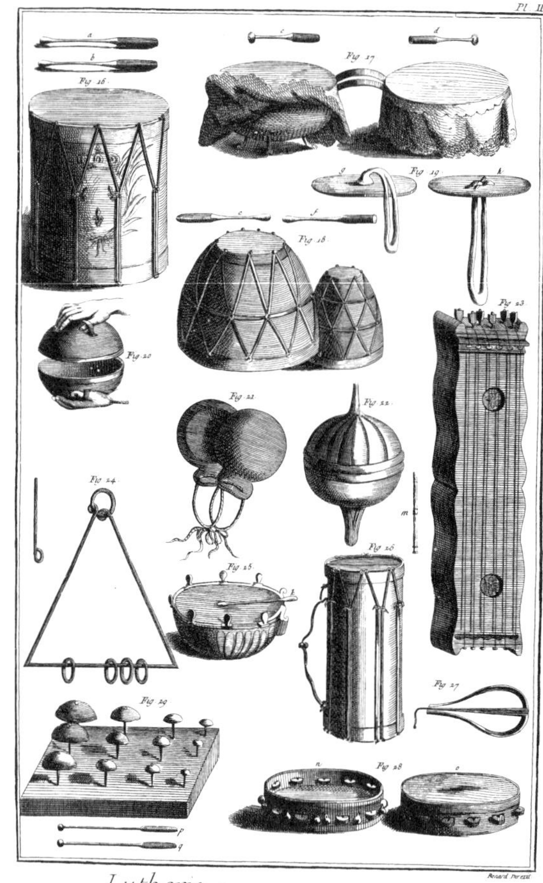

Pl. II
Lutherie, Instrumens Anciens et Modernes, de Percussion.

LUTHIER

PLANCHE Ière. *(page 53)*

Instruments anciens et instruments étrangers.
Fig. I. Flûte des sacrifices. 2. Lyre.
3. Autre lyre.
4. Cistre d'isis. 5. Autre cistre.
6. Troisième sorte de cistre.
7. Harpe.
8. Cithare. 9. Autre cithare.
10. Lyre de viole.
11. Instrument chinois.
12. Echelettes.
13. Régales.
14. Trompette marine chinoise.
15. Sifflet de Pan.

PLANCHE II.

Instruments anciens et modernes de percussion.
Fig. 16. Tambour avec ses baguettes *a, b.*
17. Timbale avec ses baguettes *c, d.*
18. Tonnant avec ses baguettes *e, f.*
19. Cimbales dites de Provence *g, h.*
20. Cimbales des sacrifices.
21. Castagnettes.
22. Cimbales à tête.
23. Tambourin à cordes.
24. Cimbale triangulaire. *l* baguette.
25. Tambour d'airain, *i* l'instrument, *k* sa baguette.
26. Tambourin de Provence. *m* les flûtets de ce tambourin.
27. Rebube appelée vulgairement guimbarde.
28. Tambour de Biscaye *n*, de basque *o.*
29. Sonnantes. *p, q* baguettes.

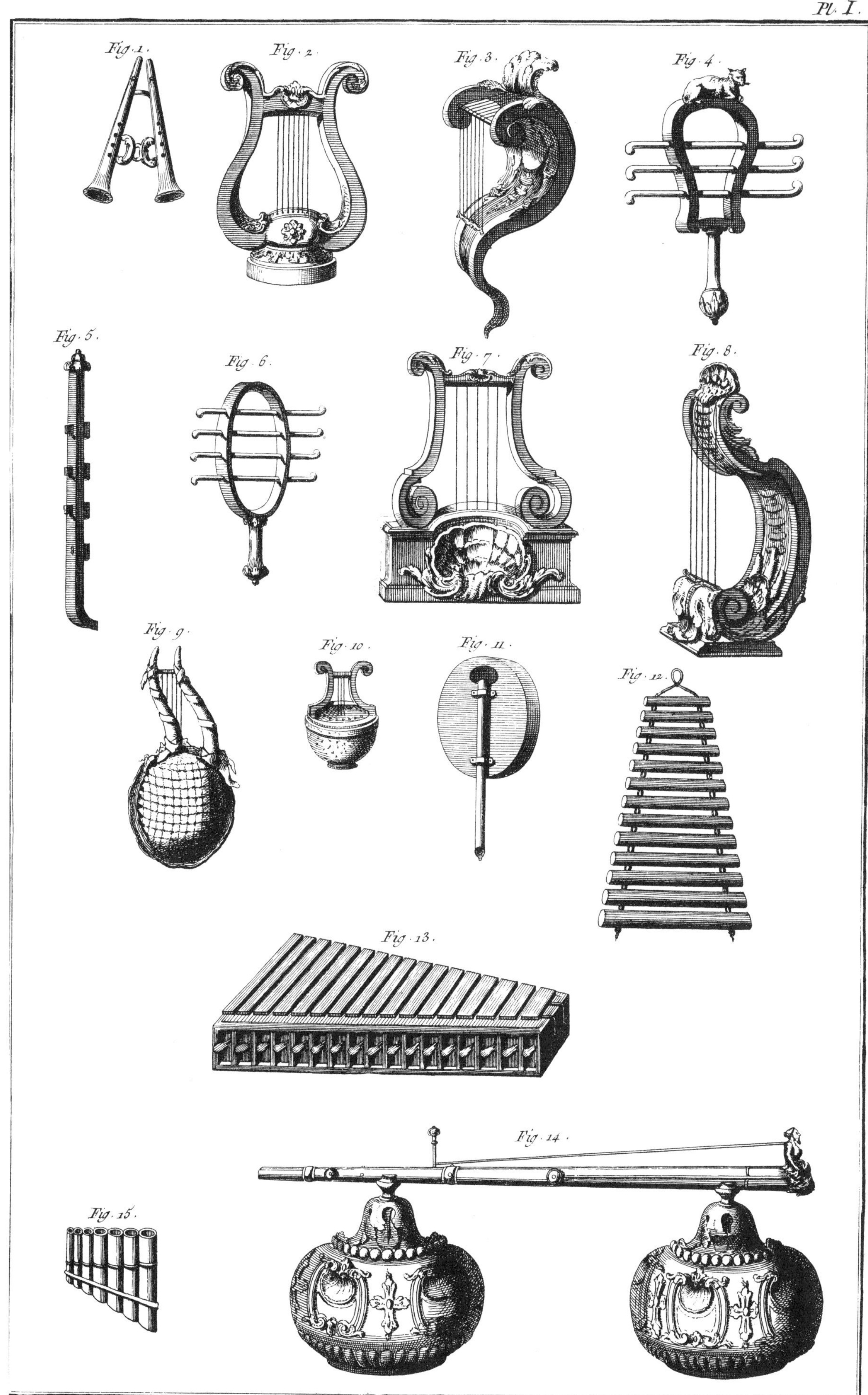

Benard Direxit

Lutherie, *Instruments anciens, et Etrangers, de différentes sortes.*

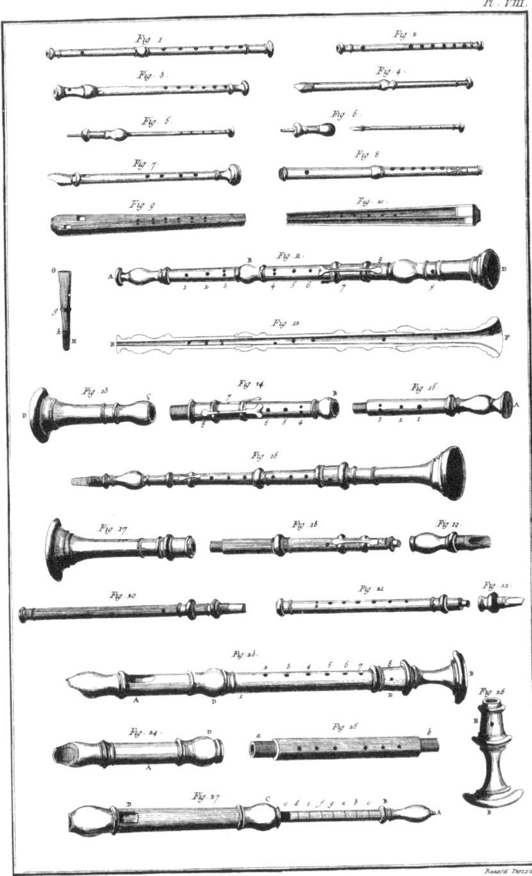

Lutherie, suite des Instruments à vent

PLANCHE III. *(page 55)*

Instruments anciens, modernes et étrangers, à cordes et à pincer.
Fig. I. Mandore.
2. Cistre.
3. Guitare.
4. Guitare simple.
5. Cistre turc.
6. Colachon.
7. Théorbe.
8. Luth.
9. Pandore en luth.
10. Harpe.

PLANCHE VIII.

Suite des instruments à vent.
Fig. I. Fifre suisse.
2. Autre fifre.
3. Fifre à bec.
4. Flûtet de tambourin.
5. Flageolet d'oiseau.
6. Parties du flageolet d'oiseau.
7. Gros flageolet.
8. Dessus de flûte traversière.
9 et 10. Flûte d'accord et sa coupe.
11.Hautbois.
12. Coupe du hautbois.
13, 14, 15. Parties du hautbois.
16. Clarinette.
17, 18, 19. Parties séparées de la clarinette.
20. Chalumeau.
21 et 22. Partie du chalumeau.
23. Flûte à bec.
24, 25 et 26. Parties séparées de la flûte à bec.
27. Ton.

PLANCHE XI. *(page 56)*

Instruments qui se touchent avec l'archet.
Fig. I. Basse de viole.
2. Dessus de viole.
3. Pardessus de viole.
4. Sourdine.
5. Viole d'amour.
5, n°2. Manche de la viole d'amour.
6. Contre-basse.
7. Violon.
8. Archet.
9. Poche avec son archet.
10. Trompette marine.

PLANCHE XII. *(page 57)*

Outils propres à la facture des instruments à archet.
Fig. I. Moule de violon.
2. Autre moule de violon.
3. Moule de violon monté d'éclisses.
14 et 15. Fausses tables.
16. Patron pour les ouies des violons.
17. Patron pour les ouies des dessus de viole.
18, 19, 20. Rabots.
21. Planche pour faire les voûtes.
22, 23. Ratissoires.
24. Fusil.
25 et 28. Patrons pour les violons.
26 et 27. Fers ronds.
29 et 29, n°2. Couteaux.
30. Fer plat.
31. Maillet.
32. Fer pour les éclisses des basses.

Pl. III.

Benard Direxit.

Lutherie, Instrumens anciens et modernes, à cordes et à pincer.

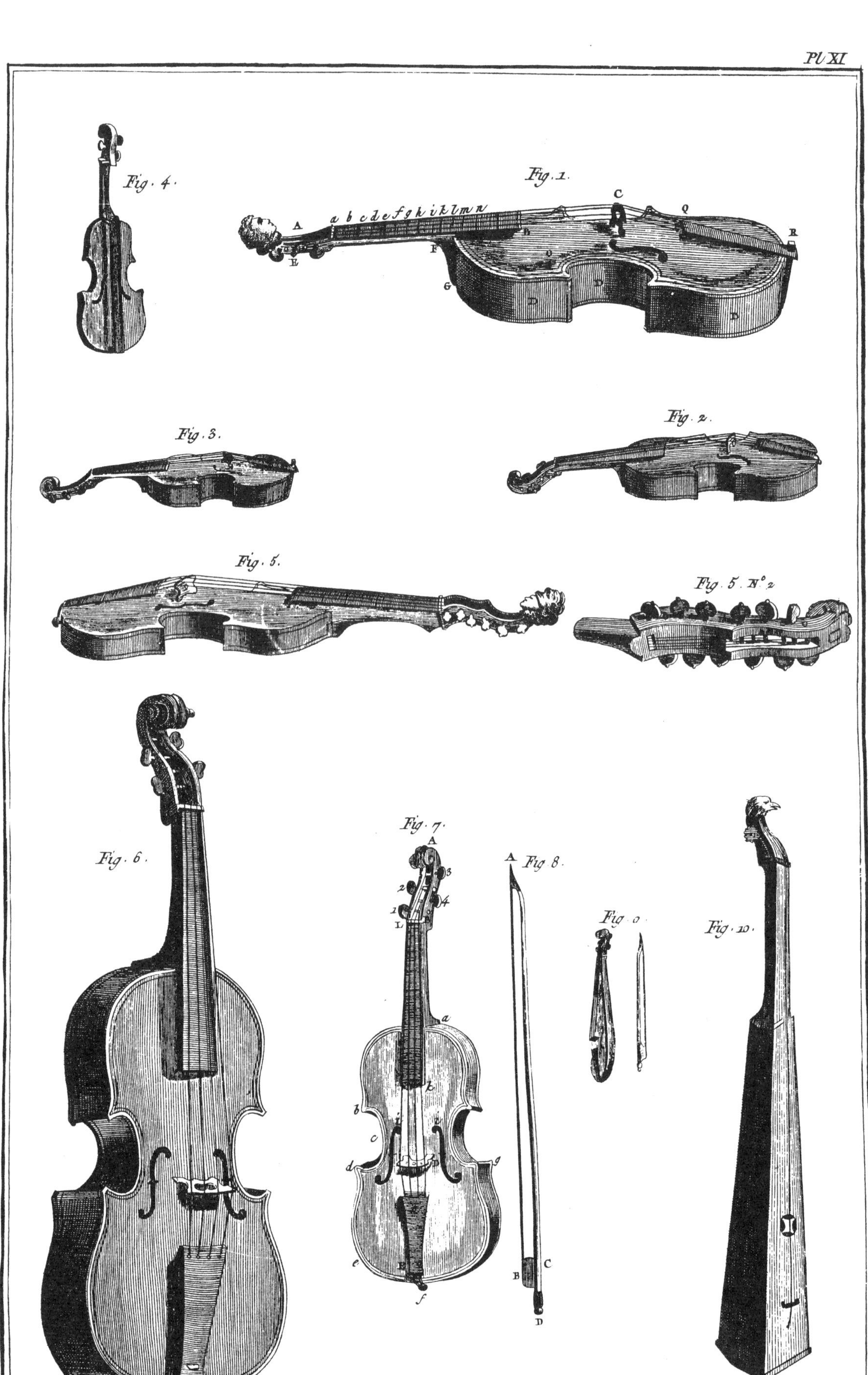

Benard Direxit

Lutherie, Instruments qui se touchent avec l'Archet

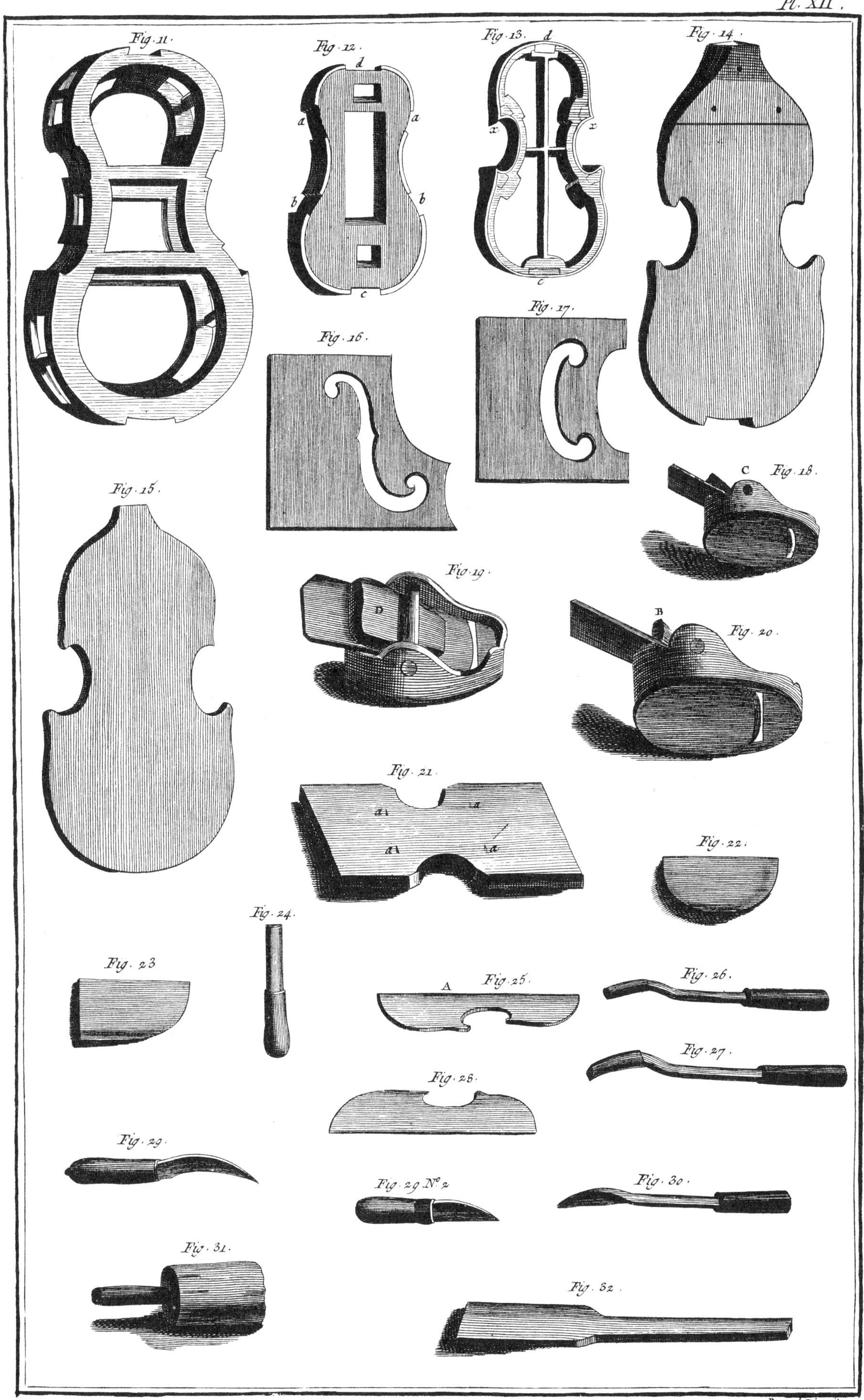

Benard Direxit

Lutherie, Outils propres à la Facture des Instruments à Archet.

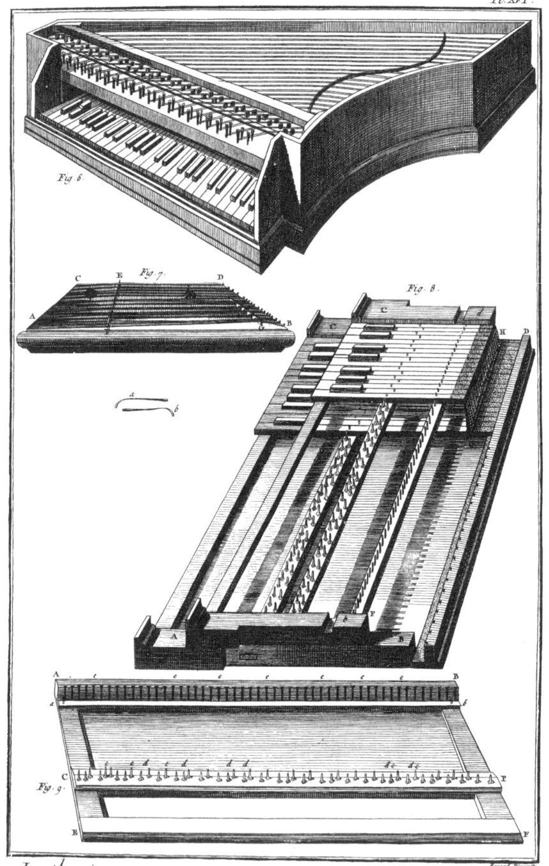

Lutherie, Suite des Instruments à cordes et à touches, avec le Psalterion Instrument à cordes et à baguettes.

PLANCHE XIV. *(page 59)*

Instruments à cordes et à touches.
Fig. I. Clavecin monté sur son pied sans son couvercle.
5. Pupitre du clavecin.
A. Sautereau sans languette.
E. Sautereau avec sa languette.
F, f, G, H, I. Sautereaux.
K, L. Languettes.
M. Fiche.

PLANCHE XVI.

Suite des instruments à cordes et à touches, avec le psaltérion, instrument à cordes et à baguette.
Fig. 6. Epinette à l'italienne.
7. Psaltérion ou tympanon, *a, b* ses baguettes.
8. Double clavier du clavecin.
9. Châssis du clavier de l'épinette.

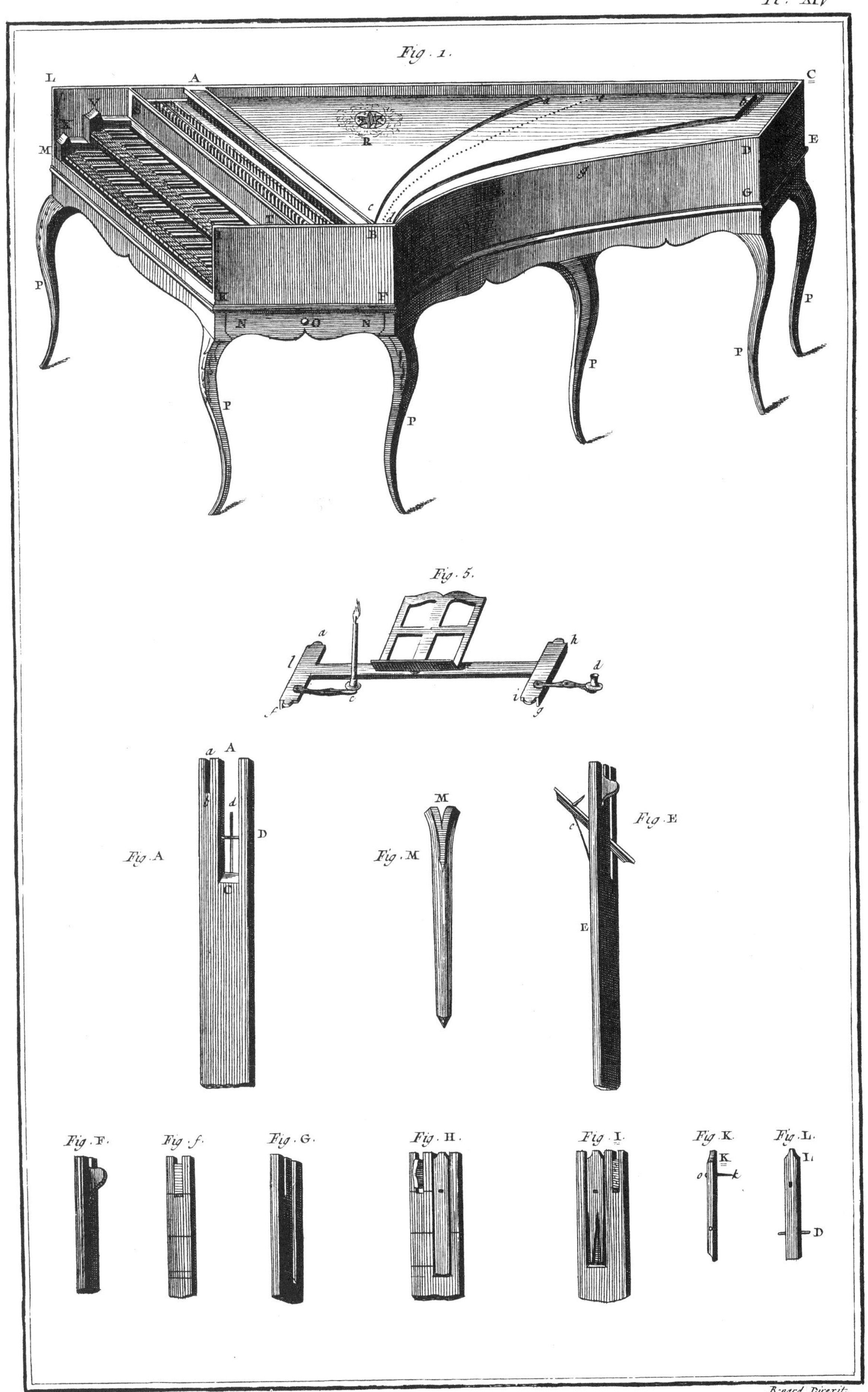

Benard Direxit.

Lutherie, Instruments à cordes et à touches. Clavecin.

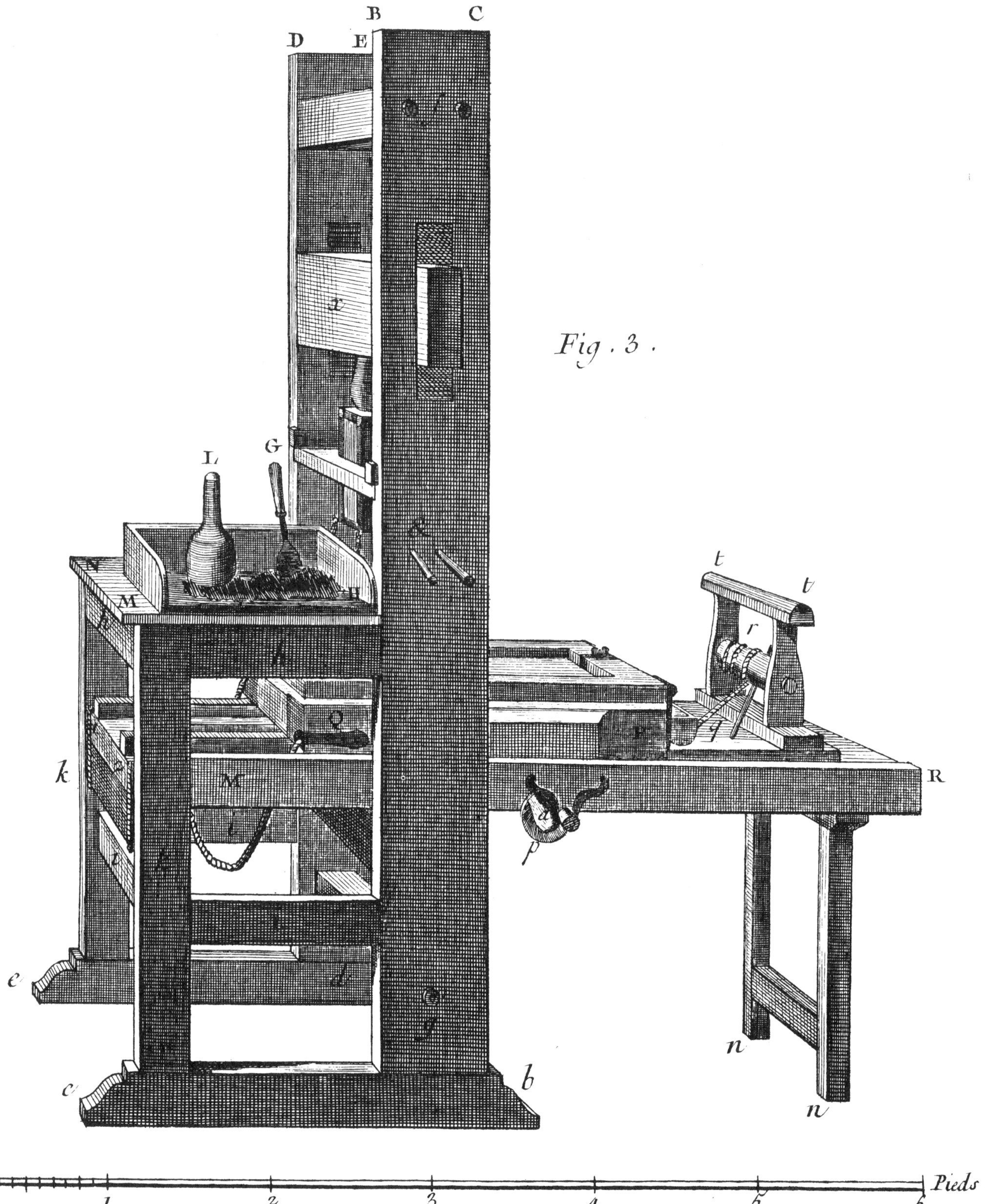

Fig. 3.
B
C
D
E
G
L
H
N
M
t
t
r
R
k
e
c
b
n
n
0
1
2
3
4
5
6
Pieds.

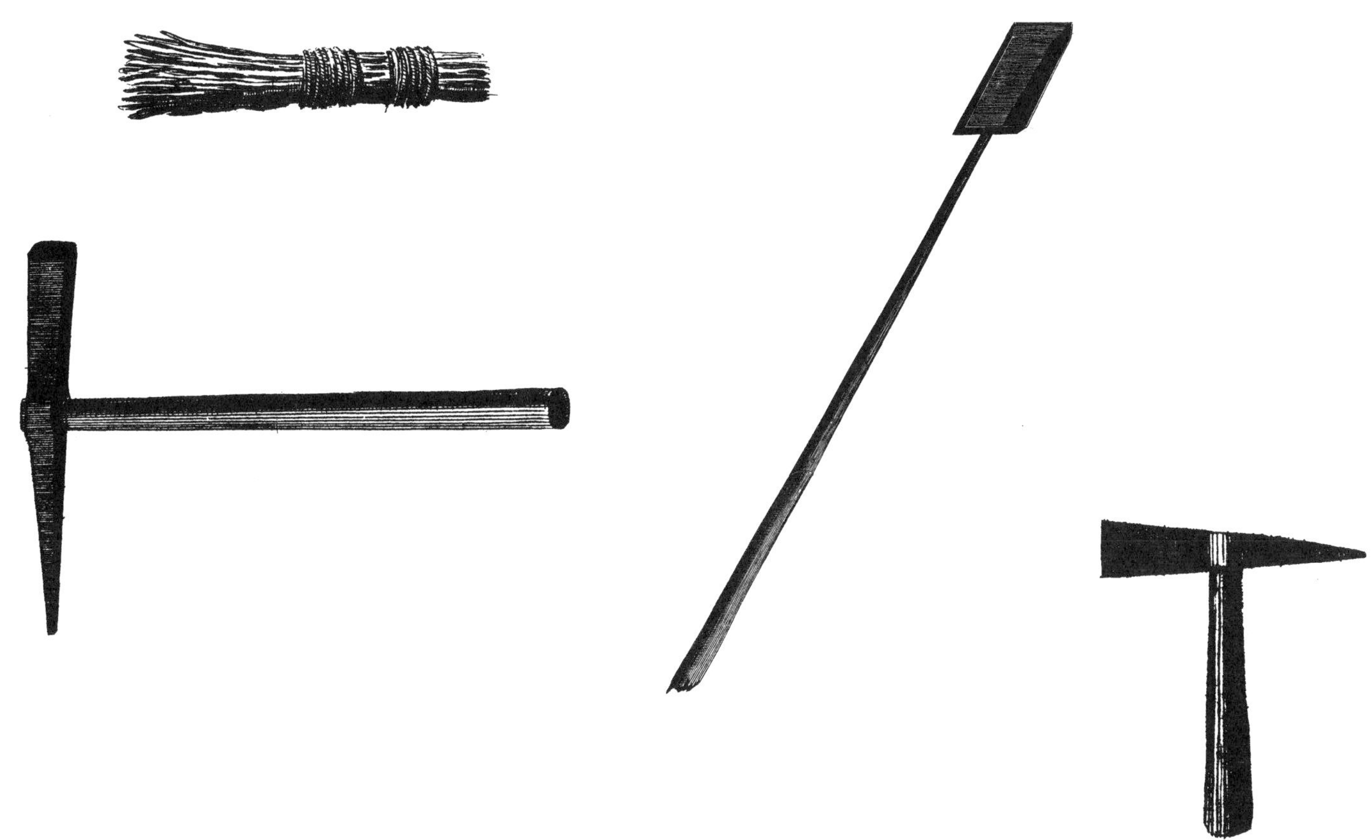

MANUFACTURES

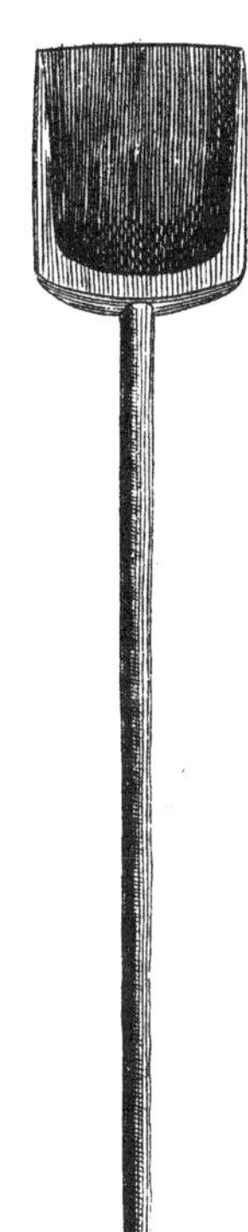

« Ce mot signifie deux choses ; ou le simple travail des mains, ou les inventions de l'esprit en machines utiles, relativement aux arts et aux métiers ; *l'industrie* renferme tantôt l'une, tantôt l'autre de ces deux choses, et souvent les réunit toutes les deux. Elle se porte à la culture des terres, aux manufactures, et aux arts ; elle fertilise tout et répand partout l'abondance et la vie : comme les nations destructives sont des maux qui durent plus qu'elles, les nations industrieuses sont des biens qui ne finissent pas même avec elles. »
*Extrait de l'article **Industrie**. Volume VIII, 1765.*

Si *L'Encyclopédie* met à l'honneur l'artisanat, elle n'oublie pas d'accorder la place qui lui revient à « l'industrie » telle qu'elle existait à cette époque. En fait, il ne s'agit pas encore de production de masse mais de mécanisation d'une certaine partie du travail qui reste proche de l'artisanat.
L'avancée technologique du siècle est bien représentée dans les planches sur la fonderie, la fabrication du papier ou l'utilisation des métiers à tisser modernes.
L'homme reste au centre de cette production industrielle. La machine est là pour produire mieux en soutenant les gestes de l'ouvrier et ce sont des énergies naturelles qui sont employées : eau, vent, bois, charbon...
Les manufactures représentées sont au dernier stade de leur évolution, qui sera totalement bouleversée peu de temps après par la révolution industrielle.

VERRERIE EN BOIS,
OU
PETITE VERRERIE A PIVETTE,

PLANCHE Ière.

Cette Planche représente l'intérieur d'une halle de petite Verrerie. *a a*, four. *b*, vue extérieure de l'arche où l'on met recuire la marchandise. *c*, porte de l'arche par où l'on passe les marchandises. *d d*, trous pour communiquer de l'air à l'arche. *e e e*, ancres de fer pour soutenir l'arche. *f f f*, joues ou petits murs en terre glaise pour garantir les ouvriers de la chaleur. *g*, crochets de fer sur la joue pour tenir la canne au réchauffage. *h h*, ouvraux ou trous par où l'on travaille dans les pots à verre. *i*, tablette sur laquelle les ouvriers posent leur canne. *l l*, tisards ou ouverture par où l'on chausse le four. *m*, maître ou paraisonnier qui cueille la matière avec la canne dans le pot. *n*, maître soufflant la poste et la roulant sur le marbre. *o o*, ouvriers sur le banc roulant la canne pour donner la forme à la poste. *p*, ouvrier soufflant la poste au chauffage. *q*, petit garçon nettoyant le verre qui est attaché à la canne dans l'auge aux groisils ou recoupe de verre. *r*, tambour ou cheminée par où l'on jette les pivettes ou bois secs du haut de la halle. *f*, pivettes ou bois prêts à être mis dans le tisard. *u*, tiseur prenant la pivette pour la porter au tisard. *u*, tiseur mettant la pivette ou bois sec au tisard. *v*, petit talut ou chemin du tisard. *x x*, baquets et tonneaux dans lesquels on met rafraîchir les cannes. *y y*, auges pour les recoupes. *z*, marbre sur lequel on roule la poste. *&*, moule cannelé dans lequel on roule la poste. *&* chaudière dans laquelle l'on met le sel de soude provenant de l'écume des pots à verre. *a a*, pivettes ou bois qui sèche sur le haut de la halle.

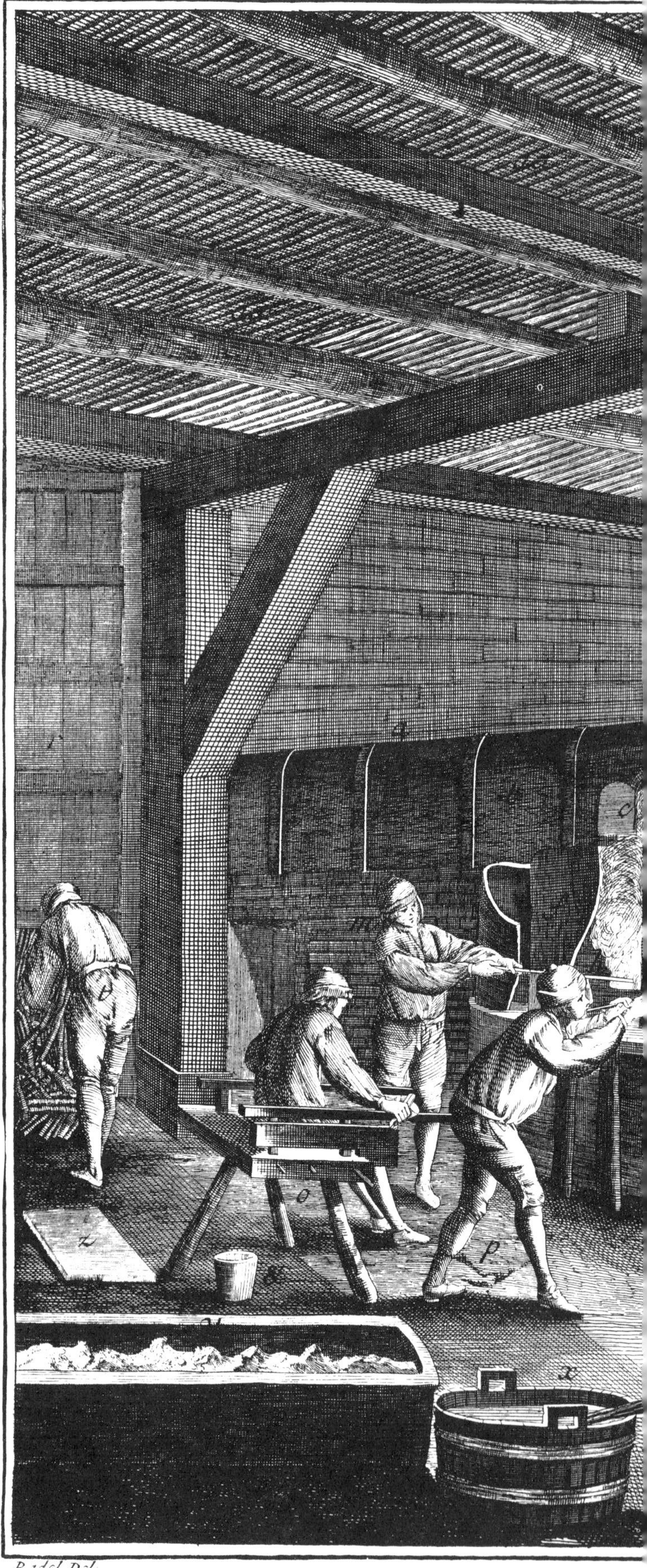

Benard Fecit.

rur d'une Halle de petite Verrerie à pivette ou en bois.

PLANCHE IV.

Construction du four.

Fig. I. Coupe et plan en perspective du four où l'on voit la disposition des pots et les ouvriers qui construisent le massif du banc. *a,* ouvrier posant une brique crue et la frottant sur les anciennes posées, pour en égaliser le lit. *b,* baquet où l'on met le mortier composé avec la raclure de brique non cuite, pulvérisée et broyée avec de l'eau. *c,* construction du massif du banc des pots en terre crue. *d,* chemin du tisard. *e,* entrée du tisard. *f,* œil du tisard pour donner de la chaleur au four. *g g,* premier massif en brique cuite. *h,* construction de l'entrée du tisard en brique crue. *i,* cintre de fer pour soutenir le terrain de chaque côté du talut du tisard. *m,* talut du tisard. *n,* brique de construction pour soutenir la couronne. *o o o,* massif en terre glaise pour fermer le passage des pots. *q q q,* pots en place contenant la matière. *r r r,* construction de la couronne ou voûte du four en brique crue. *f,* barre de fer pour soutenir l'arche. *t,* œil de la couronne pour donner de la chaleur à l'arche. *u,* joue en terre glaise ou petit mur pour garantir les ouvriers de la chaleur des ouvraux. *v,* ouvrier passant la canne par l'ouvroir pour prendre de la matière dans le pot. *x,* banc. *y,* marbre.

2. *a,* ouvrier portant des briques pour la construction du four. *b b,* briques crues prêtes à être posées.

3. Ouvriers occupés à broyer dans un tonneau de la terre provenant des raclures des briques crues et pulvérisées pour la liaison des briques du four.

4. Briques posées pour sécher.

5. Ouvriers occupés à poser en liaison des briques pour la construction du four. *a,* ouvrier ou maçon posant une planche sur la brique en liaison, et frappant avec force sur la planche pour extraire de la liaison le trop de mortier. *b,* planche. *c c c,* carreaux de brique en liaison. *d,* maçon ôtant avec la truelle le trop de mortier sortant du joint des briques.

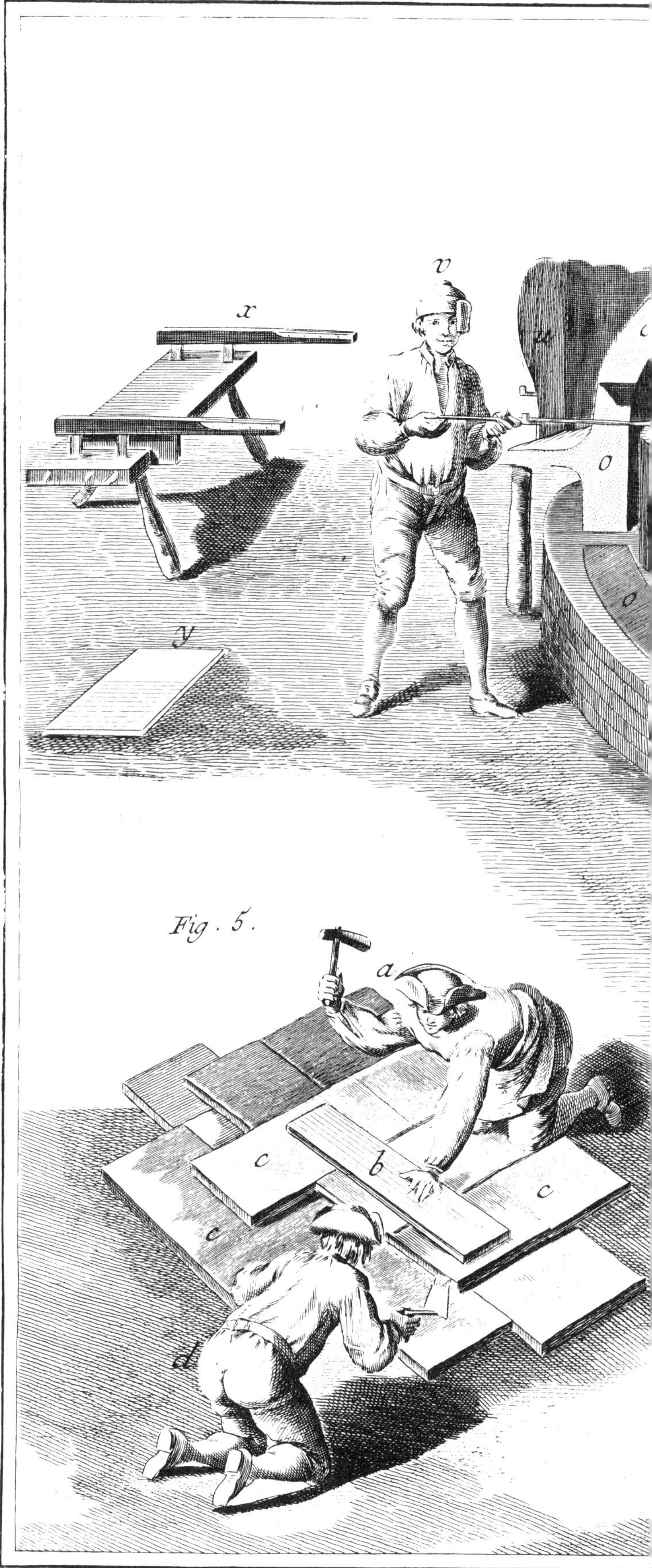

Four de petite Verrerie à pivette, et différentes Opérations relatives à sa construction.

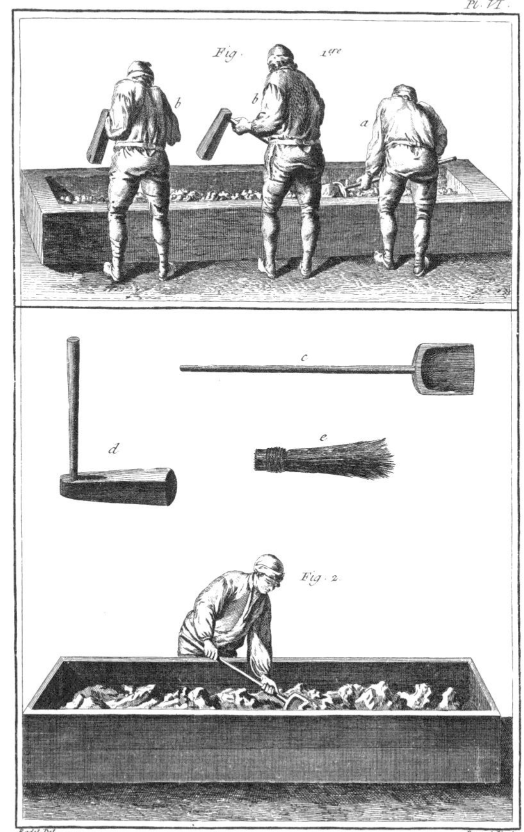

Verrerie en bois, l'Opération de Piler dans une auge de bois de la terre glaise sèche pour la formation des Briques et des Pots, et l'Opération de l'Humecter et de la mêler de pilures d'anciens pots pour la corriger.

PLANCHE VI

Fig. I. Ouvriers occupés à piler dans une auge de bois de la terre glaise sèche pour la formation des briques et des pots. *a*, ouvrier remuant la terre glaise avec une pelle. *b b*, autres ouvriers qui pilent cette terre. *c*, pelle. *d*, marteau de bois ou pilon. *c*, petits balais pour nettoyer l'auge.
2. Ouvrier mêlant dans une caisse de planches la terre glaise avec de l'eau pour humecter, et avec de la pilure d'anciens pots pour la corriger.

PLANCHE VII. *(page 67)*

Fig. I. Ouvrier occupé à piler dans des mortiers faits de troncs d'arbre des morceaux de vieux pots, pour les mêler avec de la terre glaise.
Fig. 2. Autre ouvrier occupé à tamiser dans un tonneau la poussière des vieux pots pilés, pour la mêler ensuite avec la terre glaise pour la corriger.
3. Femmes occupées à briser un vieux pot retiré du four, pour en ôter le verre restant au fond et pour le donner à piler. *a*, vieux pot. *b*, partie de verre restant au fond du pot. *c c c*, morceaux de vieux pots brisés. *d*, auge de bois où l'on met les morceaux de verre retirés du vieux pot.
4. Outils servant à piler. *a*, marteau de fer pour piler. *b*, petit marteau ou sendoir. *c c*, morceaux de pelle de bois pour fouiller dans les mortiers. *d*, petit balai pour nettoyer le mortier.

Radel Del.

Benard Fecit.

Verrerie en bois, l'Opération de briser les vieux pots, de les piler et tamiser pour les mêler avec la terre glaise et Outils.

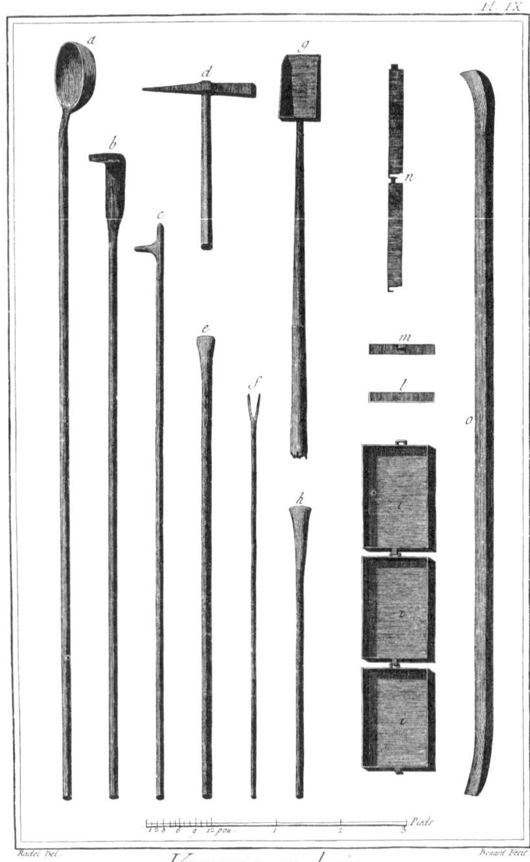

PLANCHE IX.

Outils du Maître Tiseur.

a, Grande casse de fer, ou espèce de cuillère servant à transporter dans le four d'un pot à l'autre, le verre fondu et avec le manche pour remuer les pots dérangés, et les transporter de la calcaise dans le four. *b,* rable de fer, avec lequel on remue la fritte de la composition pour cuire dans la calcaise, et le manche servant au même usage que celui de la casse. *c,* crochet pour ouvrir les ouvraux du four. *d,* pique ou pioche pour dégager les ouvertures des ouvraux tisards. *e,* grand pilot servant à remuer le verre dans les pots et à l'écumer. *f,* fourchette de fer, pour mettre les marchandises à l'arche. *g,* pelle à ébraiser dans la cave et sous le four. *h,* petits pilots pour piler le groisil dans les auges. Ces outils sont répétés de diverses grandeurs pour le service des petites verreries à pivette. *i i i,* plans des ferraces, avec la manière dont elles sont enchaînées l'une à l'autre, pour pouvoir les retirer par le cabinet de l'arche avec la marchandise cuite qu'elles contiennent. *l,* coupe d'une ferrace. *m,* vue d'une ferrace de face avec son crochet. *n,* vue de profil de deux ferraces avec leurs crochets. Ces ferraces se mettent ordinairement par la petite porte de l'arche qui est au dessus du four, et se retirent par le cabinet de l'arche pleines de marchandises, et alternativement qu'elles sont vides, on les retransporte à la même petite porte pour les remplir. *o,* grande pince de fer, pour remuer les pots pleins de verre dans le four et autres gros ouvrages.

PLANCHE VIII. *(page 69)*

Fig. I. Ouvriers occupés à taper avec des maillets de bois la motte de terre pour former le fond du pot. *a,* motte de terre. *b,* partie où les ouvriers frappent pour élargir le fond. *c,* noyau que l'on laisse au milieu pour écraser insensiblement et élargir le fond suivant la largeur donnée. *d,* fond de bois pour former les pots et les laisser sécher dessus. *e,* poussière de vieux pots sèche pour empêcher les pots de s'attacher sur le fond. *f,* baquet renversé, sur lequel on travaille le pot.

2. Ouvrier occupé à former des rouleaux de terre, pour élever les bords du pot. *a,* rouleaux prêts à servir.

3. Ouvriers occupés à élever les bords du pot, avec des rouleaux de terre glaise destinés à cet usage. *a,* ouvrier posant bien joint le rouleau sur le bord relevé du fond. *b,* ouvrier grattant avec les doigts pour lier les joints des rouleaux. *c,* fond du pot. *d,* fond du bois sur lequel se forment les pots. *e,* baquet renversé.

4. Jauge pour la hauteur et le diamètre du pot. *a b,* diamètre du pot. *c d,* hauteur du pot.

Radel Del.

Benard Fecit.

Verrèrie en bois,

Différentes Opérations pour la formation d'un Pot de petite Verrerie à Pivette.

Pl. XII.
Radel Del.
Benard Fecit.
Verrerie en bois,
l'Opération de racommoder le Banc et de relever les Pots.

PLANCHE XII.

Fig. I. *a,* maître tiseur jettant des pelotes de terre glaise mêlée avec de la paille dans le plus profond du four pour raccommoder le banc. *b,* entrée du four. *c,* banc sur lequel doit être placé le nouveau pot. *d,* intérieur du four. *e e e,* pots rangés dans le four. *f,* pile de construction en brique pour soutenir la couronne du four. *g,* tas de terre glaise pour racommoder le four. *h,* baquet plein d'eau pour peloter la terre glaise.
2. *a,* maître tiseur relevant un pot qui a baissé avec le manche de la casse. *b b,* tiseurs aidant le maître tiseur à relever le pot. *c,* intérieur du four. *d d d,* pots. *e e,* piles de construction pour soutenir la couronne. *f,* banc ou place du pot. *g,* massif du banc.

PLANCHE XVII (page *71)*

Fig. I. Tiseurs mêlant dans la caisse le groisil et la fritte pour la transporter ensuite au four dans les pots de fonte. *a,* grande caisse pour mêler la fritte avec le groisil. *b,* panier de groisil ou verre cassé. *c,* pelle ou échoppe pour porter la composition au four.
2. Maître tiseur occupé à mettre la composition dans le pot au four pour fondre. *a,* grand ouvrau du pot de fonte. *b b,* pile de brique pour soutenir la couronne du four. *c,* massif de construction du four.

PLANCHE IX. *(page 72)*

Fig. I. Gentilhomme roulant sur le marbre la première chaude, ainsi appellée parce que c'est la première fois qu'on porte réchauffer le cueillage au four. *a,* gentilhomme roulant la première chaude sur le marbre. *b,* écran que les gentilhommes mettent sur leurs têtes pour les garantir de la grande chaleur des ouvraux. *c,* tronc d'arbre sur lequel est posée la table de marbre ou de fonte. *b,* marbre posé sur le tronc d'arbre.
2. *a,* Gentilhomme roulant et soufflant la seconde chaude sur le marbre. *b,* mitaine que le gentilhomme met pour tourner la canne dans la main et le préserver de la grande chaleur. *c,* marbre sur lequel on roule la seconde chaude. *d,* tronc d'arbre sur lequel est posé le marbre.

PLANCHE XI. *(page 72)*

Fig. I. *a,* Gentilhomme formant la noix à la bosse. *b,* siège. *c,* baquet pour inciser. *d,* tronc d'arbre qui soutient le baquet à inciser. *e,* barre de fer pour former la noix à la bosse. *f,* bosse dessus la barre de fer à laquelle se forme la noix en tournant. *g,* crénio pour recevoir les verres cassés.
2. *a,* Gentilhomme soufflant la bosse sur le crénio. *b,* petit baquet plein d'eau pour inciser la bosse. *c,* tronc d'arbre pour soutenir le petit baquet. *d,* barre de fer pour soutenir la canne. *e,* bosse. *f,* crénio.

PLANCHE XII. *(page 73)*

Fig. I. *a,* Gentilhomme occupé au grand ouvrau du four à foncer la bosse, c'est-à-dire faire chauffer le fond de la bosse afin de l'aplatir. *b,* joue ou petit mur pour empêcher la grande chaleur d'incommoder les gentilshommes. *c,* ouverture du grand ouvrau. *d,* échancrure faite à la joue pour soutenir la canne. *e,* béquet sur lequel on retourne la bosse pour placer le pontis.
2. *a,* Gentilhomme occupé à inciser le col de la bosse. *b,* bion en action d'inciser le col de la bosse. *c,* barre de fer sur laquelle pose la canne. *d,* crénio pour recevoir les verres cassés. *e,* siège sur lequel s'asseyent les gentilshommes.

Radel Del. Benard Fecit.

Verrerie en bois, l'Opération de melanger le Groisil et la Fritte, et l'Opération de mettre cette composition dans le pot au Four pour fondre.

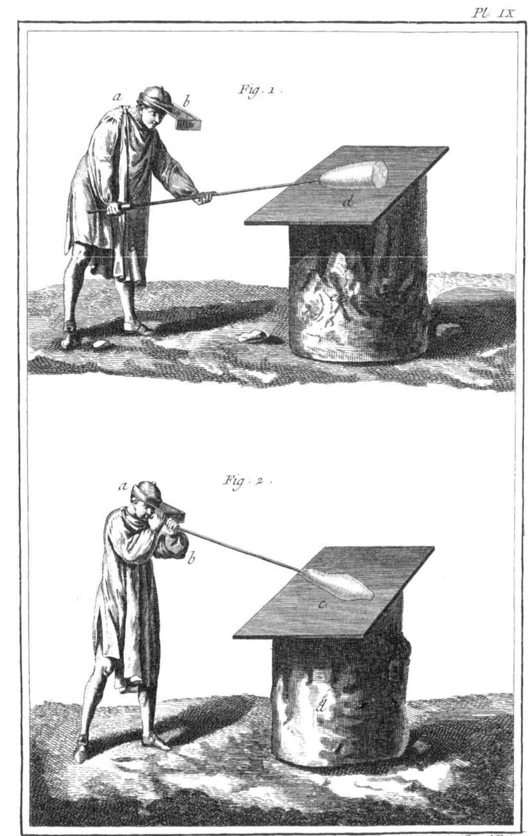

Verrerie en bois,
l'Opération de rouler la 1.e et la 2.e Chaude et de la souffler. I

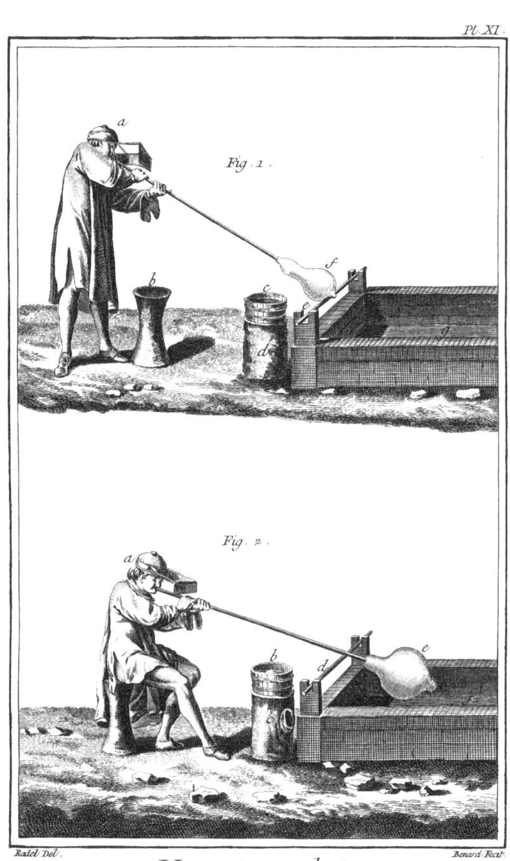

Verrerie en bois,
l'Opération de former la Noix à la Bosse et de la souffler sur le Crénio. L

Radel Del. Benard Fecit.

M

Verrerie en bois,

l'Opération de Chauffer le fond de la Bosse pour l'aplatir et l'Opération d'inciser le Col de la Bosse.

TISSERAND

PLANCHE Ière. *(page 75)*

Le haut de cette planche représente un atelier de Tisserand où sont plusieurs métiers à toile, manœuvrés par plusieurs ouvriers en *a* et en *b*.
Fig. I et 2. Plan et coupe de la navette. A, le creux. B, la bobine garnie. C C, les pointes.
3. Elévation perspective de la navette. A, le creux. B, la bobine. C, le fil. D D, les pointes.
4. Bobine garnie. A, la bobine. B B, l'aiguille.
5. Bobine garnie.
6. Aiguille de la bobine.
7. Temple. A, la branche à crémaillère. B, la branche simple. C C, les liens. D D, les pointes pour ficher et maintenir la toile.
8. La branche à crémaillère. A A, les pointes. B B, les dents.
9. Branche simple. A, les pointes.
10, 11 et 12. Les liens.

PLANCHE III.

Premier plan.

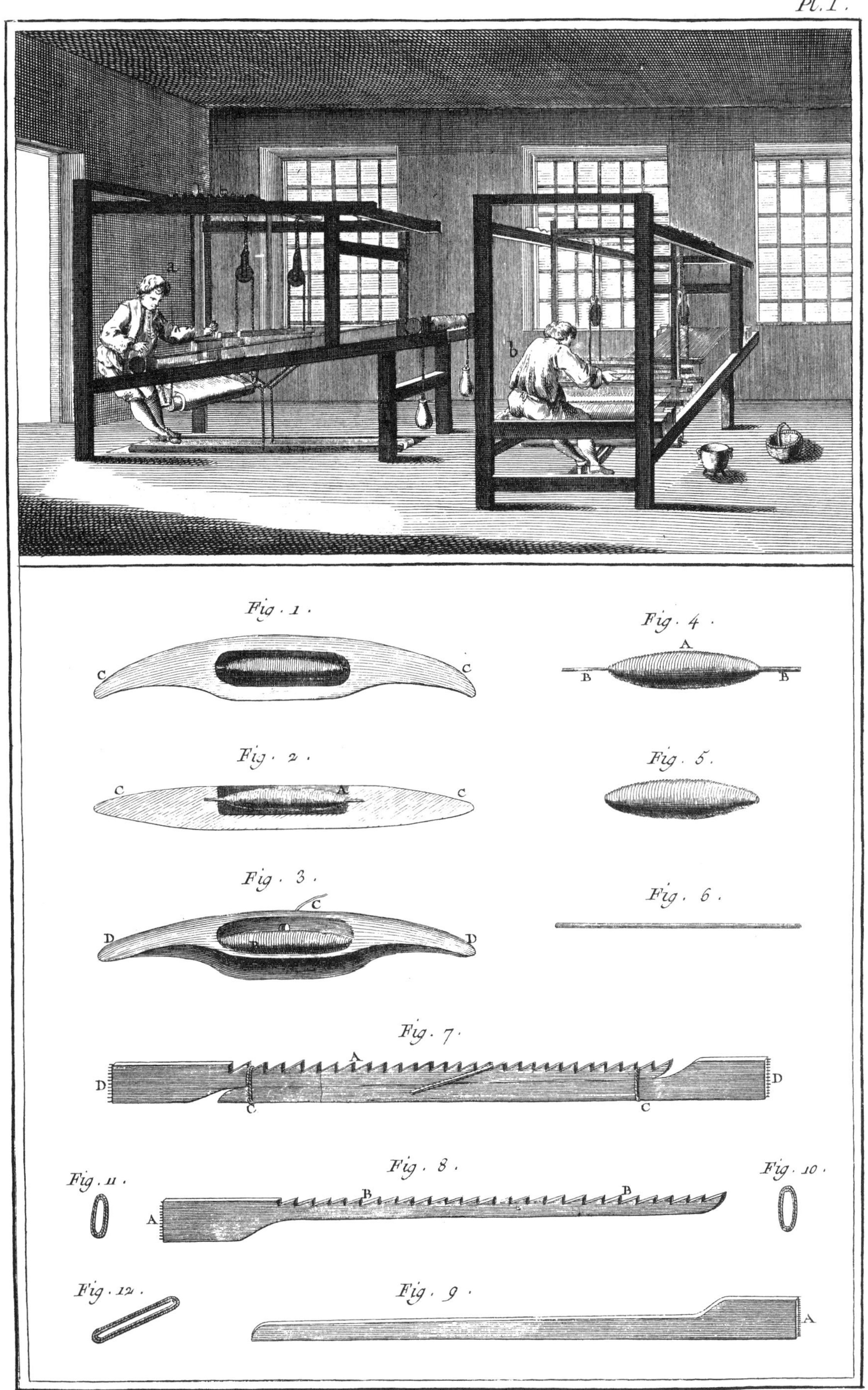

Lucotte Del.

Benard Fecit

Tisserand, Navette et Temple.

PLANCHE II.

Elévation perspective

Benard Fecit.

Tisserand, Metier.

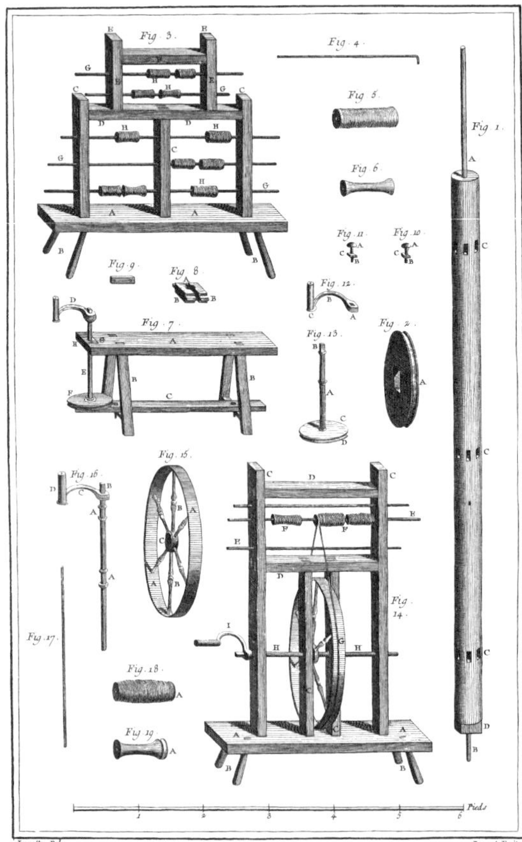

PLANCHE Ière. *(page 79)*

Le haut de cette Planche représente l'atelier où plusieurs ouvriers sont occupés, l'un en *a* ourdit une chaîne faisant tourner de la main gauche l'ourdissoir *b* par le moyen de la manivelle *c* attenante à la poulie *d* qui conduit par une corde à l'ourdissoir, et de la droite à encroiser les fils venant de la banque *e*, un autre ouvrier en *f* à dévider la chaîne sur le rouet *g*, un autre ouvrier en *h* à ourdir sur l'ourdissoir long.

Ourdissoir.

Fig. I. Ourdissoir. 2, l'arbre. 3, les traverses. 4, les ailes. 5, les fils de la chaîne. 6, la broche de lanterne. 7, le blin. A A, les montants. B B, les broches pour arrêter la chaîne. C, poulie. D D D, les montants du châssis. E E, les traverses du bas du châssis. F F, les traverses du haut. G, la corde du blin.

2 et 3. Montant à coulisse de l'ourdissoir. A, la mortaise de la poulie. B B, les rainures.

4. Le blin. A, l'échancrure. B, la platine. C, la mouffle. D D, les bobines. E E, les rouleaux. F F, les chappes.

5. La poulie du montant à coulisse de l'ourdissoir.

6 et 7. Les bobines. A A, les broches.

8. La platine. A A, les trous des vis.

9 et 10. Vis de la platine. A A, les têtes. B B, les vis.

11. Un des rouleaux. A, le rouleau. B B, les tourillons.

12 et 13. Chappes à pattes. A A, les trous des tourillons. B B, les pattes.

14. Mouffle. A, la mouffle. B, la queue d'aronde.

15. Poulie de la mouffle.

16. Vis des chappes à pattes. A, la tête. B, la vis.

PLANCHE II.

Ourdissoir, banque et rouet.

Fig. I. Arbre de l'ourdissoir. A, la broche. B, le pivot. C C C, les mortaises des ailes. D, le quarré de la poulie.

2. Poulie de l'ourdissoir. A, la noix.

3. Banque. A A, la selle. B B, les pieds. C C C, les montants de la première selle. D D, la première traverse servant de deuxième selle. E E, les montants de la deuxième selle. F, la deuxième traverse. G G, & les broches. H H, les rochets.

4. L'une des broches.

5. Un rochet garni.

6. Un rochet non garni.

7. Selle à ourdir. A, la table. B B, les pieds. C, la traverse. D, la manivelle. E, l'arbre. F, la poulie. G, les coussinets. H, la platine des coussinets.

8. Coussinets. A, la partie échancrée. B B, les languettes.

9. Platine des coussinets.

10 et 11. Vis pour serrer les coussinets. A A, les têtes. B B, les vis. C C, les écrous.

12. Manivelle. A, le quarré. B, la tige. C, le manche.

13. L'arbre joint à la poulie. A, l'arbre. B, le quarré. C, la poulie. D, la noix.

14. Rouet monté. A A, la selle. B B, les pieds. C C, les montants. D D, les traverse. E E, les broches. F F, les bobines. G, la roue. H, l'arbre. I, la manivelle.

15. Roue du rouet. A A, la roue. B B, les rayons. C, le moyeu.

16. Arbre de la roue. A A, les embâses. B, le quarré. C, la manivelle. D, le manche.

17. Broche.

Fig. 18. Bobine ou rochet garni. A, la poulie.

19. Bobine ou rochet non garni.

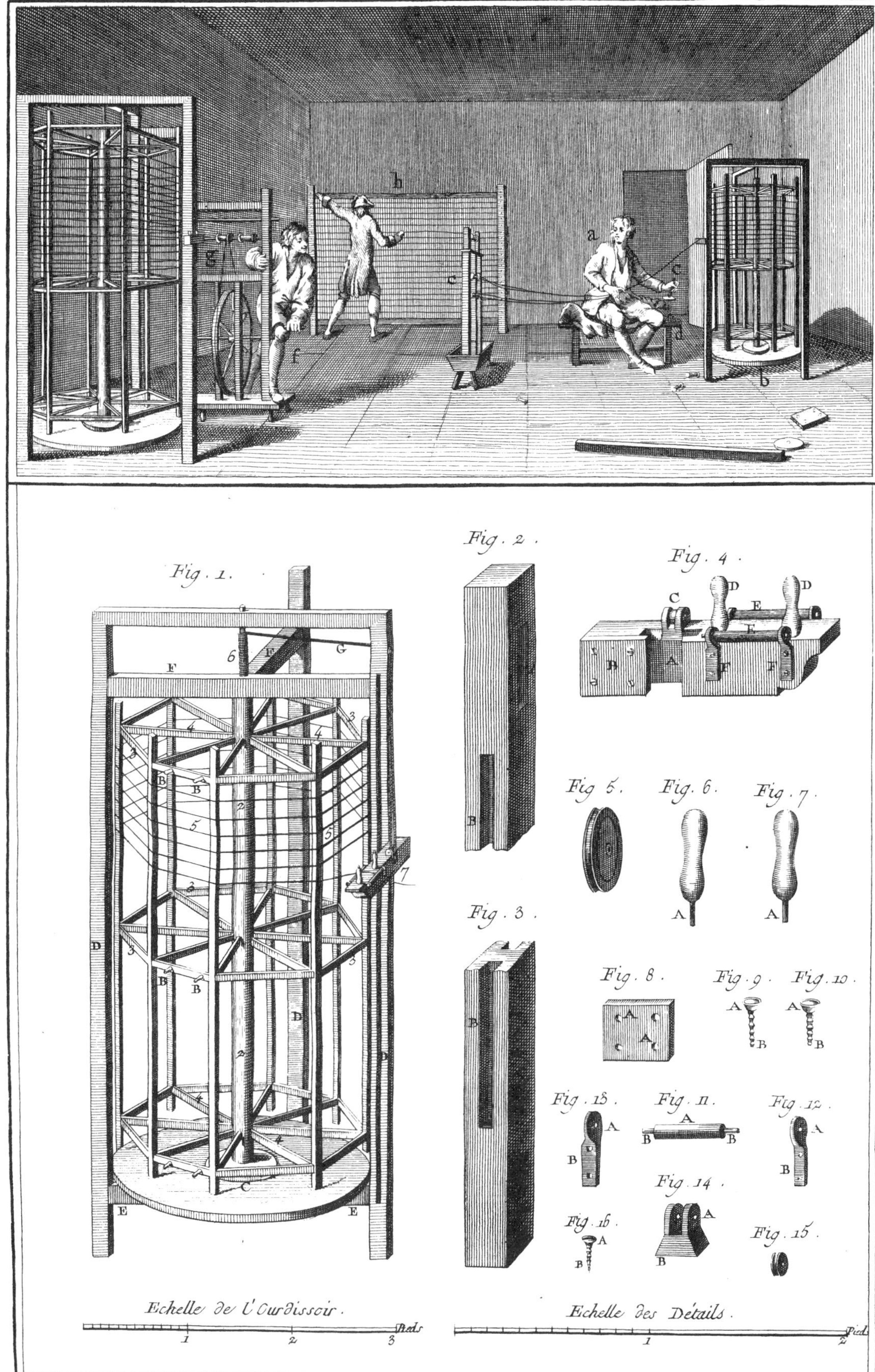

Lucotte Del.   Benard Fecit.

Passementerie, Ourdissoir.

PLANCHE V.

Métier à galon.

Elévation perspective du métier à faire le galon. A A, les piliers. B B, les barres de long. C C, les écharpes. D D, les barres de long du haut. E E, les traverses du haut de large. F F, les poulies du chevalet. G G, les supports des poulies. H H, les broches des poulies. I I, les montants du chevalet. K K, les traverses de long du chevalet. L L, les traverses de large du chevalet. M, le siège. N N, les marches. O, les bretelles de la poitrinière. P, le battant garni. Q, le bandage du battant. R R, l'arrête du battant. R R, les crémaillères. S, le porte-rame de devant. T, le porte-rame de derrière. U U, les potenceaux. V, les ensouples. X X, les supports des potenceaux. Y Y, les traverses des supports des potenceaux. Z, les bâtons de retour. & le châssis des retours. *a a*, les potenceaux des retours. *b*, les rouleaux des potenceaux de retour. *c*, les tirants de retour. *d*, la planchette du retour. *e*, le porte-planchette. *f*, les conduits des tirants de retour. *g g*, les soies de la chaîne. *h*, la passette. *i*, le galon fait. *k*, l'ensouple de devant. *l l*, les lames. *m m*, les traverses des lames. *n n*, les lisses. *o*, les tirages des lames. *p*, les tirages des lisses. *q*, les contrepoids des lisses. *r r*, les traverses des lisses. *s*, les fuseaux. *t*, les rames. *u*, la traverse du porte-rame de derrière. *v*, les aiguilles.

Benard Fecit.

...nterie, Mètier à faire le Galon.

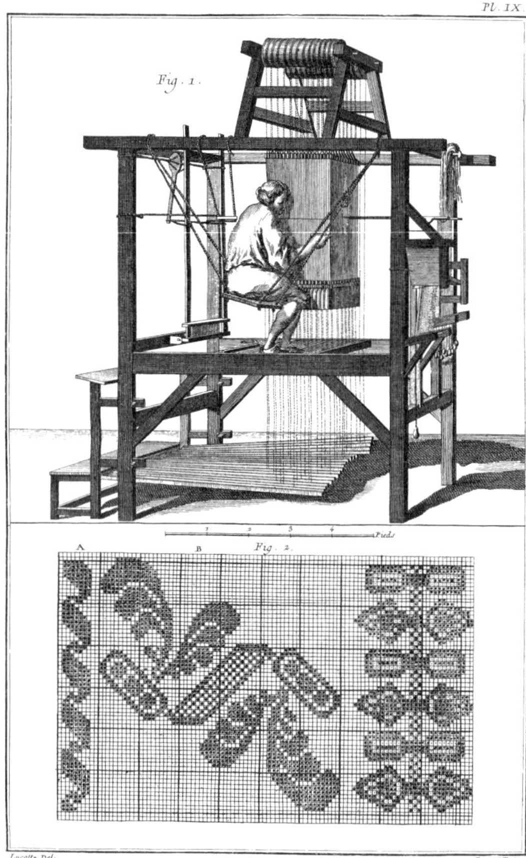

Passementerie, Façon de passer le Patron par derriere.

PLANCHE VIII. *(page 83)*

Façon de passer le patron par devant.

Fig. I. Métier à galon. A, le passage du patron par devant.
2. Echantillon de galon sortant de dessus le métier.
3. Dessin de l'échantillon translaté. A, est le premier retour. B, le second. C, le troisième. D, le quatrième. E, le cinquième. F, le sixième. G, le septième.

PLANCHE IX.

Façon de passer le patron par derrière.

Fig. I. Métier à galon. A, le passage du patron par derrière.
2. Patron. A, patron de douze livres sans retour. B, patron de six retours à dix livres chacun. C, patron de deux retours à dix livres chacun.

PLANCHE X. *(page 84)*

Métier à livrée.

Fig. I. Derrière du métier à livrée, le devant étant semblable au précédent. A A, & les alonges des potenceaux. B B, les supports des alonges des potenceaux. C C, les roquetins. D D, les poids. F, les poids des ensouples.
Fig. 2. Les bretelles. A A, les bretelles. B, la poitrinière.
3. Sangle qui se place derrière l'ouvrier. A A, les attaches.
4 et 5. Porte-rouleaux du galon. A A, les tenons. B B, les trous des tourillons.
6. Rouleau du galon. A, le rouleau. B B, les tourillons.
7. Support du galon. A A, la ficelle. B, la bobine.
8. Roquetin dégarni.
9. Roquetin garni. A, la broche. B, le poids.
10. Broche roquetin. A, la tête. B, la tige.
11. Patron des cinq premiers retours, à douze livres chacun, de la *fig.* 3. de la Planche VIII.

PLANCHE XI. *(page 85)*

Dessin de galon.

Fig. I. Dessin de galon avec ses câbles sortant des arcades, ornements de la livrée du Roi. A, la chaîne. B, le galon. C C, les câbles. D D, les arcades. E E, les pavettes.
2. Autre dessin garni de ses couteaux. A, la chaîne. B, le galon. C C, les couteaux.
3. Grand couteau. A, le tranchant. B, le manche coudé.
4. Petit couteau. A, le tranchant. B, le manche coudé.
5. Dessin de galon avec les couteaux à couper le velours. A, la chaîne. B, le galon. C C, les couteaux.
6. Petit.
7, Moyen.
8. Grands couteaux à couper le velours. A A A, les taillants. B B B, les manches coudés.
9. Arcade. A A, l'arcade. B, la broche des bobines.
10. Les bobines garnies et montées sur leur broche.
A A A, les bobines. B B, la broche.
11, 12 et 13. Bobines dégarnies.

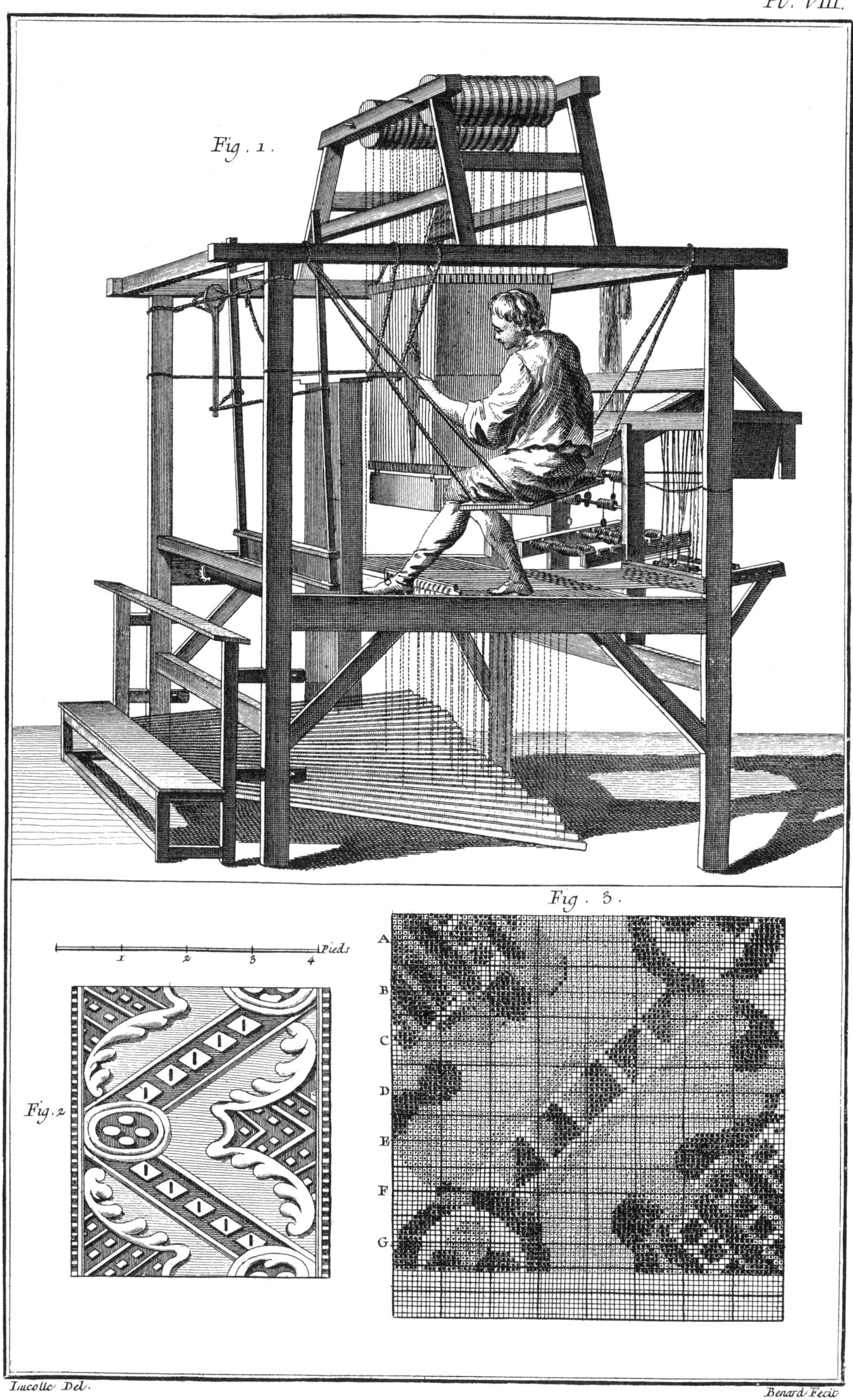

Lucotte Del. Benard Fecit

Passementerie, Façon de passer le Patron par devant.

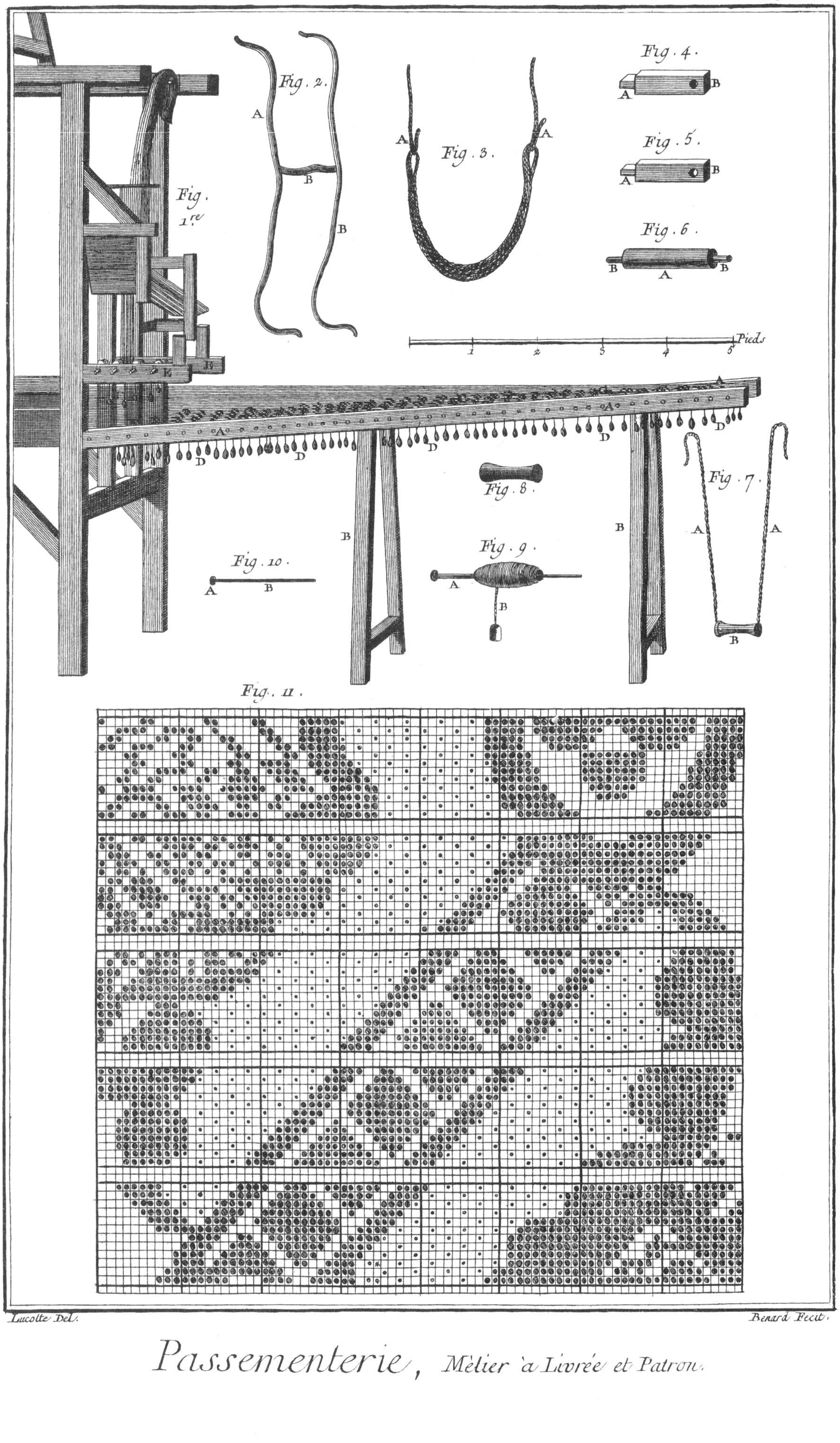

Fig. 1re.

Fig. 2.

Fig. 3.

Fig. 4.

Fig. 5.

Fig. 6.

Fig. 7.

Fig. 8.

Fig. 9.

Fig. 10.

Fig. 11.

Pieds

Lucotte Del.

Benard Fecit.

Passementerie, Mêtier à Livrée et Patron.

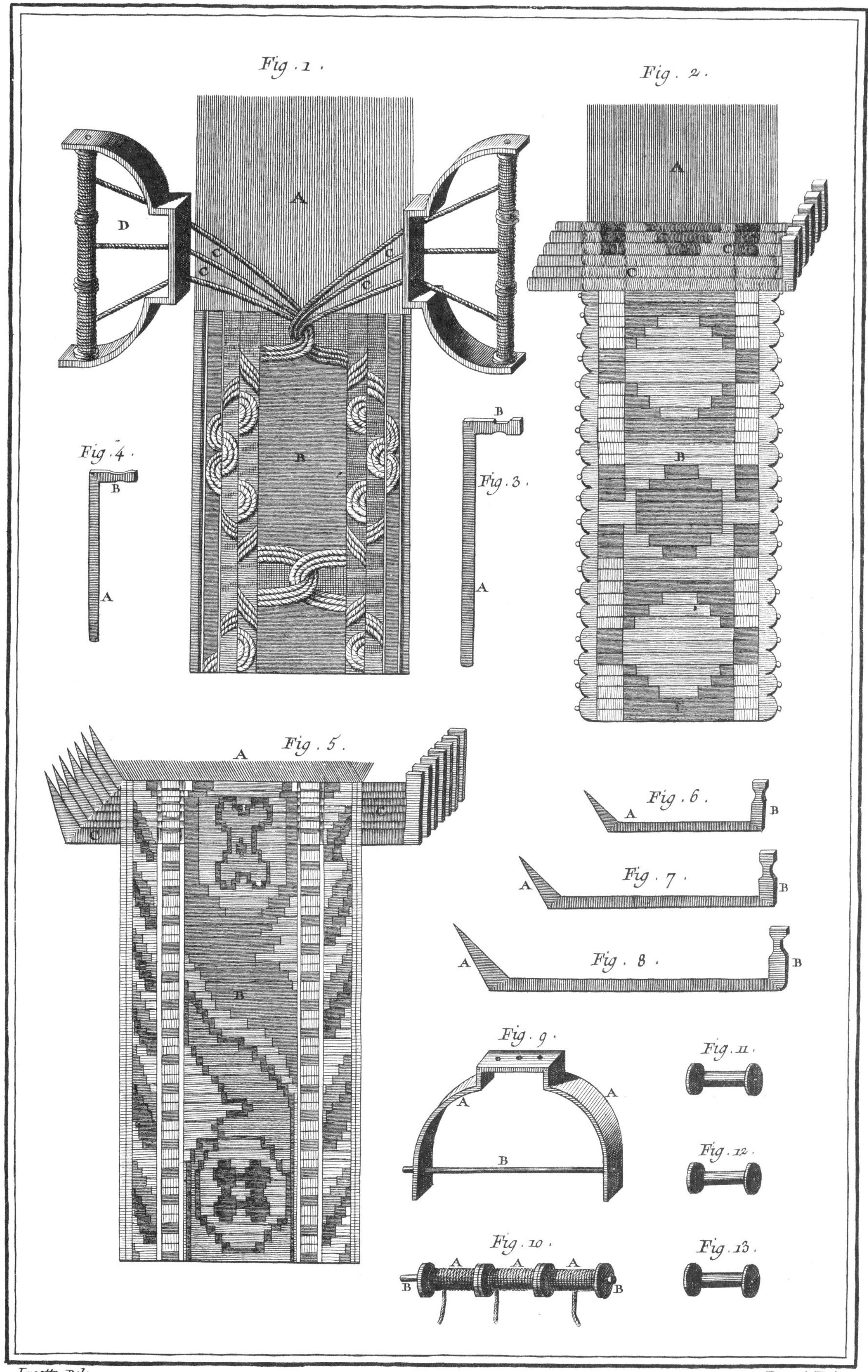

Lucotte Del. Benard Fecit.

Passementerie, Desseins de Galons.

PLANCHE I.

A, traverses du haut des côtés servant à porter les arbres et châssis des mouvements du métier.
B, montants de derrière.
C, colonnes soutenant les traverses.
D, traverses du milieu des côtés.
E, traverses des bas des côtés.
F, montants de devant.
G, supports des croix du figuré.
H, petits montants de l'arbre L3.
I, petits montants de l'arbre G4.
L, volant.
M, traverse de devant du haut.
N, traverse de devant du bas.
O, traverse de derrière du haut.
P, traverse de derrière du bas.
Q, traverse de derrière du milieu.
R, support de l'arbre S.
S, arbre rond des rubans.
T, arbre rond des chaînes.
V, support de l'arbre H4.
X, supports à fourche.
Y, porte-pièces.
Z, gousset.
& arbre du châssis du battant.
Æ, support de l'arbre de fer.
A2, battant.
B2, chasse-pièce.
C2, arbre du chasse-pièce.
D2, poulie de renvoi.
E2, crampon à coulisse du chasse-pièce.
F2, support de la manivelle de renvoi.
G2, boëte de renvoi.
H2, navettes.
I2, crampons des battants.
K2, manivelle de renvoi.
L2, chappe garnie de ses poulies de renvoi.
M2, support des marches des fourches.
N2, marche à fourche.
O2, pitons à fourches.
P2, bras du battant.
Q2, guide de renvoi du chasse-pièce.
R2, dents de renvoi.
S2, goupilles des peignes.
V2, passages des rubans.
X2, bobines des navettes.
2, bobines des navettes.
Y2, centre du bas.
A3, arbre de renvoi.
B3, crampon à fourche.
C3, crochets de renvoi.
D3, fourches à vis.
E3, chappes des conduites des lisses.
F3, cuir des chappes des conduites des lisses.
G3, croix des lisses simples.
H3, marches des lisses simples.
I3, arbre rond des bras.
L3, arbre rond des rubans.
M3, arbre rond d'encroisure.
N3, autre arbre rond d'encroisure.
O3, bras de l'arbre de fer.
P3, écrevisses des lisses simples.
Q3, écrevisses des lisses à figures.
R3, écrevisses des lisses à former les dents.
S3, croix de renvoi.
T3, marches de renvoi.
V3, lisse simple.
X3, support des lisses à figurer.
Y3, poulie des lisses à figurer.
Z3, corde de renvoi.
A4, arbre de fer.
B4, lanterne de l'arbre.
C4, arbre des croix des lisses et de renvoi.
D4, roue de l'arbre.
E4, lanterne de l'arbre.
F4, G4, roue des croix à figurer.
H4, arbre des croix à figurer.
I4, croix à figurer.
L4, croix à former les dents.
M4, marche des croix.
N4, grand peigne.
O4, support des châssis des bobines.
P4, traverses du côté d'en bas du châssis à bobines.
Q4, grandes traverses du bas du châssis à bobines.
R4, traverse du côté du haut du châssis à bobines.
S4, grande traverse du haut du châssis à bobines.
T4, châssis des tringles des rouleaux.
V4, support des tringles des rouleaux.
X4, arbre pour le passage des soies.
Y4, contrepoids des écrevisses à rubans.
Z4, contrepoids des écrevisses de la chaîne des rubans.
A5, écrevisses des contrepoids à rubans.
B5, écrevisses des contrepoids des chaînes des rubans.
C5, &5, rouleaux des contrepoids à rubans.
D5, Œ5 rouleaux des contrepoids des chaines des rubans.
E5, bobines à manivelle des chaînes des rubans.
F5, bobines à manivelle des rubans.
G5, manivelle des rouleaux des contrepoids des chaînes et des rubans.
H5, tringle de fer des rouleaux.
I5, contrepoids des lisses simples.

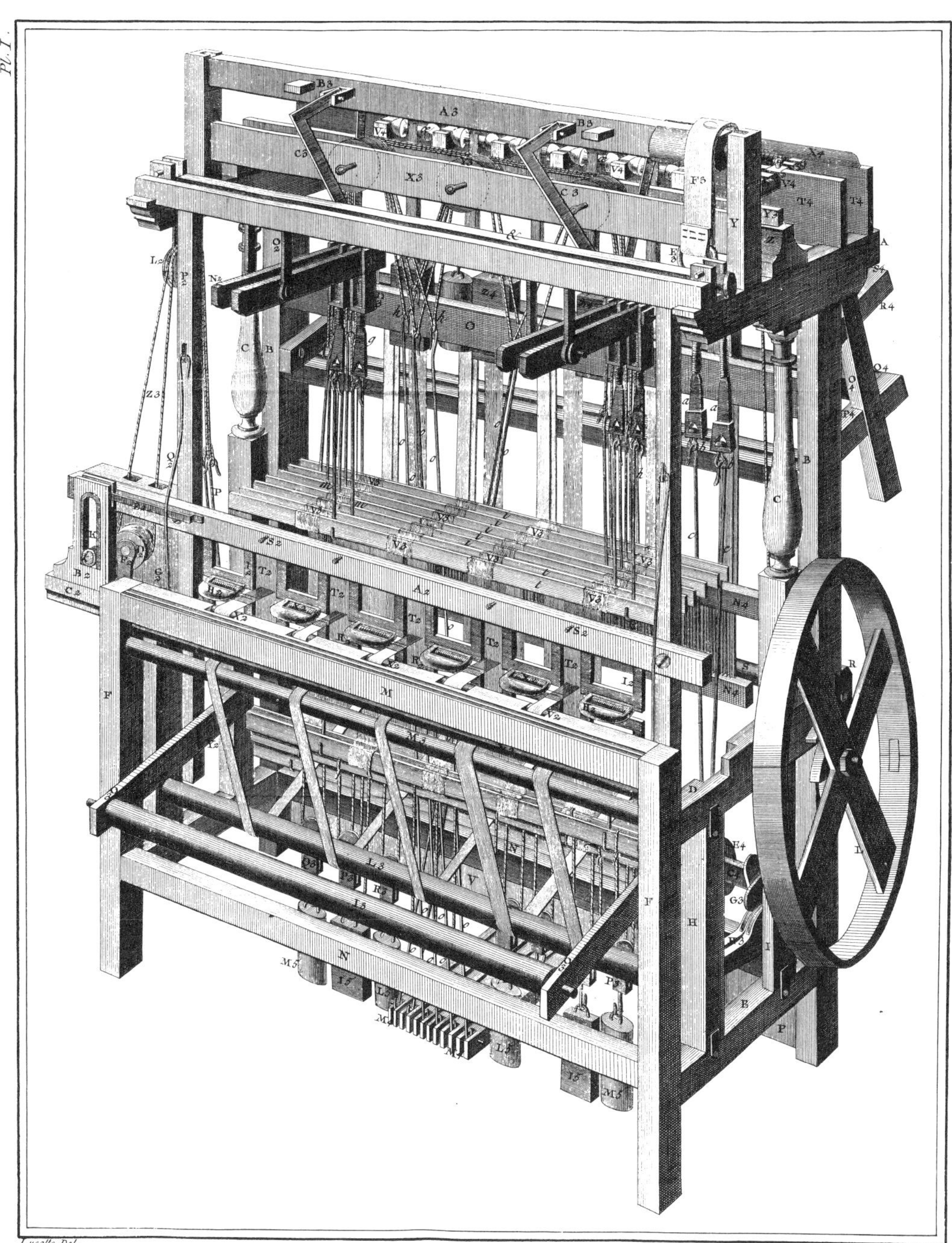

Lucotte Del. Benard Fecit.

Rubanier, Métier à faire le Ruban.

L5, contrepoids des lisses à figurer.
M5, contrepoids des lisses à dents.
N5, liens.
a, vis de chappes.
b, pitons tournants.
c, conduite de fer.
d, cliquet.
e, rochet.
f, tourniquet.
g, vis de fourche.
h, piton tournant.
i, lisse de figuré.
k, bras de la manivelle de renvoi.
l, lisse de crin pour les dents.
m, tirants des lisses simples.
n, cordages des tirants des lisses simples.
o, conduits des marches.
p, conduite de renvoi des marches.
q, cordages des écrevisses des contrepoids.
r, chaîne du ruban.
s, ruban.
t, lisseron.
u, ressort à souillot.
y, souillot.

PLANCHE Ière.

Cette planche représente l'intérieur d'un atelier où sont montés des métiers à faire des tapis de pied. *a a a a*, Métiers sur lequels sont montés les chaînes. *b*, ouvrier occupé à travailler. *c*, ouvrière occupée au treuil pour bander sur le métier les chaînes. *d d d d*, chaînes. *e e*, piliers de pierre qui servent à porter les milieux des poutres du plancher. *f f f f f*, poutres du plancher sur lesquels sont arrêtés les métiers. *g g g*, montants ou cotrets. *h h h*, ensouple. *j j j*, croisées de l'atelier.

Fig. I. Proportions et figures géométrales du peigne de fer qui sert à serrer les fils qui forment le tissu de l'ouvrage. *a*, figure de profil du peigne. *b*, peigne vu par dessus. *c*, dent du peigne. *d*, partie plate de fer, servant à donner du poids aux dents. *e e*, manche du peigne. *f*, partie du manche garni d'étoffe pour le tenir plus facilement.

2. Proportions et figure des ciseaux. *a*, vue perspective des ciseaux. *b*, profil et proportion des ciseaux. *c*, partie courbe des branches des ciseaux. *d*, lame. *e*, œils des ciseaux.

3. Proportion du tranche-fil. *a*, lame du tranche-fil qui sert à couper les boucles formées par les nœuds sur la partie *b*. *b*, partie du tranche-fil sur laquelle se forment les boucles. *c*, partie courbe du tranche-fil, dans laquelle l'ouvrier passe le doigt pour le tirer et couper les boucles.

4. Proportion de la broche. *a*, partie de la broche que l'on nomme *quend*. *b*, partie de la broche où l'on met les laines. *c*, tête de la broche. *d*, broche chargée de laine.

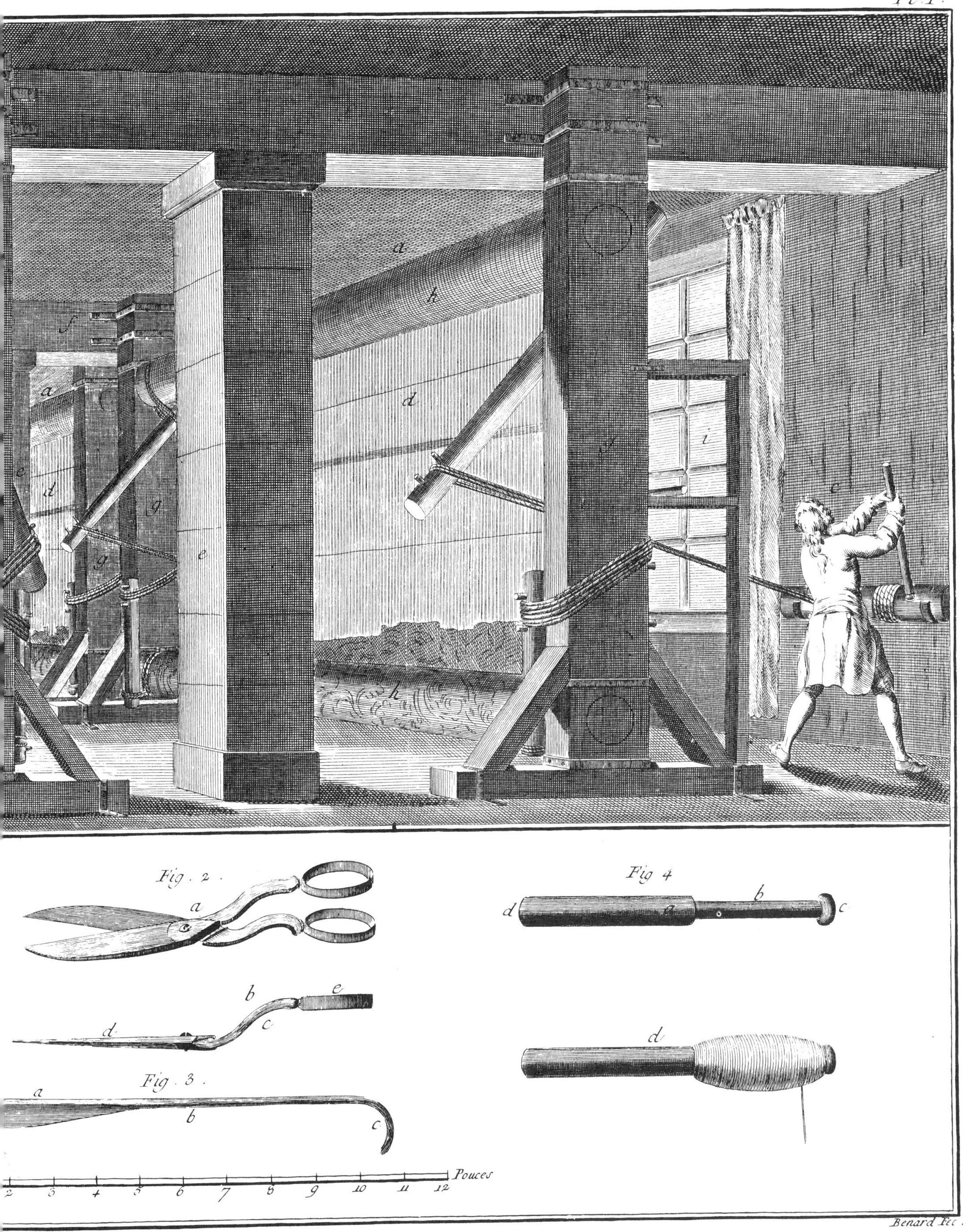

urquie, Attelier, Metiers montés et Outils.

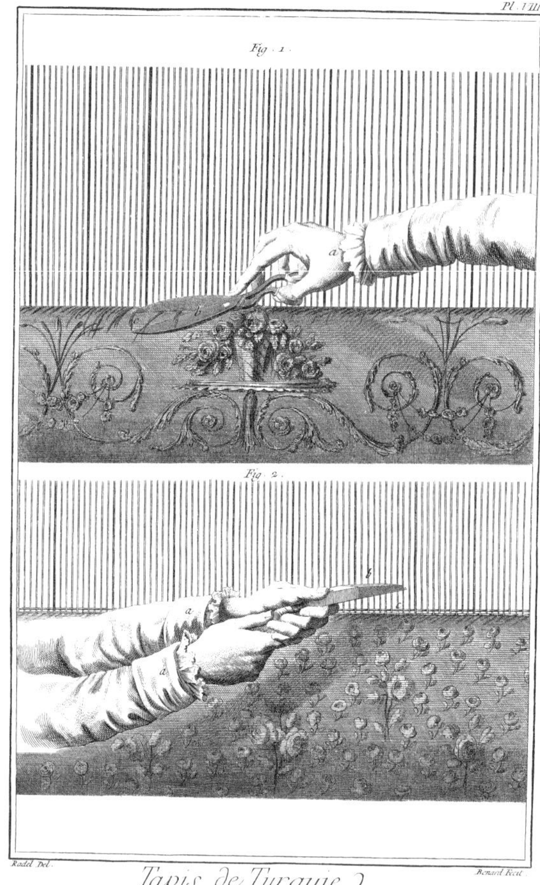

Tapis de Turquie, Service des Ciseaux courbes, et Service du Peigne.

PLANCHE VII. *(page 91)*

Fig. I. Enlacement du fil pour faire le nœud. *a,* main qui tient la chaîne pour avancer et passer la broche. *b,* fil formant le nœud. *c,* tranche-fil autour duquel se forme le point. *d,* main tenant la broche pour passer dans le nœud. *e e e,* fils bleus qui marquent les dizaines. *f f,* divisions des dizaines. *g,* ensouple au rouleau. *h,* ouvrage fait. *j,* dessin attaché dessus la perche de lisse pour être à la vue de l'ouvrier.

2. Manière de tirer le tranche-fil pour couper les points et former le velouté. *a,* main tenant avec le doigt dans le crochet du tranche-fil. *b,* lame et tranchant du tranche-fil prêt à passer dans les points. *c,* perche de lisse. *d,* lisse passant dans la croisure pour les faire avancer. *e f,* Voyez la *fig.* I, de cette Planche. *g,* ouvrage fait.

PLANCHE VIII.

Fig. I. Manière de se servir des ciseaux courbes. *a,* main tenant les ciseaux dans les anneaux avec le pouce et le petit doigt pour l'ouvrir et fermer, et donner la facilité d'appuyer sur les lames le doigt afin de mettre de niveau à l'ouvrage les longs fils. *b,* ciseaux courbes. *c c,* fil plus long que les autres, causé par les changements de couleurs.

2. Service du peigne. *a,* main occupée à battre avec le peigne sur les fils passés sur les nœuds dans les croisures pour les séparer également et serrer. *b,* peigne. *c,* fil passé dans les croisures dessus les nœuds veloutés, et se serrant avec le peigne.

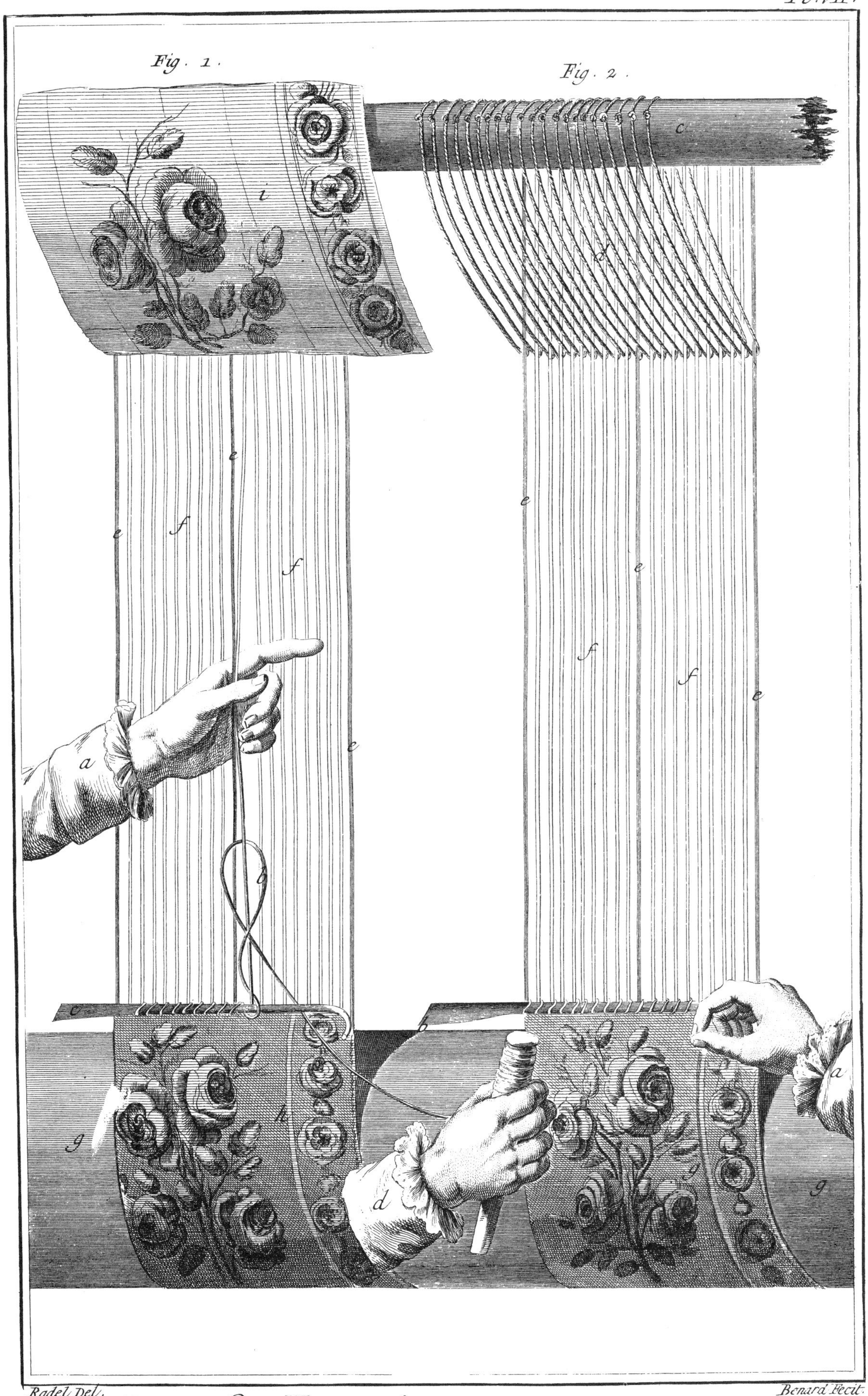

Radel Del. Benard Fecit.

Tapis de Turquie, l'Enlacement des fils pour faire le Nœud et maniere de tirer le Tranche fil pour couper les points et former le Velouté

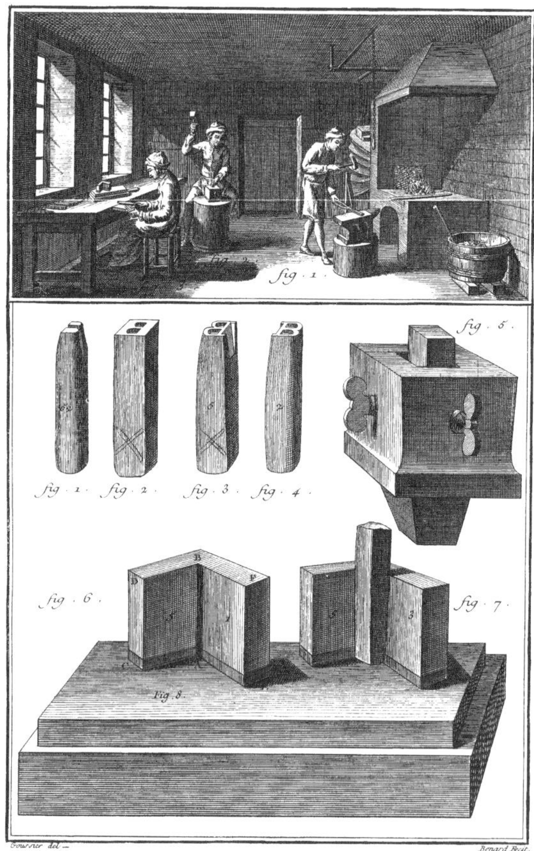

Fonderie en Caracteres

FONDERIE EN CARACTERES

PLANCHE Ière. *(page 93)*

De la Fonderie.

La vignette représente l'intérieur d'une fonderie et plusieurs ouvriers et ouvrières occupés à différentes opérations.

Fig. I. Ouvrière qui rompt les lettres, c'est-à-dire qu'elle sépare le jet.

2. Ouvrière qui frotte les lettres sur une meule de grès.

3. Ouvrier qui regarde si le régule d'antimoine est fondu dans le creuset qui est de fer ou de terre.

4. Ouvrier qui verse le mélange de plomb et de régule d'antimoine dans des lingotières qui sont à ses pieds.

5. Fondeur qui puise avec sa petite cuillère pour verser dans le moule qu'il tient de la main gauche.

6. Fondeur qui a versé dans le moule.

7. Fourneau.

8. Fondeur qui ôte l'archet de dessus la matrice, pour ouvrir le moule, et en faire sortir la lettre.

Bas de la Planche.

8. n° 2. Plan du fourneau et des trois tables qui l'environnent.

9. Cuillère du fourneau, à trois séparations.

10. Fourneau posé sur son banc.

10. n° 2. Grille du fourneau.

11. Banc du fondeur.

12. Taule, dite feuille, pour recevoir les égouttures de la matière.

13. Cuillère sans manche, et cuillère emmanchée.

PLANCHE I BIS.

De la gravure des poinçons.

La vignette représente l'intérieur d'un atelier dans lequel est une forge.

Fig. I. Ouvrier qui forge un poinçon.

2. Ouvrier qui frappe le contre-poinçon sur l'acier du poinçon.

3. Ouvrier qui lime la partie extérieure de la lettre.

Bas de la Planche.

Fig. I. n°5, 2. Contre-poinçon de la lettre B.

2. Poinçon étampé par le contre-poinçon.

3. Poinçon de la lettre B entièrement achevé, vu du côté du bas de la lettre.

4. Le même poinçon vu du côté du haut de la lettre.

5. Tas garni de ses deux vis, dans le creux duquel est un poinçon prêt à être étampé.

6. Equerre à dresser les faces des poinçons, posée sur la pierre à l'huile. 5, I, les deux faces de l'équerre.

7. Equerre à dresser, posée sur la pierre à l'huile, et dans l'angle de laquelle est placé un poinçon. 5, 3, les deux faces de l'équerre.

8. Pierre à l'huile, enchâssée dans un quarré de bois.

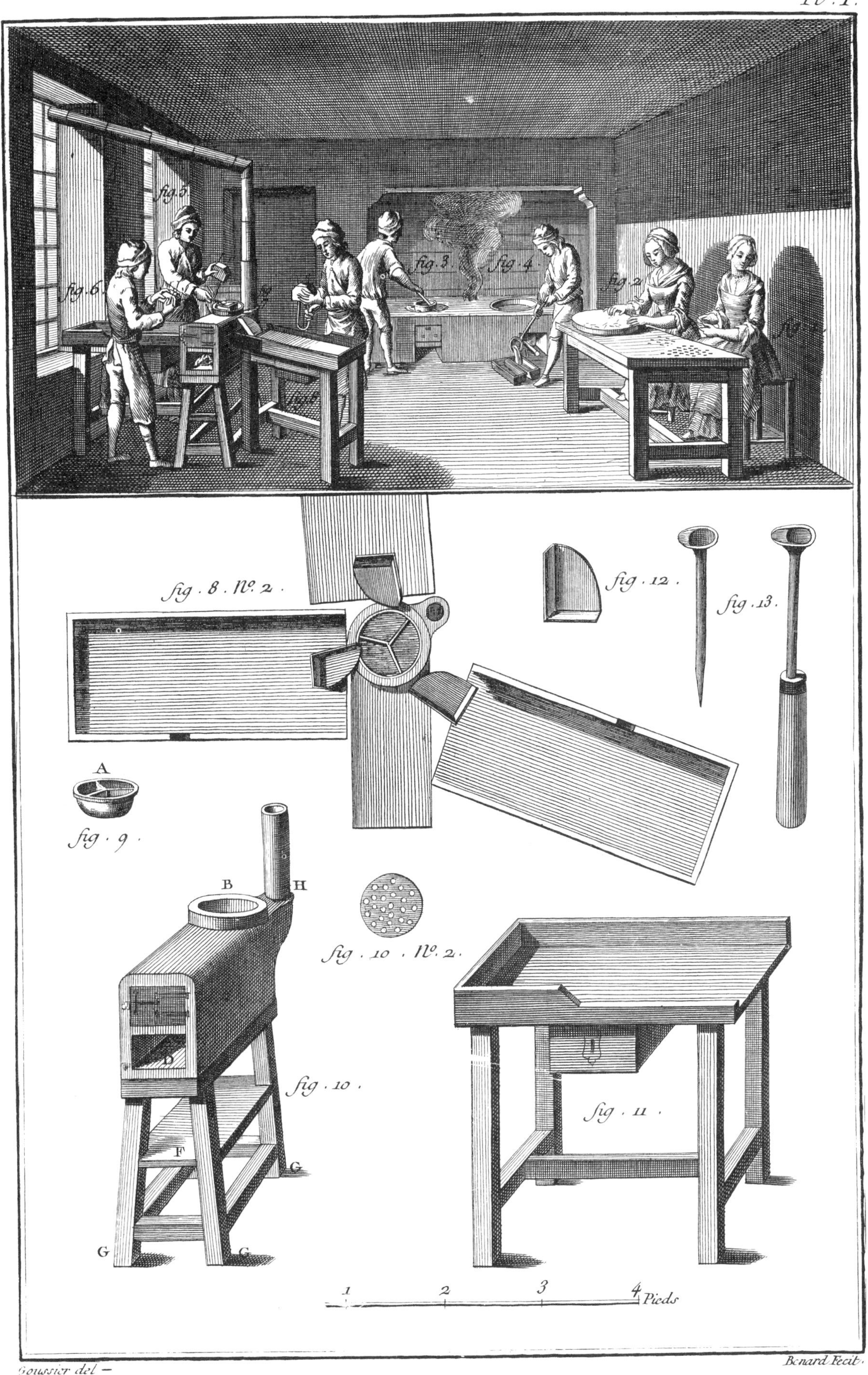

Goussier del.

Benard Fecit.

Fonderie en Caracteres

Pl. IV.

Fig. 1.re

Fig. 2.

Imprimerie, Casse Grecque et Casseau Supérieur de la Seconde Partie.

IMPRIMERIE

PLANCHE IV.

La grande casse grecque composée de six casseaux rangés en trois parties sur deux en hauteur et trois en longueur, comme les quatre casseaux de la figure précédente qui est composée de deux parties, la partie romaine et la partie italique.

Fig. I. Pl. IV. Première partie de la casse grecque composée de deux casseaux. Le casseau supérieur contient les lettres capitales, et les ligatures des lettres my, cappa et thêta. La partie inférieure contient les ligatures ou liaisons des lettres epsilon, delta, gamma et alpha.

2. Casseau supérieur de la seconde partie ; ce casseau contient les liaisons ou ligatures des lettres sigma-sigma, sigma-thêta, sigma et pi.

PLANCHE III. *(page 95)*

Fig. I. Casseau de lettres romaines disposé de la manière qui est le plus en usage à Paris ; la partie ou casseau supérieur A B *b a* que l'on nomme haut de casse, contient les grandes et les petites capitales et les différents caractères dont l'usage est le moins fréquent. La partie inférieure appelée bas de casse, contient les lettres minuscules qui se rencontrent plus fréquemment dans la composition des livres. La casse des lettres italiques a la même disposition que celle de romain.

2. La casse de romain et celle d'italique montées sur le rang de casses, en forme de pupitre. A B E D les deux casseaux de romain. B C F E les deux casseaux d'italique ; les deux planches G H, *g g h h* qui sont au dessous reçoivent les pages à mesure qu'elles sont composées. Pour la façon de les lier, voyez *l'art.* IMPRIMERIE.

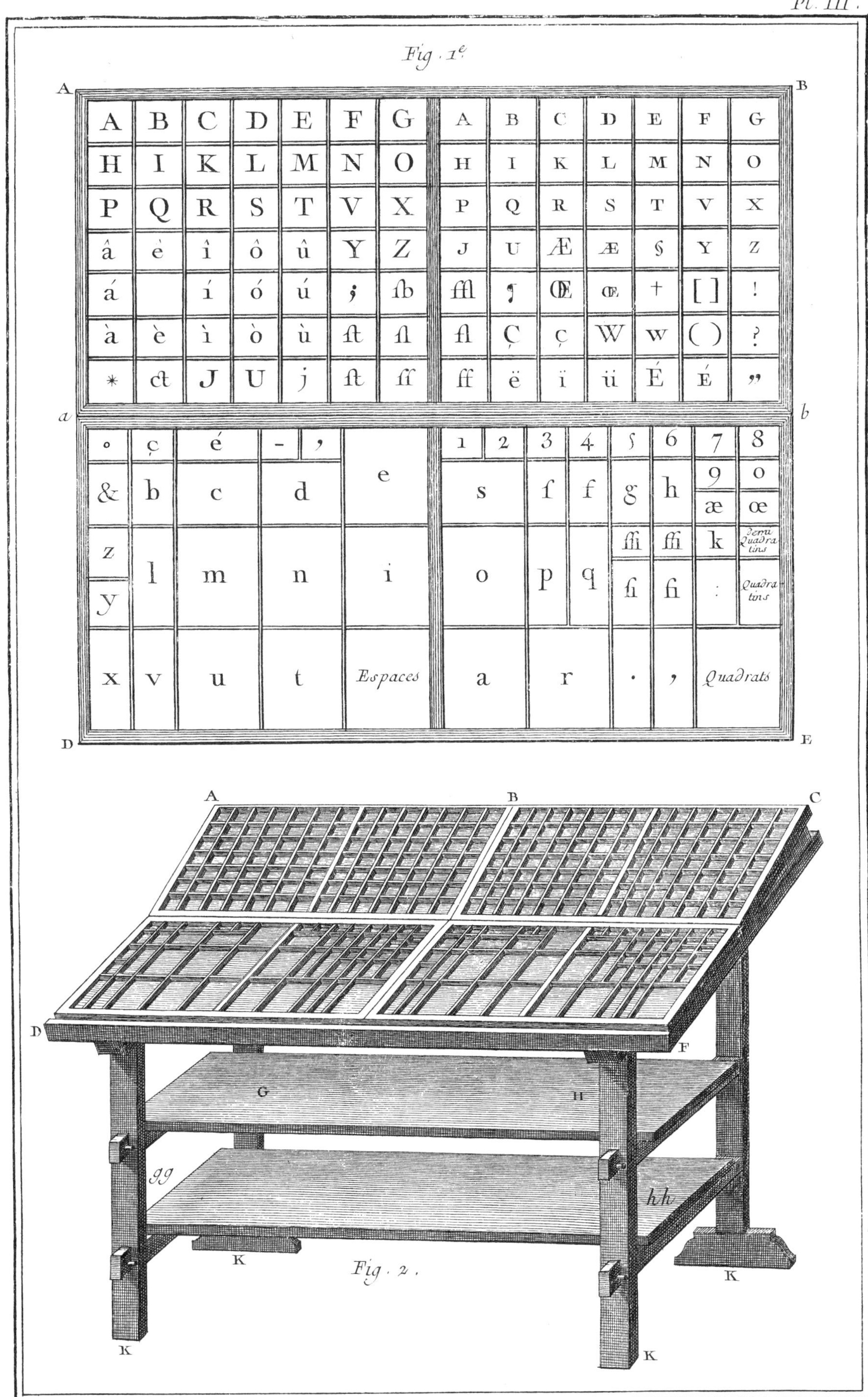

Goußier Del. Benard Fecit

Imprimerie, Casse

PLANCHE XIV.

La vignette représente l'intérieur de l'atelier où sont les presses : cet atelier n'est point ordinairement séparé de celui de la composition que la vignette de la Planche première représente, et en ce cas les rangs de casse occupent la place la plus éclairée près des fenêtres de la salle où l'Imprimerie est établie, et les presses sont dans l'autre partie ; mais nous avons préféré avec raison de séparer ces deux ateliers qui n'auraient pu être représentés sans confusion dans la même vignette. On voit dans le fond la porte qui communique à l'atelier des compositeurs ainsi qu'il a été dit dans l'explication de la Planche première, et autour des murailles plusieurs tablettes sur lesquelles sont des rames de papier .

Fig. I. Compagnon imprimeur qui étend une feuille de papier blanc sur le tympan de la presse, observant de la bien marger sur celle qui est collée au tympan : la frisquette de cette presse est appuyée contre la muraille de l'atelier.

2. Autre ouvrier, compagnon du précédent, qui touche la forme avec les balles qu'il tient des deux mains pour encrer l'œil de la lettre, cettte opération faite il s'éloigne, continuant de distribuer l'encre sur les balles, et le premier ouvrier abaisse la frisquette sur le tympan, et celui-ci sur la forme ; ensuite saisissant de la main droite le manche du barreau et de sa gauche la manivelle, il fait glisser le train de la presse sous la platine qui foule le tympan, et par conséquent la feuille sur la forme, il imprime de cette manière la première moitié de forme, c'est là le premier coup ; ensuite ayant lâché le barreau presque jusqu'à son appui, il continue de tourner la manivelle pour faire glisser le train de la presse jusqu'à ce que la seconde moitié soit sous la platine, c'est le second coup, et la feuille est imprimée. Il déroule ensuite le tout, lève le tympan et la frisquette pour enlever la feuille imprimée qu'il dépose sur son banc à côté du papier blanc, ainsi qu'il sera dit dans l'explication du bas de la Planche. On voit par la figure que la presse est affermie dans la situation verticale par six étançons qui arcboutent contre le plancher de l'atelier et contre le sommet des jumelles de la presse.

3. Ouvrier qui tire le barreau pour imprimer le premier coup. Il tient le manche du barreau de la main droite le bas étendu, le corps penché en arrière. Pour être plus en force il étend la jambe droite en avant, le pied étant posé sur le plan incliné qui est au dessous de la presse, pour qu'il y trouve un appui solide ; on nomme ce plan incliné marche-pied. La main gauche de l'ouvrier tient la manivelle ou poignée de la broche du rouleau, dont l'action est de faire avancer ou rétrograder le train de la presse.

4. Ouvrier, compagnon du précédent ; il distribue l'encre sur les balles, et en même temps examine la feuille qui vient d'être tirée, pour connaître si la teinte de l'impression se soutient toujours la même, et être en état de rectifier son travail, s'il s'aperçoit de quelque inégalité dans la couleur des pages. Il doit avertir celui qui tire le barreau des accidents ou défauts qui surviennent dans le courant du travail, pour y remédier.

Bas de la Planche.

Plan à vue d'oiseau de la presse, dont on trouvera les élévations perspectives et géométrales dans les deux planches suivantes. Le train de la presse représenté ouvert, le coffre en plan, le tympan et la frisquette en racourci, ainsi que la *fig*. 4. de la Planche suivante l'exigent.

B C, D E les jumelles de la presse de sept pouces et demi de largeur, sur trois pouces et demi d'épaisseur. *a a*, *b b* les deux vis de chaque côté à tête annulaire, qui assemblent les jumelles à l'entre-toise supérieure, comme on le voit *fig*. 4. Pl. XVII. H F M N train de derrière la presse, sur lequel l'encrier est placé. H F G L l'encrier. L la palette avec laquelle on prend l'encre pour la rassembler dans le coin de l'encrier. G le broyon. K endroit de l'encrier sur lequel l'imprimeur étend et broie son encre avec le broyon ; c'est dans cet endroit qu'il distribue ensuite d'une balle à l'autre. O P Q R le coffre de la presse, dans lequel est enchâssé un marbre, et c'est sur ce marbre qu'est posée la forme dans son châssis. On voit que le châssis est arrêté aux quatre angles par des coins de bois placés entre les cornières ou cantonnières du coffre et le dehors du châssis, pour que la forme soit inébranlable sur le marbre. Q *q*, R *r* les couplets du tympan Q R T S qui assemblent à charnière le tympan avec le coffre ; le tympan paraît recouvert par une feuille qui a été imprimée sur la forme contenue dans le coffre, ainsi que les chiffres I, 4, 5, 8, que l'on voit répétés, le font connaître. S T V X la frisquette. S *s*, T *t* les couplets ou charnières de la frisquette qui servent à l'assembler avec le tympan ; les pages posées sur le tympan et les ouvertures de la frisquette paraissent beaucoup plus courtes que celles de la forme, quoiqu'elles leur soient cependant parfaitement égales, c'est un effet de la projection verticale de ces deux plans inclinés à l'horizon, ainsi qu'on peut le reconnaître par la *fig*. 3. où les mêmes parties sont signalées des mêmes lettres.

Le blanc des imprimeurs, ou la tablette à laquelle ils ont donné ce nom, sur laquelle le papier blanc Y, et le papier imprimé Z sont placés, est quelquefois un coffre comme on le voit *fig*. 4. de la vignette, ou seulement une table soutenue par deux tréteaux ; dans l'un et l'autre cas elle est toujours placée à droite de l'imprimeur, le papier blanc Y plus près de la presse, presque vis-à-vis le lieu où s'arrête le tympan lorsque la presse est déroulée, afin que l'imprimeur puisse poser les feuilles sur le tympan avec plus de facilité. L'imprimeur prend la feuille par les deux points *a* et *b*, la main droite au point *a* et la gauche au point *b*, et la porte ainsi étendue sur le tympan Q R S T, observant d'en faire convenir les bords à ceux de la feuille qui est collée au tympan, c'est ce qu'on appelle marger.

Pour lever la feuille imprimée qui est sur le tympan l'imprimeur la prend par les deux angles de son côté *c* et *d*, et la porte sur son banc en Z, où il forme une pile de papier imprimé, en faisant passer successivement toutes les feuilles du tas de Y au tas Z, à mesure qu'elles sont imprimées.

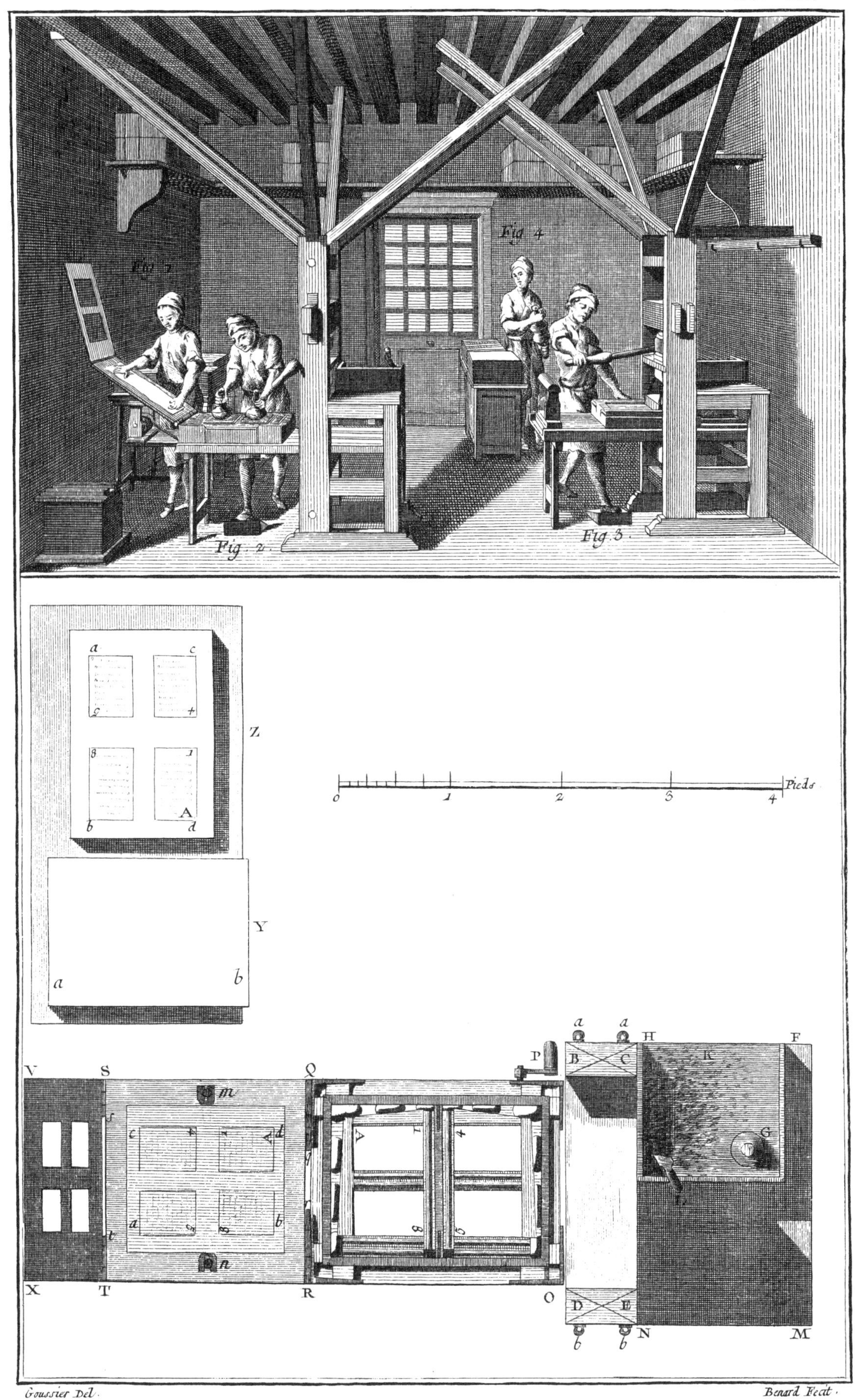

Goussier Del. Benard Fecit.

Imprimerie, L'Opération d'Imprimer et Plan de la Presse.

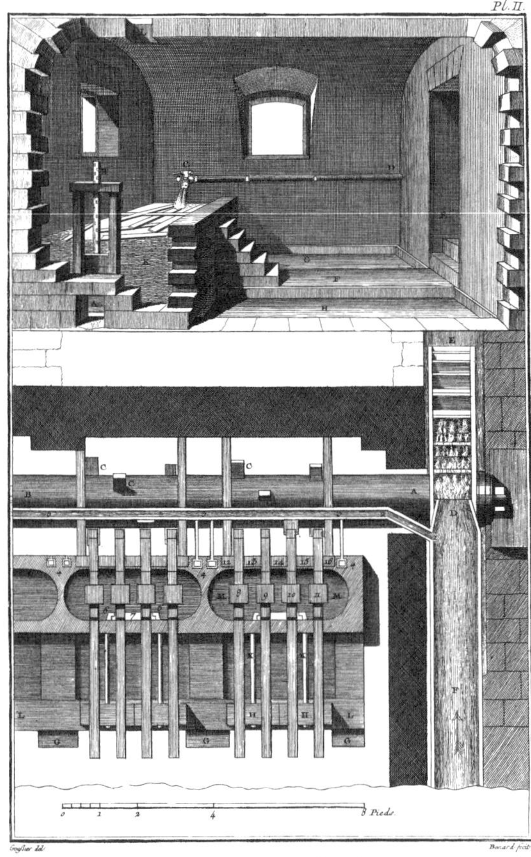

Papetterie, Pourissoir.

PAPETERIE

PLANCHE Ière BIS. *(page 99)*

La vignette représente l'atelier des délisseuses.
Fig. I et 2. Délisseuses. A, B, C caisses.
Le bas de la Planche représente le plan général de la manufacture de Langlée.
A communication qui fournit l'eau du canal de Montargis au bassin. B G bassin. B D, G H, coursiers. E F moulin pour effilocher. K L moulin pour affiner. M M M M pourrissoir et dérompoir. N N N lieu où l'on colle le papier. P R escaliers en tour ronde pour monter dans les deux étages supérieurs qui servent d'étendoirs. Le grand bâtiment à 64 toises de long et 8 de large. S X aîle de 25 toises de long et huit de large, dans laquelle est le magasin des chiffons et l'atelier des délisseuses. T V autre aîle dont le rez-de-chaussée forme la salle. Les mansardes de ces deux aîles servent de supplément aux étendoirs qui occupent toute l'étendue des deux étages du grand bâtiment. X V pavillons où sont pratiqués différents logements.

PLANCHE II.

La vignette représente le pourrissoir qui est voûté et tout construit en maçonnerie.
K le bacha où l'on fait tremper le chiffon. D C tuyau qui apporte l'eau dans le bacha. E porte de communication du dérompoir avec le pourrissoir. G, H place où on laisse fermenter la mouillée. A pelle pour laisser perdre l'eau du bacha. L ouverture pratiquée à la voûte, et qui répond aux cases où le chiffon délissé est mis en dépôt, et par laquelle on le jette dans le bacha.
Bas de la Planche.
Partie du plan d'un moulin à maillets dont la roue reçoit l'eau par dessus. On a seulement représenté deux piles garnies chacune de quatre maillets.
A B l'arbre tournant garni de ses levées ou cames.
C C C, D E la roue à augets. F D canal qui amène l'eau sur la roue. I, 2, 3, 3, 5 grand achenal qui distribue l'eau dans les piles. 3, 4 ; 3, 4 gouttières qui conduisent l'eau du grand achenal dans les fontaines 4, 4, 4, d'où elle passe dans les piles. M M pile. 8, 9, 10, 11 maillets. 6, 6 coulisses qui assujettissent le sas. 7 le sas. L L sablière dans laquelle les gripes de derrière sont assemblées. H, H gripes de derrière. K K chevilles bastières qui assemblent les gripes avec le corps de la pile. 12, 13, 14, 15, 16 gripes de devant, ou guides des maillets.

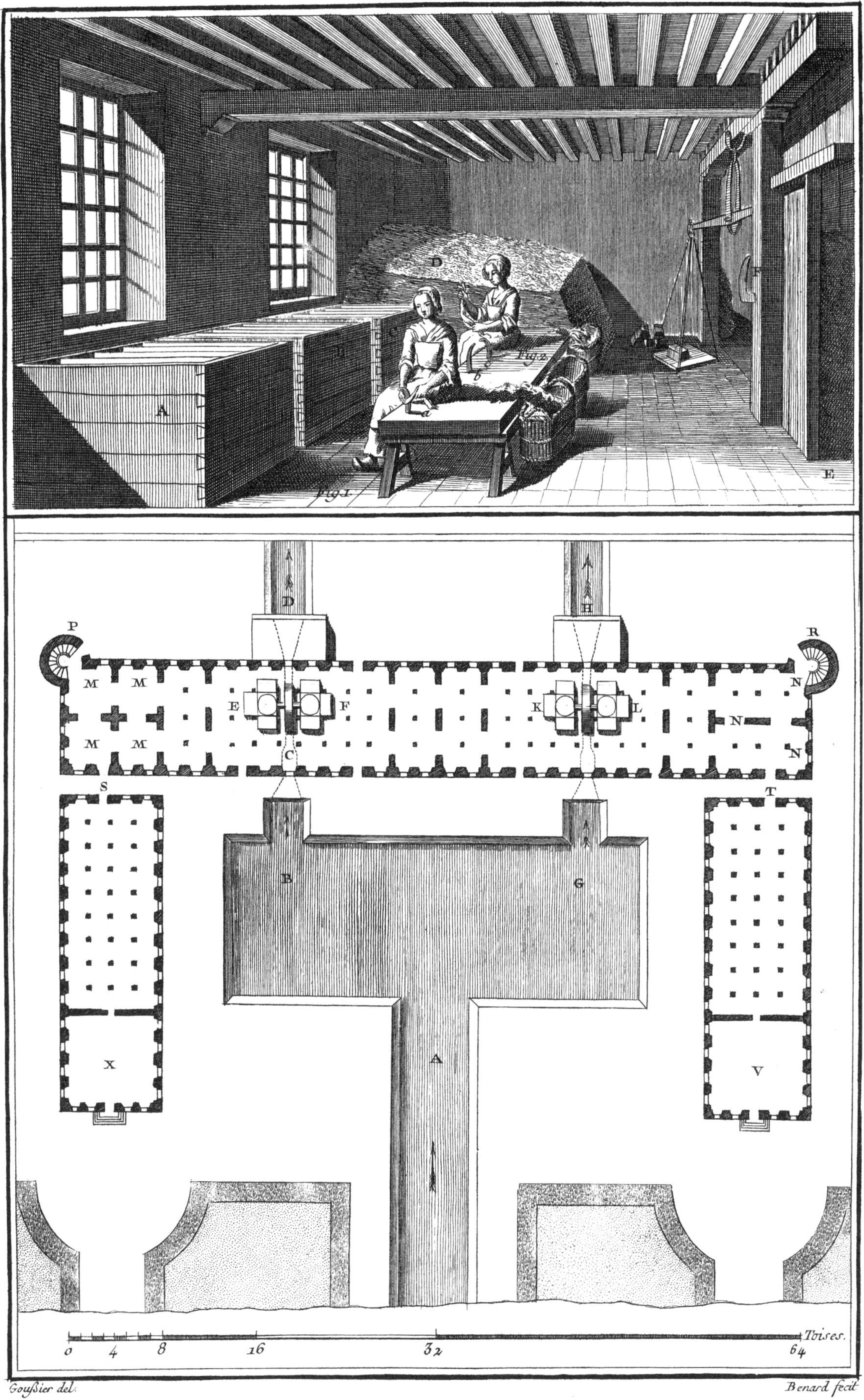

Goussier del. Benard fecit

Papetterie, Délissage.

Papetterie, Dérompoir.

PLANCHE IV. *(page 101)*

La vignette représente le moulin à maillets en perspective. Ce moulin est composé de trois piles chacune garnie de quatre maillets qui doivent lever les uns après les autres.
E la roue à augets. F D canal qui amène l'eau sur la roue. I, 2, 3, 3, 5 grand achenal. B arbre tournant. M pile et trous par où l'eau s'écoule après avoir traversé le sas. K cheville bastière. H gripe de derrière garni de ses crochets pour soutenir les maillets. L sablière. G G solles. *a* quatre maillets tenus élevés par les crochets des gripes ; ils répondent à la pile à effilocher. *b* quatre maillets en train de battre pour affiner. *c* quatre maillets de la troisième pile, aussi en train de battre pour détremper la matière avant de passer dans la cuve à ouvrier. Ces derniers maillets ne sont point serrés par le bout ; on a seulement représenté trois piles et douze maillets pour éviter la confusion, quoiqu'il puisse y en avoir un plus grand nombre.
Bas de la Planche.
Fig. 2. Maillet représenté plus en grand.
3. Elévation en face du maillet, et plan de la serrure.
4. Une des gripes de derrière garnie de ses crochets.
5. Engin ou levier par le moyen duquel on abaisse l'extrêmité des queues des maillets pour les tenir élevées au moyen des crochets des gripes.
6. Platine de fer fondu, qui est placée au fond de la pile, et sur laquelle les maillets frappent.
7. Coupe longitudinale d'une pile par le milieu de sa largeur.
8. Le sas ou tamis à-travers lequel l'eau s'écoule.
9. Coupe tranversale d'une pile par le milieu de sa longueur.

PLANCHE III.

La vignette représente le dérompoir.
Fig. I, 2, 3. Dérompeurs. *a a a* leurs faux. *b* claie.
4 et 5. Petits garçons qui apportent le chiffon qu'ils ont été prendre dans l'une des mouillées du pourissoir. *e f* marteau et tas pour battre les faux.
*Le **bas de la Planche*** représente le profil du moulin à maillets.
B arbre tournant garni de cames ou levées C C C C.
D F canal qui amène l'eau sur la roue E.
5. grand achenal supporté par des tasseaux scellés par un bout dans le mur, et soutenus par l'autre bout par les gripes de devant. 5, 4 gouttière par laquelle l'eau coule du grand achenal de la fontaine 4. M la pile coupée en travers par le milieu de sa longueur.
8. maillet. K cheville bastière. H gripe de derrière.
L sablière. G G solles, dans lesquelles la pile et la sablière sont encastrées. Ces deux pièces sont aussi entaillées pour recevoir la solle.

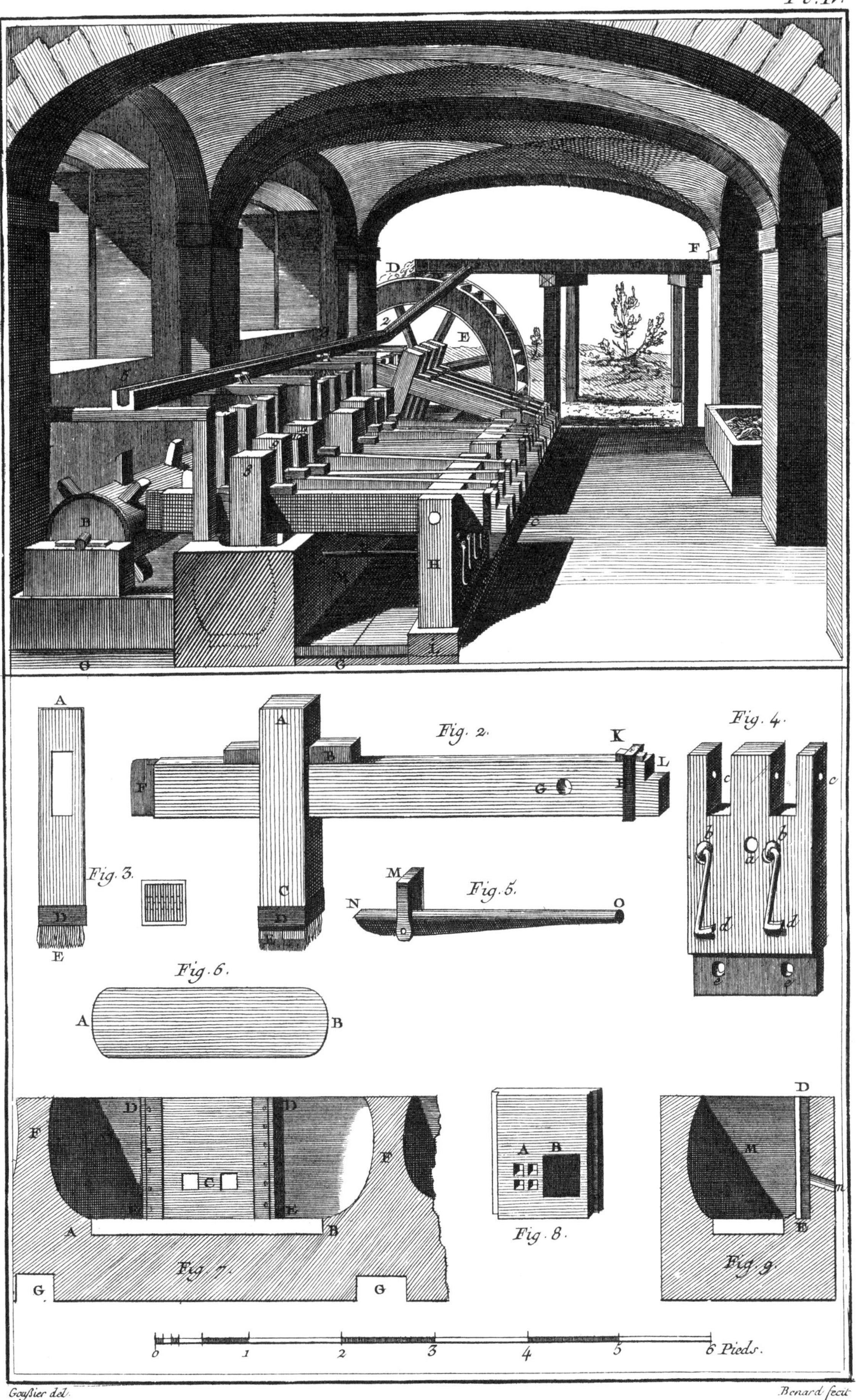

Goußier del. Benard fecit

Papetterie, Moulin à Maillets.

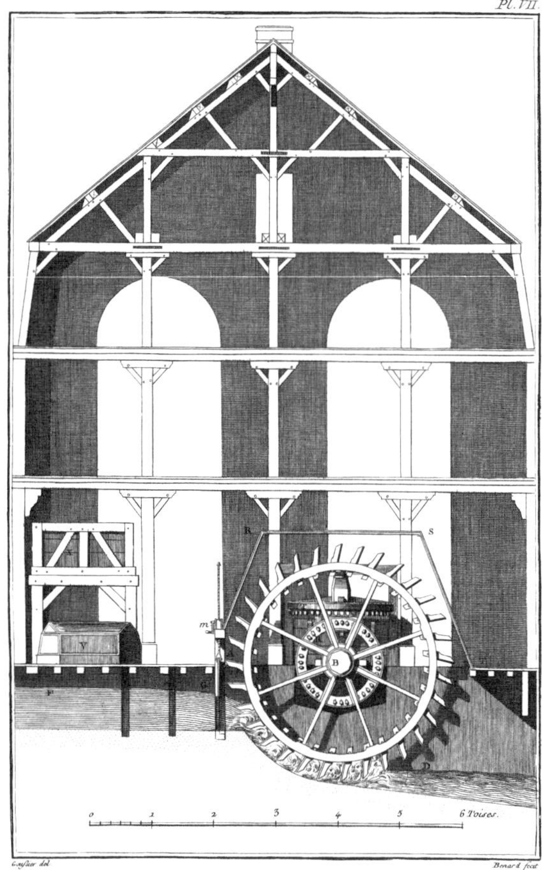

Papetterie, Moulin en Profil

PLANCHE VI. *(page 103)*

Cette Planche représente l'élévation du moulin vu en face du coursier.
A D roue à aubes. *m* cric pour relever la pelle. G pelle qui ferme le coursier. B C arbre de la roue et des rouets. R rouet vertical. S lanterne. T rouet horizontal. Y Z son arbre. F F Y beffroi ou cage de charpente. *k* N cylindres recouverts. H H crics. Les étages supérieurs sont les étendoirs.

PLANCHE VII.

C'est la coupe transversale du grand bâtiment par le milieu du coursier.
A D la roue à aubes. R le rouet vertical. T le rouet horizontal. F G D le coursier de maçonnerie revêtu intérieurement de planches. G la pelle. *m* le cric qui sert à lever la pelle. R S T cage de planches qui referme la roue à aubes. V élévation du dôme qui couvre une des caisses de marbre servant de dépôt. X élévation d'un des réservoirs qui fournissent l'eau aux cuves à cylindres.
Les étages supérieurs sont les étendoirs, et on y voit l'assemblage de toutes les pièces de charpente qui composent une des vingt-une fermes qui soutiennent le comble du grand bâtiment. On y voit aussi l'élévation d'un des huit murs de refend, dont les baies sont terminées par des cintres qui prennent naissance sur le plancher du second étendoir.

Goussier del. — Benard fecit.

Papetterie, Moulin en Élévation.

Papetterie, Formaire.

PLANCHE X. *(page 105)*

La vignette représente l'atelier où l'on ouvre le papier.
Fig. I. Ouvreur qui lève dans la cuve une feuille de papier sur la forme.
2. Coucheur qui étend une flautre sur le papier qu'on voit en S *fig.* 5. avec laquelle il forme une pile R qu'on appelle porce.
3. Leveur qui retire le papier d'entre les flautres qui composent la porce *r.*
4. Piquet ou chevalet sur la planche duquel le leveur applique les unes sur les autres les feuilles de papier *s*, à mesure qu'il les retire d'entre les flautres pour en composer une porce blanche.
Bas de la Planche.
5. Elévation perspective de la presse à presser les porces, vue de la place où se met le coucheur.
6. Plan de la cuve à ouvrer et de la presse à porces.

PLANCHE IX.

La vignette représente l'atelier du formaire.
Fig. I. Formaire qui tisse une forme.
2. Ouvrier qui dresse le fil de trame.
Bas de la Planche.
2. Dressoir. D E outil garni de chevilles, servant à courber le filigrane pour former des grappes de raisin.
3. Portion de forme, pour faire voir comment les chaînettes sont formées.
4. Mains à vis pour tenir la forme en situation.
5. Couverte vue par dessus.
6. Forme vue par dessus et à moitié achevée.
7. Couverte vue par dessous.
8. Forme vue par dessous et à moitié achevée.

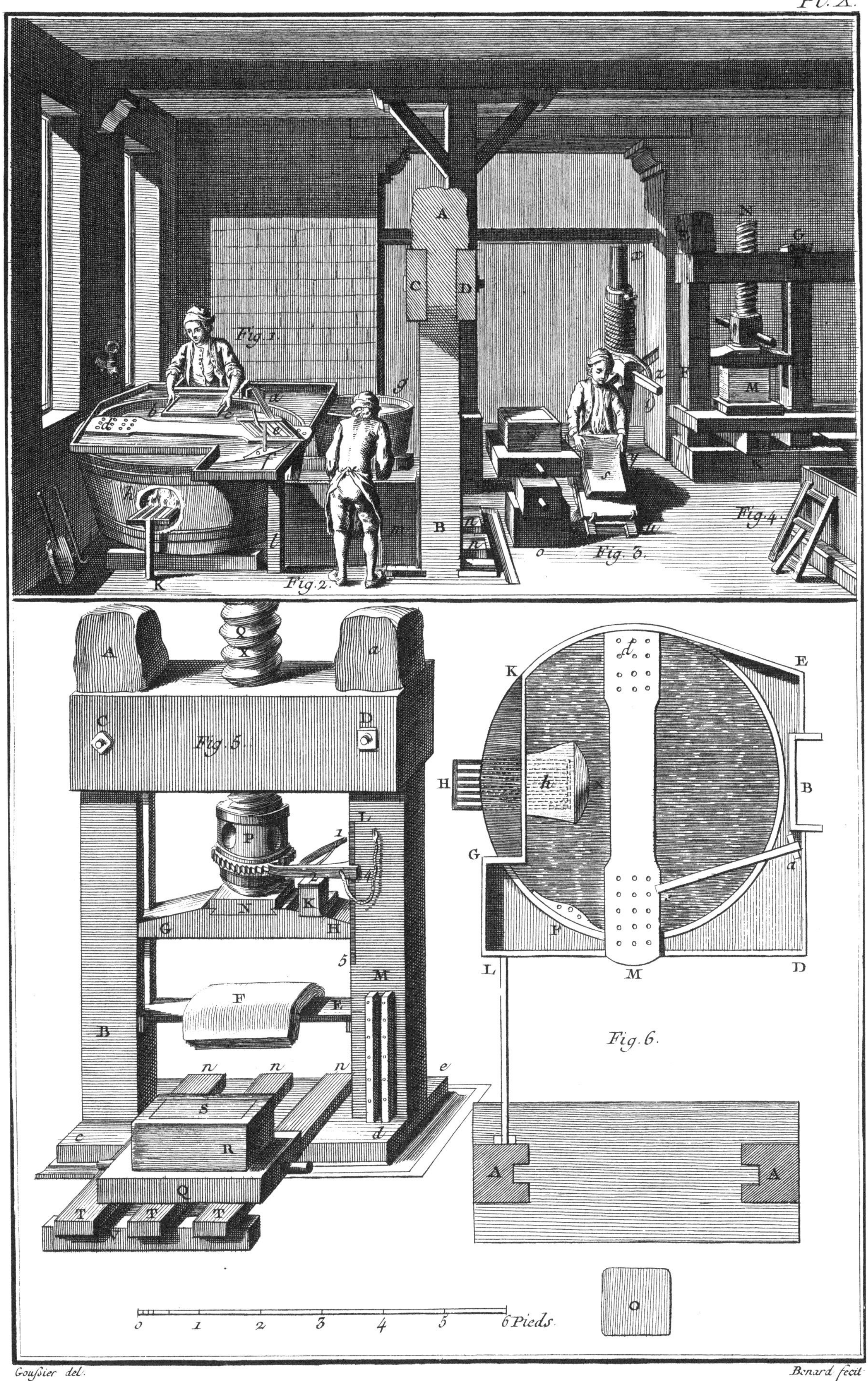

Goussier del. Benard fecit

Papetterie, Cuve à Ouvrer.

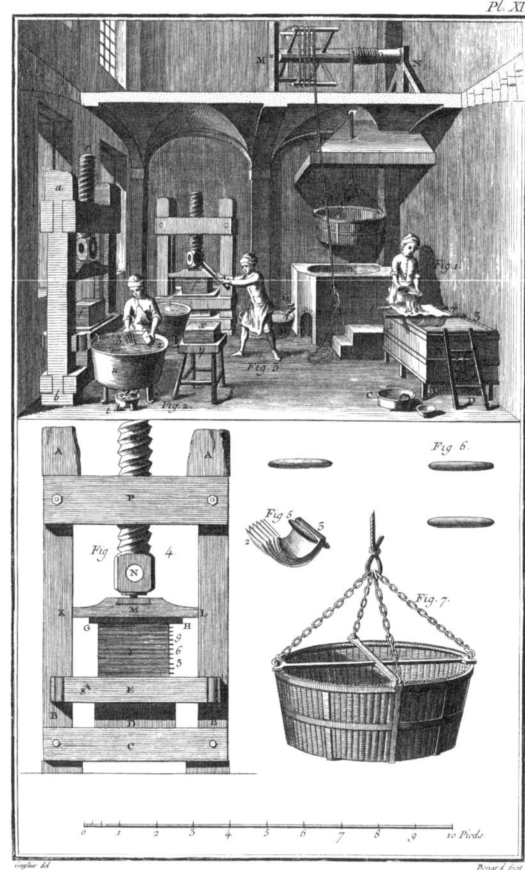

Papetterie, Colage.

PLANCHE XI.

La vignette représente l'atelier des colleurs.
Fig. I. Ouvrier qui coule la colle à-travers la passoire de laine qui est posée sur le couloir qu'on voit en D à côté de la poissonnière A qui contient la colle filtrée.
2. Colleur qui trempe dans la colle une porce à la fois.
3. Ouvrier qui presse douze porces qui ont été trempées dans le mouilloir, afin d'en sortir la colle superflue.
Bas de la Planche.
4. Elévation géométrale de la presse des colleurs.
5. Porce telle qu'elle est dans la colle, après qu'un des côtés a été trempé ; c'est le côté qui est entre deux palettes.
6. Les trois palettes qui servent au colleur.
7. Le panier qui entre dans la chaudière, et dans lequel on fait cuire ou fondre la colle.

PLANCHE XII. *(page 107)*

La vignette représente l'étendoir.
Fig. I. Ouvrier nommé étendeur de porces, qui étend en page les porces sur les cordes de l'étendoir.
2. Ouvrière qui tient son ferlet sur une porce collée, pour en étendre les feuilles une à une sur les cordes de l'étendoir.
3. Ouvrière qui sépare une à une les feuilles de papier pour les jeter sur le ferlet.
Bas de la Planche.
4. Elévation, plan, profil d'une des croisées de l'étendoir. Elévation et profil d'un des guichets.
5. Ferlet.
6. Bacholle montée sur sa brouette de fer, dont on se sert pour transporter les matières des caisses de dépôt aux cuves à ouvrer.

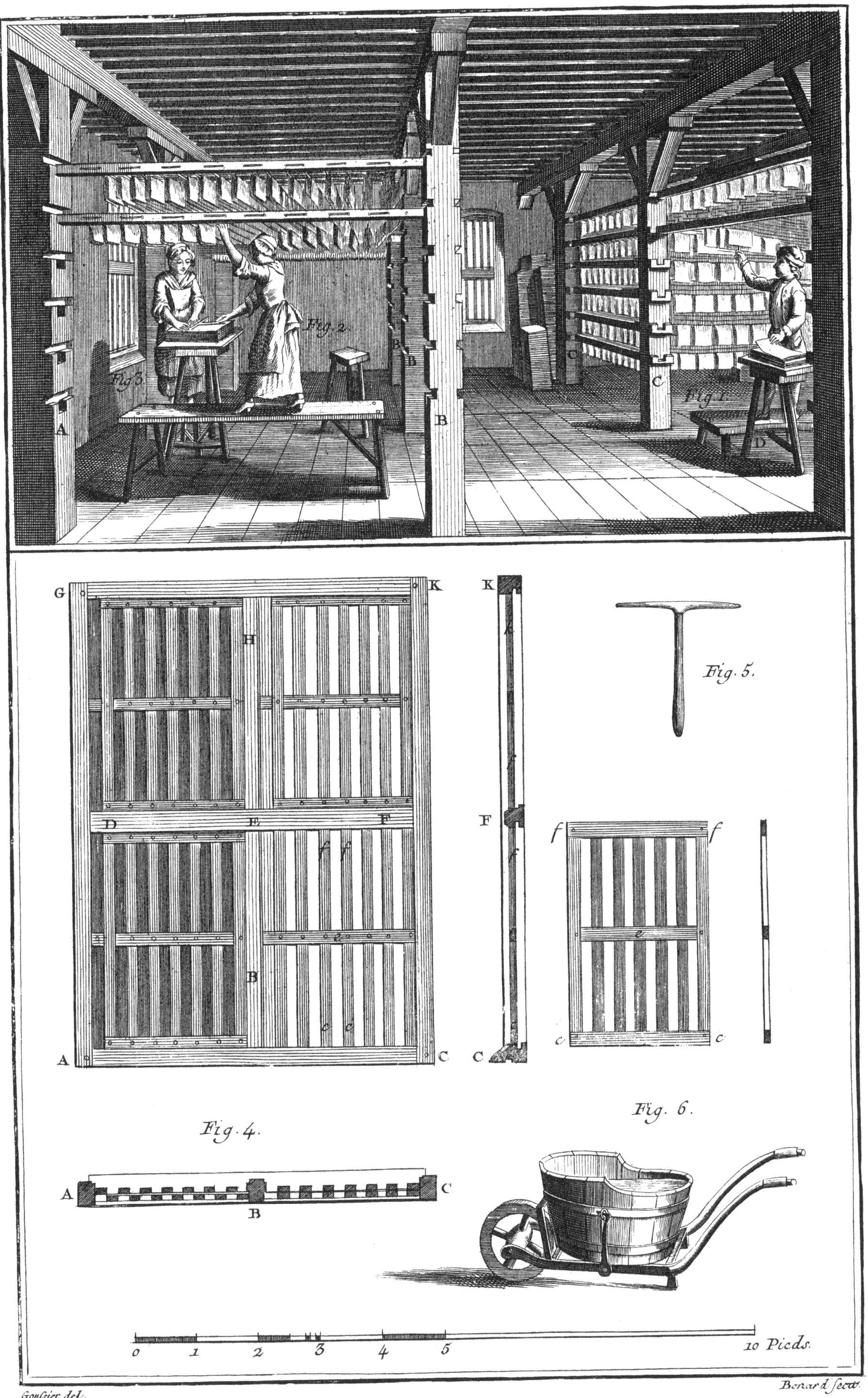

Goussier del.

Benard Fecit.

Papetterie, Etendage.

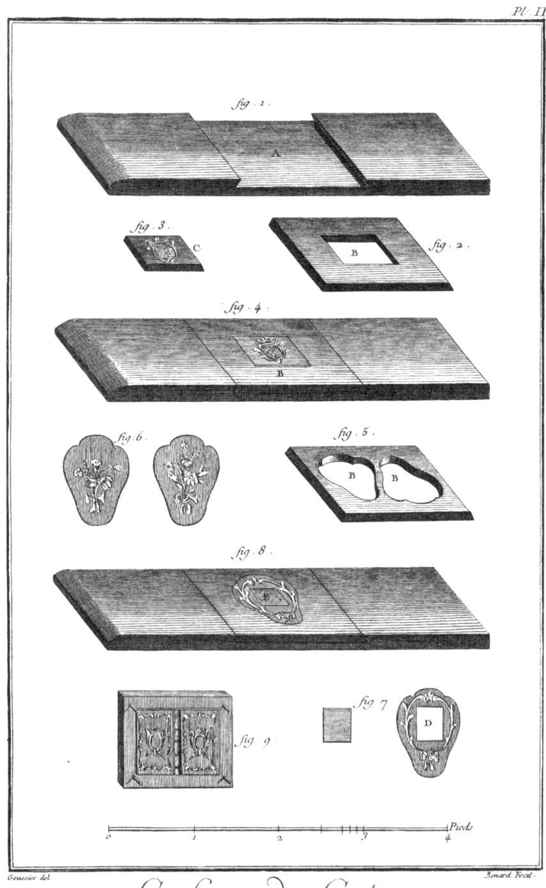

Gaufrure du Carton

Bas de la Planche.

I. Auge de pierre pour rompre et pour séparer l'ouvrage.
2. Evier ou égouttoir.
3. Pelle à rompre.
4. Coupe du tournoire ou moulin.
C D, l'arbre.
E F, ses tourillons.
V, la crapaudine.
I K, L M, autres parties du brancard.
n o, *p q*, cordes et clavettes.
r s, *r s*, *r s*, *r s*, couteaux.
5. Râteau à griffes de fer.
6. Bout de la perche et boîte de la lissoire.
7. Moule ou forme à carton.
8. Moule ou forme à carton partagée en deux.
9. Séparation du grand moule ou de la grande forme.
10. Plateau.
11. Lange ou molleton.
12. Chaudron à colle.
13. Tamis à colle.
14. Brosse à coller.
15. Chemin à conduire une pressée sous la pierre.
16. Ratissoire.
17. Pointe ou poinçon.
18. Crochet ou aiguille.
19. Pierre à lisser.

CARTONNIER

PLANCHE Ière. *(page 109)*

On voit dans le haut de la Planche ou la vignette l'atelier d'un cartonnier.
Fig. I. Ouvrier qui achève de mettre la matière du carton en bouillie, par l'action du moulin.
A B, la cuve du moulin.
C D, l'arbre.
E F G, brancard.
2. Ouvrier cartonnier fabriquant le carton.
A B, cuve.
C D, le grand évier ou l'égouttoir.
G, une forme.
F, le tonneau du bout (c'est son nom).
E, ouverture qui rend l'eau et la matière dans le tonneau F.
K, L, plateau de la presse.
H I, pile ou pressée.
3. Ouvrier à la presse.
A B, plateau.

PLANCHE II.

Gaufreur en carton.

Fig. I. Table de presse d'imprimerie en taille-douce, entaillée pour recevoir les planches gravées en creux, ou le passe-partout dans lequel on les place.
2. Passe-partout.
3. Planche gravée en creux.
4. Assemblage des trois figures précédentes, prêt à passer sous la presse.
5. Passe-partout dont les trous B B sont tournés en forme d'écrans.
6. Planches gravées pour des écrans.
7. Planche gravée en creux pour des écrans, dans le milieu de laquelle on a creusé l'emplacement de la planche de cuivre qui est à côté.
8. Le même appareil prêt à passer sous la presse.
9. Moule de corne pour gaufrer des couvertures de livres, etc. Voyez à *l'art*. CARTON LE DÉTAIL DE L'ART.

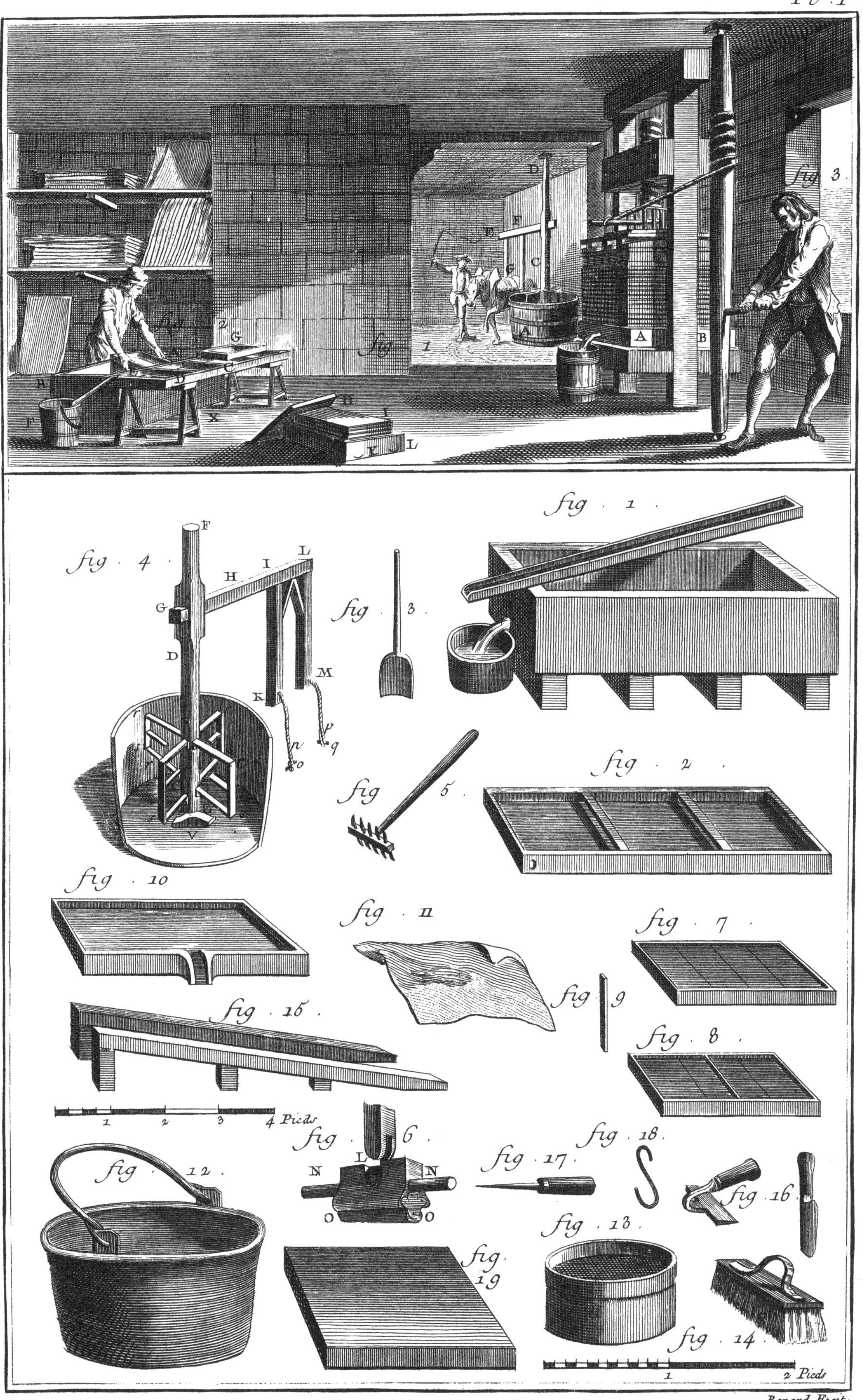

Benard Fecit

Cartonnier.

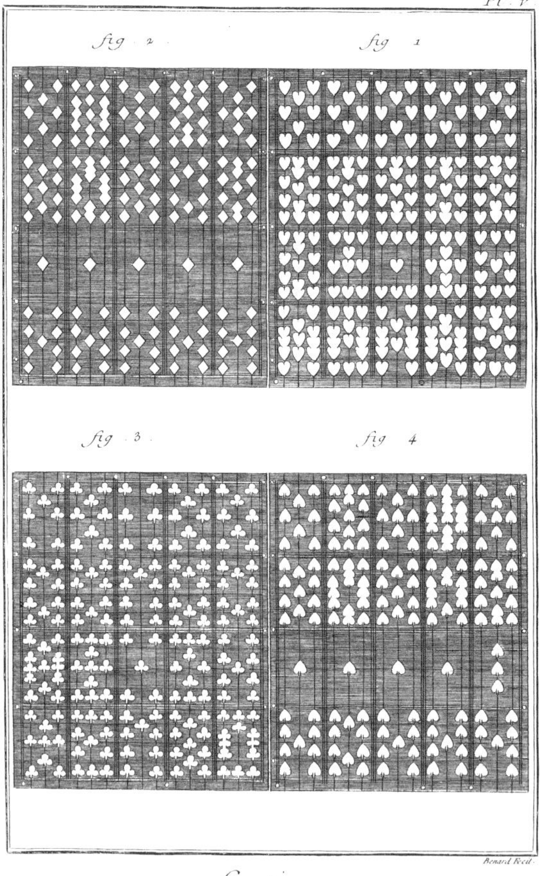

Cartier.

CARTIER

PLANCHE Ière. (*page 111*)

La vignette ou le haut de la Planche montre l'atelier d'un cartier.
Fig. I. Ouvrier qui peint des têtes.
2. Ouvrier qui peint des points.
3. Lisseur.
4. Coupeur.
5. Ouvrière qui apporte des cartons au coupeur.
6. Assortisseur ou trieur ou recouleur.
7. Ouvrier à la presse.
8. Chaudière à colle.
9. Chaussoir.
Bas de la Planche.
I. Carton à l'étendage avec son épingle.
2. Pointe à tirer ou enlever les bros.
3. Poinçon à percer les cartons à étendre.
4. Colombier ou boîte pour les cartes superflues.
5. Moule gravé en bois ou en cuivre pour imprimer le trait.
6. Patron jaune. Il y en a pour toutes les couleurs.

PLANCHE V.

Fig. I. Compassage en cœur.
2. Compassage en carreau.
3. Compassage en trèfle.
4. Compassage en pique
Ces quatre sortes de compassages sont des instruments qui servent à former toutes les espèces de patrons, lorsqu'il s'agit de renouveler ces patrons.

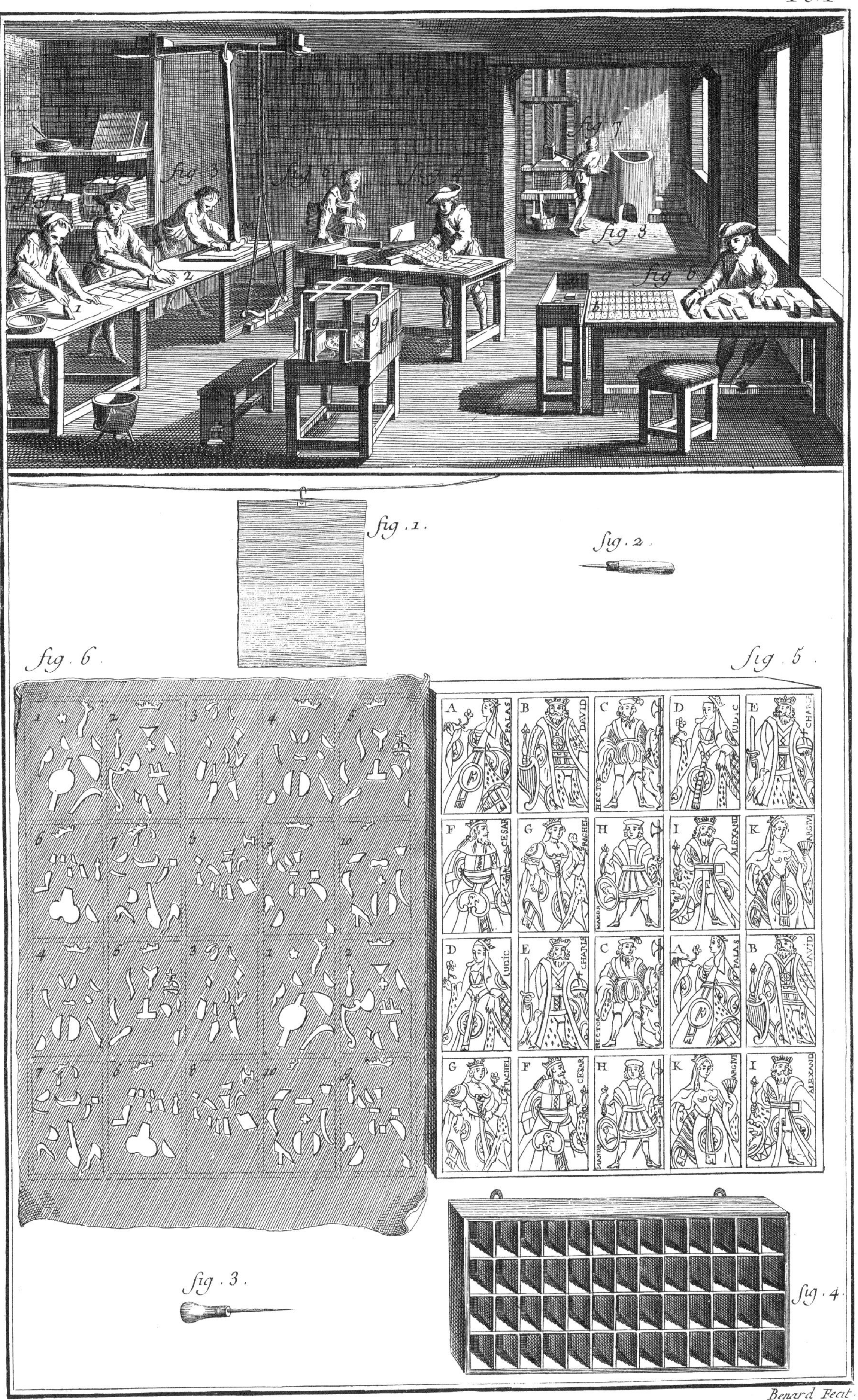

Benard Fecit.

Cartier.

T
V
S
R
O
N

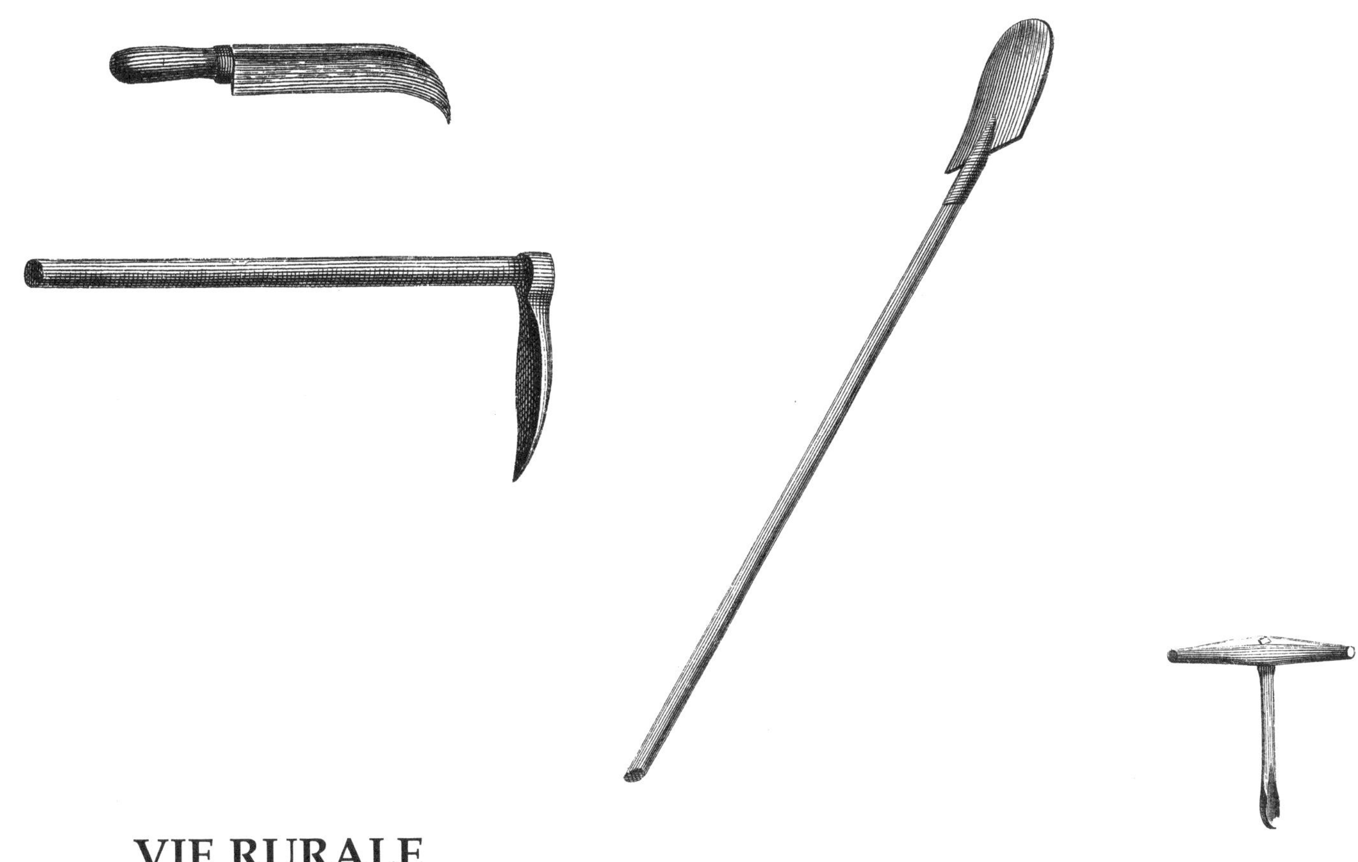

VIE RURALE

« *L'agriculture* est, comme le mot le fait entendre, l'art de cultiver la terre. Cet art est le premier, le plus utile, le plus étendu, et peut-être le plus essentiel des arts. »
*Extrait de l'article **Agriculture**. Volume I, 1751.*

C'est donc comme base de la société que Diderot décrit l'art le plus « innocent », selon les termes d'un autre encyclopédiste, et le plus important de l'époque. En effet, la France du XVIIIè siècle reste essentiellement rurale et l'économie toute entière se base sur la production agricole, avec ses fluctuations et les variations des prix de ses produits.
Il ne s'agit pourtant pas des planches les plus nombreuses de L'Encyclopédie. Peut-être parce que les techniques restent ancestrales, la France essayant de suivre péniblement les progrès technologiques de l'Angleterre dans ce domaine. Pour cette même raison, les planches sur l'agriculture sont plus allégoriques que descriptives. Peu de machines y figurent dans le détail.
Une large place est accordée aux matières premières provenant du premier empire colonial de la France : l'Amérique. Pour cela, Diderot fait appel à des collaborateurs des îles, tels Le Romain, ingénieur en chef de La Grenade, ou le Chevalier Turgot.

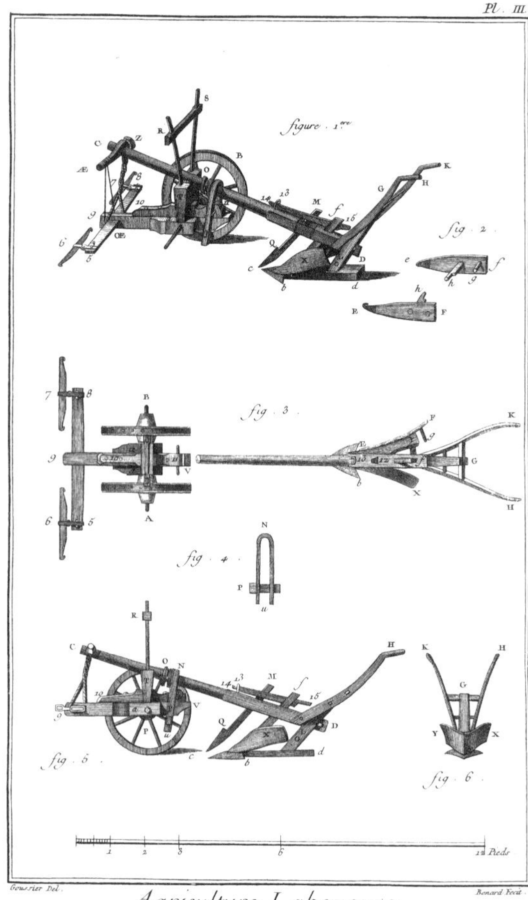

Agriculture, Labourage.

AGRICULTURE

PLANCHE Ière. *(page 115)*

Fig. I. Laboureur qui ouvre un sillon.
Fig. 2. Charrue ordinaire.
3. Charrue de M. Tull.
4. Semeuse qui conduit le semoir de l'abbé Soumille dans le sillon où la semence est aussitôt recouverte par la terre, que le versoir ou oreille de la charrue *(fig*. I.) y jette en formant le sillon suivant indiqué par la ligne ponctuée.
5. Semeur qui répand la semence à la main, sur une pièce de terre préparée par différents labours.
6. Charretier qui conduit la herse pour couvrir la semence.
7. Charretier qui conduit le rouleau ou brise-motte, pour rabattre et égaler la terre.

PLANCHE III.

La charrue à tourne-oreille.
Fig. I. La charrue entière vue en perspective.
A B, les rouelles ou roues, *fig*. 1.3.
9. V, le têtard,
3. 5. *a a*, jumelles ou mamelles, I. 3. 5.
5, 8. traversier, I. 3.
u P N, le collier, 4. 5.
L G, étançon, 1. 3. 5.
L H, L K, mancherons, I. 3. 5. 6.
E F, oreille, 2. 3.
T, sellette, I. 5.
R, S, joucquoi ou joucquoir, I. 5.
Z Æ, l'embranloir, I.
Z Œ, la hardière, ou hardiau, I.
Æ Œ, la commande, I.
X Y, le soc, I. 3. 5. 6.
12. la lumière, 3.
6, 7. les briolets, I. 3.
G, mortaise en gueule de loup, sur le haut de l'étançon, 3. 6.
10, 11. le petit têtard, I. 3. 5.
13. le prêtre, I. 3. 5.
14, 15. le pleyon, I. 5.
T R, T S, essais ou épées, I. 5..
2. *e f*, la face intérieure de l'oreille. *h*, l'arbalêtrier qui s'implante dans le trou L de l'étançon. *g*, poignée de l'oreille. *e*, crochet qui entre dans un piton fixé en *b* à chaque côté du cep, *fig*. I. 3. 5. E F, face extérieure de l'oreille.
3. Plan à vue d'oiseau de l'avant et de l'arrière-train de la charrue. X Y, les fourchettes ou fourceaux.
4. Le collier ou chignon. P, la clef du chignon qui embrasse le têtard en-dessous. Le chignon s'applique sur la cheville II (*fig*. 3.) qui traverse le petit têtard.
5. Profil de la charrue, où la roue antérieure A est supprimée.
6. Vue de face des fourchettes X Y.

Benard Fecit.

Agriculture, Labourage.

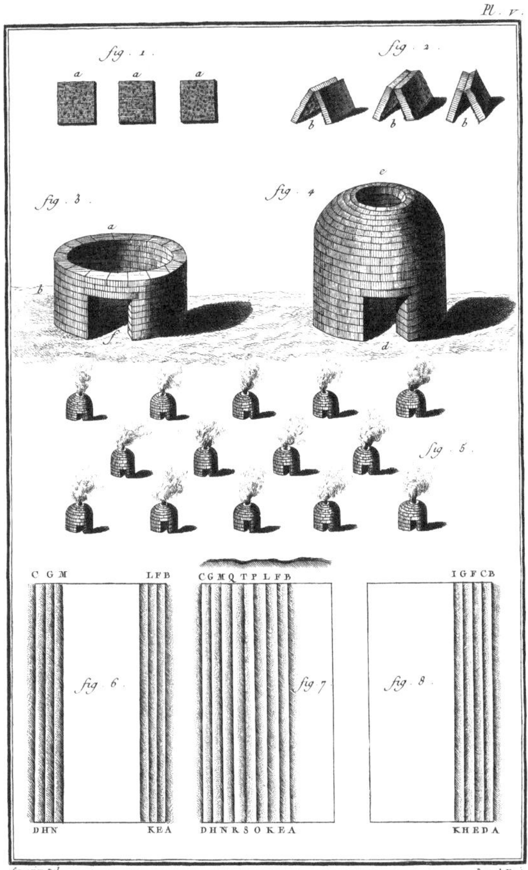

PLANCHE V.

Manière de brûler les terres.

Fig. I. Gazons.

2. Gazons dressés.

3. Fourneau de gazons séchés, commencé.

4. Fourneau achevé.

5. Arrangement des fourneaux.

6. Manière dont on laboure avec la charrue à versoir, en la conduisant de A en B, de C en D, de E en F, de G en H, etc. L'inclinaison des hachures marque celle du versoir sur la longueur du sillon.

Fig. 7. Manière dont on laboure en planche avec la même charrue, en la conduisant de A en B, de C en D, de E en F, de G en H, de K en L, de M en N, de O en P, de Q en R, de S en T, sur laquelle ligne T S on revient de T en S : ce qui forme la séparation des planches.

8. Manière dont on laboure avec la charrue à tourne-oreille. On ouvre un sillon de A en B, l'oreille étant à droite, comme les hachures en représentent la position, puis on ouvre un autre sillon à côté de celui-là de C en D, observant de changer de côté l'oreille de la charrue ; et ainsi de suite, en changeant successivement l'oreille de côté.

PLANCHE *(page 117)*

Fig. I. Vignette représentant la récolte ou façon des soins.

2. Vignette représentant la moisson.

3. Faucille pour couper ou scier le blé, comme on voit dans la vignette, *fig.* 2.

4. Faux toute montée pour faucher le foin, représentée dans la vignette première. A B, son manche.
C, la faux. D, la main ou poignée.

5. La faux séparée de son manche. *a a*, le dos. *b b*, le tranchant. *c d*, bras qui sert à attacher la faux au manche par le moyen d'une viole (*fig.* 8.) et d'une clavette ou goupille de fer, *fig.* 7.

6. La main ou poignée garnie de son collet de fer *e*. *f*, la clavette qui sert à serrer le collet *e* sur le manche A B de la faux, *fig.* 4.

Fig. 7 et 8. Virole et clavette de fer pour attacher la faux au manche, comme on le voit en B, *fig.* 4. et *fig.* 10.

9. Coupe de la faux, pour faire sentir la languette qui règne de *a* en *a* sur le dos, *fig.* 5.

10. Emmanchement de la faux.

11. Faux à doigts servant pour l'orge, l'avoine, etc. *a a*, les doigts. *b b*, les vis servant à tenir les doigts toujours, les vis, etc. sont de bois fort léger, afin de ne point appesantir la faux.

12. Marteau pour battre le fer de la faux, et le rendre plus tranchant.

13. Enclume ou tas pour battre le fer de la faux.

14. Pierre à aiguiser la faux.

15. Cossin, ou étui à pierre dans lequel on met de l'eau : on en fait de fer blanc, comme *a* ; et de bois, comme *b*.

16. Ceinture de cuir, pour accrocher le cossin au côté du faucheur.

17. Fourche de fer pour charger les bottes sur les voitures.

18. Râteau de bois à deux faces.

19. Fourche de bois.

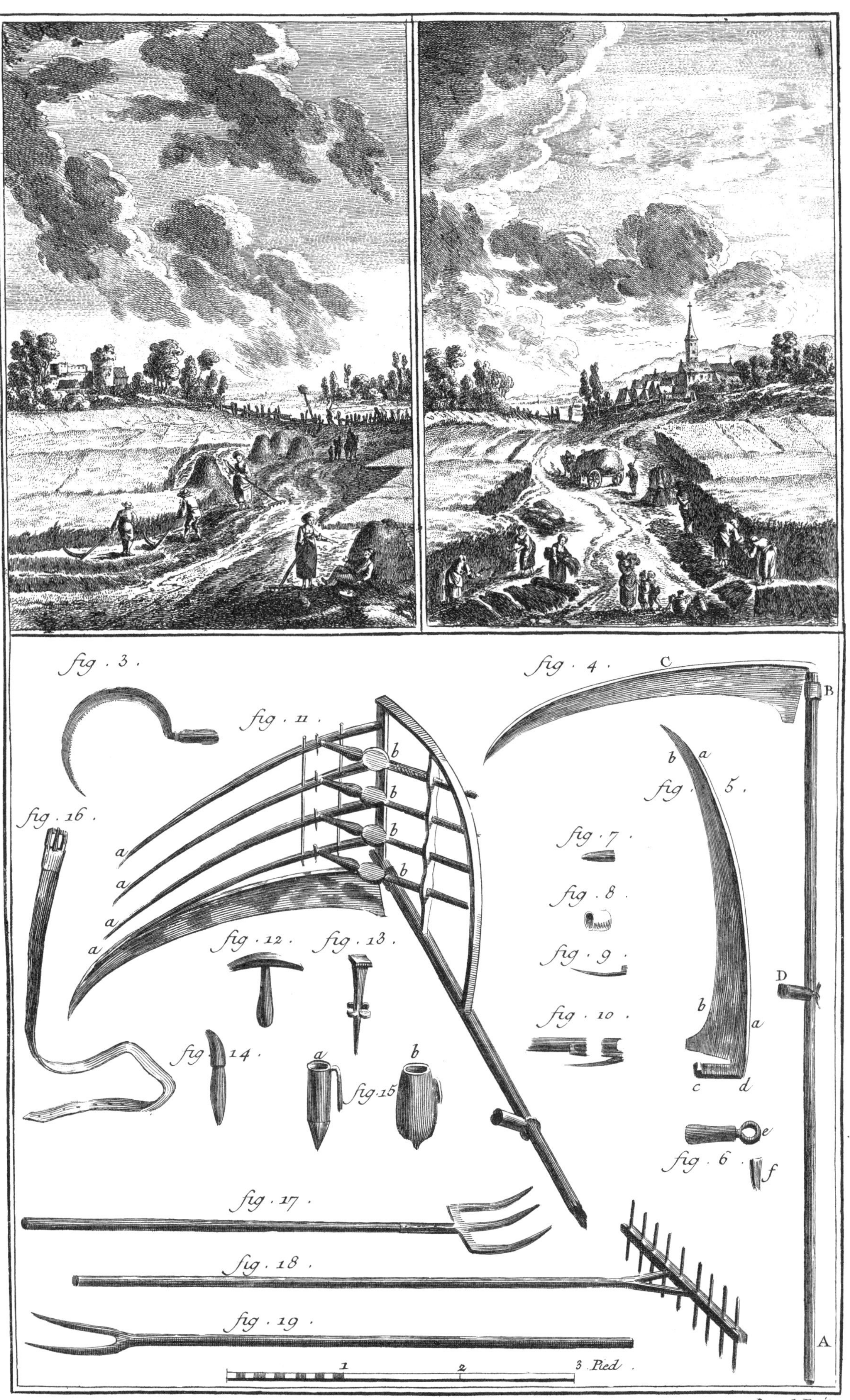

Benard Fecit.

Agriculture.

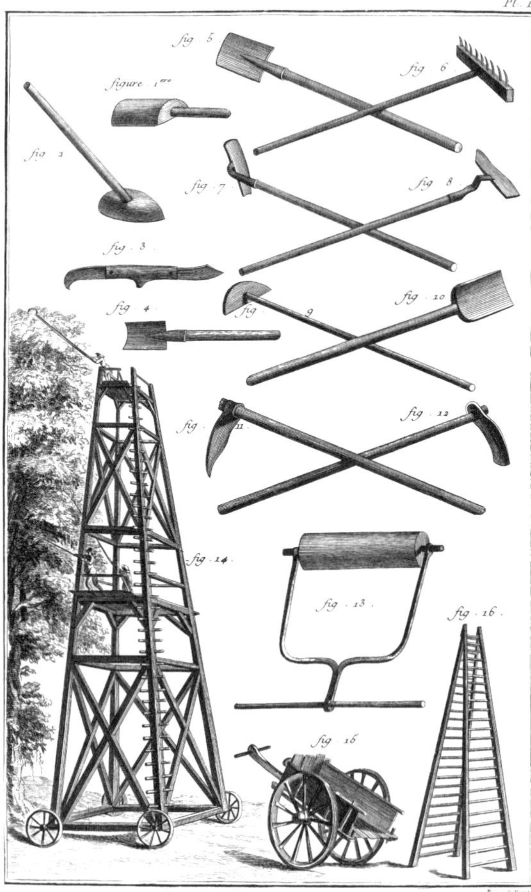

JARDINAGE

PLANCHE Ière.

Outils de jardinage.
Fig. I. Batte à main.
2. Batte à bras.
3. Gressoir.
4. Houlette.
5. Bêche.
6. Râteau.
7. Ratissoir à tirer.
8. Ratissoir à pousser.
Fig. 9. Rabot.
10. Pelle.
11. Pioche à pré.
12. Pioche à plate.
13. Cylindre ou rouleau.
14. Chariot.
15. Tombereau.
16. Echelle double.

PLANCHE II. *(page 119)*

Fig. 17. Ciseaux.
18. Coignée à main.
19. Civière.
20. *a*, *b*, Plantoir.
21. Tenaille.
22. Cordeau.
23. Arrosoirs. *c*, arrosoir à goulot. *d*, arrosoir à tête.
24. Fourche.
25. Croissant.
26. Faux.
27. Faucille.
28. Crible.
29. Echenilloir.
30. Crible d'osier.
31. Claie.
32. Traçoir.
33. Déplantoir.
34. Serfouette ou binette.
35. Autre déplantoir.
36. Brouette.
37. Scie à main.
38. Serpe.
39. Serpette.

PLANCHE III. *(page 120)*

Parterre mêlé de broderie et de gazon.

PLANCHE IV. *(page 121)*

Autres parterres mêlés de broderie et de gazon.
Fig. I. Celui des Tuileries.
2. Celui du jardin de l'Infante.

PLANCHE V. *(page 122)*

Boulingrin pratiqué au milieu d'un bosquet.

PLANCHE VI. *(page 123)*

Bosquet avec une pièce d'eau.

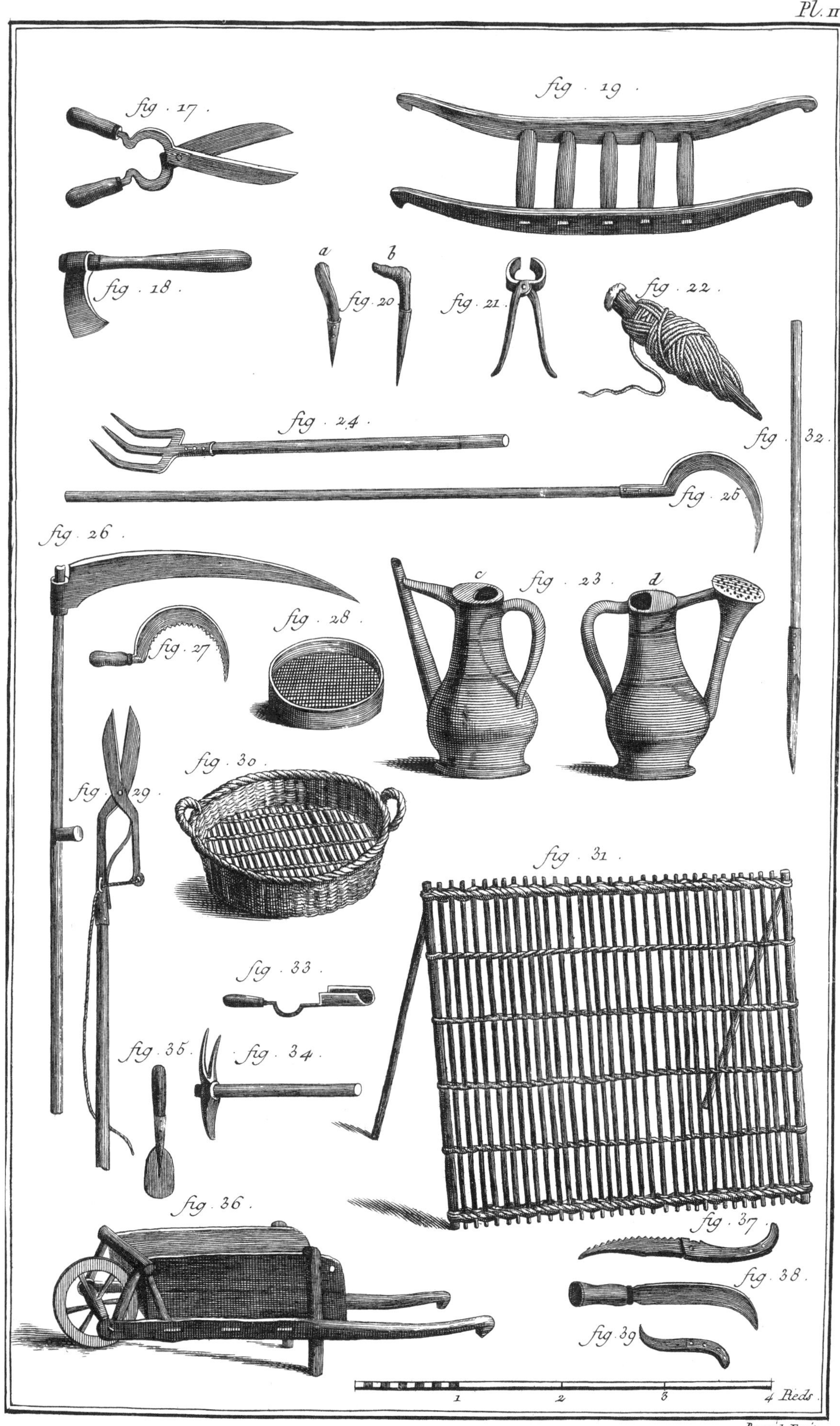

Benard Fecit.

Agriculture, Jardinage.

Benard Fecit.

Agriculture, Jardinage.

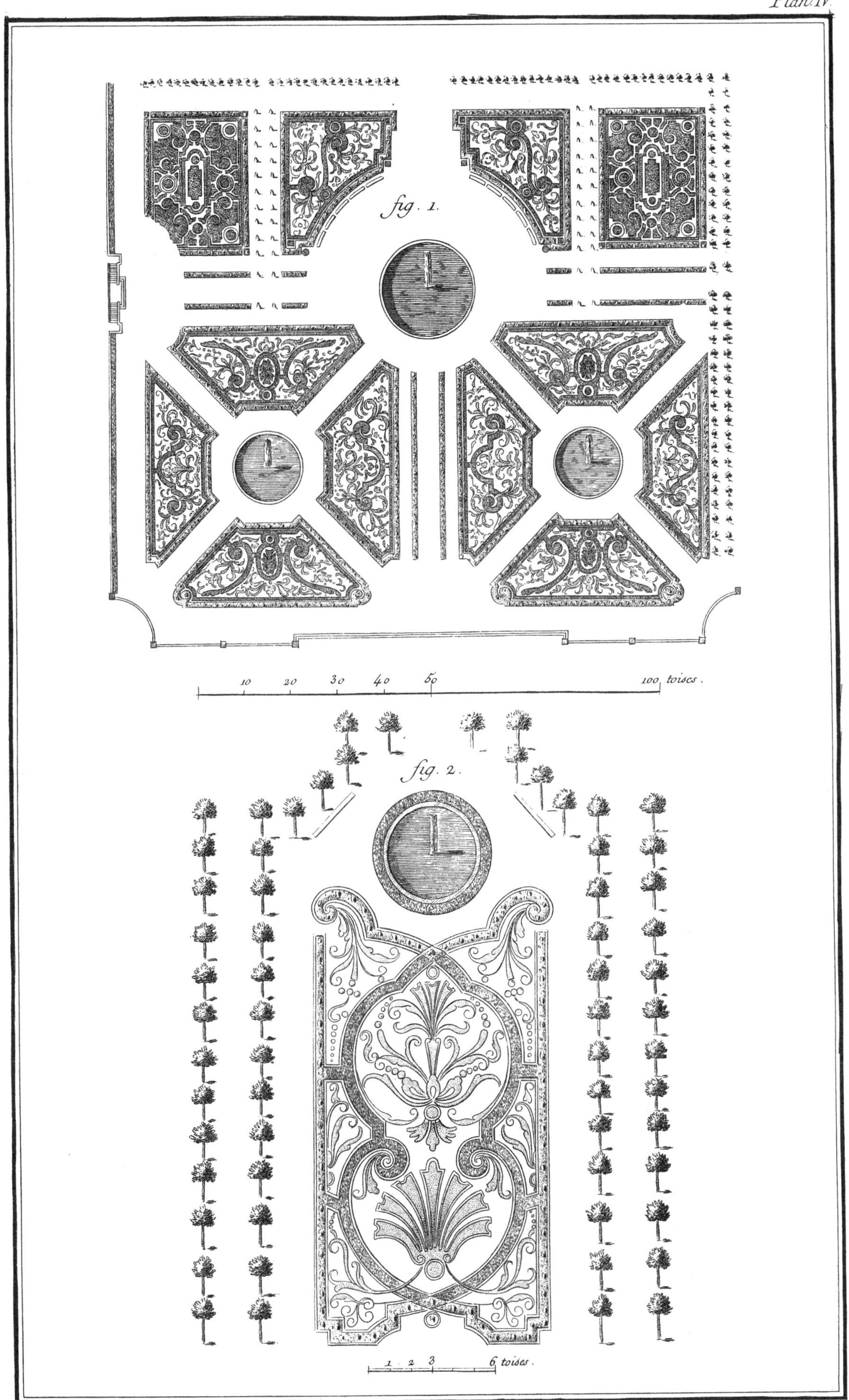

Benard Fecit.

Agriculture Jardinage.

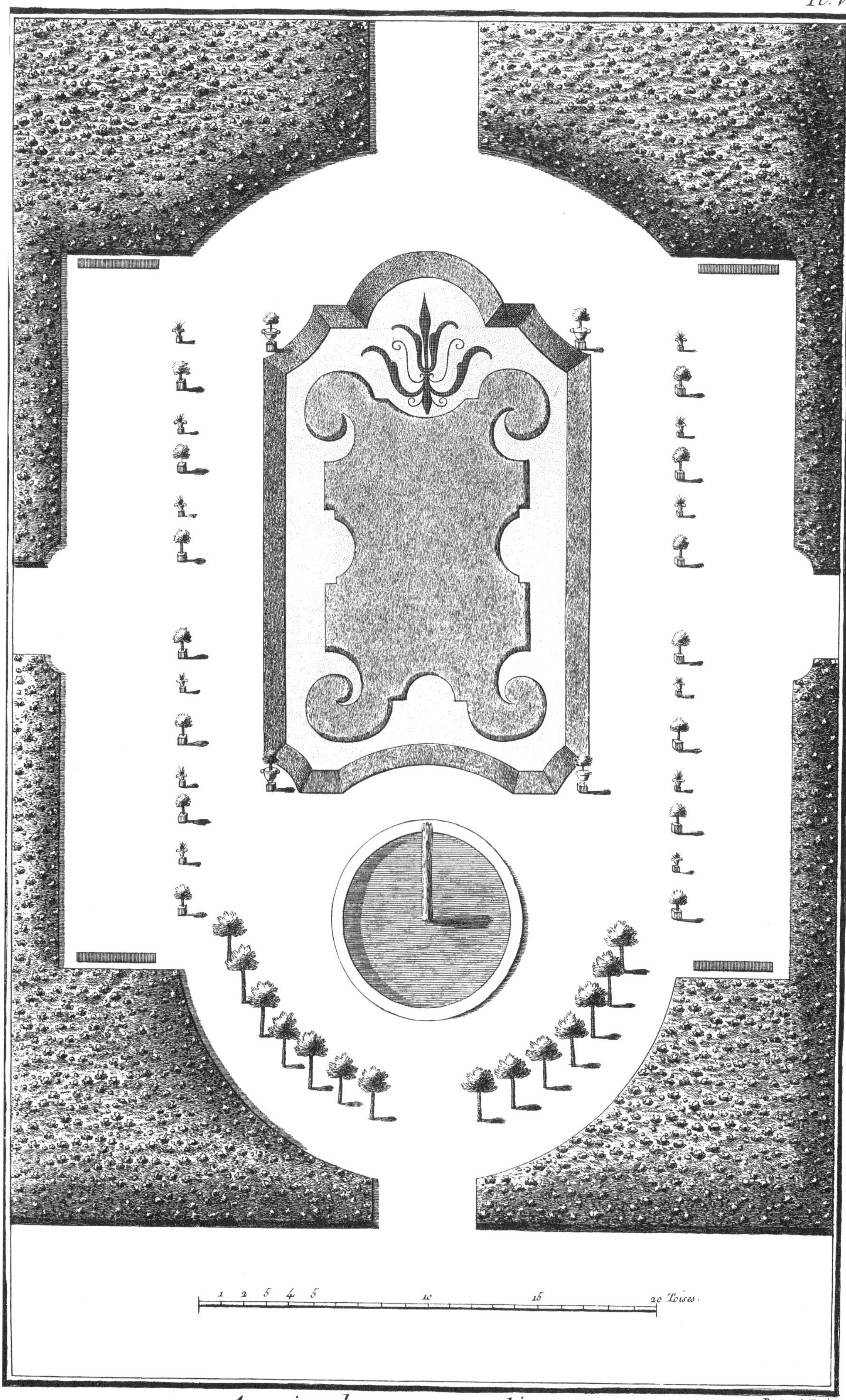

Benard Fecit.

Agriculture, Jardinage.

Benard Fecit.

Agriculture Jardinage.

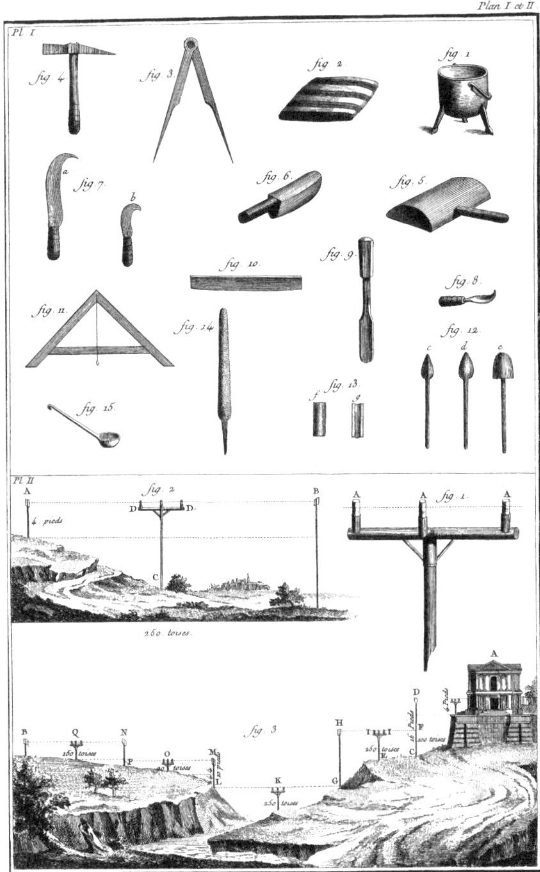

Agriculture, Jardinage Fontainier.

PLANCHE I. ET II. Réunies.

Fig. I. Poêle à tenir la soudure fondue.
2. Porte-soudure, ou coussin de coutil.
3. Compas.
4. Marteau.
5. Maillet plat.
6. Boursaut.
7. Deux serpettes ; *a*, une grande ; *b*, une petite.
8. Grattoir.
9. Gouge.
10. Couteau.
11. Niveau.
12. *c, d, e*, différents fers à souder.
13. *f, g*, attèles ou poignées.
14. Râpe.
15. Cuillère.
Fig. de la Planche II. Niveau.
2. Nivellement en descendant par un seul coup de niveau.
3. Nivellement en descendant et remontant des deux côtés d'un vallée par plusieurs coups de niveau.

Suite de la PLANCHE II. ET PLANCHE III. Réunies. *(page 125)*

Fig. 4. Manière de tenir registre des différents coups de niveau en descendant et en montant, et d'en trouver la différence. Cette figure est relative à la précédente.
5. Nivellements en descendant pour trouver la hauteur d'une eau jaillissante.
Fig. I. de la Planche III. A B, conduite d'eau par des tuyaux de grès. C, réservoir. E E, ligne de niveau. D D, ventre en gorge, et contre refoulement.
2. Autre conduite d'eau.
Fig. 3. Jauge d'eau.
4. Quille.

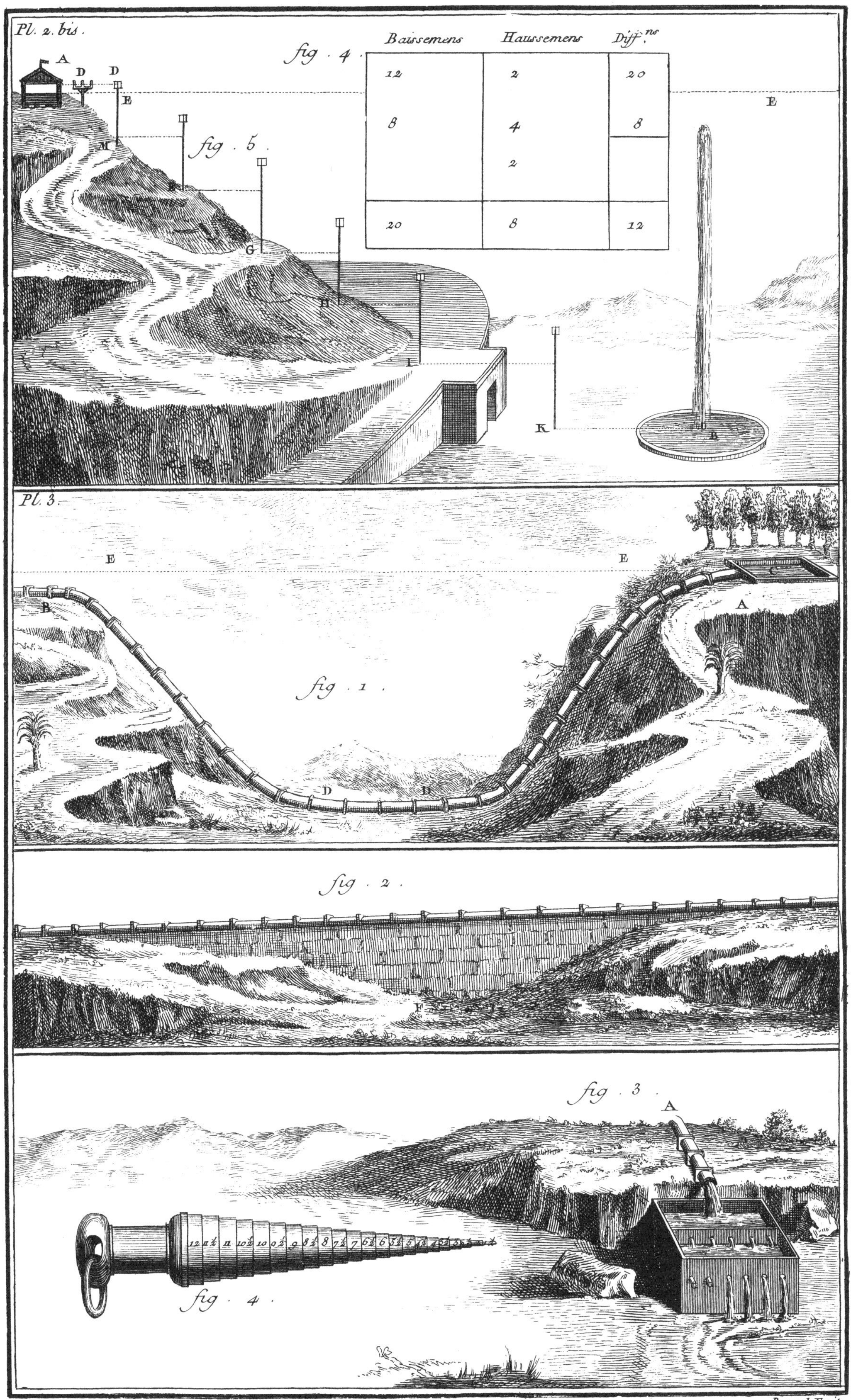

Goussier del. Benard Fecit.

Agriculture, Jardinage. Fontainier.

MOULINS A VENT

PLANCHE Ière. *(page 127)*

Vue extérieure d'un moulin à vent.

PLANCHE II.

Coupe verticale du moulin sur sa longueur.

Goussier del. Benard Fecit.

Agriculture, Economie Rustique,
Moulin à Vent.

PLANCHE IV.

Vue perspective de l'intérieur du moulin :

Lettres et chiffres relatifs aux quatre premières planches.
A, solles, Planches. 2. 3. 4.
B, attaches, 2. 3. 4.
G, liens, 2. 3. 4.
4, chaises, 2. 3. 4.
5, chevrons de pied, 2. 3.
6, trattes, 2. 3. 4.
7, couillards, 2. 3. 4.
8, doubleaux, 2. 3. 4.
9, poteaux corniers, 2. 3. 4.
10, soupentes, 2. 3. 4.
11, entretoises, 2. 3. 4.
D, queue, 2. 4.
E, limons de la montée, 2.
14, bras de chevalet, 2.
F, chevalet, 2.
15, support de la montée, 2.
16, entretoise, 2.
17, chaperon, 2.
18, lien du rossignol, 2.
19, poteau d'angle, 2.
20, appui du faux pont, 2. 4.
21, lien sous la sablière de la galerie, 2.
22, planchers, 2. 3. 4.
23, pannettes, 2. 3. 4.
24, guettes, 2. 3. 4.
25, poteaux de remplissage, 2. 3. 4.
26, sommier, 2. 3. 4.
27, faux sommier, 2. 4.
28, poteau du faux sommier, 2. 4.
29, pallier, 2.
30, fouche, 2.
a, petit fer, et chevilles du blutoir, 2.
31, poteau de la braye, 2. 3.
32, braye, 2. 3. 4.
33, bascule du frein, 2. 3. 4.
34, épée de la bascule du frein, 2. 3.
35, petite poulie du frein, 2. 4.
36, plancher des meules, composé de quatre cartelles, 2. 4.
37, la huche et le blutoir, 2. 4.
38, anches, 2. 4.
39, montée du second étage, 2. 4.
40, collier, 2. 4.
41, pannes meulières, 2. 3. 4.
42, entretoise,2.
G, galerie, 2. 4.
43, poteau de croisée de la galerie, 2. 4.
44, sablière d'appui, Planches 2. 4.
f, sablière du haut de la galerie, 2. 4.
45, sablière du bas de la galerie, 2. 4.
46, hautes pannes, 2. 3. 4.
47, colliers, 2. 3. 4.
48, jeu, 2. 3. 4.
49, pallier de gros fer, 2. 3.
b, gros fer, 2. 3.
50, marbre sur lequel pose le collet de l'arbre tournant. 2. 4.
51, pallier du petit collet, 2. 4.
52, semelle du petit collet, 2. 4.
53, pallier du heurtoir, 2. 4.
54, heurtoir, 2. 4.
55, lutons, 2. 3. 4.
56, arbre tournant, 2. 4.
H, rouet, 2. 3. 4.
57, chanteaux, 3.
58, parements, 3.
59, goussets,3.
61, embrassures, 3.
K, lanterne, 2. 3. 4.
62, tourtes, 2.
65, frein, 2. 3. 4.
66, archures, 2. 3. 4.
67, trempure, 2. 3. 4.
68, dos d'âne, 3. 4.
L, M, N, O, les ailes, 1. 2. 3.
70, épée de fer. 4.
71, trémions, 2. 3. 4.
72, trémie, 2. 3. 4.
73, auget. 2. 3. 4.
74, clés des paliers, 2.
75, jambes de forces, 3. 4.
76, entrait, 2. 4.
77, poinçon, 2. 3. 4.
78, liens, 2. 4.
79, faîte, 2. 4.
80, chevrons du comble, 2. 4.
81, planches sur lesquelles posent les bardeaux, I.
82, bardeaux, I.
83, aix à couteau, I.
84, volants, 2. 3.
85, antes, 3.
86, coterets, 3.
87, lattes, 3.
h, g, q, arbre de l'engin pour monter le blé dans le moulin. *h,* hérisson. *s,* levier sur lequel repose le collet de l'arbre. *f m n,* autre levier sur lequel repose le premier. *m k,* barre de fer par laquelle le levier est suspendu. *g,* tambour ou dévidoir sur lequel passe la corde sans fin appellée la videnne. *n, p,* corde par laquelle on gouverne cette machine. *q, r,* corde destinée à monter les sacs dans le moulin. *Fig.* 2. 3.

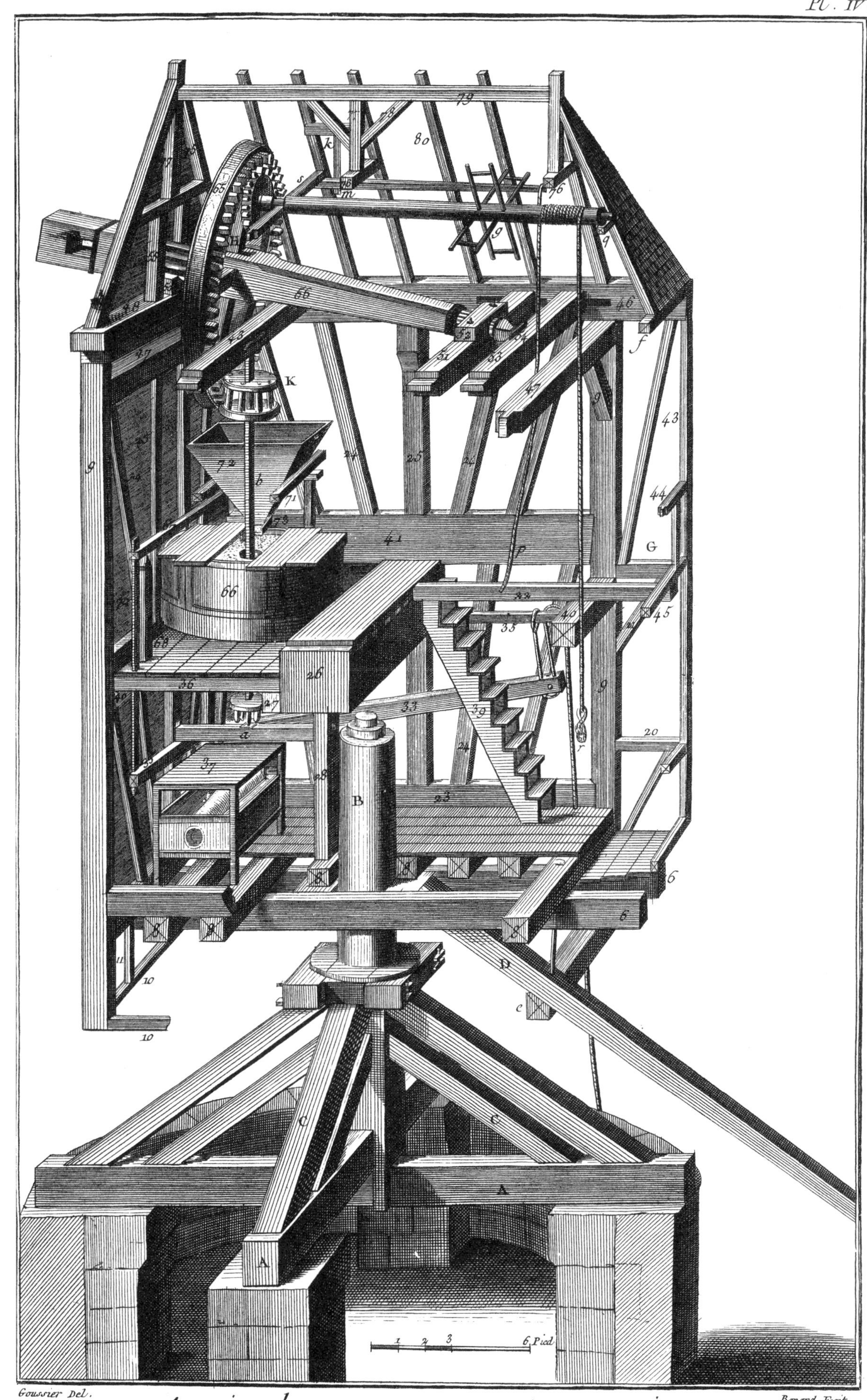

Goussier Del. Benard Fecit.

Agriculture, Economie Rustique.

Moulin à Vent.

PLANCHE III.

Coupe verticale du moulin sur sa largeur. Engin à tirer au vent.
12, Treuil. 13, chaperon. 64, jambes. 60, essieu. *k,* poteau debout. *i,* liens. 2, 3, semelles. 6, roues. 69, pieu.

PLANCHE VI. *(page 131)*

Vue intérieure du moulin à eau ordinaire.
A, axe de la grande roue à aubes. B B, aubes. C, la roue garnie de soixante-douze alluchons. D, palier de l'arbre vertical D G. F, lanterne de dix-huit fuseaux. G, hérisson, ou roue horizontale de soixante-douze dents. H, lanterne à douze fuseaux de fer, qui porte la meule supérieure. K, auget. L, trémie. M, huche. Le détail de toutes les parties de ce moulin, qui lui sont communes avec le moulin à vent, et de quelques autres qui lui sont particulières, sont représentées Planche V. du moulin à vent, *fig.* I. 2. et 10.

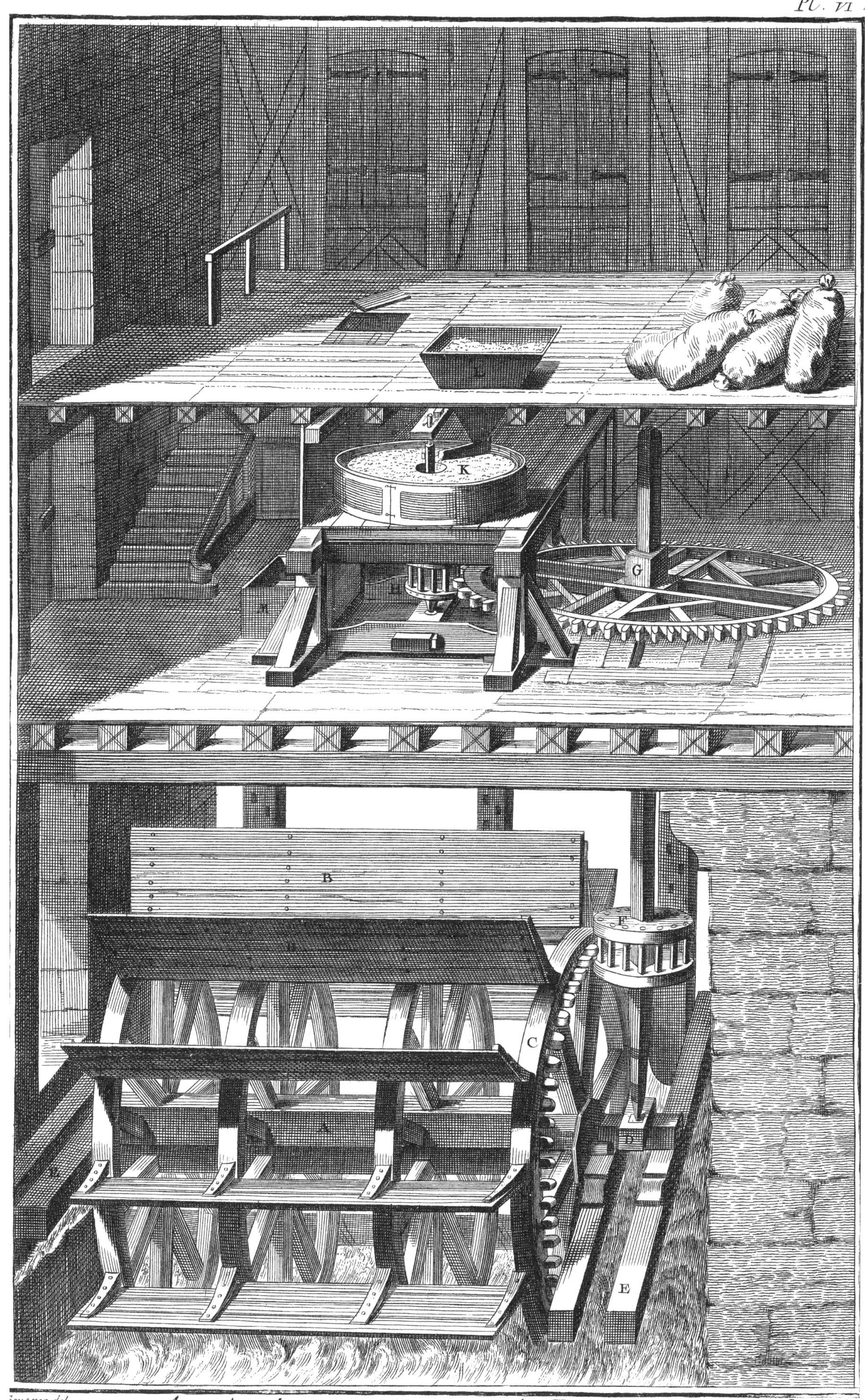

Goussier del.

Benard Fecit.

Agriculture, Œconomie Rustique,

Moulin à Eau.

FABRIQUE DU TABAC

PLANCHE Ière.

Le haut de la planche.

Atelier de l'époulardage où l'on fait le triage des feuilles, où l'on sépare les manoques, pour les distribuer par sortes dans les cases F G.

Fig. I. Ouvrier qui coupe autour de la masse d'un boucaud toutes les feuilles qui on été avariées en mer ou autrement. A B C, masses de feuilles contenues dans les boucauds.

2. Ouvrier qui détache les manoques de la masse E d'un boucaud pour les distribuer dans les cases F. D, panier que l'on enlève par le moyen d'une poulie, pour transporter les feuilles dans l'atelier des écoteurs, placé audessus de celui-ci. H H H, rolles de tabac déposés au dessus des cases.

Le milieu de la Planche.

Atelier de la mouillade.

Fig. I. L'ouvrier placé devant une table L, choisit dans les manoques ou bottes de feuilles celles qui sont propres à faire des robes. On entend par robes les feuilles les plus longues et les plus larges destinées à recouvrir les rolles. Il les mouille avec un balai servant d'aspersoir ; elles passent ensuite à l'atelier des écoteurs. C, manne où l'ouvrier met les robes à mesure qu'il les mouille. A B, seaux dans lesquels la sauce est contenue.

2. Ouvrier monté sur un amas de feuilles. Il tient d'une main un seau rempli de sauce, et de l'autre un aspersoir pour mouiller par couches ce qu'on appelle déchets mélangés. On voit par la figure que cet atelier est placé au rez-de-chaussée ; que le pavé est formé par de grandes dalles de pierres un peu inclinées vers celles du milieu E, qui sont creusées en caniveau pour laisser écouler l'eau superflue. D, planche qui couvre une partie du caniveau, afin que l'accès auprès des cuves de pierre F G, soit plus facile. Les parois de cet atelier sont couvertes de fortes planches, pour empêcher que les tas de feuilles ne touchent les murailles. Il y a aussi différentes tables, comme M.

Le bas de la Planche.

Les parties les plus essentielles de l'atelier de la mouillade, vues plus en grand, et côtées des mêmes lettres. A B, seaux. C, manne. D, planche qui couvre le caniveau E. F G, deux robinets partant d'un tuyau commun, par lesquels l'eau nécessaire est versée dans les cuves de pierre qui sont au dessous, dans lesquelles on prépare la sauce. H, K, grands et petits balais ou aspersoirs à l'usage des mouilleurs.

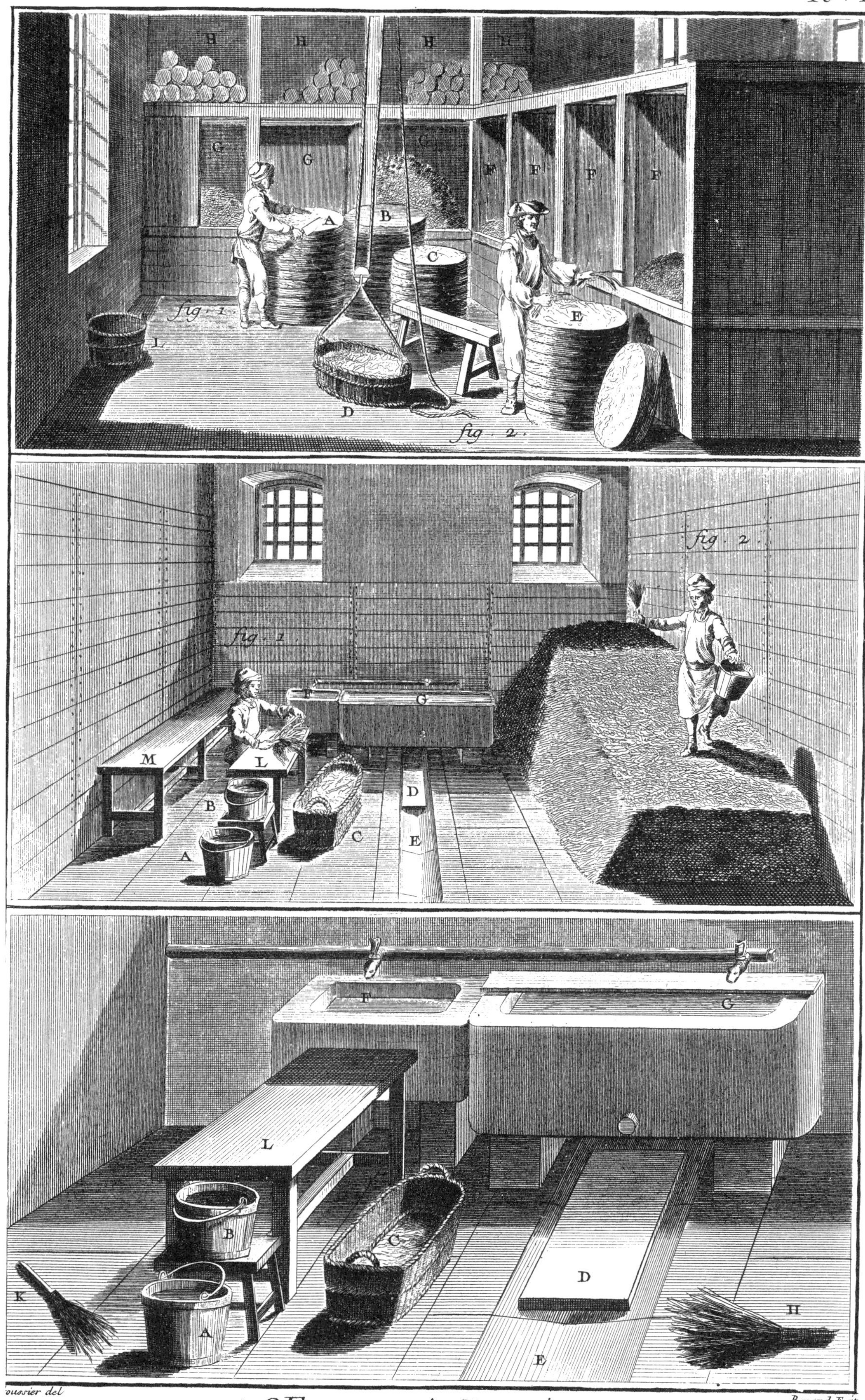

oussier del

Benard Fecit

Œconomie Rustique,

Fabrique du Tabac.

PLANCHE II.

Le haut de la Planche, atelier des écoteurs.

A, ouverture pratiquée au plancher et entourée d'une rampe, par laquelle, au moyen des poulies moussées B C, on monte les feuilles qui sortent de la mouillade, dont l'atelier, aussi bien que celui de l'époulardage, est placé au-dessous de celui-ci.

Fig. I. 2. 3. 4. 5. Bancs sur chacun desquels sont assis plusieurs petits garçons occupés à écoter les feuilles, c'est-à-dire à en ôter la côte longitudinale. Ils jettent les feuilles écotées dans une autre manne, et les cotons ou côtes derrière les bancs où ils sont assis.

Le milieu de la Planche, filage, atelier des fileurs.

Fig. I. 2. 3. 4. Filage à la française. Il se fait sur une table fort élevée, divisée par des cloisons en quatre parties égales, qui sont les places d'autant d'ouvriers. D D, bancs sur lesquels s'asseyent les ouvriers servants, *fig.* 2. et 3. Il y en a deux pour chacun des deux ouvriers fileurs, *fig.* I. et 4. L'un *(fig.* 2.) prend une certaine quantité de feuilles proportionnée à la grosseur que l'on veut donner au boudin. Il les comprime par un premier tord, et les passe ensuite à l'ouvrier fileur (*fig.* I.), pour être filés les uns au bout des autres. Le second enfant assis à côté et sur le même banc, et qui n'a point été représenté pour éviter la confusion, passe des robes toutes préparées au même fileur. Le fileur *(fig.* 4.) est de même servi par deux enfants, dont l'un lui fournit des poignées et l'autre des robes. L'un et l'autre des deux fileurs (*fig.* I. et 4.) forment avec les poignées des parties de boudin longues d'environ trois pieds *a b,* appelées poupes. Chacun des fileurs est monté sur un escabeau *c c,* pour pouvoir opérer avec plus de facilité sur la table indiquée ou il forme les poupes. L'autre côté de l'atelier représente la manière de filer à la hollandaise, en se servant du rouet.

Fig. 5. Enfant qui tourne le rouet *f.*

6. Fileur qui réunit les unes aux autres les poupes que les fileurs (*fig.* I. et 4.) ont formées et les couvre d'une nouvelle robe.

7. Enfant qui fournit les robes au fileur. *e,* écuelle dans laquelle est une éponge imbibée d'huile d'olive, dont le fileur se frotte les mains, pour que le boudin roule avec plus de facilité entre elles et la table. Les fileurs de poupes en ont aussi une semblable. *d,* crapaudine de bois sur laquelle roule le bourlet ou collet du rouet. *g,* poteau sur lequel roule l'autre tourillon du rouet. *h,* manne dans laquelle l'ouvrier de la *fig.* 7. prend les robes.

8. Table dégarnie de son rouet. *a c,* la table. *a,* la crapaudine. *b,* montant qui porte le tourillon de la manivelle.

Le bas de la Planche.

9. Plan du rouet : il est de fer, et composé d'un châssis R S T V, dont les longs côtés R S, T V, sont percés en G et F de deux trous ronds, pour recevoir les tourillons de l'arbre ou noyau A sur lequel le boudin se roule. Les longs côtés sont réunis ensemble par la traverse S V, et par les parties R D, T D, qui communiquent à la douille D, par l'ouverture de laquelle passe le boudin. Tout le châssis est d'une seule pièce. Les extrémités du noyau A sont terminées par deux cercles N O, P Q, dont on voit l'élévation dans le profil du rouet *(fig.* 10.), et fermées intérieurement par deux plaques de tôle. Sur le milieu de la traverse S V, est fixé un boulon H, qui sert de tourillon au rouet. L'extrémité de ce tourillon taraudée en vis est reçue dans l'ouverture K de la manivelle K L, dont la poignée L est mobile sur une broche qui la traverse. Le tourillon H roule dans des collets qui sont au haut du poteau vertical *g* ; et le bourlet de la douille D roule dans la crapaudine de bois dont on a parlé, qui est fixée sur le bord de la table du fileur.

10. Le profil du rouet. Q, élévation d'un des cercles qui terminent le noyau du rouet. A, rochet denté monté quarrément sur le prolongement du tourillon G du noyau A, *fig.* 9. B, cliquet qui est continuellement poussé contre les dents du rochet par le ressort C. M, piton à vis qui sert de centre de mouvement au cliquet, et que l'on ôte quand on veut dévider le boudin dont le rouet est chargé, pour en former des rolles.

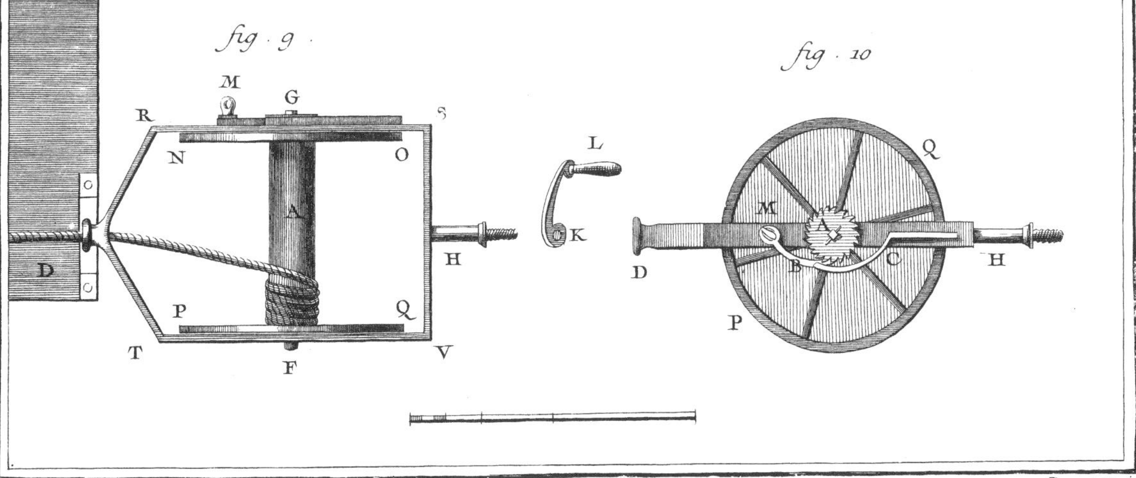

Goussier del. Benard Fecit

Œconomie Rustique,

Fabrique du Tabac.

PLANCHE III.

Le haut de la Planche, atelier des rolleurs.

Fig. I. Ouvrier qui dévide le rouet chargé de tabac en boudin, et le fait passer au rolleur ; *fig.* 2. *f*, le rouet dont les tourillons sont portés par les deux poteaux D E. Chacun de ces poteaux est retenu par quatre liens assemblés dans les faces et sur le plancher. Pour dévider le boudin de tabac de dessus le rouet, on ôte le piton M (Planche II. *fig.* 9. et 10.), et par ce moyen le cliquet B ; ce qui permet au rouet de rétrograder.

2. Le rolleur. C'est l'ouvrier qui forme les rolles. On entend par rolle une pelote où le boudin est roulé plusieurs fois sur lui-même. Voici la manière dont on les forme. Le rolleur a devant lui sur sa table l'instrument (*fig.* 6.) du bas de la Planche, qu'on nomme matrice, garni de deux chevilles de bois, et ayant saisi un bout du boudin, il l'applique à côté d'une cheville, et forme un écheveau composé de trois tours (*fig.* 5. du bas de la Planche.) Il lie en trois endroits cet écheveau avec de la ficelle, et le retire ensuite de dessus la matrice. C'est cet écheveau qui occupe le centre du rolle et en forme le noyau. Pour achever de le former, le rolleur attache le bout de boudin à une des extrémités avec une petite cheville de bois, et continue de tourner le boudin autour du noyau, jusqu'à ce qu'il soit tout couvert. On forme ainsi trois, quatre ou cinq couches les unes sur les autres, dont on observe de bien serrer et cheviller les différents tours.

Fig. 3. Autre table destinée au même usage. On voit à côté un boucaud *g*, rempli de chevillettes de bois d'environ trois pouces de longueur, qui servent à fixer les différents tours du boudin les uns sur les autres.

4. Vue perspective de la presse, pour comprimer et égaliser les rolles. Elle est composée de deux sortes de tables de bois d'orme. La supérieure portée par des chevalets est percée de deux trous, pour laisser passer les vis de bois A C, B D. La table inférieure est aussi percée de deux trous qui répondent au-dessous de ceux de la table supérieure. Ces trous sont taraudés pour recevoir les vis et leur servir d'écrous. C'est sur la table inférieure que l'on pose les rolles E F qu'on élève avec la table inférieure mobile entre les quatre montants des chevalets, pour les comprimer fortement entre les deux tables, en faisant tourner les vis A B du sens convenable avec le levier G.

Le milieu de la Planche, atelier des coupeurs.

Fig. I. Le coupeur debout devant une table solide recouverte d'une planche, tire à lui le bout du boudin d'un rolle *a d*, qui est monté sur la machine, dont le détail est au bas de la Planche ; et l'ayant étendu, il applique dessus la matrice ou mesure (*fig.* 8.) et avec le couteau (*fig.* 4.) il coupe de mesure ce boudin : ce qui forme des longueurs *e*. Il continue jusqu'à ce que le rolle soit entièrement employé. *b c*, montant percé d'une longue mortaise, pour que le bras *a b*, qui porte le pivot supérieur, puisse s'élever et s'abaisser à volonté, suivant les différentes hauteurs des rolles. *f*, chambrière. *g*, manne dans laquelle le coupeur transporte les longueurs, pour les déposer par sortes et qualités dans les cases.

2. Cases formées de planches d'environ dix-huit pouces de profondeur, où on dépose par sortes de longueurs.

Bas de la Planche.

Fig. 3. La table du coupeur vue sous un autre aspect et plus en grand. A B C D, machine dans laquelle le rolle est monté. D C, semelles. B C, poteau vertical percé d'une longue mortaise pour laisser couler le bras. Les faces latérales sont aussi percées de plusieurs trous ronds pour recevoir une cheville de fer qui fixe le bras à la hauteur que l'on veut. A B, le bras dont le tenon est traversé d'une clé aussi de bois, pour affermir solidement le bras avec le montant. A, pivot supérieur que l'on fait entrer à force dans le centre du rolle. F, platine et pivot inférieur que l'on fixe en D sur l'extrémité de la semelle, par quatre vis à bois. Le pivot qui roule dans le canon de la platine, et dont la partie supérieure est quarrée, est reçu dans un trou de même forme qui est au centre de la pièce G dont on voit le plan en H. E, la planche sur laquelle le coupeur coupe les longueurs.

4. Couteau du coupeur.

5. La matrice chargée d'un écheveau.

6. La matrice vue séparément.

7. Masse ou marteau du rolleur, et chevillette quarrée dont il fait usage pour assujettir les uns sur les autres les différents tours du boudin qui forment un rolle.

8. La matrice avec laquelle le coupeur mesure les longueurs du boudin qu'il veut couper, pour que les bouts soient égaux entre eux. *r f*, matrice vue par dessus, et du côté qui s'applique sur le boudin. Cet outil est serré par les deux bouts.

9. Longueur de boudin égale à la longueur de la matrice, et un peu moindre que la longueur des carottes qu'elles doivent former.

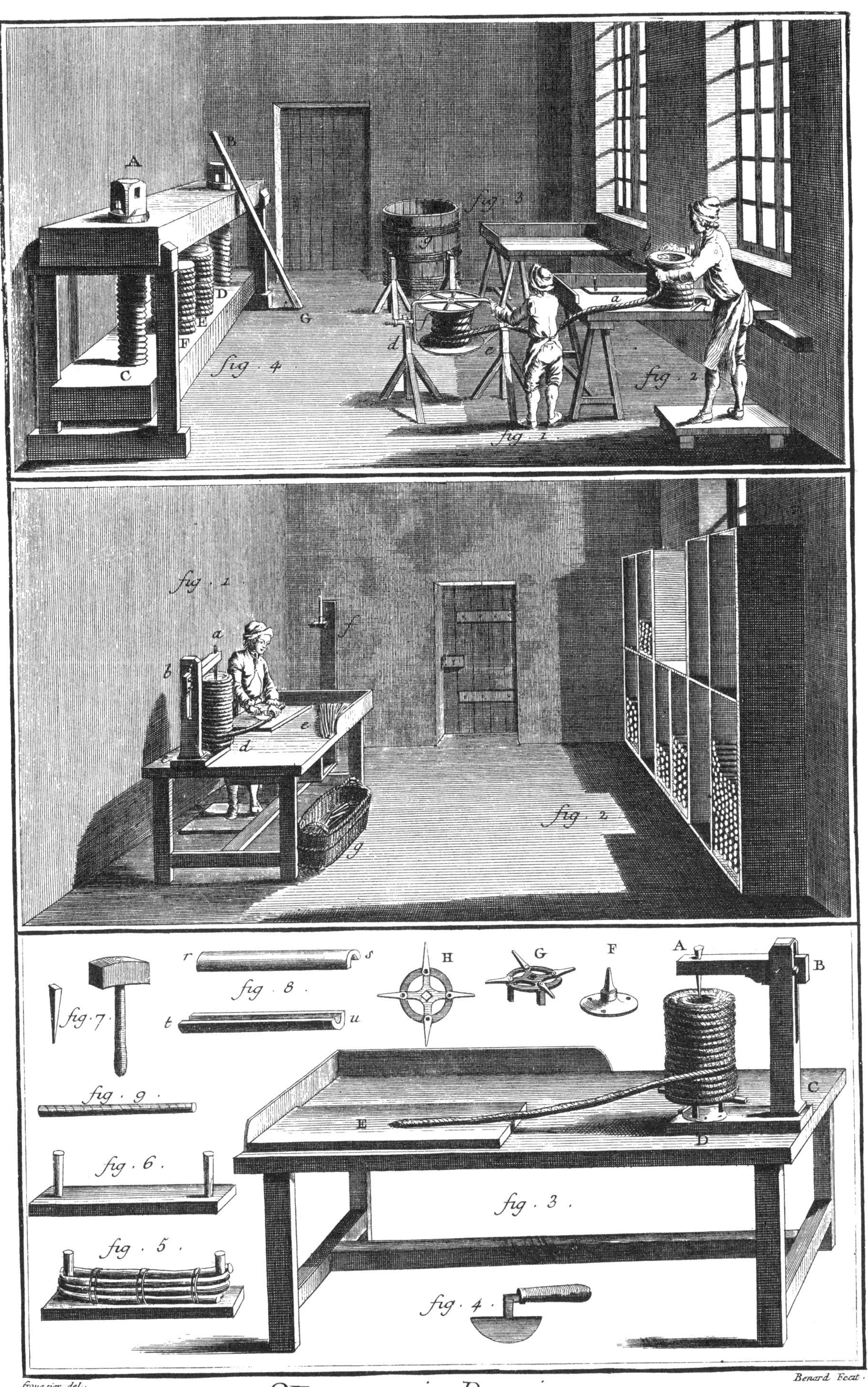

Goussier del . Benard Fecit .

Œconomie Rustique,

Fabrique du Tabac .

PLANCHE IV.

Presses.

Atelier des presses où on met le tabac en carottes. I, 2, 3, 4, 5, 6, etc. presses rangées des deux côtés et sur le mur du fond de cet atelier. Il y en a dans la fabrique de Paris jusqu'à soixante rangées le long des quatre faces d'une longue galerie. Vingt ou vingt-cinq ouvriers appliquent leurs forces à l'extrémité du grand levier de fer avec laquel on fait tourner les vis des presses. A, chapiteau qui couvre l'ouverture de l'écrou dans lequel passe la vis, dont l'extrémité supérieure entre dans le chapiteau, lorsqu'on desserre la presse, et que la lanterne est élevée à une certaine hauteur. C, la lanterne qui est montée quarrément sur la vis, et dont les platines et les fuseaux sont aussi de fer. B, sommier ou table de la presse entaillée aux quatre coins pour faire place aux jumelles le long desquelles il peut descendre, étant suspendu à l'extrémité inférieure de la vis. L'excursion est d'environ deux pieds. D, pile de tables remplies de moules, dans chacun desquels on a mis six ou huit longueurs, que la forte pression réunit et forme en carottes. E, seuil de la presse dont on ne voit que la moindre partie, le reste étant dans une fosse recouverte de planches qui affleurent le plancher ou rez-de-chausée de cet atelier. La presse cotée 2 est entièrement vide, ainsi que toutes celles qui sont du côté des fenêtres. Celles qui sont cotées 3, 4, 6, ont été plus ou moins comprimées. Celle qui est cotée 5 n'a point de sommier ni de vis. On voit aussi dans le milieu du même atelier un long établi sur lequel on range les tables qui contiennent les moules.

Fig. I. Pièces du moule vu en grand. Il est composé de deux pièces de bois *g h*, *k l*, creusées en gouttières demi-cylindriques. Les pièces inférieures *k l* sont séparées les unes des autres par de petits ais *m m*, *n n*, comme on le voit dans toutes les autres figures de la même planche.

2. Elévation d'une pile de tables remplies de moules, et les moules de longueurs pour former des carottes par la pression. Cette pile est composée de cinq tables, et chaque table contient douze moules ; chaque moule huit bouts ou longueurs : ce qui en une seule pressée fait soixante carottes. *c c c c*, pièces supérieures des moules. Entre *d* et *e* on voit que les ais qui séparent les moules les uns des autres laissent un vide, ce qui permet aux pièces supérieures des moules de descendre lorsque le sommier de la presse s'applique en *c c c c d e*, et sur leurs faces supérieures. Cette première table *a b*, fait le même effet par rapport à celle qui est au dessous, ainsi de suite jusqu'à la dernière. *f*, profil des longs coins plats qui servent à presser latéralement les ais et les moules les uns contre les autres.

3. Elévation d'une pile de tables pour faire du tabac à six bouts. Il y a six tables les unes sur les autres, et chacune contient quatorze moules.

4. Etabli sur lequel on arrange les moules dans les tables, et où on les remplit de longueurs. *o o o o o*, pièces supérieures des moules non encore mises en place. *p p p*, moules chargés de longueurs, et recouverts de leurs pièces supérieures. *q q q q*, moules non encore chargés. C'est sur le fond de la gouttière et entre les ais que l'on étend le nombre de longueurs, six ou huit, convenable à la forme de carottes que l'on veut former : on les y comprime légèrement avec un vieux moule *r r*, (au dessous de la table), en frappant avec la masse *s s* ; en sorte que l'on puisse placer les pièces supérieures *o o o o* des moules, qui aussi bien que les ais qui les séparent, doivent être graissées avec de l'huile d'olive. *t t*, écuelle qui contient l'huile d'olive et l'éponge. *x*, espèce de brosse servant à nettoyer le fond des gouttières des pièces inférieures. *u*, maillet pour chasser les coins qui compriment latéralement les moules entre les côtés de la table.

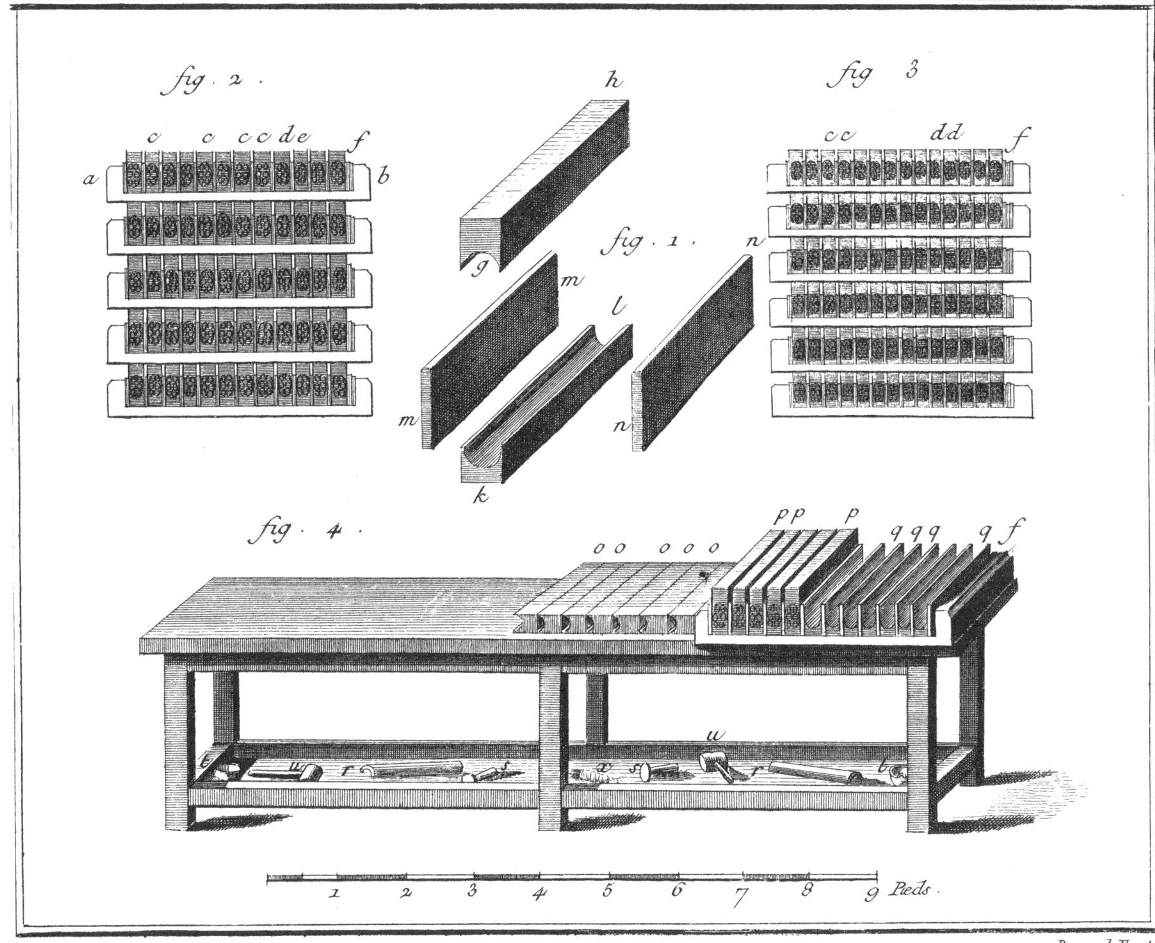

Benard Fecit

Œconomie Rustique,

Fabrique du Tabac.

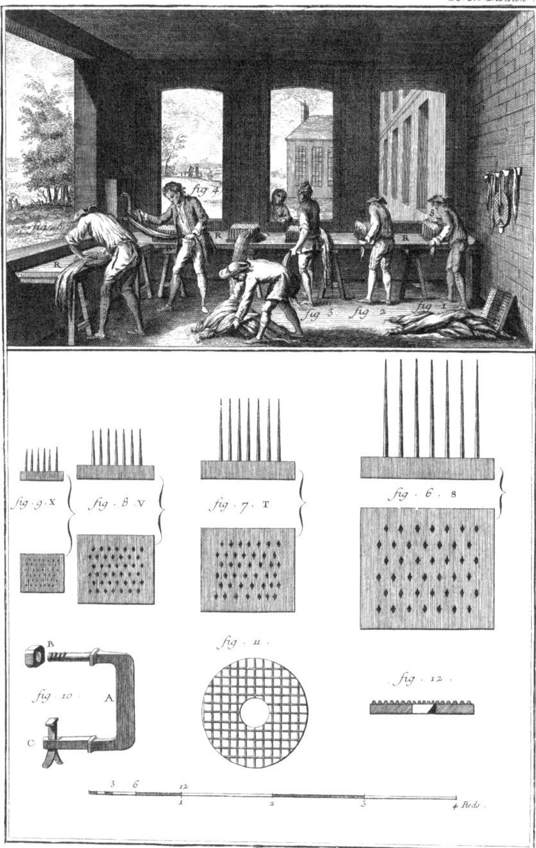

Œconomie Rustique
Culture et Travail du Chanvre.

CHANVRE

PLANCHE Ière. *(page 141)*

Première et seconde divisions. Travail du chanvre.

La vignette représente l'atelier des espadeurs, dont le mur du fond est supposé abattu pour laisser voir dans le lointain les préparations premières et champêtres du chanvre.Quand il a été arraché de terre, et qu'on a séparé le mâle d'avec la femelle, on le fait sécher au soleil ; ensuite on le frappe contre un arbre ou contre un mur, pour en détacher les feuilles ou le fruit, et on le fait rouir ou dans une mare ou dans un ruisseau, ou enfin dans ce qu'on appelle un routoir ; c'est un fossé où il y a de l'eau.

Fig. I. Routoir *q*, où l'on a mis le chanvre. Plusieurs hommes sont occupés à le couvrir de planches, et à le charger de pierres pour le tenir au fond de l'eau, et l'empêcher de surnager.

2. Ouvrier qui passe le chanvre sur l'égrugeoir *r*, pour détacher le grain qui y est resté.

Fig. 3. Le haloir *t*. C'est une espèce de cabane où l'on fait sécher le chanvre, en le posant sur des bâtons au dessus d'un feu de chenevote.

4. Une femme *s* qui tille du chanvre, c'est-à-dire qui en rompant le brin sépare l'écorce du bois.

5. Ouvrier qui rompt la chenevote entre les deux mâchoires de la broye *u*.

6. Ouvrier qui espade, c'est-à-dire qui frappe avec l'espadon Z sur la poignée de chanvre N qu'il tient dans l'entaille demi-circulaire de la planche verticale du chevalet Y.

7. Ouvrier qui, pour faire tomber les chenevotes, secoue contre la planche M du chevalet la poignée de chanvre qu'il a espacée.

8. Autre espadeur qui fait la même opération sur l'autre planche verticale du chevalet.

9. ***Bas de la planche***. L'égrugeoir dont se sert l'ouvrier de la fig. 2. L'extrémité de cet instrument qui pose à terre est chargée de pierres pour l'empêcher de se renverser.

10. Mâchoire supérieure de la broye vue par dessous. On voit qu'elle est fendue dans toute sa longueur pour recevoir la languette du milieu de la mâchoire inférieure, et former avec celle-ci deux languettes ou tranchants-mousses propres à rompre et briser la chenevote.

11. La broye toute montée. La mâchoire supérieure est retenue dans l'inférieure par une chevillle qui traverse tous les tranchants.

12. Chevalet simple, X, le même que celui coté X dans la vignette.

13. Chevalet double, Y Y, le même que celui coté M, Y, dans la vignette.

14. Elévation d'une des planches du chevalet, soit simple, soit double.

15. Elévation et profil d'un espadon vu de face en A, et de côté en B.

PLANCHE Ière.

Troisième division servant de Planche seconde.

La vignette représente l'atelier des peigneurs.

Fig. I. 2. 3. Peigneurs dont les uns peignent le chanvre sur le peigne à dégrossir, et d'autres sur les peignes à affiner. Ces peignes sont posés sur de grandes tables R portées sur des tréteaux et scellées dans le mur.

4. Peigneur qui passe sa poignée de chanvre dans le fer A, pour en affiner le milieu, et faire tomber les chenevotes que le peigne n'a pas ôtées.

5. Ouvrier qui frotte le milieu de sa poignée sur le frottoir, pour achever d'affiner cette partie.

Bas de la Planche.

6. S, plan et élévation d'un grand peigne ou seran garni de quarante-deux dents de douze à treize pouces de longueur. Il sert à former les peignons.

7. T, peigne à dégrossir, garni du même nombre de dents de sept à huit pouces de longueur.

8. V, plan et élévation du peigne à affiner. Les dents en même nombre ont quatre ou cinq pouces.

9. Plan et élévation d'un peigne fin dont les dents sont au nombre de trente-six.

10. Fer séparé du poteau auquel il est attaché dans la vignette. La branche coudée qui traverse le poteau en B étant terminée en vis, est reçue dans un écrou. C, représente une autre manière de le fixer : c'est une clavette double qui traverse la branche coudée, et l'empêche de sortir.

11. et 12. Plan et coupe du frottoir.

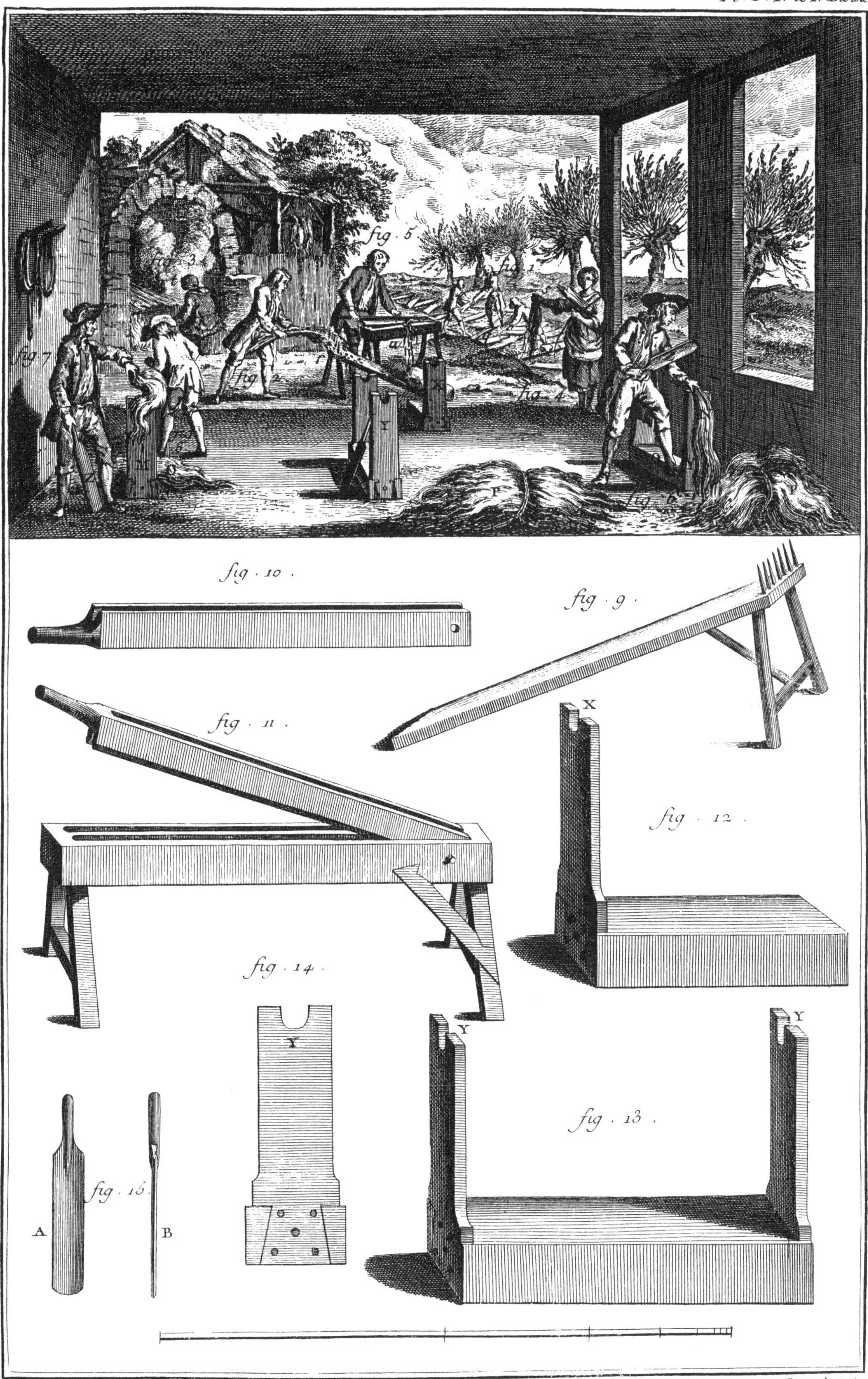

Benard Fecit.

Œconomie Rustique

Culture et Travail du Chanvre.

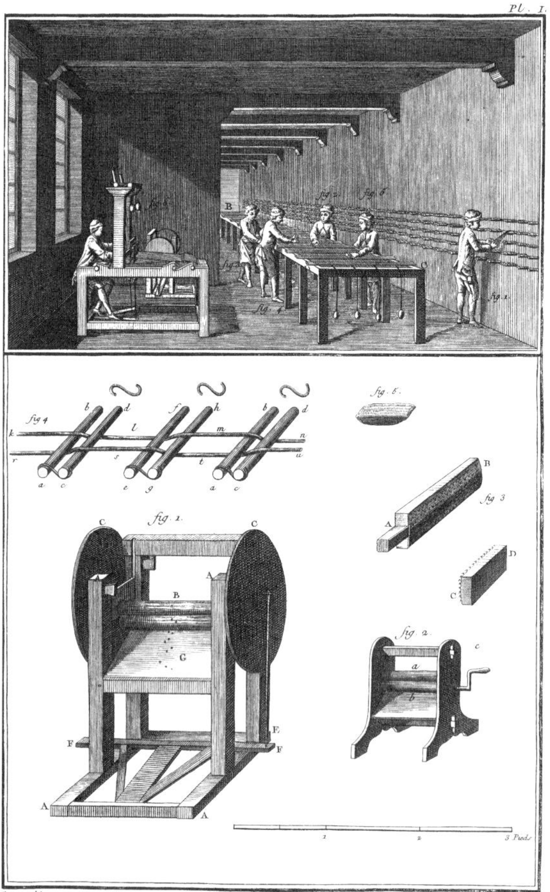

OEconomie Rustique, Coton.

COTON

PLANCHE Ibis. *(page 143)*

Fig. I. Une habitation des îles de l'Amérique où l'on cultive le coton. N°1, cotonnier dans toute sa grandeur, arbuste portant le coton. 2, nègre qui cueille le coton. 3, nègre qui épluche le coton. 4, négresse qui passe le coton au moulin, pour en séparer la graine. 5, nègre qui emballe le coton en le foulant des pieds, et se servant d'une pièce de fer pour le même effet. 6, autre nègre qui de temps en temps mouille la balle extérieurement en jetant de l'eau avec les mains pour faire resserrer la toile qui happe mieux le coton et l'empêche de gonfler et de remonter vers l'orifice de la balle. 7, balles de coton prêtes à être livrées à l'acheteur. 8. Petits bâtiments caboteurs qui viennent charger du coton sur la côte. 9, partie d'une plantation de cotonniers. 10, case à coton, et hangar sous lequel se rangent les négresses qui passent le coton au moulin. *Fig.* 2. Extrémité d'une branche de cotonnier. N°.1. Petites feuilles à trois pointes. 2, grandes feuilles à cinq pointes. 3, fleurs. 4, 4, feuilles formant le calice de la fleur. 5, cocon ou fruit du cotonnier couvert de son calice. 6, fruit ouvert dont les flocons de coton sont épanouis. 7, cocon qui commence à s'ouvrir par la pointe. 8, graine de coton à peu près de grosseur naturelle. 9, graines de coton proportionnées au dessin de la plante. 10, pince de fer en pied de chèvre, servant à fouler le coton dans les balles. 3. Arsonnage du coton. A, le chinois. B C, faisceau de roseaux qui soutient l'arson. *d*, anneau de fer qui soutient le faisceau de roseaux. E, le coton sous la corde de l'arson. 4. L'arson. *a b*, perche de l'arson. *c*, panneau de l'arson. 5. Coche.

PLANCHE Ière.

Le haut de la Planche, ou la vignette, représente l'intérieur d'une fabrique.

Fig. I. Ourdisseur qui ourdit la chaîne. L'ourdissoir est composé de cinq rangs de chevilles sur lesquelles il étend et assortit les fils de différentes couleurs, observant de conserver les encroix. Ces chevilles sont de six pouces de longueur hors du mur et par couples. La distance d'un couple à l'autre est d'environ un pied. 2. et 3. Ouvriers qui avec de la colle imbibent la chaîne envergée et étendue sur l'équarri A B, sur les longs côtés duquel les envergures ou baguettes C D reposent. 4. et 5. Deux autres ouvriers qui suivent les précédents et achèvent d'étendre l'apprêt, en passant leurs vergettes ou pelotes de pluche de laine dessus et dessous la chaîne, à laquelle ils les appliquent en coulant de A vers B, pour sécher et en séparer les fils. 6. Tisserand qui fabrique sur le métier une pièce de toile. On voit auprès le moulin à pied.

Le bas de la Planche.

Fig. I. Moulin à pied pour séparer le coton de sa graine. A A A A, les montants et patins du châssis qui porte les rouleaux. B, les rouleaux, à une des extrémités de chacun desquels est fixée quarrément une des deux roues ou volants C, C, qui tournent en sens contraire. D, cheville placée hors du centre servant de manivelle. D E, corde qui communique le mouvement du marchepied à une des roues C. Il y en a une semblable à l'autre extrémité F du marchepied E F. G, tablette inclinée sur laquelle tombe la graine. Les coussinets ou collets dans lesquels roulent les tourillons des rouleaux peuvent être serrés ou desserrés à volonté, pour approcher ou éloigner les rouleaux mobiles dans les rainures des montants où on les fixe par des clés. 2. Petit moulin à main pour le même usage. *a b*, les rouleaux cannelés. C, la manivelle. *Fig.* 3. Les deux cardes du fileur. A B, la grande carde. C D, la petite carde. 4. Partie de la chaîne et des baguettes ou envergures sur lesquelles les fils de la chaîne s'entrecroisent. *a b*, *c d*, couple de baguettes. *e f*, *g h*, autre couple de baguettes éloignées d'environ un pied de la première. Les deux baguettes d'un couple sont jointes ensemble par des S de fil de fer. *r s t u*, un des fils de la chaîne qui passe alternativement dessous et dessus une des baguettes de chaque couple. *k l m n*, second fil de la chaîne qui passe dessus et dessous les baguettes qui sont mises pour soutenir la chaîne dans toute sa longueur, et conserver tous les encroix que l'ourdisseur (*fig.* 1.) de la vignette *y* a pratiqués. 5. Une des deux pelotes revêtue de pluche de laine, dont les appréteurs (*fig.* 2. 3. 4. 5.) se servent comme de vergettes pour étendre l'apprêt sur la chaîne. L'intérieur de la pelote est rempli de crin frisé.

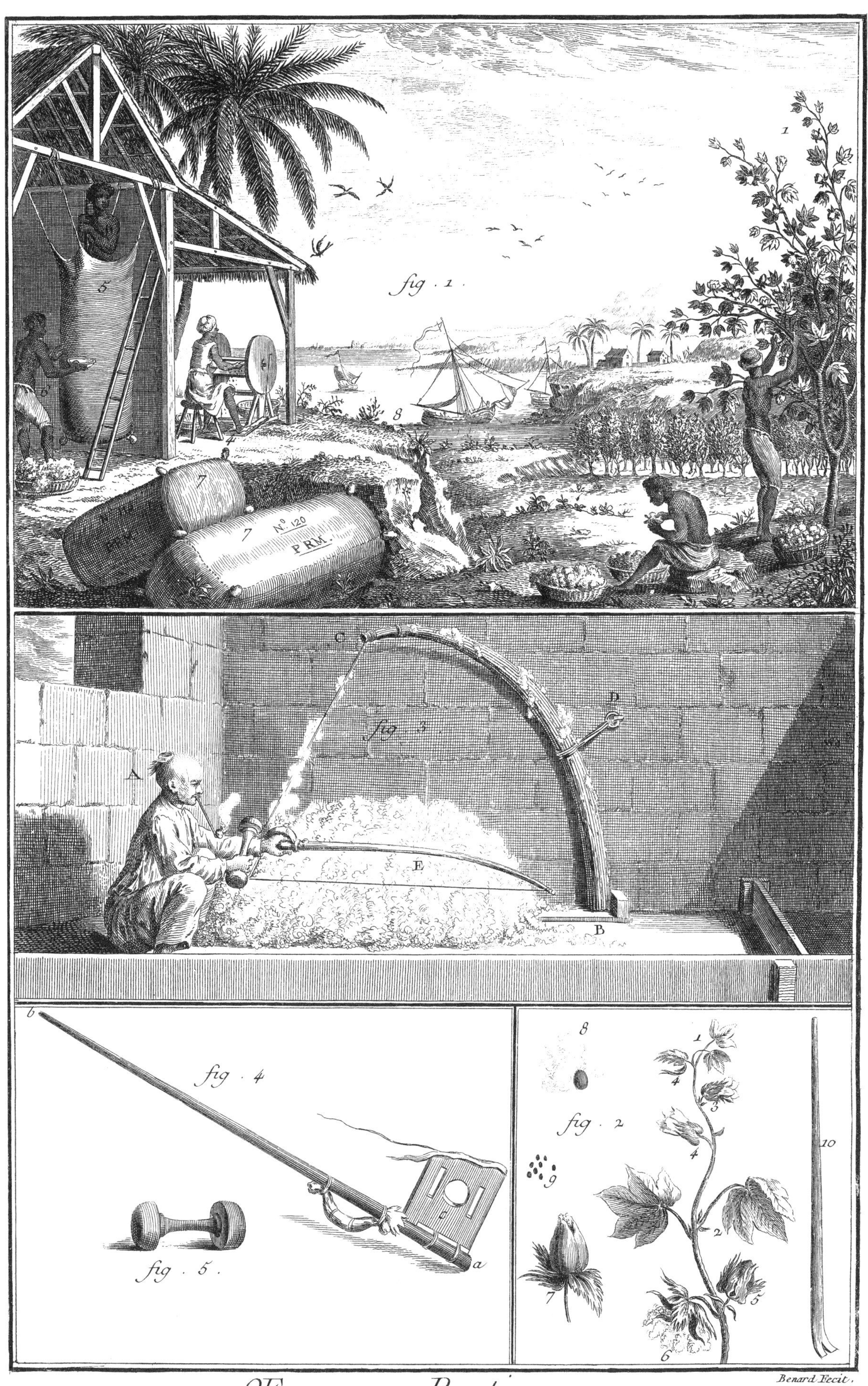

Benard Fecit.

Œconomie Rustique,
Culture et Arsonnage du Coton.

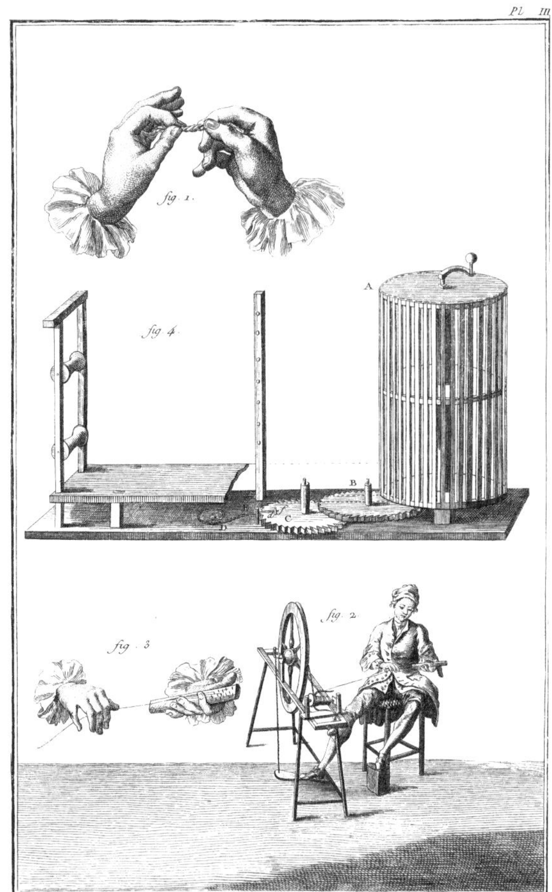

PLANCHE III.

Manière de lustrer et de filer le coton.

Fig. I. Lustrage du coton.
2. Filage du coton.
3. Mains du fileur vues séparément.
4. L'ourdissoir. A, le tambour de l'ourdissoir. B C, roues qui mesurent la quantité de l'ourdissoir.
D *d f*, ressort qui avertit de la quantité de l'ourdissoir. Lorsque le tambour a fait autant de tours qu'il en faut pour que la roue B en fasse un ; et la roue B autant de tours qu'il en faut pour que la roue C en fasse un ; alors la cheville *d* rencontre l'extrémité *f* du ressort D *d f*, passe et laisse revenir le ressort qui frappe un coup contre la cheville E.

PLANCHE II. *(page 145)*

Manière de peigner le coton.

Fig. I. Première opération. Peigner du coton avec une seule carde.
I. bis. Flocons de coton faits à la main, après qu'on a séparé la graine.
2. Seconde opération. Continuation du peigner du coton, ou partage du coton sur deux cardes.
3. Troisième opération du peigner du coton, ou transport du coton de la grande carde sur la plus petite.
4. L'étoupe du coton.
5. Flocon de coton lustré un première fois.
6. Flocon de coton lustré une seconde fois.

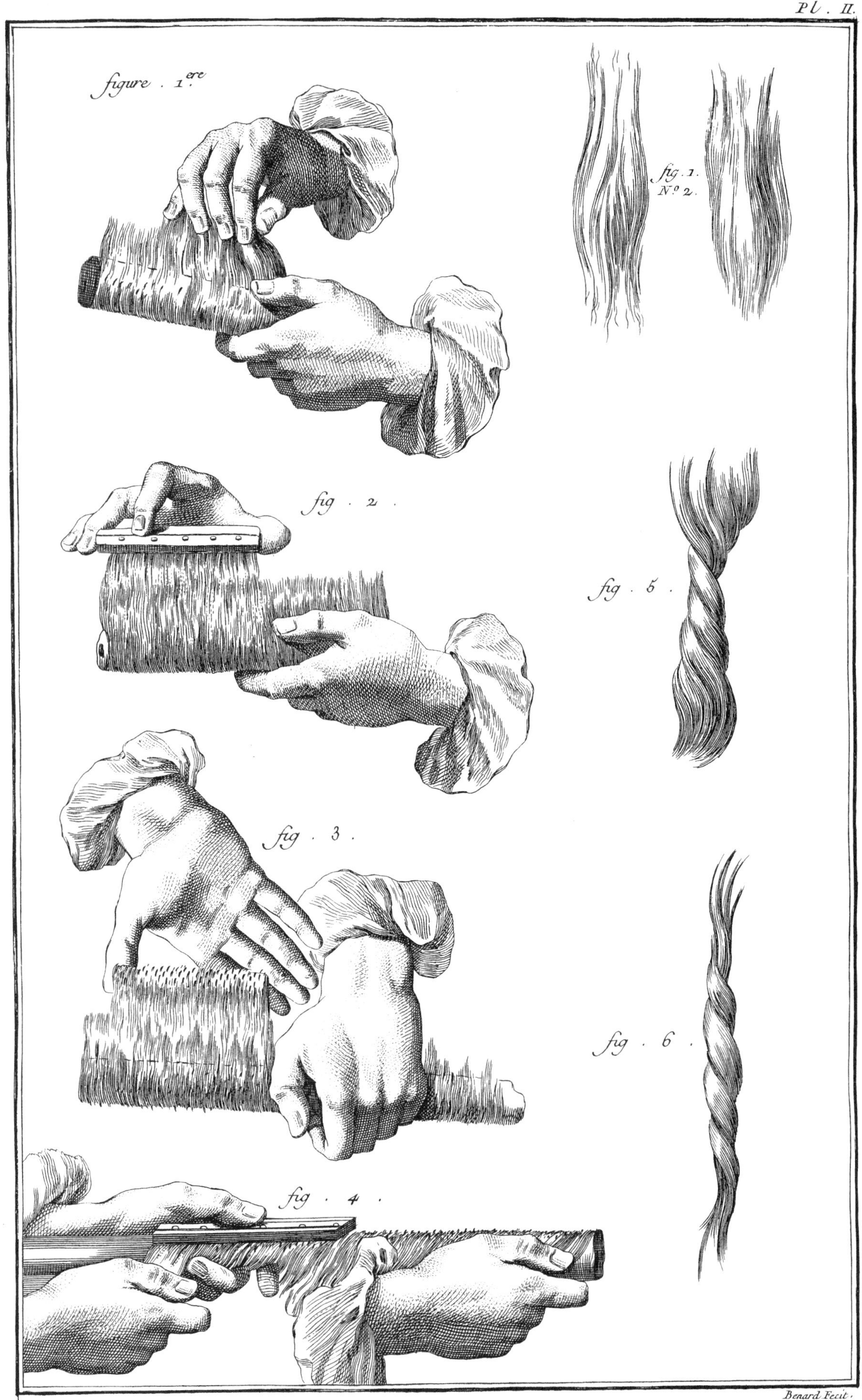

Benard Fecit.

Œconomie Rustique, Coton.

PLANCHE

Le haut de la Planche ou la vignette représente la vue d'une indigoterie. A, réservoir d'eau claire. B, la trempoire. C, la batterie. D, le reposoir qu'on nomme aussi diablotin. E E, robinets d'où la teinture d'une cuve passe dans la cuve qui est au dessous. E F, trous que l'on débouche successivement, pour vider l'eau claire de la batterie, lorsque la fécule bleue s'est précipitée au fond. G, indigot dont on a rempli des sacs de toile en forme de chausses pour le faire égoutter. H, hangar ouvert et à claire-voie sous lequel on met l'indigot dans des caissons, pour achever de le faire sécher à l'ombre. I, nègre qui porte la planche dans la trempoire. K K, nègres qui agitent continuellement la teinture de la batterie avec des seaux percés et attachés à de longues perches. L, plantes d'indigot. M, maison du maître de l'habitation. N, campagne semée d'indigot.

Fig. I. *o, o,* caissons de bois élevés sur des tréteaux, servant à faire sécher l'indigot à l'ombre sous le hangar de la vignette.

2. P, couteau courbé en forme de serpette, pour couper l'indigot sur pied.

3. Q, tasse d'argent bien polie, servant à examiner la formation du grain dans la teinture de la batterie.

4. Presse à manioc. A, tronc d'arbre percé en travers. B, branche fourchue disposée en bras de levier et chargée de grosses pierres. C, sacs d'écorce d'arbre remplis de la râpure du manioc. D, bouts de planche servant à presser les sacs également. E, couy ou coupe de calebasse recevant le suc du manioc dont on fait la mouchoche.

Fig. 5. Manière d'exprimer le suc du manioc à la façon des Caraibes. G, couleuvre ou espèce de panier d'un tissu lâche et flexible, rempli de râpure de manioc. H, poids attaché au bas de la couleuvre qui la contraint de s'allonger en diminuant sa grosseur ; ce qui suffit pour exprimer le suc de la râpure.

Goussier del.

Benard Fecit.

ŒConomie Rustique, Indigoterie et Manioc.

PLANCHE Ière. *(page 149)*

La vignette représente la vue d'une habitation. I, maison du maître et ses dépendances. 2, 2, 2, partie des cases à nègres formant une ou plusieurs rues, suivant le nombre et l'emplacement. 3, 3, 3, partie de savane ou pâturage. 4, 4, lisière ou forte haie qui sépare la savane des plantations de cannes. 5, 5, 5, partie de pièces plantées en cannes à sucre à mi-côté et en plat pays. 6, moulin à eau. 7. sucrerie avec sa cheminée, et son hangar pour les fourneaux. 8, gouttière qui conduit l'eau du canal sur la roue du moulin. 9, décharge de l'eau du moulin. 10, une des cases à bagasses ou cannes écrasées. 11, purgerie ou grand magasin servant à mettre les sucres quand ils sont en forme, pour les purger de leur sirop superflu et les serrer. 12, étuve pour faire sécher les pains de sucre. 13, hauteurs entre lesquelles sont les plantations de manioc, les bananiers et l'habitation à vivre. 14, morne : c'est ainsi qu'on nomme aux îles Antilles les montagnes qui paraissent détachées des autres.

Fig. I. Coupe verticale d'une étuve à mettre sécher les pains de sucre serrés. A, comble de l'étuve. B, murs de l'étuve. C, porte. D, coffre de fer servant de fourneau. E, bouches du foyer et du cendrier. F, rayons ou tablettes en grillage, sur lesquelles on range les pains de sucre. G, plancher couvert de cinq à six pouces de maçonnerie. H, trappe que l'on ouvre pour laisser aller l'humidité qui s'élève des pains de sucre, et qui s'échappe au dehors par les conduits *i, i,* pratiqués sous le larmier.

2. K, canne à sucre. L, feuille dentelée sur les bords. M, flèche ou fleur de la canne portant la graine. N, partie inférieure de la canne avec sa racine.

3. O, serpe pour sarcler et couper les cannes.

4. P, houe à fouiller la terre.

5. Q, pelle de fer pour le même usage et ramasser le sucre pilé dans le canot.

6. R, pince de fer servant de levier.

7. S, canot avec ses pilons, pour mêler le sucre en poudre, et le fouler dans les futailles.

PLANCHE II.

Deux moulins, dont un à eau.

Fig. I. Moulin mû par des animaux. A A, châssis de charpente très solide. B B, table du moulin, communément faite d'un seul bloc creusé et revêtu de plomb. C, C, C, trois roles couverts chacun d'un tambour ou cylindre de métal, et traversés d'un axe de fer coulé, dont l'extrémité inférieure est garnie d'un pivot portant sur une crapaudine. D, D, D, D, ouvertures faites à la table pour pouvoir changer et séparer les pivots et les crapaudines. E, E, entailles aux deux ouvertures des côtés, servant à chasser des coins de bois, pour serrer et rapprocher les tambours. F, F, autres ouvertures sur les moises, avec des coins pour serrer les pivots supérieurs. G G, hérissons dont les roles sont couronnés, et qui engrenant les uns dans les autres, font tourner les tambours en sens contraires. H, axe ou arbre prolongé du principal role. I, demoiselle, pièce de bois dans laquelle est un collet au travers duquel passe le pivot supérieur de l'arbre. K, K, bras du moulin, auxquels la force mouvante est appliquée. L, L, charpente et enrayure du comble. M, rigole couverte qui conduit le suc des cannes écrasées dans la sucrerie.

Fig. 2. Moulin mû par une chute d'eau. A, A, châssis de charpente très solide. B, table un peu creusée en dessus, et revêtue de plomb comme au moulin précédent. C, C, C, les trois roles couverts de leurs tambours de métal, et garnis de leurs hérissons, pivots et crapaudines. D, arbre vertical dont l'extrémité supérieure passe au travers d'un collet encastré dans la demoiselle que doivent porter les pieux de bois E E. F, rouet tournant horizontalement. G, rouet, au lieu duquel on peut supposer une alterne, dont les dents ou les fuseaux s'engrainent dans celles du grand rouet horizontal. H, grand arbre horizontal ou axe de la grande roue. I I, la grande roue à pots ou à godets recevant l'eau du canal par la gouttière K.
L, petite rigole de bois, qui conduit le suc des cannes écrasées dans la sucrerie. M, négresse qui passe des cannes au moulin. N, bagasses ou cannes écrasées qu'une autre négresse fait repasser de l'autre côté du moulin. O, palan ou corde pour enlever l'arbre, lorsqu'il y a quelques réparations à faire.

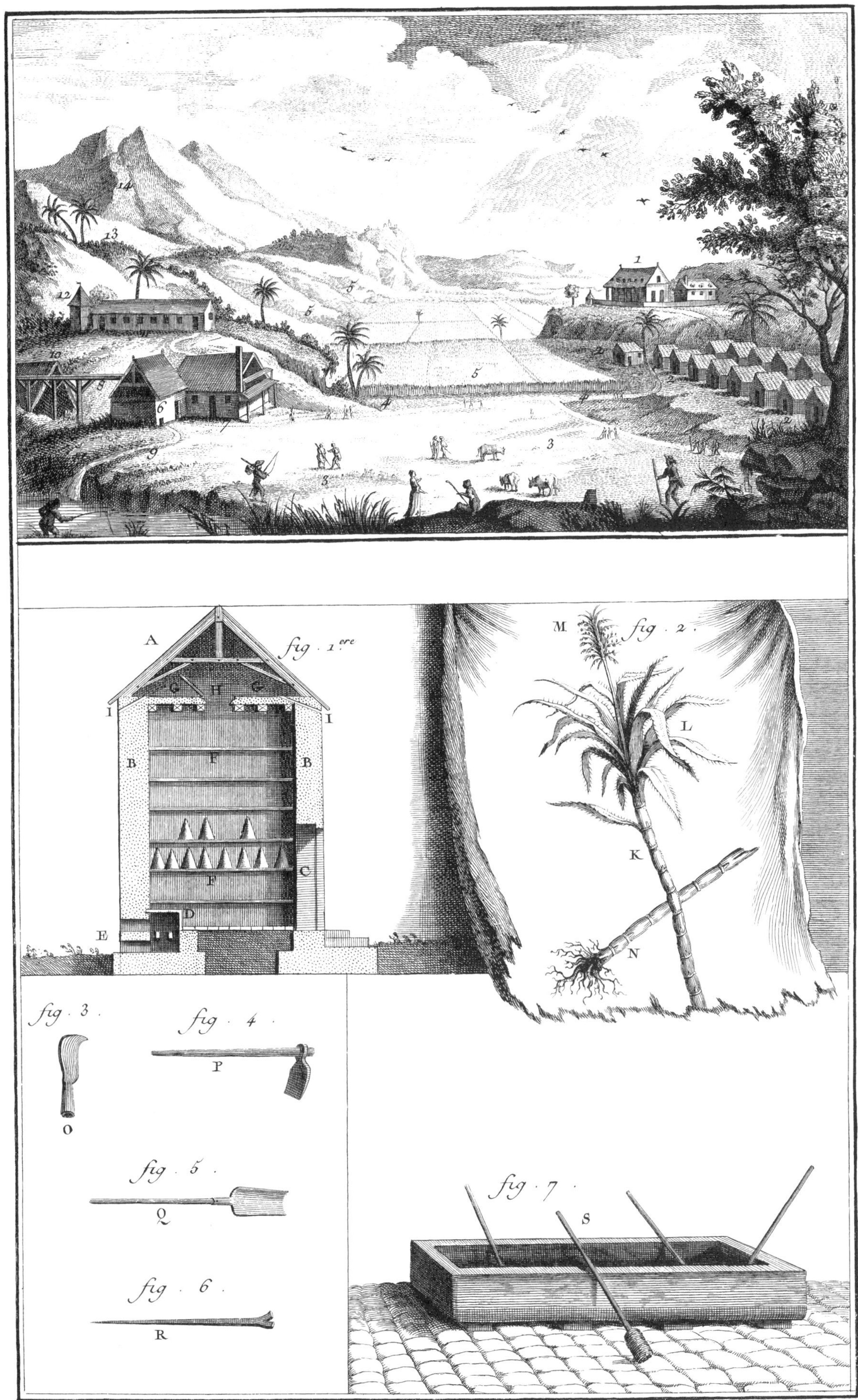

Benard Fecit

Œconomie Rustique,

Sucrerie.

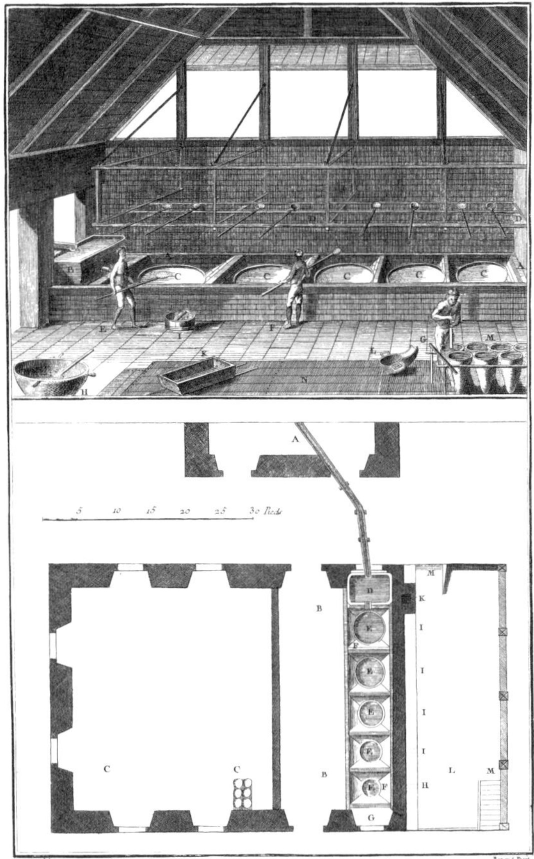

SUCRE

PLANCHE IV.

La vignette représente l'intérieur d'une sucrerie. A, glacis en briques et carreaux, plus élevés que les chaudières. B, bac qui recoit le suc de la canne venant du moulin. C, C, C, C, C, cinq chaudières. D, D, D, D, châssis fait de fortes tringles de bois, sur lesquelles on pose les écumoires et les cuillères à la portée des ouvriers. E, nègre qui écume la grande chaudière. F, autre nègre qui observe le bouillon des chaudières. G, autre nègre qui, après avoir brisé la croûte qui s'est formée à la surface du sirop contenu dans les formes, remue la matière afin que les grumeaux ne s'attachent pas aux côtés du vase, et qu'ils se puissent disperser également. H, vieille chaudière dans laquelle est une lessive dont on se sert pour épurer le résou. I, baille aux écumes, ou baquet où on les jette. K, caisse à passer le résou. L, bec de corbin. M, formes à sucre bouchées par la pointe et pleines du sirop de la batterie, après qu'il a été refroidi dans le vaisseau appellé le rafraîchissoir. N, plancher sur lequel est un citerneau où l'on jette les écumes et ce qui se répand du sirop, afin d'en faire le tafia.

Bas de la Planche.

A, partie du moulin ou gouttière qui conduit le suc de canne dans la sucrerie. B, B, passage et place des ouvriers. C, C, emplacement pour ranger les formes, avant de les porter dans la purgerie. D, le bac qui reçoit le résou ou le suc des cannes. E, E, E, E, E, les cinq chaudières. F F, glacis. G, fenêtre qui éclaire principalement la batterie. H, bouche du foyer sous la batterie. I, I, I, I, évents des autres fourneaux qu'on a soin de boucher exactement, lorsque le feu est au foyer. K, tuyau de la cheminée. L, appentis, espèce de grand auvent, soutenu par des piliers pour couvrir les fourneaux et le nègre qui entretient le feu sous la batterie. M, rampe et escalier pour descendre sous l'appentis.

PLANCHE V. *(page 151)*

La vignette représente le principal atelier d'une affinerie. 6, 7, chaudières à clarifier. 8, chaudière à cuivre, toutes trois montées sur leurs fourneaux. 9, 10, chaudières à clair. 5, pompe qui fournit l'eau du bac à chaux dans les chaudières à clarifier.

Fig. 2. A, manège placé au rez-de-chaussée d'un des pavillons, pour tirer de l'eau du puits B. C, le réservoir général qui distribue par des tuyaux souterrains l'eau dans tous les endroits où elle est nécéssaire.

D, salles où sont les bacs à terre. E, passage pour aller dans le magasin F ; il y a aussi un escalier pour monter aux étages supérieurs qu'on appelle greniers. F, magasin où on défonce les barriques de sucre brut que l'on distribue par sortes dans les bacs ou bails 1, 2, 3, 4. G, bac à chaux construit en ciment ou avec un corroi de terre glaise. H K, l'atelier que la vignette représente. L, atelier appelé l'empli. 13 et 14, chaudières de l'empli, où l'on porte les sirops après leur cuisson. 15, formes rangées sur trois rangs près des murs de cette salle, et la pointe en bas. Le trou qui est à cette pointe est bouché par un petit tampon de linge. M, chambre à vergeoise, au-dessus de laquelle, aussi bien qu'au-dessus des autres bâtiments, sont les greniers disposés de la même manière que cette chambre. N, sont poële ou étuve. P, pavillon dans lequel sont les magasins des sucs affinés. R, grande étuve pour les sucs affinés, où on les fait sécher après qu'ils sont sortis des formes. I I, réduit pour placer le charbon de terre dont on se sert pour chauffer le poële de cette étuve. 12, autre réduit où on dépose dans des tonneaux à gueule bée les écumes que l'on enlève de la chaudière à cuire.

Fig. 3. Coupe du bâtiment par le milieu du pavillon qui contient l'atelier à clarifier et à cuire, et aussi la grande étuve. K, porte de communication de l'atelier des chaudières à la salle de l'empli. 7. Une des chaudières à clarifier montée sur son fourneau. On voit au-dessous de la grille un souterrain qui communique à la cave qui est au-dessous de l'étuve R ; il sert de cendrier et d'évent. 10, une des chaudières à clair.

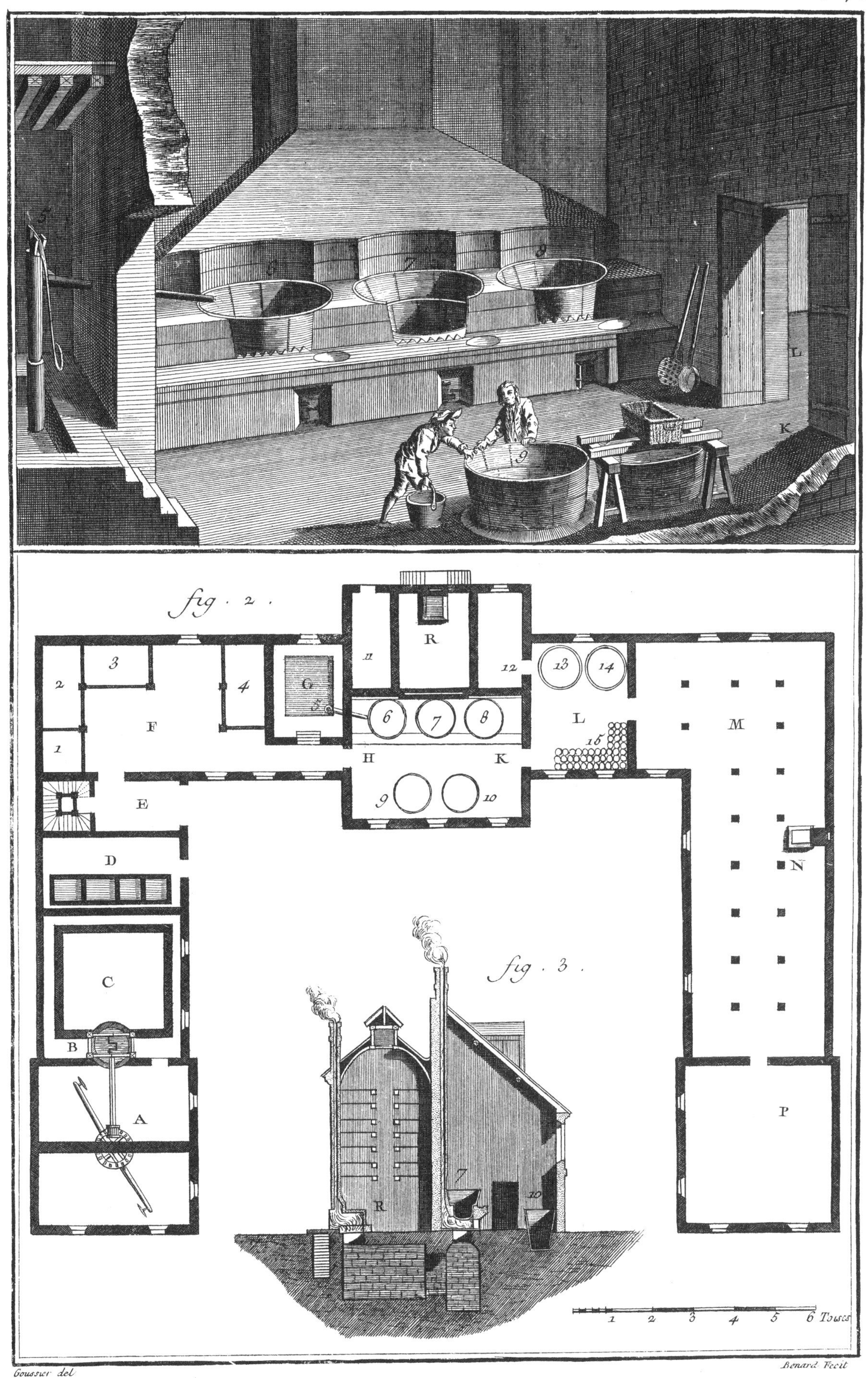

Goussier del.

Benard Fecit

Œconomie Rustique,

Affinerie des Sucres

OEconomie Rustique,
Affinerie des Sucres

PLANCHE VI. *(page 153)*

Vue perspective de l'intérieur de la chambre à vergeoise ou d'un des greniers qui sont au-dessus.

Fig. I. Ouvrier qui, après avoir débouché le trou d'une forme bâtarde qui est posée sens dessus dessous sur une sellette appellée canaple, enfonce dans le sirop figé une broche de fer qu'on appelle prime, pour faciliter l'écoulement de la partie du sirop qui ne cristallise pas dans les pots sur lesquels il redresse ces formes devant lui, comme on voit.

PLANCHE VII

Cette planche représente la grande étuve où l'on met sécher les pains de sucre, après qu'ils sont sortis des formes. On y voit la coupe du poêle de cette étuve où l'on met le feu par le dehors du bâtiment ; et celle des souterrains qui servent de cendriers et d'évents pour le poêle et les fourneaux des chaudières.

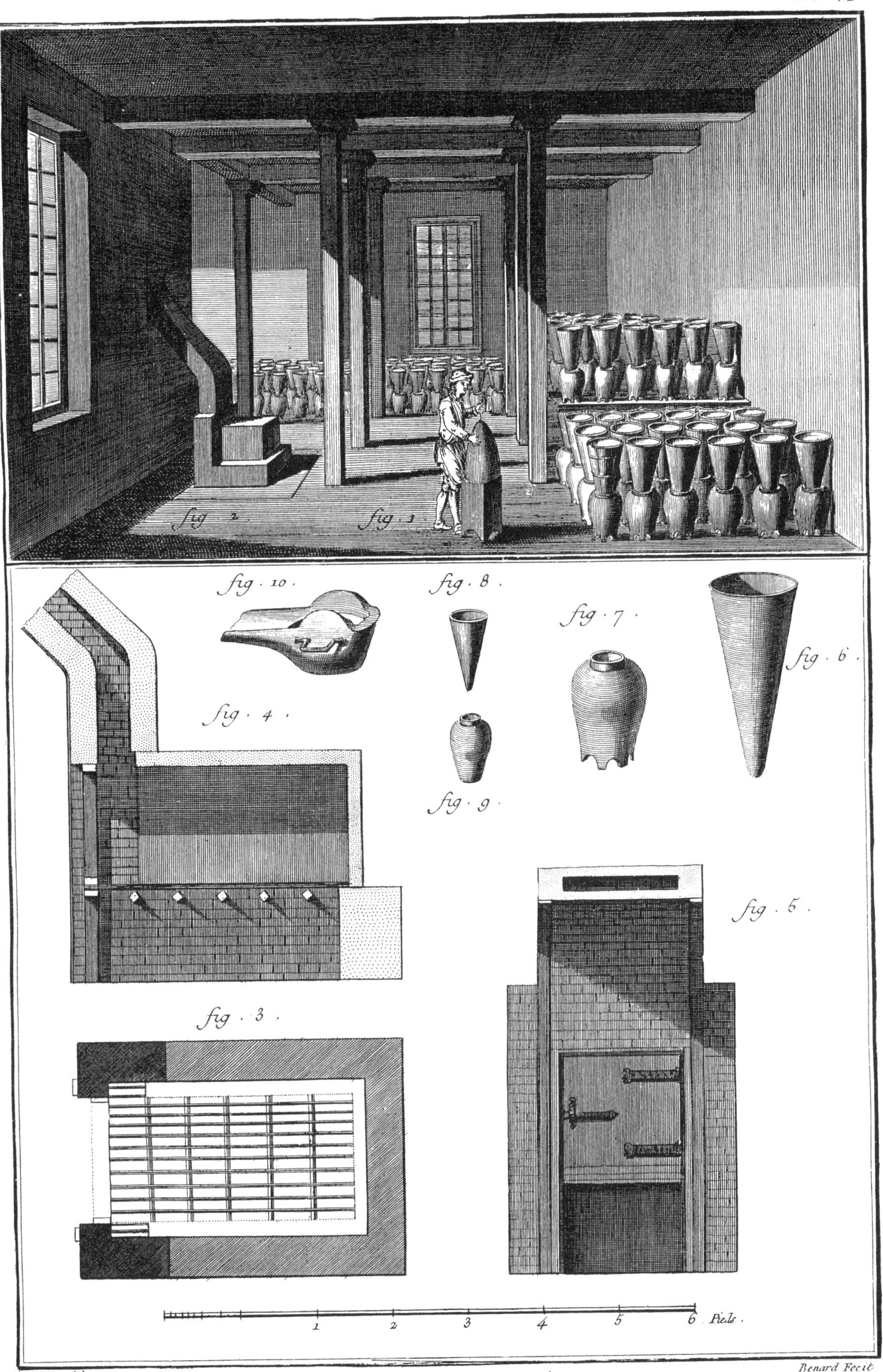

Goussier del. Benard Fecit

Œconomie Rustique,

Affinerie des Sucres.

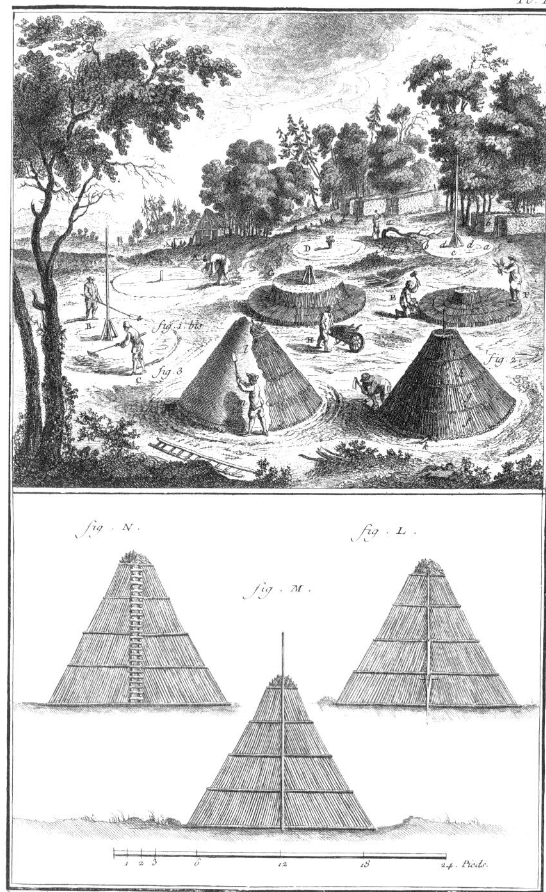

CHARBON DE BOIS

PLANCHE Ière.

Le haut de la Planche, constructions différentes de fourneaux à charbon. Première construction.

Fig. A. Charbonnier qui trace au cordeau l'aire de la charbonnière.

B. Ouvrier qui aplanit l'aire de la charbonnière avec la pelle, après avoir planté au centre une bûche fendue en quatre par sa partie supérieure, et aiguisée par l'autre bout, pour commencer la cheminée.

C. Charbonnier qui aplanit l'aire au râteau.

D. Aire aplanie, où l'on voit au centre la bûche fendue avec les bâtons qui se croisent dans les fentes, ce en quoi consiste la première façon de l'arrangement du bois, et de la formation de la cheminée.

E. Charbonnier qui a formé son premier plancher, et qui en arrête les bûches par des chevilles.

F. Charbonnier qui répand sur ce plancher du menu bois appellé bois de chemise. On voit, même figure, la formation du premier étage du fourneau.

G. Le premier étage plus avancé, avec le commencement du second.

H. Charbonnier qui apporte le bois à la brouette. Tous les autres étages qui vont en diminuant, à mesure qu'ils s'élévent, et qui forment une espèce de cône, se construisent de la même manière.

Deuxième construction d'un fourneau.

Fig. I. Après avoir tracé et aplani l'aire, comme il a été dit à la première construction, au lieu de la bûche fendue en quatre, on plante au centre une longue perche *c e*, contre laquelle on dresse les bûches dont le premier étage sera construit. Cette perche formera la cheminée.

2. Fourneau de cette construction, dont tous les étages *f, g, h, i,* sont formés. L'ouvrier qu'on voit au pied de ce fourneau bêche la terre, fait un chemin, et prépare de quoi le couvrir, soit avec de la terre, soit avec du frasin, s'il en a déjà. *k*, extrémité d'une autre perche qui va de la circonférence du fourneau jusqu'au centre, et qui ménage le passage qui servira à allumer le fourneau.

3. *Fig.* qui peut également appartenir aux deux constructions, et qui en montre la dernière façon, qui consiste à former la chemise du fourneau. Le fourneau est tout couvert de la chemise, excepté à sa partie inférieure, où on laisse une bande ou lisière sans chemise, pour donner lieu à l'action de l'air.

Troisième construction.

Fourneau pyramidal et recouvert de gazon, dont on voit la coupe verticale au bas de la Planche Ière. *fig.* N, et le plan, Pl. II. *fig.* O.

Le bas de la Planche.

Fig. L. Coupe verticale par le centre d'un fourneau de la première construction.

M. Coupe verticale par le centre d'un fourneau de la seconde construction.

N. Coupe verticale par le centre d'un fourneau de la troisième construction.

PLANCHE II. *(page 155)*

Le haut de la Planche représente les fourneaux en feu, ou la cuisson du charbon.

Fig. 4. Ouvrier qui met le feu à un fourneau de la première construction par le haut ; car au fourneau de la seconde construction, le feu se met par le bas où l'on a pratiqué un passage, comme on voit en *k*, Pl. I. *fig.* 2.

5. Fourneau en feu.

6. Fourneau percé de vents. On voit un ouvrier qui lui donne de l'air.

7 et 8. Ouvriers qui polissent et rafraîchissent un fourneau plus avancé.

9. Ouvrier qui prépare du bois.

10. Bois coupé en tas.

11. Fourneau éteint.

On appelle tue-vents ou brise-vents, les claies qu'on voit autour des fourneaux en feu, *fig.* 4, 5, 6.

Le bas de la Planche.

Fig. O. Plan d'un fourneau de la troisième construction.

P. Plan d'un fourneau de la même construction, mais de forme ronde.

Q. Elévation perspective d'un fourneau de la troisième construction.

R. Le traçoir.

S. Panier à charbon.

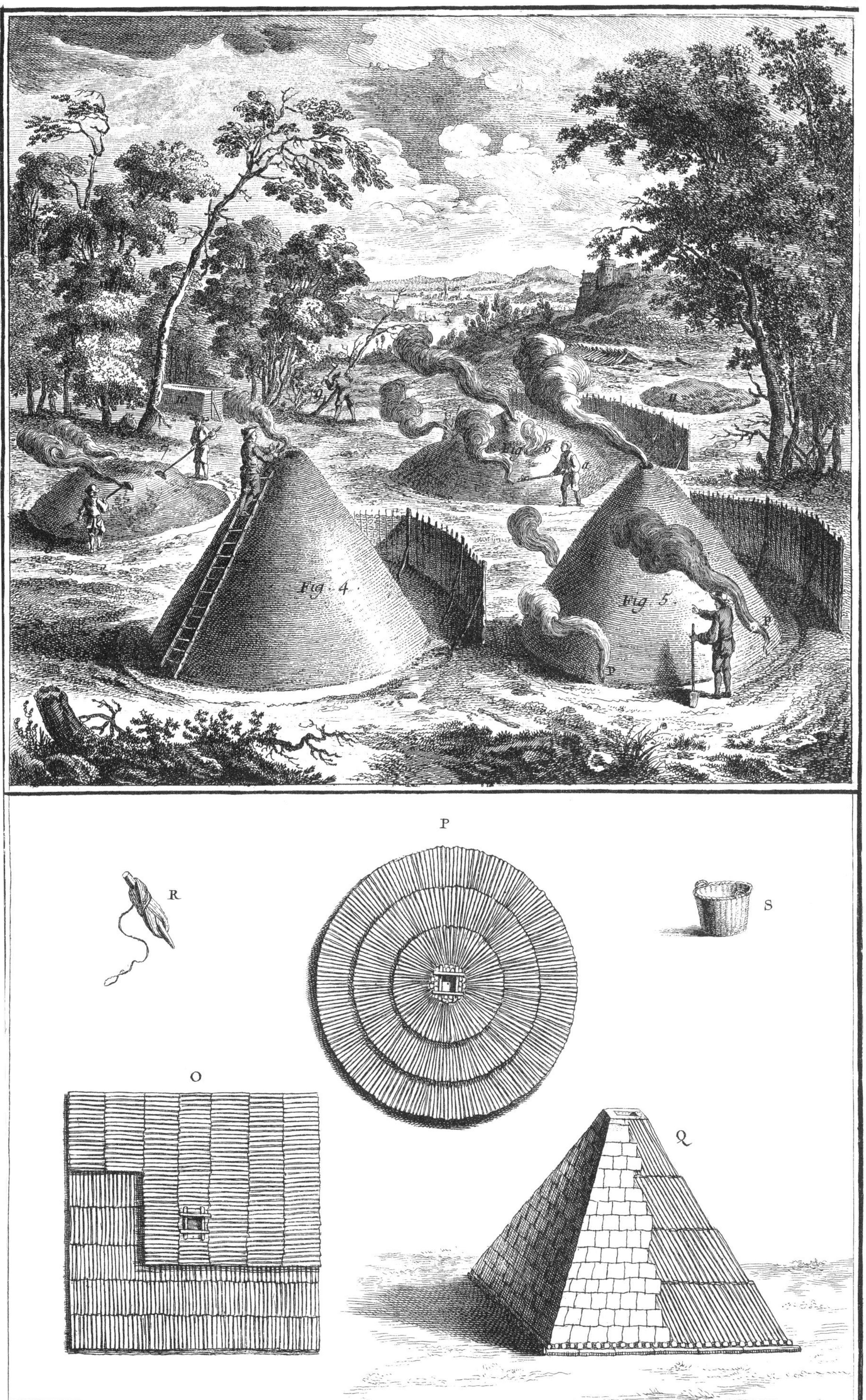

…ussier del. *Benard Fecit*

Œconomie Rustique, Charbon de Bois.

FOUR A CHAUX

Fig. I. Vue d'un four à chaux en dehors et par un de ses angles.
2. Vue du four à chaux en dehors et de face.
3 et 4. Deux coupes horizontales du four à chaux : l'une prise à la hauteur de l'âtre ; et l'autre, sur l'ouverture supérieure du four.
5. Coupe verticale du four par le milieu de sa gueule, où l'on voit la forme intérieure du four, la disposition des pierres calcaires, la manière de chauffer le four, avec un ouvrier qui travaille.

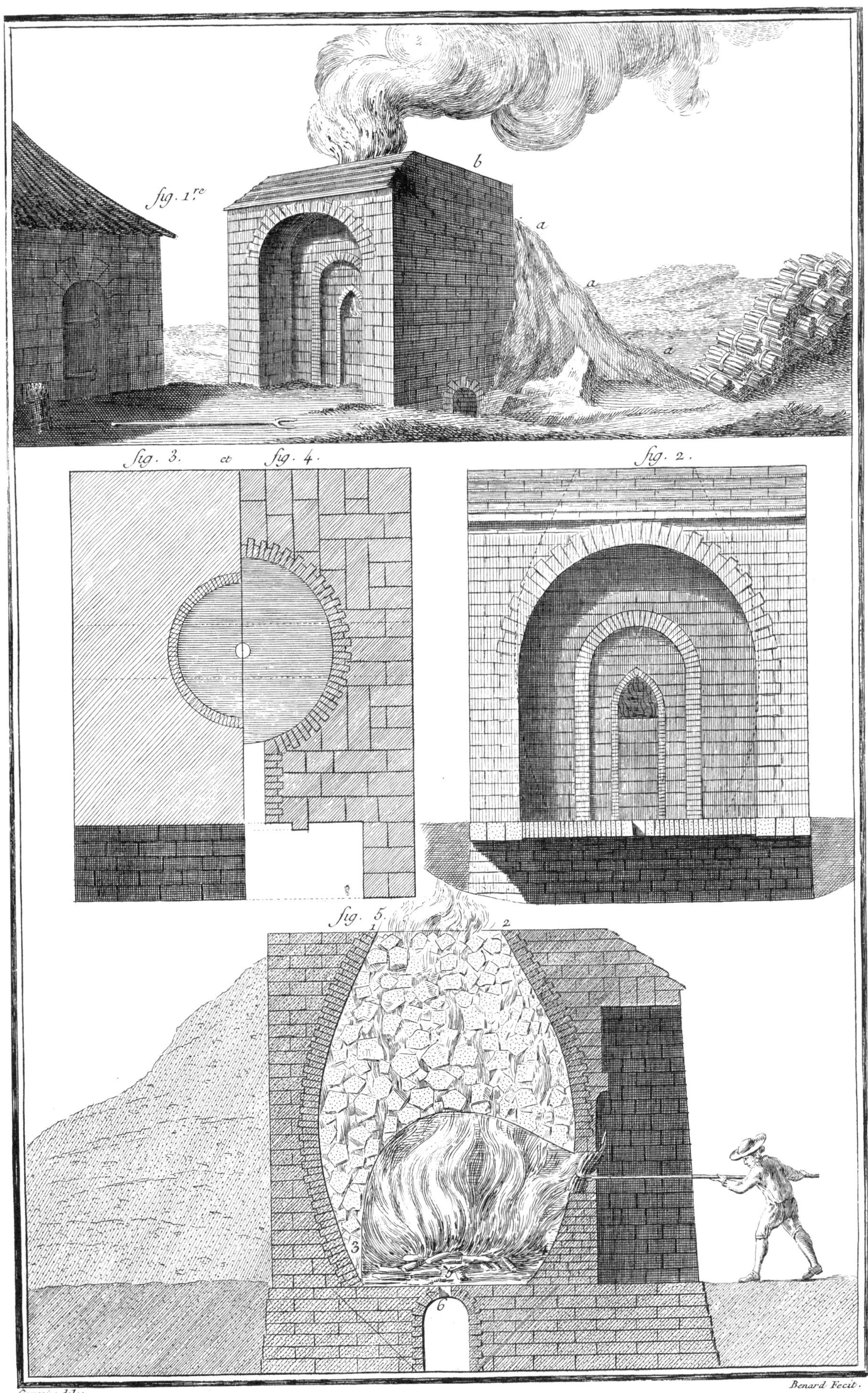

Goussier del. Benard Fecit.

Œconomie Rustique, Four a chaux.

TRAVAIL DES SABOTS

Echalas, etc.

La vignette représente une cabane de ces sortes d'ouvrier ; elle est construite comme le toit d'une grande glacière, et ouverte au sommet A, pour servir de fenêtre et de cheminée. Le comble B B, qui est couvert de paille, est supporté dans son milieu par quatre perches C C C C. On fait du feu en D dans le milieu de la cabane.

Fig. I. Ouvrier qui ébauche un sabot avec la cognée.

2. Ouvrier qui perce la place du pied avec la tarière, *fig.* 6.

3. Ouvrier qui fait la place du talon avec la cuillère, *fig.* 7. *ou* 9. *ou* 10.

4. Ouvrier qui pare les sabots, après que le dedans est achevé ; il se sert du paroir, *fig.* 16.

5. Ouvrier qui fend des échalas ou de la latte avec le coutre, *fig.* 18. Les pièces de bois qu'il veut fendre sont entre les deux fourches du fendoir, qui est une fourche de deux branches d'arbres assujetties horizontalement à la hauteur de deux pieds et demi, lesquelles lui servent d'établi. On voit à côté de lui deux *x* ou chevalets, sur lesquels il place les échalas à mesure qu'ils sont fendus, pour les mettre en botte.

6. La tarière, *fig.* 6. n° 2. Extrémité inférieure de la tarière représentée sur une échelle quadruple.

7. La grande cuillère de deux pouces de large.

8. Extrémité inférieure de la grande cuillère, représentée en élévation, profil et plan sur une échelle quadruple.

9. Cuillère de 18 lignes de large.

10. Cuillère de 12 lignes de large.

11. Cognée ou hache des sabotiers, vue de deux sens différents.

12. Rouanne vue en face et en profil.

13. Calle et coin de bois pour serrer et affermir les sabots non évidés dans l'encoche.

14. L'encoche ou établi des sabotiers.

15. Maillet qu'on appelle renard, servant à chasser le coin 13 entre deux sabots, pour les faire tenir dans l'encoche.

16. Paroir sur son banc.

17. Effette dont on se sert pour ébaucher au plus près les sabots, après qu'on s'est servi de la hache, *fig.* II.

18. Le coutre pour travailler le bois de fente, comme échalas, lattes, éclisses, etc.

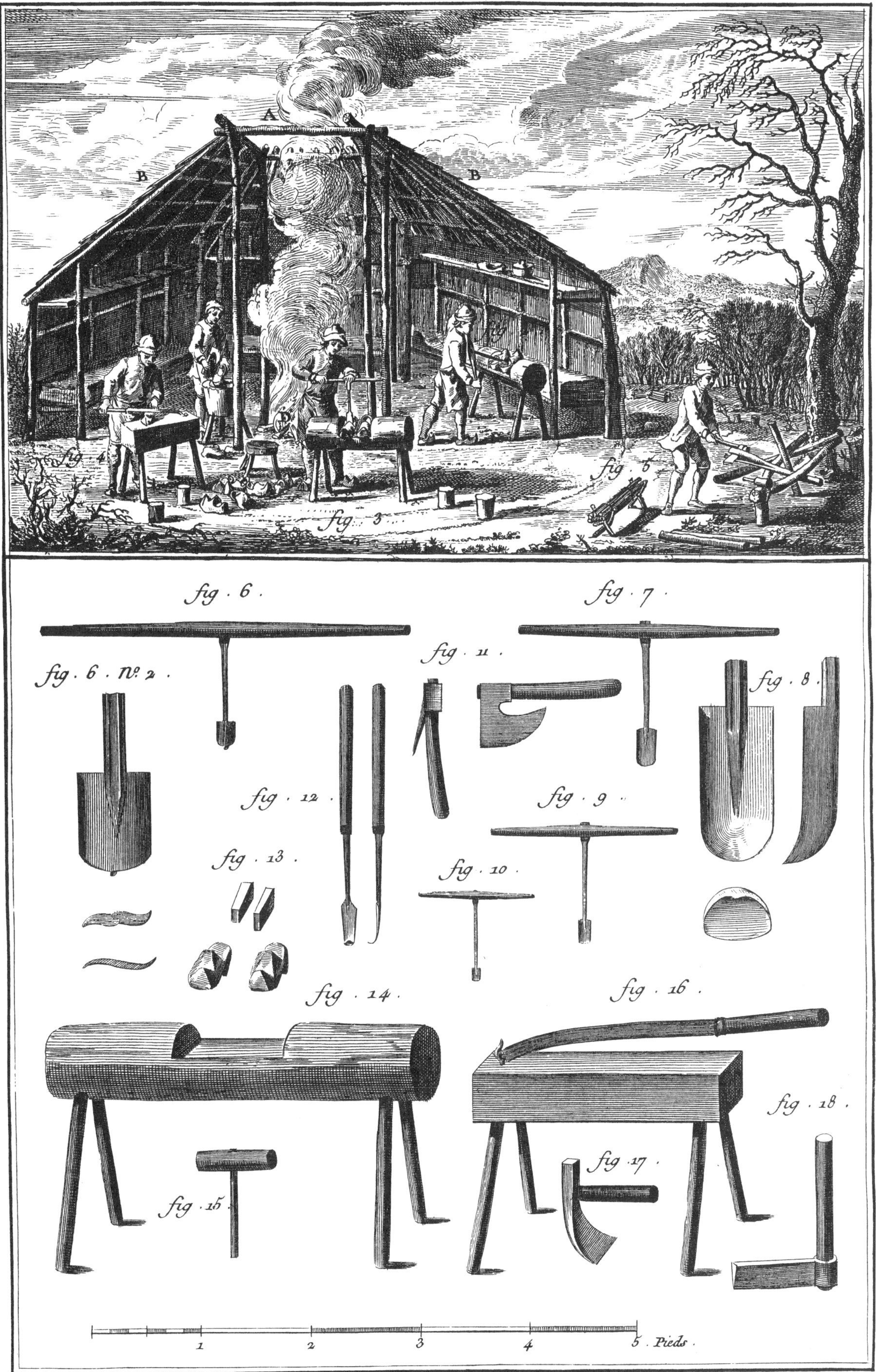

Goussier Del.

Benard Fecit.

Œconomie Rustique,

Maniere de faire les Sabots, et les Echalats.

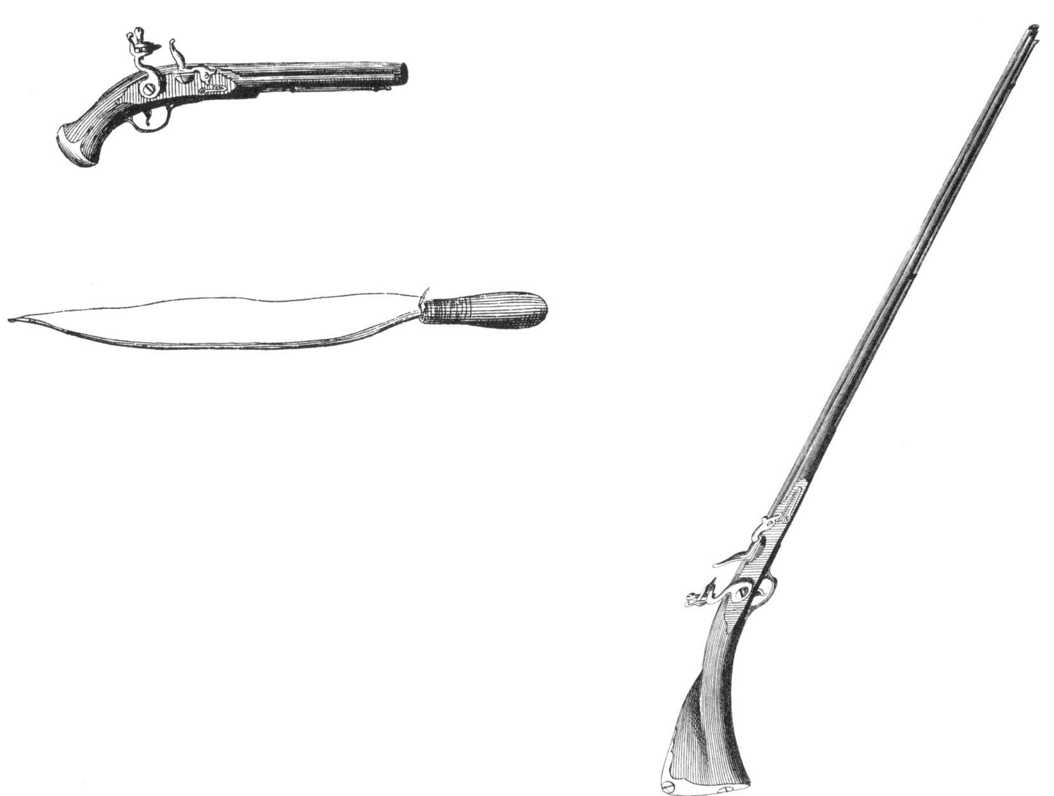

ART MILITAIRE ET HÉRALDIQUE

« L'*Art héraldique* ou l'*Art de blasonner* les armoiries des maisons nobles, ou d'en expliquer toutes les parties dans les termes qui leur conviennent. Des diverses origines du mot blason, la plus probable est celle qui le fait venir du mot allemand *blafen,* qui signifie sonner du corps, parce que c'était autrefois la coutume de ceux qui se présentaient pour entrer en lice dans les tournois, de notifier ainsi leur arrivée. Ensuite les héraults sonnaient de la trompette, blasonnaient les armes de ces chevaliers, les décrivaient à haute voix, et se répandaient en éloges au sujet des exploits de ces braves. »
Extrait de l'article ***Blason.*** *Volume II, 1751.*

« On donne le nom de *militaire* à tout le corps en général des officiers. Ainsi l'on dit d'un ouvrage qu'il sera utile à l'instrument du militaire, pour exprimer l'utilité que les officiers peuvent en tirer. On dit de même pour la science militaire, pour la science de la guerre ou celle qui convient à tous les officiers pour agir par règles et principes. »
Extrait de l'article ***Militaire.*** *Volume X, 1765.*

Né d'une simple fantaisie peinte sur un bouclier en cuir pour se faire distinguer dans la mêlée, le blason devient, avec les Croisades, l'affirmation de la noblesse du gentilhomme qui le porte, en temps de paix dans les tournois, en temps de guerre dans les combats, et le lègue à sa descendance.
Les règles de l'Art héraldique ont été peu à peu fixées par des hérauts, à l'initiative de l'empereur Frédéric Barberousse, vers 1150. Blafen signifie en allemand « sonner » ou « publier », d'où le terme de « blason ».
Si le XVIIIè siècle n'est pas un siècle de guerres à proprement parler, celles-ci existent pourtant et sont nombreuses à cette époque. Elles sont alors courtes, régentées par des traités, et surtout menées exclusivement par une armée de mercenaires.
Le canon remplace les petites armes et l'importance croissante de l'ingénieur a déjà atteint son point culminant au siècle précédent avec Vauban qui a essaimé ses remparts dans toute la France.

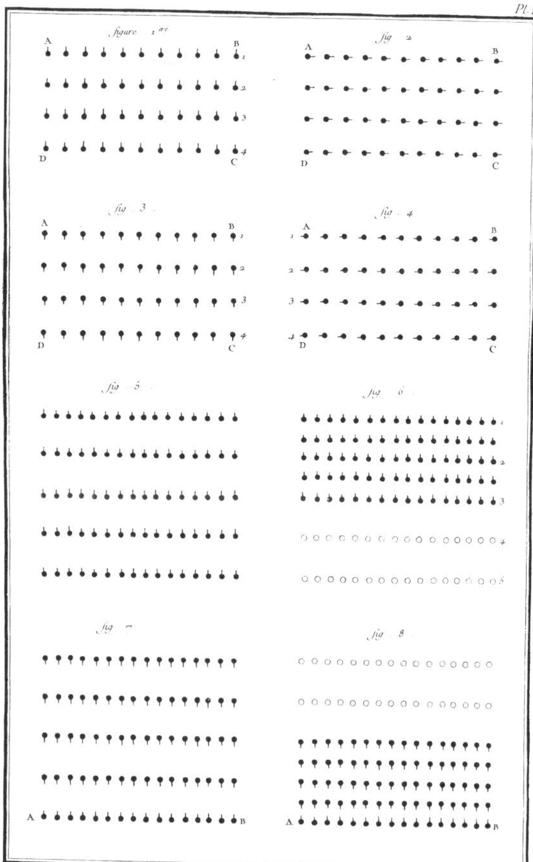

EVOLUTIONS ET EXERCICES

PLANCHE Ière.

Avis. Dans cette planche et les suivantes, les soldats sont marqués par des points noirs qui désignent le centre de l'espace qu'ils occupent. Comme on suppose que les soldats se touchent, il ne faudrait point d'intervalle entre les points ; mais alors les figures seraient trop confuses et les mouvements que ces Planches doivent représenter, trop difficiles à être observés.

On a tiré sur chaque point une petite ligne droite pour exprimer les armes du soldat, c'est-à-dire le côté où il les présente, et par conséquence celui où sa tête est tournée. Dans les figures où il y a des zéros ou points blancs, ces points marquent les places que les soldats occupaient d'abord, et qu'ils laissent vides par le mouvement qu'on leur fait exécuter.

Fig. I. Cette figure représente une troupe d'infanterie sur quatre rangs.
2. La même troupe précédente qui a fait à droite.
3. La même troupe qui a fait deux à droite.
4. La même qui a fait trois à droite ; le quatrième la remet dans sa position primitive *(fig.* I.).
5. Elle représente une troupe en bataille à rangs ouverts, à laquelle on veut faire serrer les rangs.
6. La même troupe qui a serré ses rangs en avant.
7. La même troupe dont tous les rangs, excepté le dernier A B, ont fait un demi-tour à droite pour se serrer sur A B.
8. La même troupe serrée sur le dernier rang A B, qui n'a point bougé.

PLANCHE Ière. *(page 163)*

N° I. Soldat portant le fusil.
2. Passer le fusil du côté de l'épée ; premier temps.
3. 4. 5. Passer le fusil du côté de l'épée ; deuxième, troisième et quatrième temps.
6. Mettez la bayonnette au bout du canon ; premier temps.
7. 8. Mettez la baïonnette au bout du canon ; deuxième et troisième temps.
9. Mettez la baguette dans le canon ; premier temps.
10. Tirez vos épées ; premier temps.
11. 12. 13. Tirez vos épées ; deuxième, troisième et quatrième temps.

Benard Fecit.

Art Militaire, Exercice.

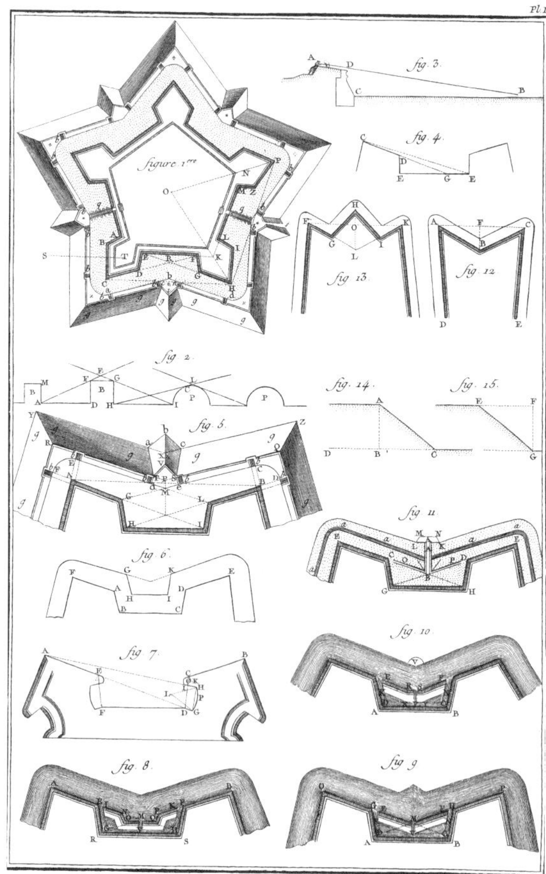

FORTIFICATIONS

PLANCHE IV. *(page 165)*

Fig. I. Profil coupé selon la ligne S T de la *fig.* I. Planche I. A B, niveau de la campagne. A W, talus intérieur du rempart. W E, terre-plein. E G, talus de la banquette. G H, banquette. H L, côté intérieur du parapet. L M, partie inférieure ou plongée du parapet. V Y Q X, contrefort. M N R S T Q Y, revêtement du rempart. N R, escarpe. N, cordon. S *u*, fossé. *u m*, contrescarpe. *m y*, revêtement de la contrescarpe. *m c*, chemin couvert. *e f*, banquette du chemin couvert. *f h*, côté intérieur du parapet du chemin couvert. *h g*, glacis. *l r*, palissade du chemin couvert plantée sur la banquette au pied du côté intérieur. *a b*, échelle. 2. Quarré fortifié avec des demi-lunes et une contregarde. 4, 5 et 6, demi-lunes à flancs. 7, contre gardes vis-à-vis du bastion X. * demi-lune. +, redine. *m, m*, places d'armes dans le fossé de la demi-lune. 3. Cette figure représente le plan d'un front de fortification fortifiée à l'ordinaire d'un fossé, d'une demi-lune, d'un chemin couvert, et d'un avant-fossé et chemin couvert avec des lunettes ou redoutes. I, 2, caponière. 3, demi-lune. 4, 4, places d'armes dans le fossé sec de la demi-lune. D, batardeau. 6, 6, chemin couvert. 7, 7, glacis. K K, flèche construite à l'extrémité du glacis. **, communication du chemin couvert aux flèches et aux ouvrages de l'avant-fossé, avec leurs traverses appelées tambours. 8, 8, avant-fossé. A, lunette. B, redoute. 9, 9, avant chemin couvert. &, &, glacis de l'avant chemin couvert. 4. Ouvrage à corne vis-à-vis une courtine. O T V X S P, front de l'ouvrage à corne. D M et P N, branches de l'ouvrage à corne. 5. Ouvrage à couronne vis-à-vis une courtine. H K I, sont les deux fronts qui forment l'ouvrage à corne. H M et I N, en sont les branches. 6. Cette figure représente le plan d'une citadelle, dont le front A B est tourné vers la ville, et les autres vers la campagne. B *l* et A F, sont ses lignes de communication avec la place. X Y, est l'esplanade.

PLANCHE Ière.

Fig. I. Plan d'un pentagone, fortifié avec des bastions et entouré d'un fossé et d'un chemin couvert avec son glacis. A B C D E, est un bastion dont C B et C D sont les deux faces, et B A et D E les flancs. E F, est la courtine ou la partie de l'enceinte entre deux bastions. La partie antérieure de ce polygone marquée par des hachures doubles, est le parapet : ensuite est le terre-plein du rempart en blanc ; puis le talus intérieur exprimé par de légères hachures. K N, est le côté intérieur. K L, la demi-gorge du bastion. O P, rayon extérieur. O N, rayon intérieur. C H, côté extérieur. C F, ou E H, ligne de défense. B C D, angle flanqué. C D B, angle de l'épaule. D E F, angle du flanc. C R H, angle flanquant. E C H, angle diminué. C F H, l'angle flanquant intérieur. *a b d*, contrescarpe : entre la contrescarpe et l'enceinte de la place, est le fossé. L'espace blanc au-delà de la contrescarpe est le chemin couvert. *, places d'armes rentrantes du chemin couvert. +, places d'armes saillantes du chemin couvert. *b b*, traverses du chemin couvert. *g, g*, glacis. *q*, pont qui traverse le fossé. *f*, coupure dans le glacis faisant partie du chemin qui aboutit au pont sur le bord de la contrescarpe. 2. Partie de l'enceinte d'une place avec des tours quarrées B et B, et rondes P et P. 3. Profil des remparts d'une place qui fait voir que le soldat placé en A sur la banquette ne saurait en tirant découvrir le pied extérieur C du revêtement du rempart. 4. C E, ligne de défense fichante. C E, feu de courtine, ou second flanc. 5. Cette figure sert pour la construction du fossé, du chemin couvert, et du glacis *g*, des places fortifiées. 6. Elle sert à faire voir l'inconvénient qu'il y aurait de faire la contrescarpe parallèle à la courtine B C ; les flancs A B et D C alors ne pourraient plus défendre les faces D E et A F, des bastions opposés. 7. Construction du flanc concave à orillon. I H, revers de l'orillon. D G, brisure de la courtine. C I, orillon. G P H, flanc concave. *Fig.* 8. Construction de la tenaille à flanc I N O Q P K, dans le fossé. 9. Tenaille simple E M F. 10. Tenaille simple brisée E R S T. 11. Caponière A B, avec une cunette *a u* dans le fossé. 12. Tenaille simple qui se faisait anciennement dans les dehors des places, et qu'on fait encore quelquefois dans la fortification passagère. 13. Tenaille double. 14 et 15. Ces figures font voir la manière de déterminer le talus A C et E G, qui s'exprime également par B C ou E F.

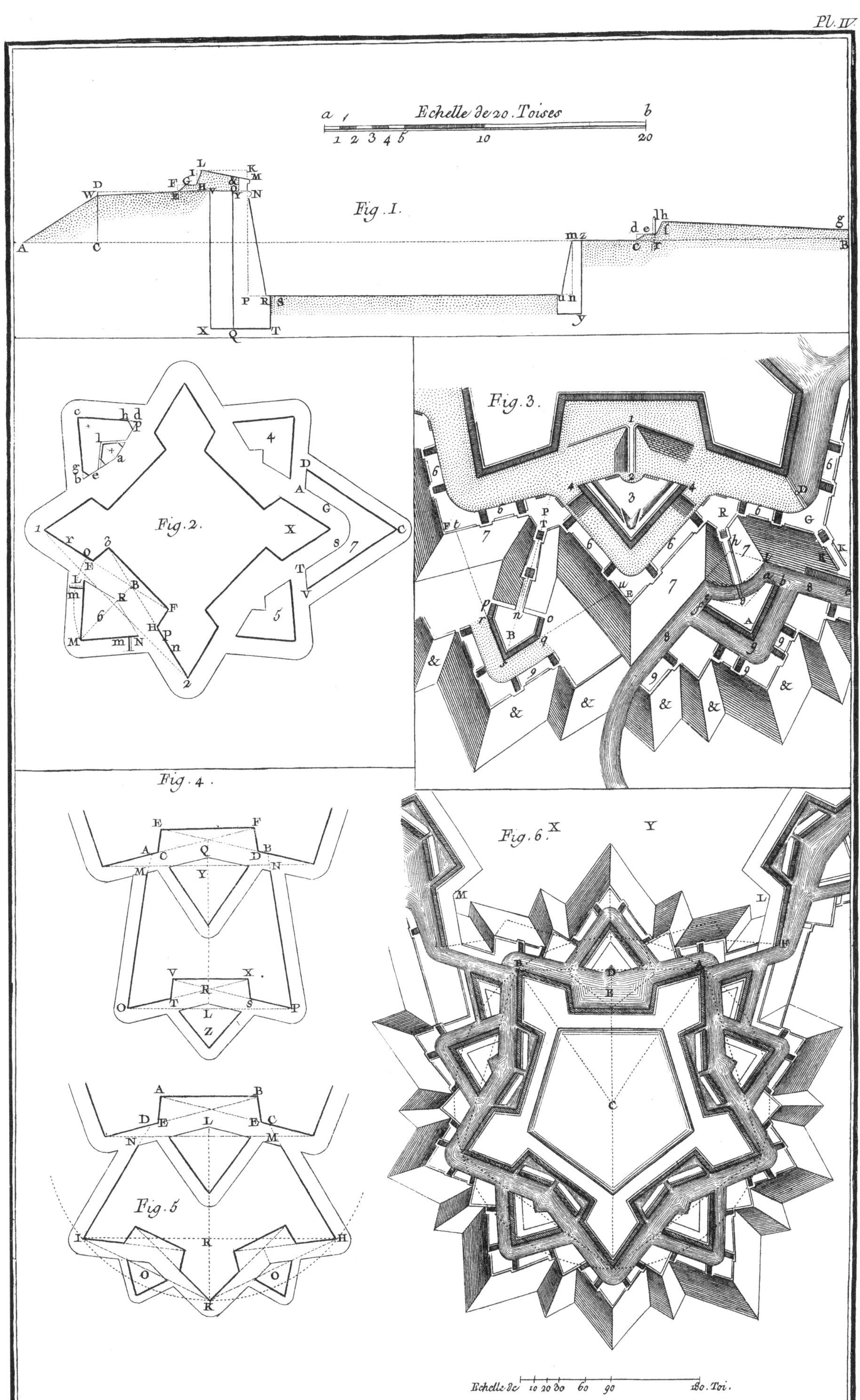

Benard Fecit

Art Militaire, Fortification.

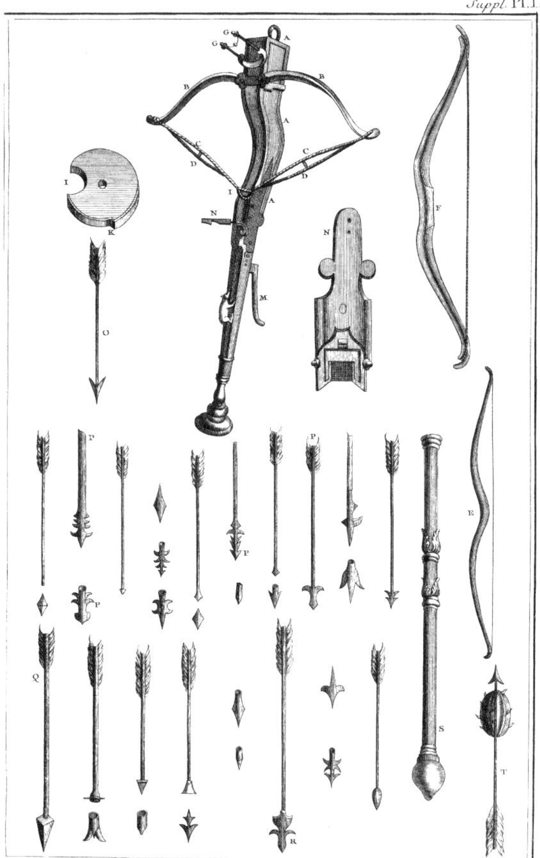

Art Militaire, Armes et Machines de Guerre.

ARMES ET MACHINES DE GUERRE

PLANCHE Ière.

Arbalète.

A A A, le bois de l'arbalète. B B, l'arc de l'arbalète. C C, la corde tendue. D D, les deux cylindres qui tiennent les cordons de la corde séparés l'un de l'autre. G G, les deux petites colonnes de fer auxquelles est attaché le petit fil de fer au centre duquel est le petit globule pour régler la mire. I, la noix ou roue mobile d'acier où l'on arrête la corde bandée. K, coche intérieure de la noix. M, clef de la détente. N N, fronteau de mire. O, la flèche.

Arcs.

E, arc des sauvages. F, arc des nations policées.

Flèches.

P P P P, différents fers de flèches. Q, quarreau ou garrot. R, vireton. S, matras. T, salarique.

PLANCHE 11. *(page 167)*

Fig. I. Vaisseau des anciens sur lequel ils mettaient une baliste et une catapulte.
2. Catapulte propre à lancer deux dards à la fois.
Fig. 3. Catapulte tirée de Valturio.
4. Double baliste.

PLANCHE 6. *(pages 168-169)*

Fig. I. A A A, tour mobile à corridors. B B, parapets. C, bélier non suspendu au bas et dans l'intérieur de la tour.
Fig. 2. A, tour mobile de César au siège de Namur ; 2, cylindre sur lequel on faisait rouler la tour ; 3, plateforme ; 4, fossé dans lequel les câbles étaient amarrés ; 12, soldats qui posaient les rouleaux et les enlevaient à mesure que la tour avançait ; 13, auvent qui servait à les garantir des traits des assiégés ; 14, 14, vindas ou cabestan pour faire mouvoir la tour.

PLANCHE 12. *(page 170)*

Fig. I. Catapulte, d'après le dessin donné par Valturio.
2. Un des chameaux sur lesquels les Turcs mirent deux pièces de canon, de trois livres de balle, après la bataille de Patacin en 1690, avec un canonnier Turc monté dessus.
3. Sambuque du chevalier Folard.
4. Sambuque de Polybe.

PLANCHE 13. *(page 171)*

Fig. I. Corbeau d'Archimède.
2. Corbeau de Duillius.
3. Dauphin des Grecs.

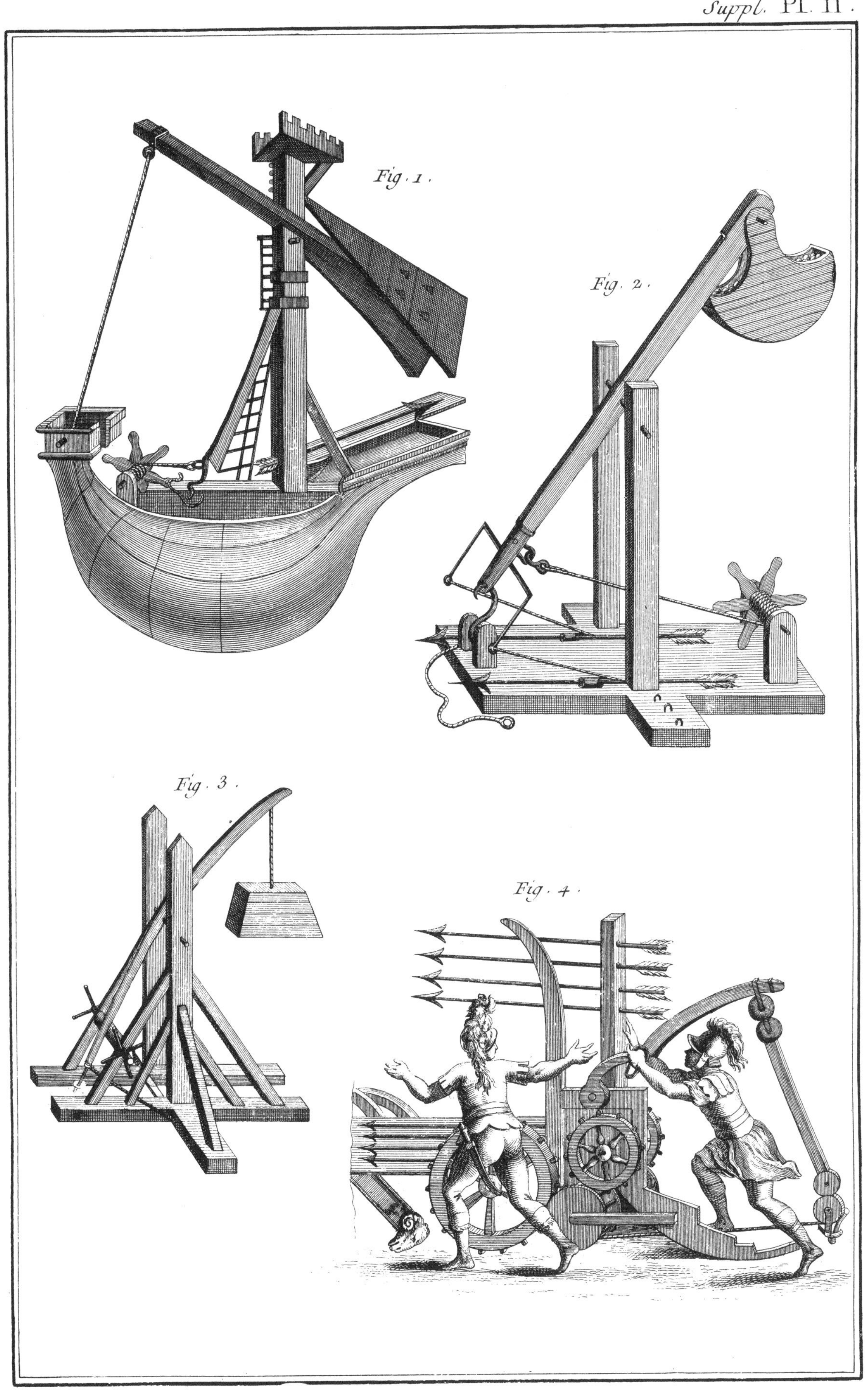

Art Militaire, Armes et Machines de Guerre.

Fig. 1.
A
A
B
A
A
A
B
A
C

Fig . 2 .
A
13
12
2
3
4
14
14

Art Militaire, Armes et Machines de Guerre.

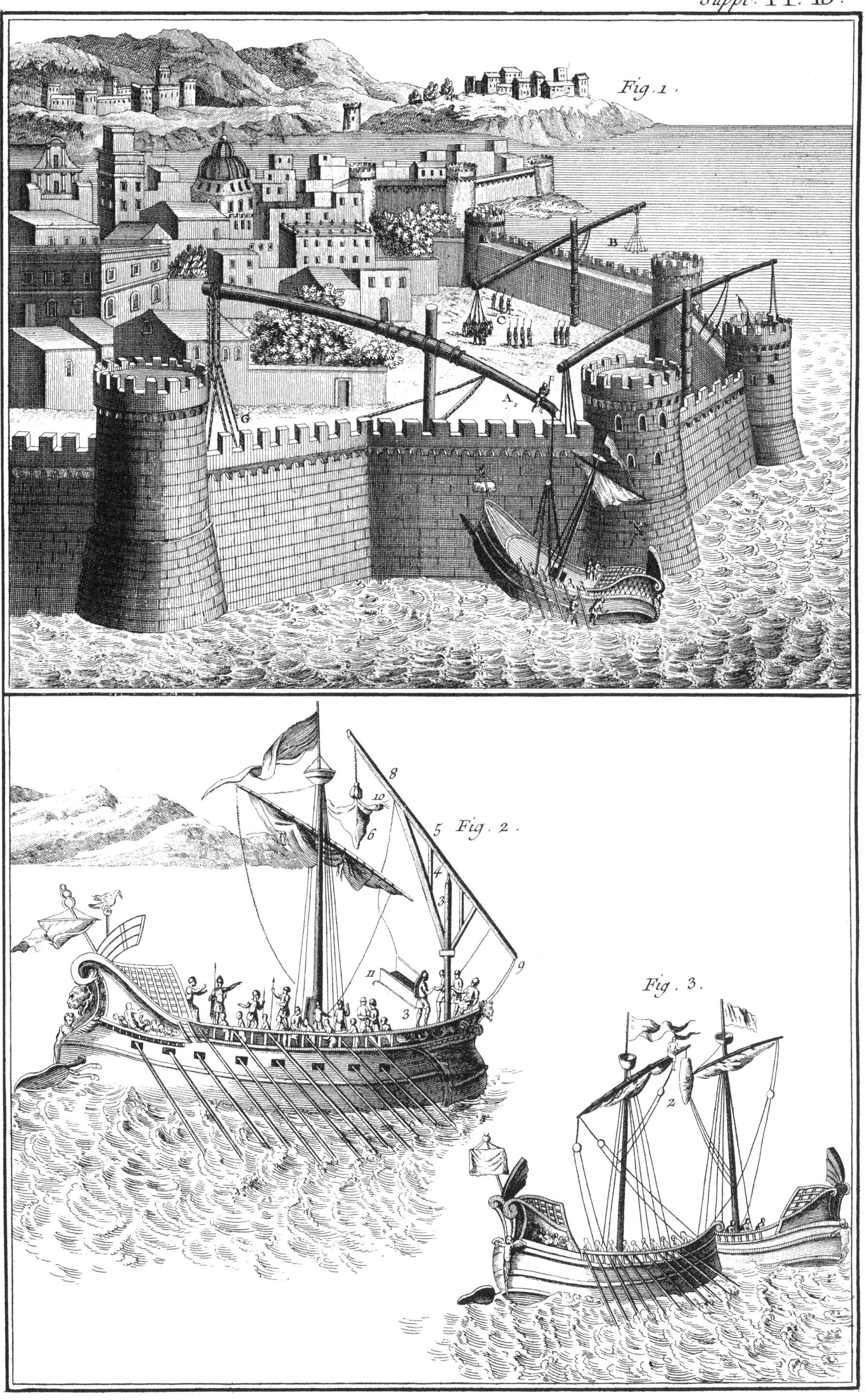

Art Militaire, Armes et Machines de Guerre.

HÉRALDIQUE

PLANCHE II.

Fig. 56. Rupe, écartelé d'argent et de gueule, à l'aigle éployé de l'un en l'autre.
57. La Roche en Bretagne, d'argent et de gueule, à quatre aigles de l'un en l'autre.
58. D'Argouges Normandie, écartelé d'or et d'azur, à trois quinte-feuille de gueule, brocantes sur le tout.
59. Kerouser, en sautoir de gueule et d'hermine, de gueule chargé d'un lion d'argent.
60. Mendoce, de sinople, à une bande d'or, chargé d'une autre de gueule, écartelé en sautoir d'or, aux mots *ave Maria* à dextre, et *gratia plena* à senestre, d'azur.
Fig. 61. Maugiron, gironné de six pièces d'argent et de sable.
62. De Pugnos, gironné de dix pièces de gueule et d'or.
63. Stuch, gironné de douze pièces de gueule et d'or.
64. Becourt, gironné de seize pièces d'argent et de gueule, à l'écu d'or en cœur.
65. Fregosi à Gênes, coupé, enté de sable et d'argent.
66. De Puysieux, de gueule, à deux chevrons d'argent, à la devise d'or en chef.
67. Quatrebarres, de sable, à la bande d'argent, accolé de deux filets de même.
68. . . . . d'or, adextré de pourpre.
69. . . . . de sinople, fenestré d'or.
70. Thomassin, de sable semé de faulx d'or, à dextre et à senestre d'argent.
71. Papillon, d'or, à dextre de trois roses de gueule, posées en pal, et à senestre d'un lion de même.
72. Ragot, d'azur, à dextre d'un croissant d'argent, surmonté de trois étoiles mal ordonnées ; et à senestre d'un épi feuillé et tigé ; le tout d'or.
73. Brochant, d'or, à l'olivier de sinople, accolé de deux croissants de gueule, à la champagne d'azur, chargé d'un brochet d'argent.
74. Petite-Pierre, de gueule, au chevron d'argent, à la plaine d'or.
75. De Sarate en Espagne, d'argent, mantelé de sable.
76. Ramelay, d'azur, à une fleur-de-lis d'or, mantelé de même, à l'aigle de sable.
77. Hautin, d'argent, chappé de pourpre.
78. Raitembach, de gueule, parti d'argent, chappé de l'un en l'autre.
79. Themar, de gueule, chappé d'or, à trois roses de l'une en l'autre.
80. Montbar, écartelé d'argent et de gueule, chappé de même de l'un en l'autre.
81. Sachet, de gueule, à trois pals d'argent, chappé de l'empire qui est d'or, à l'aigle éployé de sable.
82. Lickenstein, d'argent, chaussé de gueule.
83. Pulcher-Von-Rigers, d'argent, chaussé, arrondi de sable, à deux fleurs-de-lis du champ.
84. Corrario, d'argent, coupé d'azur, chappé, chaussé de l'un en l'autre.
85. Gibing, de gueule vêtu d'or.
86. N. . . . . d'argent, embrassé à dextre de sable.
87. Domants, d'argent, embrassé à senestre de gueule.
88. Holman, parti, emmanché de gueule et d'argent de quatre pièces.
89. De Gantes, d'azur, au chef emmanché de quatre pièces emmanchées d'or.
90. Perfil, emmanché, enbandé de gueule de trois pièces, et deux demies sur argent.
91. . . . . emmanché en barre d'azur et d'or de quatre pièces.
92. Thomasseau de Cursay, de sable, à la pointe d'argent, emmanché de cinq pièces au tiers.
93. Bredel au Tirol, d'argent, à trois pointes d'azur, à la champagne de gueule.
94. De Cuseau en Limousin, d'argent, à une pointe renversée mise en barre, de gueule, à la bordure de même.
95. Mallissi, d'azur, à trois pointes renversées, aboutissantes l'un à l'autre, d'or.
96. Potier, d'azur, à trois mains appaumées d'or, au franc quartier échiqueté d'argent et d'azur.
97. Thouars, d'or, semé de fleurs-de-lis d'azur, au canton de gueule.
98. La Garde, d'azur, au chef d'argent.
99. Bolomier, de gueule, au pal d'argent.
100. Béthune, d'argent, à la face de gueule.
101. De Torcy, de sable, à la bande d'or.
102. Saint-Cler, d'azur, à la barre d'argent.
103. Baudricourt, d'argent, à la croix de gueule.
104. Angennes, de sable, au sautoir d'argent.
105. Vaubecourt, de gueule, au chevron d'or.
106. D'Ailly, de gueule, à deux branches d'alizier d'argent, passées en double sautoir, au chef échiqueté d'argent et d'azur de trois traits.
107. Schulemberg, d'azur, au chef de sable, chargé de quatre poignards d'argent, garnis d'or, les pointes en haut.
108. Perfil, de sable, au chef danché d'or.
109. Moncoquier, de sable, à trois fleurs-de-lis d'or, au chef ondé et abaissé de même.
110. Des Ursins, d'argent, bandé de gueule, au chef du premier, chargé d'une rose de gueule, pointée d'or, soutenu de même, chargé d'une givre d'azur.
111. Cybo, de gueule, à la bande échiquetée de trois traits d'argent et d'azur, au chef d'argent à la croix de gueule, surmontée d'or, à l'aigle de l'empire avec la devise.

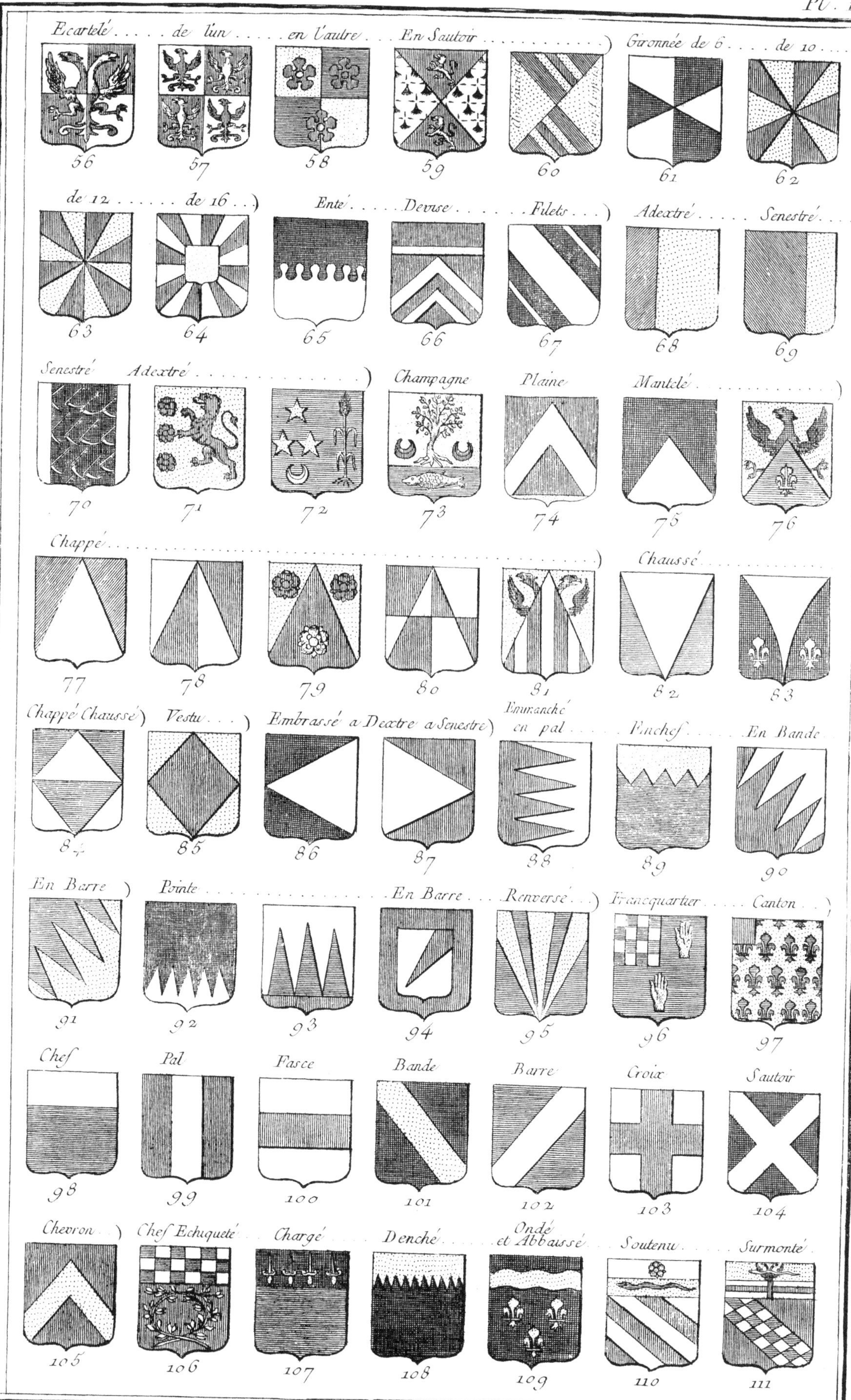
Ecartelé . . . . de l'un . . . . en l'autre . . . En Sautoir . . . .)
Gironnée de 6 . . . . de 10 . . . .
56 57 58 59 60 61 62
de 12 . . . . . . de 16 . .)
Enté . . . . Devise . . . . . Filets . . .)
Adextré . . . . . Senestré . . .
63 64 65 66 67 68 69
Senestré Adextré . . . .)
Champagne
Plaine
Mantelé . . . .)
70 71 72 73 74 75 76
Chappé . . . .)
Chaussé . . . .
77 78 79 80 81 82 83
Chappé Chaussé)
Vestu . . .)
Embrassé a Dextre a Senestre)
Emmanché en pal . . . .
Enchef . . . .
En Bande . .
84 85 86 87 88 89 90
En Barre)
Pointe . . . . En Barre . . . Renversé . .)
Franquartier . . . . Canton . .)
91 92 93 94 95 96 97
Chef
Pal
Fasce
Bande
Barre
Croix
Sautoir
98 99 100 101 102 103 104
Chevron . .)
Chef Echiqueté
Chargé . . .
Denché . . . .
Ondé et Abbaissé . . .
Soutenu . . . .
Surmonté
105 106 107 108 109 110 111

Benard Fecit.

Art Heraldique.

PLANCHE VI.

Fig. 280. Chabanne, de gueule, à la licorne d'argent.

281. Harling, d'argent, à la licorne assise ou acculée de sable.

282. Chevalier, d'azur, à la tête et corne de licorne d'argent, au chef de même, chargé de trois demi-vols de gueule.

283. Nicolay, d'azur au lévrier courant d'argent, accolé de gueule, bouclé d'or.

284. Brachet, d'azur, à deux chiens braques d'argent passant l'un sur l'autre.

285. Sordet, de gueule, à trois têtes de lévrier d'argent.

286. Aubert, d'or, à trois têtes de braques de sable.

287. La Chétardie, d'azur, à deux chats passant d'argent.

288. D'Agoult, d'or, au loup ravissant d'azur, armé et lampassé de gueule.

289. Le Fevre d'Argencé, d'argent, à une louve de sable, posée sur une terrasse de sinople, au chef d'azur chargé de deux roses d'argent.

290. Montregnard, de gueule, au renard rampant d'or.

291. Cartigny, d'or, à trois belettes d'azur, l'une sur l'autre.

292. Le Fortuné, de gueule, à un éléphant d'or, armé (c'est sa dent) et onglé d'azur.

293. Filtz en Silésie, de gueule, parti d'argent, à deux proboscides ou trompes d'éléphant, adossées les naseaux en haut de l'un de l'autre.

294. D'Ossun, d'or, à l'ours passant de sable, sur une terrasse de sinople.

295. Morlay, d'argent, à une tête d'ours de sable, emmuselée de gueule.

296. Bautru, d'azur, au chevron, accompagné en chef de deux roses, et en pointe d'une tête de loup arrachée, le tout d'argent.

297. Fouquet, d'argent, à l'écureuil de gueule.

298. D'Aydie, de gueule, à quatre lapins d'argent courant l'un sur l'autre.

299. Des Noyers, d'azur, à l'aigle d'or.

300. L'Empire, d'or, à une aigle éployée de sable.

301. Fourcy, d'azur, à une aigle, le vol abaissé d'or, au chef d'argent, chargé de trois besans de gueule.

302. Gon de Vassigny, d'azur, à une aigle de profil, et volante ou essorante, d'or.

303. Meniot, d'hermine, au chef de gueule, chargé d'une aigle naissante d'argent.

304. De la Trémoille, d'or, au chevron de gueule, accompagné de trois aiglettes d'azur, becquées et membrées de gueule.

305. Barberie, d'azur, à trois têtes d'aigles arrachées d'or.

306. Robert de Villetanneuse, d'azur, à trois pattes de griffons d'or.

307. Montmorency, d'or, à la croix de gueule, cantonnée de seize allerions d'azur, quatre dans chaque canton, sur le tout un écusson d'argent, chargé d'un lion de gueule, armé, lampassé et couronné d'azur, la queue fourchée, nouée et passée en sautoir.

308. Malon de Bercy, d'azur, à trois merlettes d'or.

309. De Grieu, de sable, à trois grues d'argent, tenant chacune leur vigilance d'or.

310. Poyanne, d'azur, à trois cannettes d'argent.

311. Cigny, de gueule, au cygne d'argent.

312. Lattaignant, d'azur, à trois coqs d'or.

313. Segoing, d'azur, à la cigogne d'argent, becquée et membrée de gueule, portant au bec un lézard de sinople.

314. De Sougy, sieur du Clos, de sinople, à une autruche d'argent, la tête contournée.

315. Malet de Lusart, d'azur, à un phœnix sur son immortalité regardant ou fixant un soleil d'or.

316. Le Camus, de gueule, au pélican d'argent, ensanglanté de gueule dans son aire, au chef cousu d'azur, chargé d'une fleur-de-lis d'or.

317. La Cave, d'or, au perroquet de sinople.

318. De la Broue, d'or, à trois corbeaux de sable, arrachées de gueule.

320. Le Tonnelier de Breteuil, d'azur, à l'épervier essorant d'or, longé et grilleté de même.

321. Le Breton, d'azur, à un écu en flanc de même, chargé d'une fleur-de-lis d'or, et l'écu accompagné de trois colombes d'argent, celle du chef affrontée, au chef d'or chargé d'un lion naissant de gueule.

322. Raguier, d'argent, au sautoir de sable, cantonné de quatre perdrix de gueule.

323. Le Doux, d'azur, à trois têtes de perdreaux arrachées d'or.

324. Bécassous, d'azur, à trois têtes de bécasses arrachées d'or.

325. Hevrat, d'argent, à une chouette de gueule.

326. Barberin, d'azur, à trois mouches ou abeilles d'or.

327. Doublet de Persan, d'azur, à trois doublets ou papillons d'or volant en bande 2 et 1.

328. Berard, d'argent, à la fasce de gueule, chargée de trois treffles d'or, la fasce accompagnée de trois sauterelles de sinople, deux en chef, et une en pointe.

329. De Grille, de gueule, à la bande d'argent, chargé d'un grillon de sable.

330. Barrin de la Galissonnière, d'azur, à trois papillons d'or.

331. D'Osmond, de gueule, au vol renversé d'hermine.

332. Bevard, de gueule, au demi-vol d'argent.

333. De Marolles, d'azur, à l'épée d'argent, la garde en haut d'or, accotée de deux panaches adossées du second.

334. Harach, de gueule, à trois plumes ou panaches mouvantes, d'un basant posé au centre de l'écu, le tout d'argent.

335. Dauphiné, province, d'or, au dauphin d'azur, creté et oreillé de gueule.

Benard Fecit

Art Heraldique.

PLANCHE XII.

616. Kosiel, de gueule, au bouc d'argent.
617. Coulombier en Dauphiné, d'argent, au singe assis de gueule.
618. Mutel, de gueule, à trois hermines d'argent.
619. Tassis en Espagne, d'argent, à une aigle éployée de sable, becquée, membrée et diadèmée de gueule, coupé d'azur au tesson d'or.
620. Polonceau, de sable, à un onceau d'or.
621. Aubes Roquemartine à Arles, d'or, à un ours écorché de gueule.
622. D'Eflinger, d'or, à une tortue de sable.
623. Mangot, d'azur, à trois éperviers d'or, membrés, longués et becqués de gueule, chaperonnés d'argent.
624. Winterbecher au Rhin, de sable, à la fasce crenelée de trois pièces ajourées d'or, accompagnées de dix croisettes posées 3. 2. en chef, et 3. 2. en pointe de même.
625. La Haye, d'argent, à une haie de sinople, posée en fasce.
626. Munfingen en Allemagne, de gueule, au chef pal d'argent.
627. Wisbecken de Bavière, d'argent, au chef barré de gueule.
628. Langins, d'azur, à une tour fenestrée d'un avant-mur d'or.
629. Du Chesne, d'or à trois glands renversés de sinople, surmontés d'une étoile de gueule.
630. Turmenies de Nointel, d'azur, à trois lames d'argent, surmontées d'une étoile d'or.
631. Peirenc de Moras, de gueule, semé de pierres ou cailloux d'or, à la bande d'argent brochante sur le tout.
632. Labenschker en Silésie, d'azur, à une cornière d'argent.
633. Sortern au Rhin, de gueule, au crampon d'argent.
634. De Hamin en Allemagne, d'azur, à une potence cramponnée à senestre, croisonnée, potencée à dextre d'or.
635. Dachau en Bavière, d'or, coupé, enclavé sur gueule.
636. Roos en Ecosse, d'or, au chevron échiqueté d'argent et de sable de trois traits accompagnés de trois bouses du dernier.
637. Angrie, d'argent, à trois bouterolles de gueule.
638. Boursier, d'or, à trois bourses de gueule.
639. Le Duc, d'or, à la bande resarcelée de gueule, chargée de trois ducs volants, le vol abaissé d'argent.
640. Ruesdorf en Bavière, d'azur, au pal retrait d'argent.
641. Hanesy en Flandres, de gueule, à une escare d'argent, posée au quartier droit mouvant du chef et du flanc.
642. D'Aumont, d'argent, au chevron de gueule, accompagné de sept merlettes, de même, 4. en chef, 2. 2. et 3. en pointe, mal ordonnées.
643. Maney, d'or, à la croix aiguisée de sable.

Volet ou lambrequins, et chevaliers au tournoi.

Le volet ou lambrequin est un ruban large pendant derrière le casque, volant au gré du vent, pour empêcher le heaume de s'échauffer.

Les chevaliers des figures sont les deux premiers, le duc de Bretagne et le duc de Bourbon, tels qu'ils se sont présentés dans le tournoi qui fut dressé par le roi René de Sicile, armés, leurs chevaux caparaçonnés à la mode du temps, les cimiers ordinaires sur leurs têtes, et sur celles de leurs chevaux. Le troisième est le chevalier au tournoi portant sa lance et son bouclier.

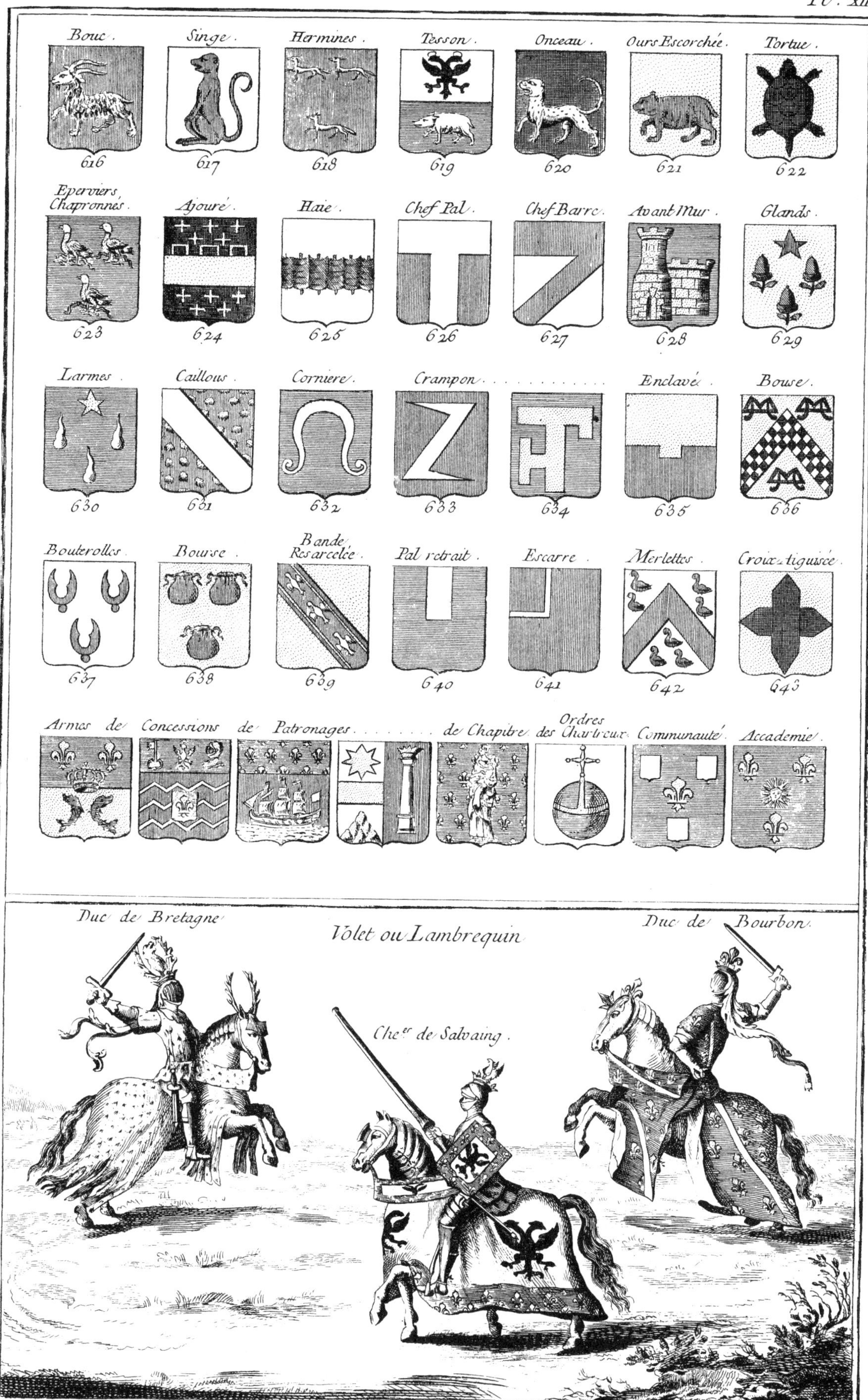
Bouc.
616
Singe.
617
Hermines.
618
Tesson.
619
Onceau.
620
Ours Escorchée.
621
Tortue.
622
Eperviers Chapronnés.
623
Ajouré.
624
Haie.
625
Chef Pal.
626
Chef Barre.
627
Avant Mur.
628
Glands.
629
Larmes.
630
Caillous.
631
Corniere.
632
Crampon.
633
634
Enclavé.
635
Bouse.
636
Bouterolles.
637
Bourse.
638
Bande Resarcelée.
639
Pal retrait.
640
Escarre.
641
Merlettes.
642
Croix Aiguisée.
643
Armes de Concessions de Patronages de Chapitre
Ordres des Chartreux
Communauté.
Accademie.
Duc de Bretagne
Volet ou Lambrequin
Duc de Bourbon.
Che.er de Salvaing.

Benard Fecit.

Art Heraldique.

PLANCHE XVIII.

Grand maître de France.

De France, au bâton péri en bande de gueule, et pour marque de sa charge deux grands bâtons de vermeil doré, passés en sautoir derrière l'écu, dont les bouts d'en haut sont terminés d'une couronne royale. Son pouvoir est que nul officier ne peut se dispenser de ses commandements.
Il a le premier rang et la surintendance sur eux.

Grand chambellan.

Ecartelé au premier et dernier quartier, semé de France, à la tour d'argent, qui est *de la Tour*. Au deuxième d'or à trois tourteaux de gueule, qui est de *Boulogne*. Au troisième coticé d'or et de gueule, qui est *Turenne*. Sur le tout parti d'or au gonfanon de gueule, frangé de sinople, qui est *Auvergne*. Et de gueule, à trois fasces d'argent, qui est de *Bouillon*. Et pour marque, deux clés d'or passées en sautoir derrière l'écu, dont les anneaux se terminent chacun par une couronne royale.
Il reçoit le serment de tous les officiers de la chambre du roi.

Grand écuyer.

Voyez l'explication des armes de l'empereur ; il y a de plus ici la bordure de gueule, chargé de huit besans d'or, et la marque de la charge ; deux épées royales dans leurs fourneaux et baudriers, le tout d'azur, semé de fleurs-de-lis d'or, les gardes et boucles de même. Il a la surintendance sur le premier écuyer, et sur tous les autres écuyers et officiers de la grande et petite écurie, et sur les pages.

Grand bouttellier-échanson.

D'or, à trois hirondelles de sable, celle du chef se regardant, et celle de la pointe au vol étendu. Pour dignité il n'a que le seul pouvoir de porter à côté de son écu deux flacons d'argent dorés, sur lesquels sont les armes du roi.

Grand pannetier.

De sable ; à trois fasces dentelées par le bas d'or ; au bas de l'écu pour marque, la nef d'or et le cadenat qu'on pose à côté du couvert de sa majesté.
Le grand pannetier a sous lui des écuyers tranchants, il fait essai des viandes.

Grand veneur.

De France, au bâton de gueule, péri en barre, et pour sa dignité, deux grand cors avec leurs enguichures.
Il a la surintendance sur tous les officiers de la vénerie.

Grand fauconnier.

Coupé de gueule et d'or, au léopard lionné d'argent sur gueule, couronné d'or et de sable sur or, et pour marque, deux lettres qui renferment les becs, ongles et ailes.
Il a la surintendance sur toute la fauconnerie.

Grand louvetier.

D'or, au lion de gueule, naissant d'une rivière d'argent, au chef d'azur, chargé de trois étoiles d'or, et pour marque de sa charge, deux rencontres de loups à côté du bas de son écu. Il a la surintendance de la chasse des loups.

Grand maréchal de logis.

D'azur, au lévrier passant d'argent colleté de gueule, au chef d'or, chargé de trois étoiles de sable ; et pour marque, une masse et marteau d'armes passés en sautoir derrière l'écu.
Il a sous lui des maréchaux de logis, des fourriers du corps, et fourriers ordinaires ; et sa fonction est de faire marquer tous les départements et logements, tant de sa majesté que de la cour.

Grand prevôt.

Ecartelé au premier et quatrième d'argent, à deux fasces de sable ; au second et troisième, semé de France, au lion de gueule, qui est Montsoreau ; et pour marque, deux faisceaux de verges d'or, posés en sautoir, liés d'azur ; du milieu sort une hache d'armes.
Son autorité s'étend sur les officiers du roi, pour empêcher les désordres à la suite du roi.

Le capitaine des Gardes de la porte.

D'or, à la couleuvre d'azur, posée en pal, pour marque, deux clés d'argent posées en pal, les anneaux terminés par une couronne royale. Il a sous son commandement des lieutenants et archers.

Colonel général de l'infanterie.

De France, au lambel d'argent ; derrière l'écu, six drapeaux de couleurs du roi, blanc, incarnat et bleu, trois de chaque côté.

Grand Mtre de France
Louis Joseph de Bourbon Prince du Sang né et titré Prince de Condé.
Grand Chambellan
Charles Godofroi Delatour d'Auvergne Duc de Bouillon le Prince de Turenne en survivance
Grand Ecuyer de France
Louis Charles De Lorraine Comte de Brionne
Grand Bouteilier Echanson
André de Gironde
Supprimée.
Grand Pannetier
Jean Paul Timoléon de Cossé
Duc de Brissac.
Grand Veneur
Louis Jean Marie de Bourbon
Duc de Penthievre.
Grand Fauconnier
Louis Cesar de la Baume le Blanc
Duc de la Valliere.
Grand Louvetier
le Marquis de Flamarens
le Comte de Flamarens en Survivance
Grand Marechal de Logis
Louis Michel Chamillart
Comte de la Suze.
Grand Prevost
du Bouschet Marquis de Sourches.
Capitaine de la Porte
Jean Baptiste Joachim Colbert
Marquis de Croissy.
Colonel Général de l'infanterie
Philippe d'Orleans, qui en remit
Volontairement la Demission en Decre 1730
par la elle demeure Supprimée.

Benard Fecit

Art Heraldique.

PLANCHE XX.

Des places pricipales de l'écu d'armes, et comme elles sont nommées. L'écu d'honneur au haut du pennon, a neuf points ou places principales. A B C, le premier, le second et le troisième point du chef de l'écu. D, place, point ou lieu d'honneur. E, flanc ou place du milieu, et centre de l'écu, que l'on nomme aussi *cœur et abime*. F, le point ou place dite le *nombril de l'écu*. G, point du flanc dextre. H, point du flanc senestre. I, point et bas de la pointe de l'écu.

Ecu d'honneur au bas du pennon. A, B, C, les trois points du chef représentant la tête de l'homme, dans laquelle résident l'esprit, le jugement et la mémoire. D, représente le cou de l'homme, et est appellé lieu d'honneur. Les rois et princes voulant gratifier et honorer, donnent des chaînes d'or et des pierreries, et sont chevaliers de leur Ordre. E, dénote le cœur de l'homme. F, représente le nombril. G, le flanc dextre. H, dénote le flanc senestre. I, représente les jambes de l'homme, symbole de la constance et fermeté.

Des partitions de l'écu, des écartelures et divisions. Ecusson à dextre. I. Partie : cette sorte de division était autrefois assez fréquente, notamment par les femmes mariées ou par les veuves : elles mettaient les armes de leur mari au côté dextre, et les leurs à senestre ; ce qui n'a jamais bien fait, estropiant toutes les pièces. *Parti au* I. *de, au* 2. *de.* II. Coupé : cette division est nécessaire avec le parti, pour bien blasonner et déchiffrer en peu de mots tel nombre de quartiers qu'on désirera de mettre dans l'écu d'armes ; et l'on dit, *coupé au* I; *de, au* 2. *de.* III. Parti coupé : il est composé des deux premiers ; et pour abréger on dit *écartelé*, et l'écusson qui est au milieu se dit *sur le tout*. IV. Lorsque l'écu est rempli de six quartiers, il faut dire, *parti d'un coupé de deux traits qui forment six quartiers* ; et puis il faut blasonner ce qui est au premier, et dire le nom de la maison, et ainsi du second, troisième et de tous les autres ; et par ce moyen l'on déchiffrera avec facilité tel nombre de quartiers qui se rencontreront dans l'écu. V. Lorsqu'il est partagé en huit, il faut dire, *parti de trois traits et coupé d'un* ; ce qui forme huit quartiers, *au* I. *de. au* 2. *de.* etc. VI. Et lorsque l'écu est de dix quartiers, il faut dire, *parti de quatre traits*, et coupé d'un, ce qui forme dix quartiers *au* I. *de, au* 2. *de.*

Ecusson à senestre. VII. Et quand il y a douze quartiers, il faut dire *parti de trois traits, coupé de deux.* VIII. L'écu qui est rempli de seize quartiers, se peut blasonner diversement, à savoir parti de trois, coupé de trois, ou bien écartelé et contre-écartelé. IX. Celui de vingt quartiers se dit, *parti de quatre traits*, coupé de trois. X. *Parti de trois, coupé d'un*, qui font huit quartiers avec un écusson en cœur de l'armoirie principale, comme sont disposées les alliances et les armes de la maison de Lorraine. XI. Parti de deux, coupé de trois, ce qui forme douze quartiers. XIII. Ecusson à expliquer, écartelé ; au premier contre-écartelé ; au second, tranché ; au troisième, taillé ; au quatrième, coupé ; sur le tout, parti, qui est l'écusson chargé d'un autre écusson qui se nomme *sur le tout du tout.* XIII. Pennon de trente-deux quartiers, dont voici l'explication pour apprendre à bien blasonner. Avec un enté, parti à la pointe qui forme trente-quatre quartiers, et le sur le tout fait trente-cinq. Donc ce pennon est parti de sept, coupé de trois qui sont trente-deux quartiers entés en pointe sous le tout parti, qui sont trente-quatre quartiers, et le sur le tout trente-cinq. Savoir : Vingt-un royaumes, cinq duchés, un marquisat, quatre comtés, et trois seigneuries. Le premier du royaume de Castille, de gueule, à la tour donjonnée de trois pièces d'or, maçonnée de sable. Le second, du royaume de Léon, d'argent, au lion de gueule, armé, lampassé et couronné d'or. Au troisième, du royaume d'Arragon, d'or, à quatre pals de gueule. Au quatrième, du royaume de Naples, d'azur, semé de fleurs-de-lis d'or, au lambel de gueule, écartelé du royaume de Jérusalem, d'argent à la croix potencée d'or, cantonnée de quatre croisettes de même. Au cinquième, du royaume de Sicile, d'or, à quatre pals de gueule, flanqués d'argent, à deux aigles de sable, becquées et membrées de gueule. Au sixième, du royaume de Navarre, de gueule, au chêne d'or posé en croix, sautoir et orle. Au septième, du royaume de Grenade, d'argent, à la grenade de gueule, tigée de sinople. Au huitième, du royaume de Tolède, de gueule, à la couronne fermée d'or. Au neuvième, du royaume de Valence, de gueule, à une ville d'argent. Au dixième, du royaume de Galice, d'azur, semé de croix recroisetées au pied fiché d'or, au ciboire de même. Au onzième, du royaume d'Asturie, écartelé au premier de Castille ; au second et troisième, d'azur, au ciboire d'or ; au quatrième, de Léon. Au douzième, du royaume de Majorque, d'or, à quatre pals de gueule, à la cottice de même, brochante en bande. Au treizième, du royaume de Séville, d'azur, à un roi assis dans son trône d'or. Au quatorzième, du royaume de Sardaigne, d'Arragon ancien, d'argent, à la croix de gueule, cantonnée de quatre têtes de Maures de sable, tortillées d'argent. Au quinzième, du royaume de Cordoue, d'or, à trois fasces de gueule. Au seizième, du royaume de Murcie, d'azur, à six couronnes d'or posées 3, 2, et I. Au dix-septième, du royaume de Jaen, écartelé d'or et de gueule, à la bordure componnée de quatorze pièces, de Castille et de Léon. Au dix-huitième, du royaume de Gibraltar de Castille, la tour chargée d'une clé de gueule, posée en pal, brochante sur la porte. Au dix-neuvième, comme roi des îles de Canarie, une mer d'argent ombrée d'azur, à septifles de sinople. Au vingtième, comme roi des Indes, d'argent, semé de besans d'or. Au vingt-unième, comme roi des îles et terres fermes de l'Amérique, de Leon, parti d'azur, à la tour d'argent. Au vingt-deuxième, du duché de Milan, d'argent, à la givre d'azur, issante de gueule, couronnée d'or. Au vingt-troisième, du duché de Brabant, de sable, au lion d'or, armé et lampassé de gueule. Au vingt-quatrième, du duché de Gueldres, d'azur, au lion contourné d'or, armé et lampassé de gueule. Au vingt-cinquième, du duché de Limbourg, d'argent, au lion la queue fourchée de gueule, lampassé d'azur, armé et couronné d'or. Au vingt-sixième, du duché de Luxembourg, burelé d'argent et d'azur, au lion, la queue fourchée de gueule, lampassé d'azur, armé et couronné d'or. Au vingt-septième, du marquisat d'Anvers, d'argent, à l'aigle de gueule. Au vingt-huitième, du comté de Barcelonne, d'argent, à la croix de gueule, écartelé d'Arragon. Au vingt-neuvième, du comté de Flandre, d'or, au lion de sable, armé de gueule. Au trentième, du comté de Namur, de Flandre, à la cottice de gueule. Au trente-unième, du comté de Hainault, écartelé de Flandre et de Hollande. Au trente-deuxième, de la seigneurie de Biscaye, d'argent, à un arbre de sinople, à deux coups de gueule passant au pied, chappé en pointe, parti de la seigneurie de Malines, d'or, à trois pals de gueule, sur le pal du milieu un écusson d'argent, chargé d'un aigle de sable, de la seigneurie de Moline, d'azur, au dextrochere armé d'or.

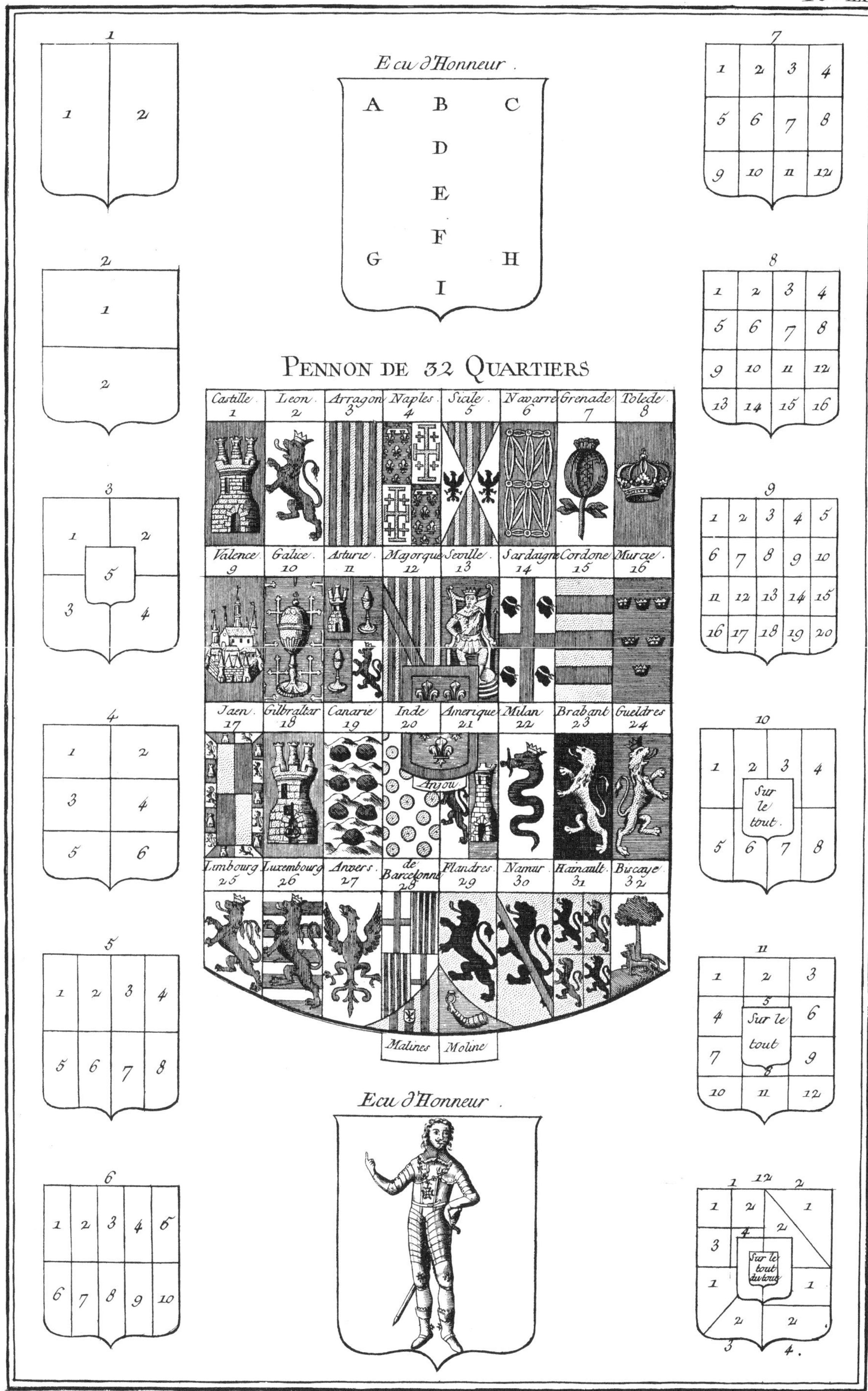

Ecu d'Honneur.
A B C D E F G H I
Pennon de 32 Quartiers
Castille 1
Leon 2
Arragon 3
Naples 4
Sicile 5
Navarre 6
Grenade 7
Tolede 8
Valence 9
Galice 10
Asturie 11
Majorque 12
Seville 13
Sardaigne 14
Cordone 15
Murcie 16
Jaen 17
Gilbraltar 18
Canarie 19
Inde 20
Amerique 21
Milan 22
Brabant 23
Gueldres 24
Anjou
Limbourg 25
Luxembourg 26
Anvers 27
de Barcelonne 28
Flandres 29
Namur 30
Hainault 31
Biscaye 32
Malines
Moline
Ecu d'Honneur.
Sur le tout
Sur le tout
Sur le tout du tout

Benard Fecit

Art Heraldique.

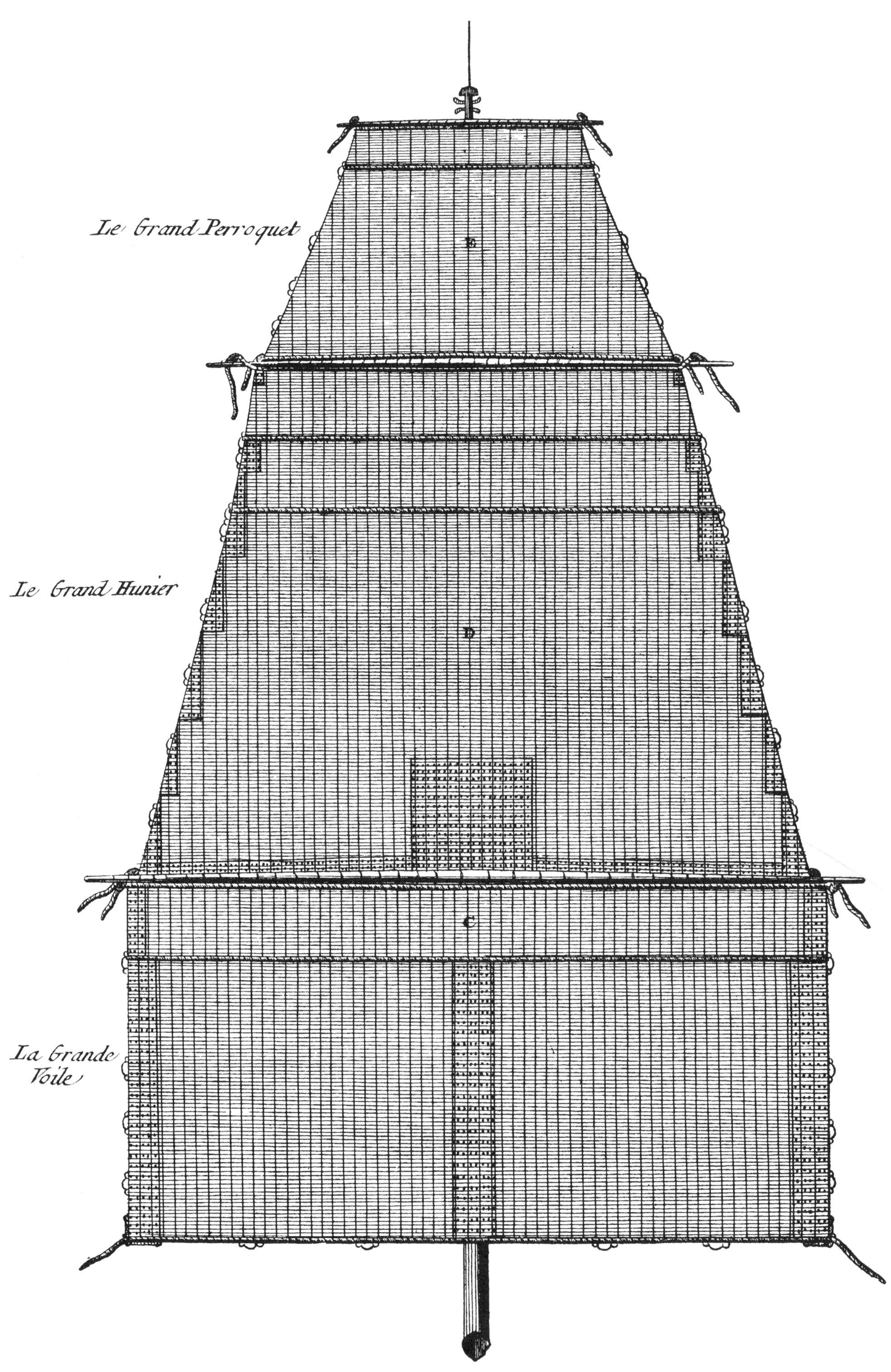

Le Grand Perroquet
E
Le Grand Hunier
D
C
La Grande Voile

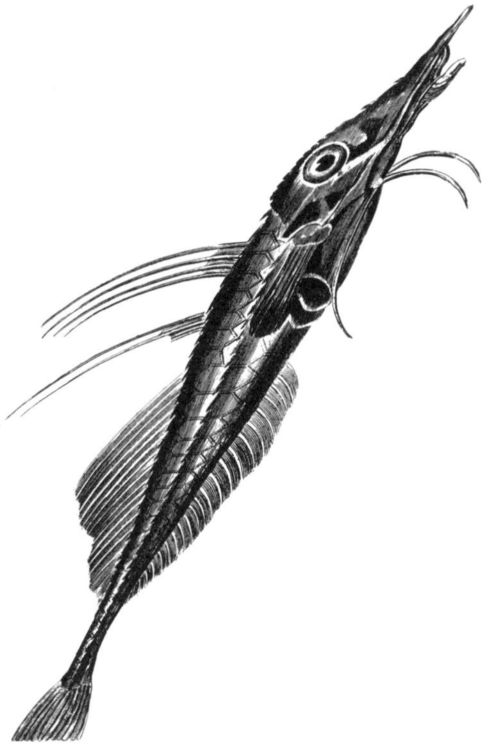

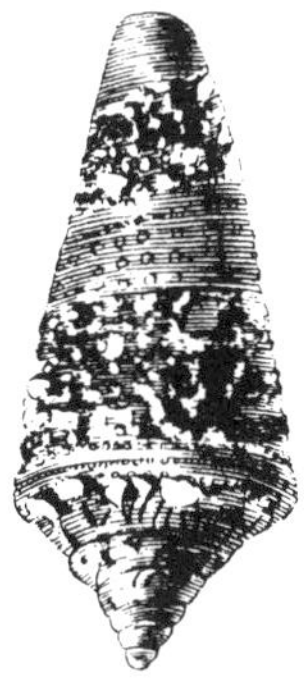

MARINE A VOILE, PÊCHE

« Mer, *(Marine)*. Ce mot s'emploie dans plusieurs sens par les marins : voici les principales expressions. *Mettre à la mer*, c'est un vaisseau qui part et commence sa route. *La mer est courte*, c'est à dire que les vagues de la mer se suivent de près les unes des autres. *La mer est longue*, c'est à dire que les vagues de la mer se suivent de loin et lentement. *La mer mugit*, c'est lorsqu'elle est agitée et qu'elle fait grand bruit. *La mer blanchit ou moutonne*, c'est à dire que l'écume des lames paraît blanche, de sorte que les vagues paraissent comme des moutons, ce qui arrive quand il y a beaucoup de mer poussée par un vent frais. *Il y a de la mer*, c'est à dire que la mer est un peu agitée. *Il n'y a plus de mer*, c'est à dire que la mer est calme. »
Extrait de l'article ***Mer.*** *Volume X, 1765.*

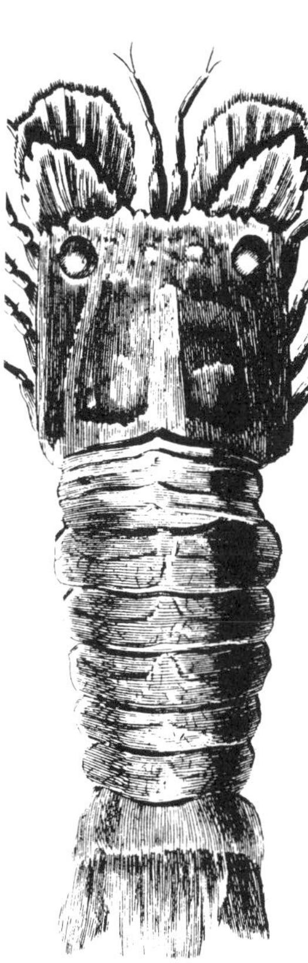

L'Encyclopédie de Diderot nous offre cette fois le monde de la Marine à voile en nous présentant de magnifiques vaisseaux marchands ou de guerre sur lesquels sont plantés des mâts majestueux supportant des voiles aux noms bien poétiques.
Elle nous fait également découvrir les chantiers navals, les arsenaux, les techniques de construction et l'art des manœuvres.
Après la Marine à voile, Diderot nous emmène dans le monde de la pêche, en mer et en rivière, du côté des petits pêcheurs professionnels et de leurs techniques séculaires.
Il nous apprend à fabriquer et à tendre un filet, à confectionner un hameçon, à pêcher des oiseaux de mer à la volée, à distinguer différents poissons et coquillages.

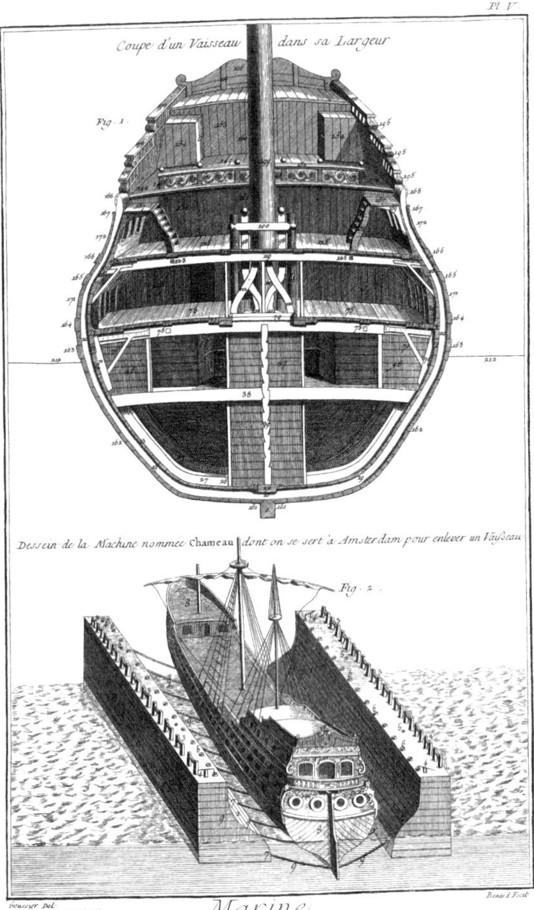

MARINE

PLANCHE III. *(page 185)*

Fig. I. Poupe d'un vaisseau de guerre du premier rang. *a* étambord. *b* lisse de hourdi. *c* contre-lisse ou barrel de contre-arcasse. *d* sabords. *e* mantelet de sabords. *f.* archivage. *g* galerie. *h* figures ou termes qui soutiennent les galeries. *i* fenêtres de la dunette. *k* chambres des officiers. *l* chambre du conseil, et chambre du capitaine. M frises. N couronnement. O miroir ou fronteau d'armes. P fanaux. Q termes qui soutiennent le couronnement du haut de la poupe. R alonges de poupe ou tréport.
2. La poupe de la galère réale. *a* tendelet. B poupe ou l'arrière. C bandins et bandinets. D timon. *e* échelles.

PLANCHE V.

Fig. I. Coupe d'un vaisseau dans sa largeur.
Fig. 2. Dessin d'une machine appelée le *chameau*, dont on se sert à Amsterdam pour soulever un vaisseau et le faire passer dans les endroits où il n'y a pas assez d'eau pour son tirant. I le devant du chameau. 2 guidon ou virevaux, avec leurs barres qui traversent l'essieu ; les Hollandais les nomment *vindas*, mais improprement. 3. pompes pour pomper l'eau qu'on fait entrer. 4 dales ou conduits pour faire entrer l'eau, et qu'on bouche avec des tampons. 5 le gouvernail. 6 les tremues par où on fait passer les cordes depuis le tillac jusqu'au fond du chameau, d'où elles sortent par les trous qui sont au bout de ces tremues. 7 trous par où sortent les cordes, qui de là passent par dessous la quille du navire. 8. l'arrière du chameau. 9 comment le vaisseau est enlevé par le chameau, pour passer jusqu'aux endroits où il y a une profondeur d'eau suffisante pour continuer sa route vers le Texel, ou dans le port d'Amsterdam.

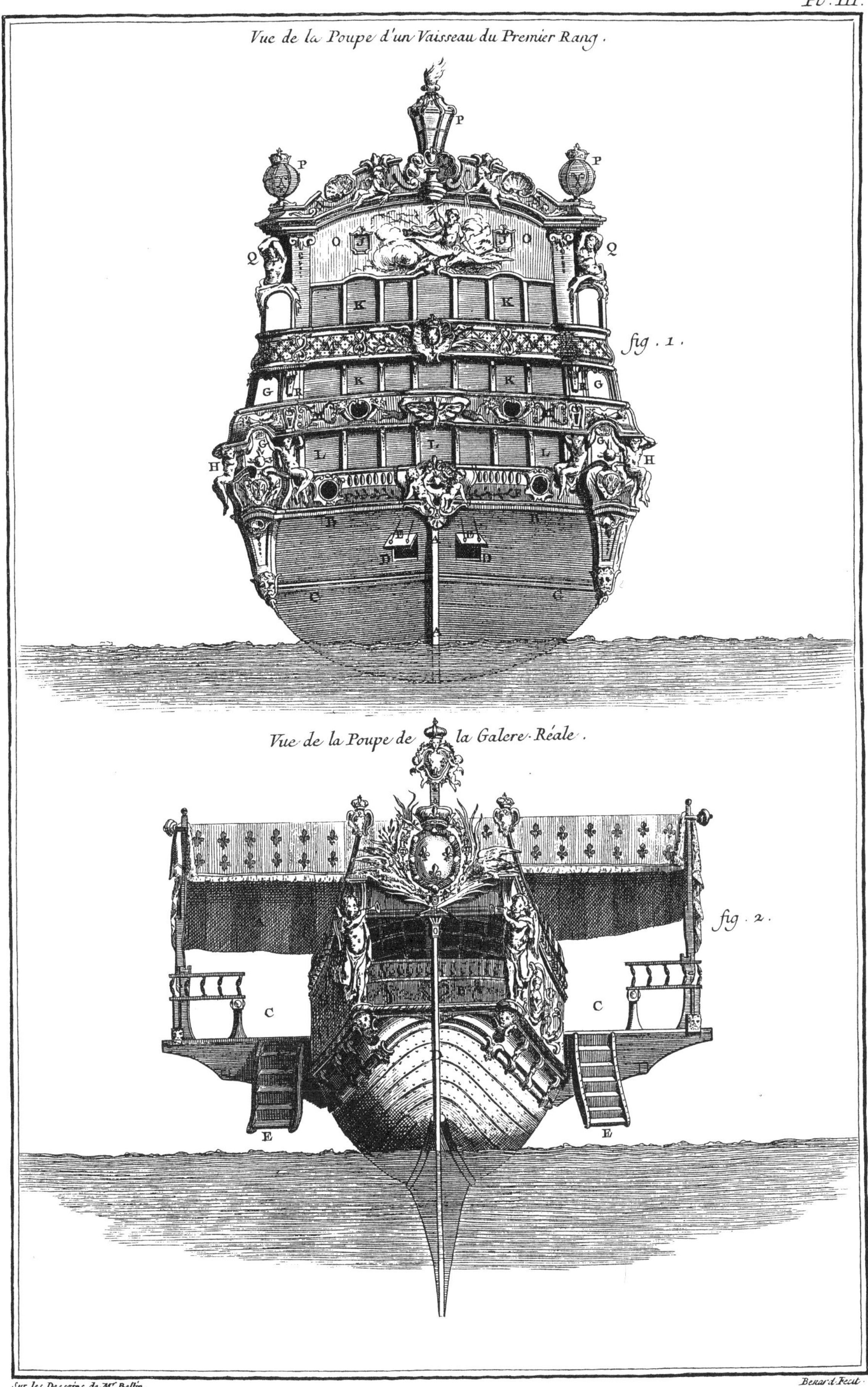

Sur les Desseins de M.r Bellin Ingenieur de la Marine.

Benard Fecit.

Marine.

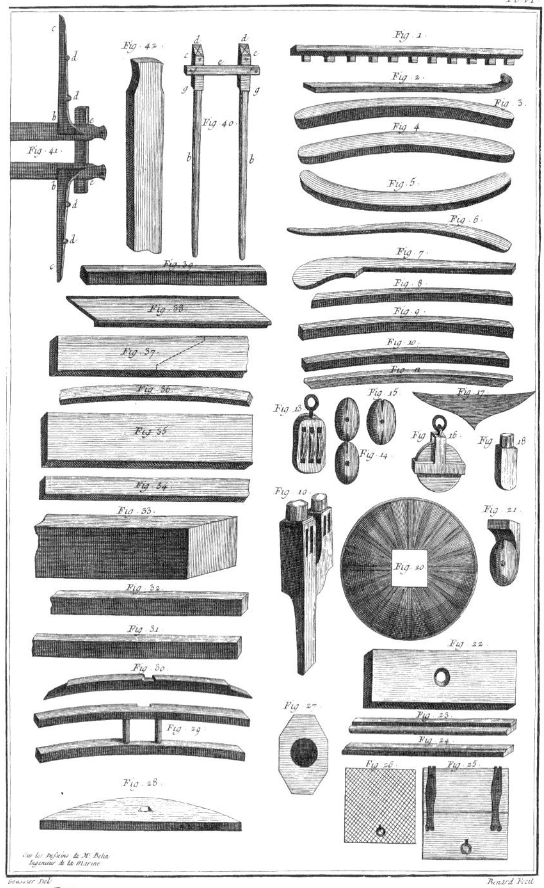

PLANCHE VI.

Contenant différentes pièces détachées qui entrent dans la construction des Vaisseaux.

Fig. I. Accotar ou acotar ; c'est une pièce de bois que l'on endente entre les membres, sur le haut du vaisseau, afin d'empêcher que l'eau n'y tombe et ne les pourrisse. 2. Aiguille de l'éperon. 3. Alonge première, ou alonge de migrenier ; toute alonge est une pièce de bois dont on se sert pour en alonger une autre. 4. Alonge seconde ; c'est celle qui se place au dessus de la première, et qui s'empatte avec le bout du haut du genou de fond. 5. Alonge troisième ou alonge de revers. 6. Gabarit de trois alonges ; ce sont les trois alonges l'une sur l'autre, qui forment les côtés dans les côtés du vaisseau. 7. Alonges de poupe, de trépot ou de tréport, cormières ou cornières. 8. Barots ou baux. 9. Barots du pont d'en haut. 10. Barotins ou lattes à baux. 11. 12. Barotins d'écoutilles, demi-baux ou demi-barots. 13. Poulies de caliourne. 14. Poulie de palan. 15. Poulie simple ; c'est une mousse où il y a seulement une poulie. 16. Poulie commune. 17. Clé des estains ou contre-fort. 18. Le sep de drisse d'artimon, dont les parties doivent avoir huit pouces de large, avec des cordages proportionnés. 19. Sep de drisse, bloc d'issas, ou roc d'issas, marmot, c'est une grosse pièce de bois quarrée que l'on met debout sur la carlingue, d'où elle s'élève sur le pont. 20. La hune. 21. Poulie coupée ou à dents ; c'est une poulie qui a sa mousse échancrée d'un côté, pour y passer la bouline quand il est besoin de la haler. 22. Etambrai du grand mât. 23. Lisse de vibord ou carreau. 24. Lisses. 25. Mantelet ou contre-sabord. 26. Doublure du mantelet qui doit être un peu plus mince que le dessus. 27. Ecoutille à huit pans, ou écoutille du mât ; c'est un assemblage de plusieurs petites pièces de bois plates, qui ont la figure d'un octogone. On couvre cette écoutille d'une braie, et elle sert à couvrir l'étambrai de chaque mât sur le pont. 28. La carlingue du pied du mât de misaine. 29. La grande carlingue ou l'écarlingue du pied du grand mât. 30. Barres d'arcasse, contre-lisse, barres de contre arcasse. 31. Ceintes ou préceintes. 32. Carlingue. 33. Serre-bauquières. 34. et 35. Bordages pour recevoir les ponts. 36. Premier bordage de l'esquain, qui se pose sur la lisse de vibord ; il est plus épais que le reste de l'esquain. 37. Bordage d'entre les préceintes ou couples ; ce sont les deux pièces de bordage qu'on met entre chaque préceinte ; elle se nomment aussi fermetures ou fermures. 38. Bordage, franc-bord, ou franc-bordage. 39. Faix de pont ; ce sont des planches épaisses et étroites, qui sont entaillées pour mettre sur les baux dans la longueur du vaisseau, depuis l'avant jusqu'à l'arrière, de chaque côté, à peu près au tiers de la largeur du bâtiment. 40. et 41. Figures des bittes. La *fig.* 40. représente les bittes telles qu'on les voit de l'arrière. *b b* les piliers ou les bittes. *c c* la tête des piliers. *d d* les trous qui servent à passer de grosses chevilles de fer, lorsque le câble est sur les bittes, pour l'arrêter. *e* le traversin. *f f* trous sous le traversin. *g g* le pont. La *fig.* 41. représente les bittes du côté de l'avant, afin de faire voir les courbes qui ne paraissent pas du côté de l'arrière. *b b* les branches suppérieures des courbes. *c c* les branches inférieures des courbes. 42. Piliers de bittes. 43. Carlingue du cabestan. 44. Lisse de hourdi. 45. et 46. Porques de fond. 47. Serre-gouttières. 48. Eguillettes. 49. Plat-bords. 50. Feuillets de sabords, ou feuillets d'en-bas. 51. Traverse d'en haut qui appuie sur les deux montants, et dans laquelle entre la serrure ; quelques-uns l'appellent aussi feuillet. 52. Vaigres d'empatture des varangues et des genoux. 53. Traversin du château d'avant, où il y a des bittons *a b* pour lancer des manœuvres. 54. Fargues ou fardes. Les bittons *a b* servent à mettre les cordages pour tenir les fargues avec l'embelle sur laquelle ils sont placés. 55. Jouttereaux ou jottereaux. 56. Gorgere. 57. L'étrave. 58. Estains. 59. Revers de l'éperon. 60. Varangues plates ou varangues de fond. 61. Genoux de revers. 62. Genoux de fond. 63. Genoux de porques. 64. Contre-étrave. 65. Varangues aculées. 66. Contre-étambord. 67. Courbatons de l'éperon. 68. Courbes du premier pont. 69. Courbes, ou plutôt courbatons du haut pont. 70. Courbes d'arcasse. 71. Bossoirs ou bosseurs. 72. Courbes de la clé des estains. 73. Fourques ou fourcas. 74. Le gourvenail. 75. Etambord. *Voy. le mot* ETAMBORD. *a b* est la queste ou la faillie de l'étambord. *a c* sa hauteur. *b e* sa largeur par le bas. *e f* sa largeur par le haut. *g b* la longueur du faux étambord. *h* la rablure, ou cannelure pour recevoir le bout des bordages des ceintes. *b d* l'extrémité de la quille, sa queste et son épaisseur. *o e* contre-étambord. *k* tenon qui entre dans une mortaise, afin que la partie extérieure de l'étambord s'entretienne mieux avec l'extrémité de la quille. 76. Caillebotis.

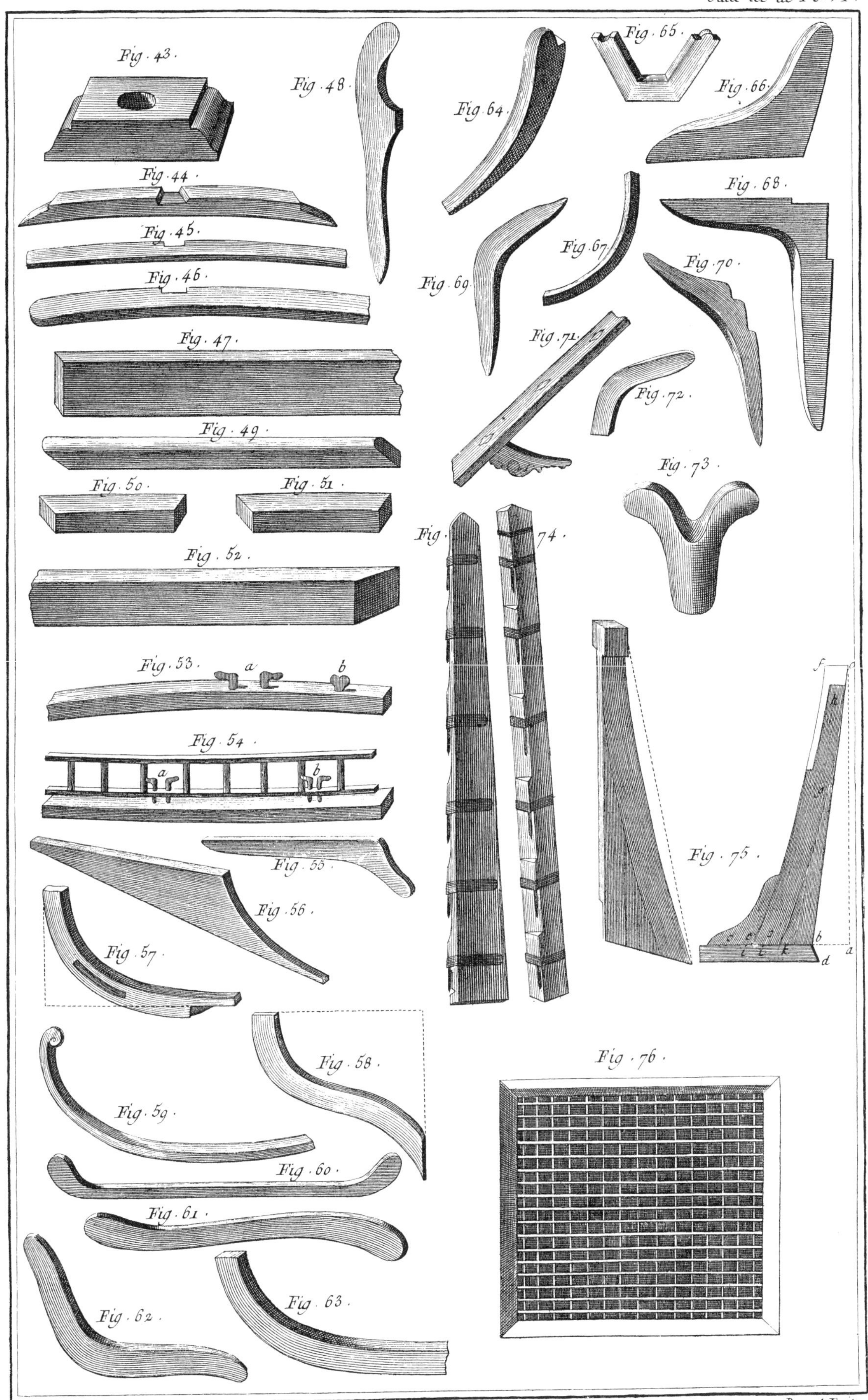

Sur les Desseins de M. Belin Ingenieur de la Marine

Benard Fecit.

Marine, Suite des différentes Pieces qui entrent dans la construction des Vaisseaux.

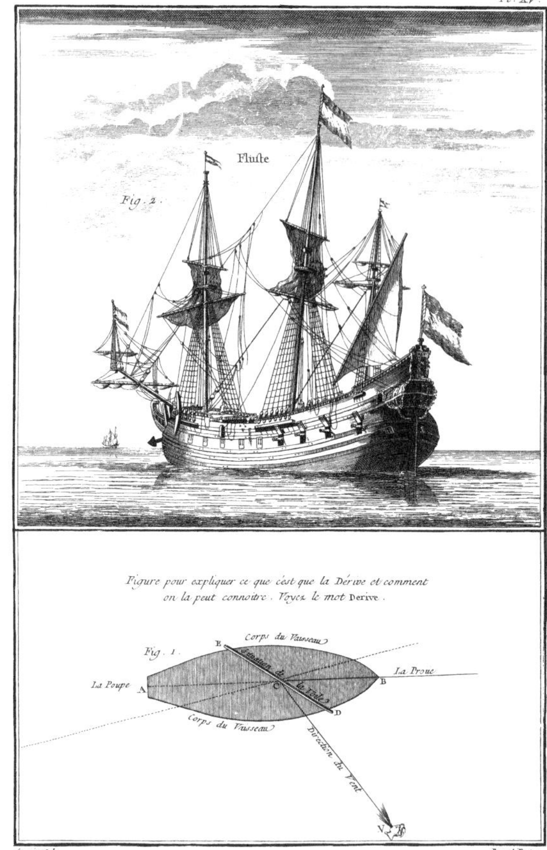

PLANCHE XIII. *(page 189)*

Fig. I. Hourque ou houcre, petit bâtiment inventé par les Hollandais pour naviguer dans leurs canaux. A gouvernail. B le timonier. C mât d'artimon. D vergue de sougue et sa voile carguée. E grand mât. F la vergue. G grande voile de serlée. H l'ancre.

2. Yacht ou yac, petit bâtiment ponté et mâté, qui tire fort peu d'eau, et qui est bon pour de petites traversées. A l'éperon. B la poupe. C gourvernail. D fanal. E bâton de pavillon. F girouette. G chambre à l'arrière. H sabords. I semelle. K la corne. L le grand mât. M bout de beaupré. N voiles serlées.

PLANCHE XV.

Fig. I. Relative à la manière de connaître la dérive. Les noms des parties sont gravés sur la Planche.
Voyez l'article DERIVE.
2. Flûte.

Sur les Desseins de M.r Bellin Ingenieur de la Marine

Benard Fecit

Marine

PAVILLONS

PLANCHE XVII.

Des pavillons que la plupart des nations arborent en mer.

Fig. I. Pavillon royal de France ; il est blanc semé de fleurs-de-lis d'or, chargé des armes de France, entouré des colliers de l'ordre de S. Michel et du S. Esprit, et deux anges pour support.

2. Etendard royal des galères de France ; il est rouge semé de fleurs-de-lis d'or, chargé des armes de France, entourées des colliers des ordres de S. Michel et du S. Esprit.

3. Autre étendard des galères de France ; il est fendu et de trois bandes rouge, blanche et rouge, la blanche chargée d'un écusson en ovale des armes de France.

4. Pavillon des vaisseaux de Roi ; il est blanc.

5. Pavillon des marchands français ; il est rouge semé de fleurs-de-lis d'or, chargé des armes de France.

6. Pavillon des marchands français suivant l'Ordonnance de 1689 ; il est bleu traversé d'une croix blanche, chargé des armes de France, entourées des colliers des ordres de S. Michel et S. Esprit.

7. Autre pavillon des marchands français ; il est de sept bandes mêlées à commencer par la plus haute blanche, bleue, ainsi de suite.

8. Pavillon de Normandie, il est mi-parti bleu et blanc.

9. Pavillon de Provence, il est blanc traversé d'une croix bleue.

10. Pavillon de la ville de Marseille ; il est blanc, au franc-quartier d'azur, chargé d'une croix blanche.

11. Pavillon de la ville de Calais ; il est bleu traversé d'une croix blanche.

12. Pavillon de la ville de Dunkerque ; il est blanc, au franc-quartier d'azur, chargé d'une croix blanche.

13. Autre pavillon de Dunkerque ; il est de six bandes mêlées à commencer par la plus haute, blanche, bleue, ainsi de suite.

14. Autre pavillon de Dunkerque ; il est blanc au franc-quartier, chargé d'une croix rouge.

15. Pavillon royal d'Espagne ; il est blanc, chargé des armes du royaume, qui porte coupé le chef parti au premier, écartelé de Castille et de Léon, au second d'Arragon, contre-parti d'Arragon, et de Sicile, le parti entre en pointe de Grenade, et chargé au point d'honneur de Portugal, la partie de la pointe écartelée au premier d'Autriche, au deux de Bourgogne moderne, au trois de Bourgogne ancien, au quatre de Brabant, sur le tout d'Anjou, l'écu entouré de l'ordre de la Toison d'or.

16. Autre pavillon royal d'Espagne ; il est blanc, chargé des armes du roi, qui sont écartelées de Castille et de Leon, sur le tout d'Anjou, l'écu entouré des ordres de S. Michel, du S. Esprit et de la Toison d'or.

17. Pavillon espagnol ; il est plein des armes du royaume, comme ci-dessus, *fig.* 15. ayant de plus la partie d'en bas entée en pointe, parti de Flandre et du Tirol.

18. Pavillon de Castille et de Leon ; il est blanc, chargé d'un écusson écartelé de Castille et de Leon ; c'est aussi le pavillon que portent les galères d'Espagne qui tiennent le premier rang.

19. Pavillon des galions d'Espagne de trois bandes, à commencer par la plus haute rouge, blanche et jaune ; la blanche chargée d'un aigle noir couronné et entouré de l'ordre de la Toison d'or.

20. Pavillon particulier d'Espagne ; il est de trois bandes, celle d'en haut rouge, celle du milieu jaune, et celle d'en bas bleue.

21. Autre pavillon particulier d'Espagne ; il est de trois bandes, rouge, blanche et jaune.

22. Pavillon de la ville de Barcelone ; il est bleu, chargé d'un moine vêtu de noir, tenant un chapelet.

23. Pavillon de la province de Galice ; il est blanc, chargé au milieu d'un calice ou coupe couverte d'or, accompagné de six croix rouges, trois de chaque côté.

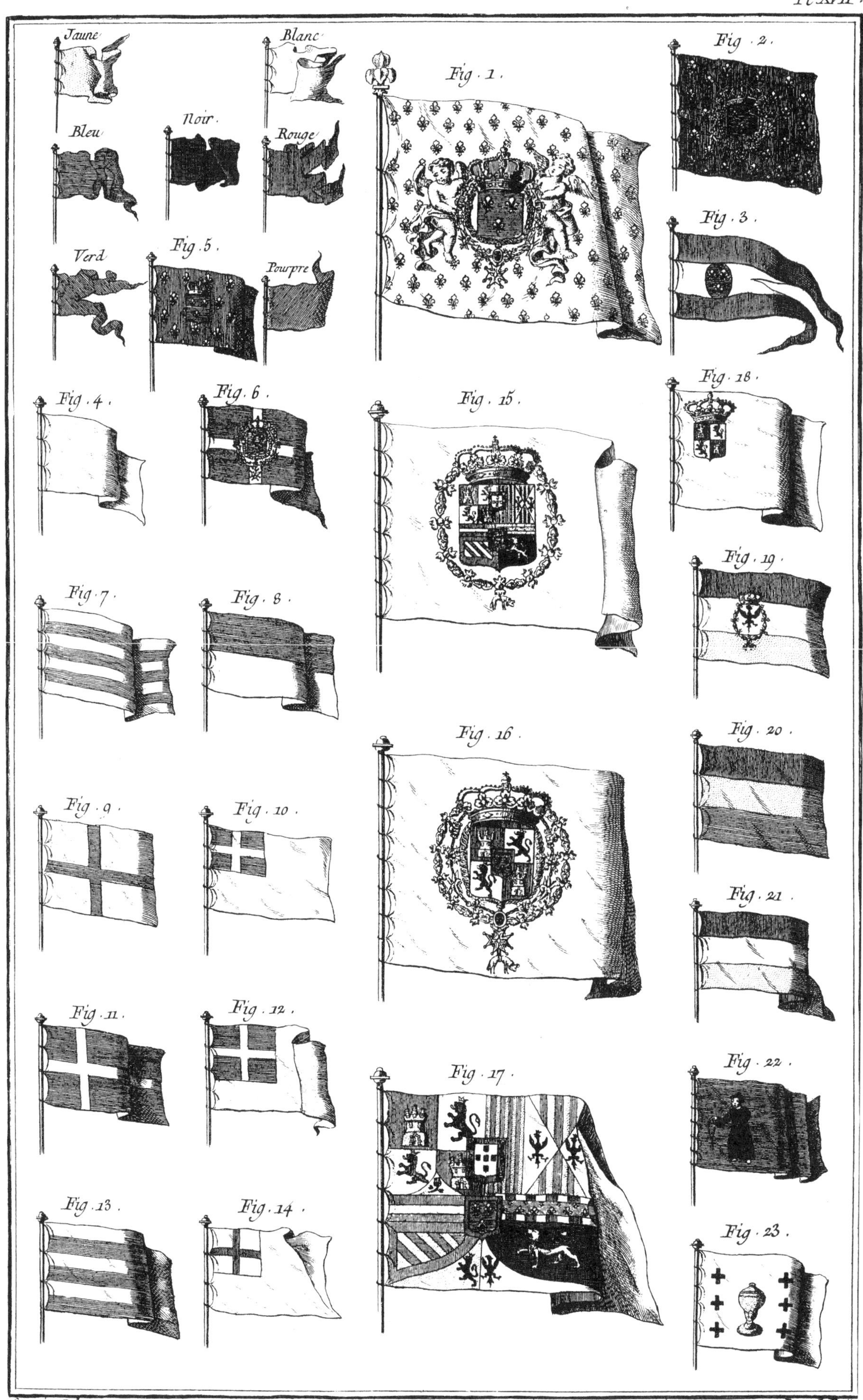

Goussier Del. Benard Fecit

Marine, Pavillons.

PLANCHE XIX.

Fig. 135. Pavillon de Sardaigne ; il est blanc, traversé d'une croix rouge, cantonné de quatre têtes de Mores.
136. Pavillon de Mantoue ; il est bleu, chargé d'une tête de femme, ayant un masque noir pour coiffure, à l'entour de la bordure est écrit *Al Bisogno Rassembra l'huomo, gira il fato.*
137. Pavillon d'Ancone ; il est de deux bandes, rouge et jaune.
138. Pavillon de Majorque ; il est blanc, chargé des armes de cette île, qui sont écartelées au premier et quatrième de gueules à trois pals d'or, au second et troisième d'argent et de gueules, entés l'un dans l'autre, surmontés d'une couronne de duc ; il y a deux étendards bleus passés en sautoir, chargés chacun d'une tour d'or et deux canons de sinople aussi passés en sautoir ; au bas sont deux poignards d'azur garnis d'or.
139. Pavillon de Livourne ; il est blanc chargé d'une croix rouge, ayant une boule de même à chaque bout, qui se termine en demi cercle.
140. Pavillon des galères de Livourne ; il est rouge, bordé aux trois côtés de jaune, à écu rond, chargé au milieu d'une croix rouge pattée, à huit pointes rouges.
141. Pavillon de Dantzig ; il est rouge, chargé aux quatre coins de quatre croix d'argent, surmontées chacune d'une couronne royale d'or.
142. Autre pavillon de Dantzig ; il est rouge, chargé à senestre de deux croix pattées d'argent, surmontées d'une couronne de marquis.
143. Autre pavillon de Dantzig ; il est rouge, chargé à senestre de trois couronnes royales d'or.
144. Pavillon de Corse ; il est blanc, chargé d'une tête de More tortillée d'une bande blanche.
145. Pavillon de Hambourg ; il est blanc, chargé à senestre d'une tour de sable.
146. Autre pavillon de Hambourg ; il est rouge, chargé de trois tour d'argent, deux en chef, une en pointe.
147. Autre pavillon de Hambourg ; il est bleu, chargé de trois tours d'argent, deux en chef, une en pointe.
148. Autre pavillon de Hambourg ; il est rouge, chargé d'un château d'argent donjonné de trois donjons de même.
149. Autre pavillon de Hamboug, il est rouge chargé d'une tour d'or à senestre.
150. Pavillon de Königsberg ; il est de sept bandes, quatre blanches et trois bleues, chargé d'un écusson d'argent à l'aigle éployé de gueules, tenant une épée de chaque serre.
151. Autre pavillon de Königsberg ; il est de six bandes, trois noires et trois blanches.
152. Pavillon d'Elbing ; il est de deux bandes, blanche et rouge, chargées chacune d'une croix pattée rouge et blanche.
153. Pavillon de Memel ; il est de trois bandes, une jaune entre deux vertes.
154. Pavillon de Lübeck ; il est de deux bandes blanche et rouge.
155. Autre pavillon de Lübeck comme ci dessus, mais chargé d'un aigle à deux têtes, éployé de sable, ayant sur l'estomac un écusson, partie d'argent et de gueules, tenant de sa serre droite une épée d'azur, et de la gauche un sceptre d'or surmonté d'une couronne d'or.
156. Pavillon de Lunebourg ; il est rouge, chargé d'un cheval volant d'or.
157. Pavillon de Middelbourg ; il est de trois bandes jaune, blanche et rouge.
158. Pavillon de beaupré de Middelbourg ; il est rouge, chargé d'une tour crénelée d'or.
159. Pavillon de Rostock ; il est jaune, chargé d'un grisson rouge.
160. Autre pavillon de Rostock ; il est de trois bandes bleue, blanche et rouge.
161. Pavillon de Flessingues ; il est rouge, chargé d'une urne d'argent, couronnée de même.
162. Pavillon de Brême ; il est de neuf bandes, cinq rouges et quatre blanches, au pal à senestre chiqueté de même.
163. Autre pavillon de Brême ; il est de quatre bandes, deux bleues et deux blanches.
164. Pavillon de beaupré de Were en Zélande ; il est rouge, chargé d'un écusson de sable, à la bande d'argent.
165. Pavillon de Stralsund ; il est rouge, chargé d'un soleil d'or.
166. Pavillon de Stetin ; il est de deux bandes blanche et rouge, chargé de deux belettes de même.
167. Pavillon de Wismar ; il est de six bandes, trois rouges et trois blanches.

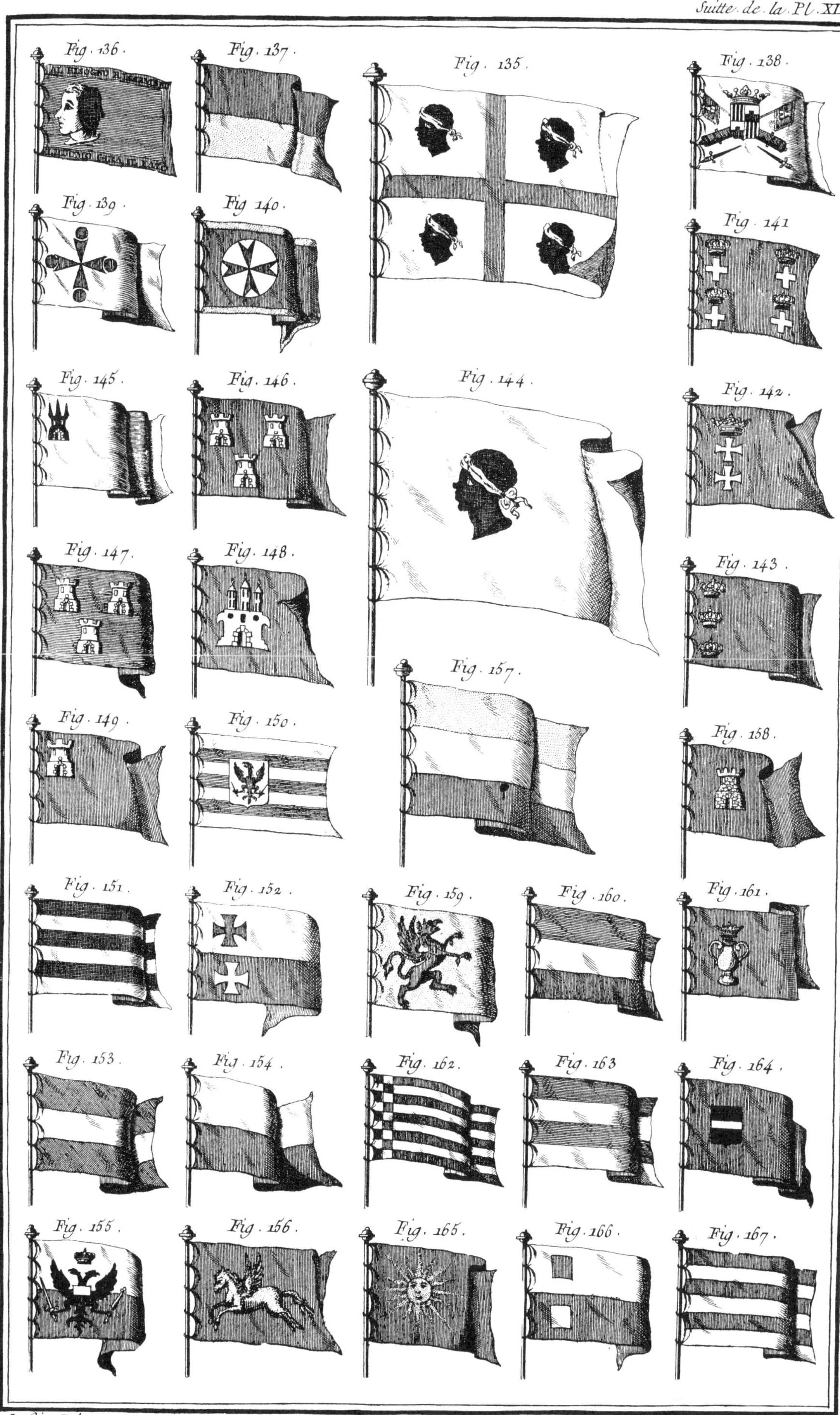

Goussier Del. Benard Fecit.

Marine, Pavillons.

SIGNAUX

PLANCHE XXIII.

Fig. I. Pour appareiller. Quand le général veut faire appareiller tous les vaisseaux de sa flotte pour faire voile, il donne le signal convenu dans l'ordre ; celui que je donne ici est de deux fanaux ou lanternes attachées, l'une dans les haubans du grand hunier, et l'autre à celui de beaupré. Il ne faut pas compter le grand fanal de l'arrière, qui brûle en tout temps de nuit.
2. Pour distinguer les vaisseaux de nuit. Le général peut distinguer tous les vaisseaux de sa flotte pendant la nuit par un signal de correspondance, suivant l'ordre donné à chacun en particulier, qui avertit les officiers qui sont dessus, de faire telles et telles choses, ou de lui venir parler à son bord. Le signal ci-joint, que je donne, est une lanterne fichée au bâton de l'arrière.
3. Pour revirer. Revirer, c'est faire tourner un vaisseau par la manœuvre des voiles et par le jeu du gouvernail. Cet ordre est ici donné par une lanterne mise au bâton de l'arrière comme la précédente, et par une autre à l'un des haubans du mât de beaupré, avec un coup de canon tiré à poudre.
4. Pour mettre à la cape l'amure à tribord. Mettre à la cape ou à la tête, c'est faire tourner un vaisseau par le moyen du gouvernail, sur le rumb ou air de vent que l'on veut suivre ; et l'amure à tribord, c'est de maintenir la direction de la route vers la droite du vaisseau. Le signal que je donne ici est une lanterne attachée au bâton de l'arrière, avec un coup de canon.
5. Pour mettre à la cape l'amure à babord. Cette manœuvre est la même que celle que je viens de décrire, à la différence que la route doit être dirigée vers la gauche du vaisseau. Le signal que je donne ici, est une lanterne qui est attachée dans les haubans du grand hunier ; c'est la seconde partie du grand mât, et la troisième partie qui suit s'appelle *mât du grand perroquet*, et chaque partie à qui l'on donne aussi le nom de *mât*, a des échelles de cordes, que les marins appellent *haubans*, qui servent à monter jusqu'au bâton du mât du grand perroquet.
6. Pour mettre les voiles après la cape. La cape signifie la tête, la proue, l'avant, et l'éperon du vaisseau : mettre les voiles après la cape, c'est mettre la proue ou l'éperon d'un vaisseau sur un rumb de vent du compas ou de la boussole qui soit parallèle à la quille du vaisseau : ce qui se fait par la disposition et la manœuvre du gouvernail, et par celle des voiles, pour faire route sur quelques objets qu'on veut suivre et attraper, qu'on ne quitte point de vue, et que la cape ou la tête du vaisseau regarde toujours. Le signal, qui est joint ici, est un pavillon blanc, mis au bâton du mât du grand perroquet, avec deux coups de canon.
7. Pour un vaisseau incommodé. Vaisseau incommodé, se dit d'un vaisseau qui, lors d'un combat se trouve avoir perdu quelqu'un de ses mâts, ou qui est en danger de périr par la quantité d'eau qu'il fait par les trous des boulets de canon. Pour demander du secours, il se sert d'un signal convenu par l'ordre du général. Celui que je donne ici sont six lanternes ou fanaux, la première est attachée à l'un des haubans du grand mât, la seconde à l'un des haubans du grand hunier, la troisième à l'un des haubans du mât de misaine, la quatrième à l'un des haubans du hunier ou le troisième mât de misaine, la cinquième à l'un du mât d'artimon, ainsi que la sixième à son mât de hune.
8. Pour la découverte de la terre ou de quelques dangers. Le capitaine d'un vaisseau qui aperçoit le premier une terre que l'on cherche, soit pour y faire une descente, soit que l'on craigne quelques dangers sur la côte, ou qu'il s'y trouve lui-même en péril, ne tarde pas d'en donner avis, par un signal pris d'après l'ordre. Celui que je donne ici est de quatre fanaux ou lanternes, la première est accrochée à l'un des haubans du grand mât, la seconde à l'un des haubans de son grand hunier, la troisième à l'un des haubans du mât de misaine, et la quatrième au hunier d'artimon.

Marine, Signaux de correspondance Maritime.
Signaux pour la nuit.

PLANCHE XXIV.

Fig. 9. Pour appareiller de jour. Appareiller, c'est de lever les ancres, les voiles, et mettre toutes les manœuvres en état de faire route ou faire voile. Cet avis se donne de la part du général, par un signal pris d'après l'ordre qu'il a communiqué à tous les capitaines de l'escadre, comme je l'ai dit ci-devant. Celui que je donne ici est de mettre au bâton du grand perroquet le grand pavillon blanc, ainsi qu'au bâton de l'arrière, avec un coup de canon tiré à poudre.

10. Pour appeler les capitaines à bord. Quand le général veut appeler les capitaines à son bord, pour les attendre sans jeter l'ancre à la mer ni abaisser les voiles, il fait seulement mettre son vaisseau en panne, c'est le faire virer vent devant ou de proue, au lieu de vent d'arrière ou poupe, qui est l'ordinaire ; cette manœuvre est observée dans le petit vaisseau ci joint, où l'on voit la direction du vent sur les pavillons et les girouettes, avec très peu d'impression sur les voiles. Le signal est celui de l'ordre qui se renouvelle toujours après quelque affaire, à cause des prisonniers ; pour qu'il ne soit point révélé, le général ne le donne jamais à terre ; ce n'est que lorsque la flotte qu'il va commander est sortie du port, et qu'elle est à la rade ; c'est être ancré à la vue du port ou de quelques côtes. Le signal que je donne ici est le pavillon blanc mis au bâton du grand mât, et des girouettes aux autres mâts, ainsi qu'à l'arrière.

11. Pour appeler les capitaines avec leurs principaux pilotes. Lorsque le commandant veut consulter les capitaines et les principaux pilotes, il fait mettre son vaisseau en panne, et il les appelle par un signal qui leur a été communiqué par son ordre. Celui qu'on voit au petit vaisseau est un grand pavillon rouge posé au bâton de l'arrière.

12. Pour parler au commandant. L'officier qui a quelque avis à donner au commandant, donne son signal de correspondance, le commandant lui en donne un autre, et pour l'attendre il fait mettre son vaisseau en panne. Le signal que je donne ici est un coup de canon tiré à poudre.

13. Pour la découverte des vaisseaux. Dans l'ordre donné par le commandant, le premier vaisseau qui commence à découvrir quelques vaisseaux égarés de son escadre, doit aussitôt en donner avis aux vaisseaux de la flotte, par un signal désigné dans l'ordre ; il met le premier son vaisseau en panne, en contrariant le vent, il les attend, et tous les autres de l'escadre en doivent faire autant. En temps de guerre pareil avis se donne aussi pour se tenir sur ses gardes. Le signal que je représente ici est un grand pavillon blanc mis au bout du bâton de l'arrière et de la girouette du grand mât et de celles de misaine et d'artimon.

14. Pour faire passer les vaisseaux derrière le commandant. Cette manœuvre se fait en deux occasions : la première, quand il s'agit de se mettre en ligne pour un combat, et le commandant en prendre la droite ; la seconde, lorsqu'il veut se mettre en ordre de marche, il en prend la tête. Il est bien entendu que le vaisseau du général doit être en panne pendant cette manœuvre ; ce signal est comme les autres pris d'après l'ordre. Celui qu'on voit ici est deux girouettes aux mâts de misaine et d'artimon, et d'une au bâton de l'arrière.

15. Pour la découverte d'une terre où l'on veut aborder. Un capitaine qui reconnaît le premier une terre où l'on doit descendre, fait mettre son vaisseau en panne, il en avertit le général et tous les vaisseaux de l'armée par un signal convenu dans l'ordre. Celui qui se trouve ici est désigné par trois girouettes, l'une mise au grand mât, et deux autres à ceux de misaine et d'artimon, avec le grand pavillon blanc au bâton de l'arrière.

16. Pour la découverte de quelques dangers. L'on pourra suivre l'explication qui se trouve au n°8. qui est la même que celle que je pourrais donner ici, il n'y a de différence que celle du signal de nuit à celui du jour ; ce petit vaisseau a les mêmes signaux que le précédent, et il y a de plus un coup de canon tiré à poudre.

Marine, Signaux de correspondance Maritime.
Signaux pour le jour.

PLANCHE X.

La vignette représente, dans l'intérieur de la forge, la manière d'encoller le premier bras sous le gros marteau. On voit une partie du drome côté Δ ; la même lettre se rapporte aussi à la bascule de la pelle de la roue du marteau et au bâton Δ *m,* au moyen duquel on l'ouvre ou on la ferme. M le ressort qui renvoie le marteau. R le marteau. Q bois debout emmanché qui soutient le marteau élevé. B B, C C, D D grue de la chaufferie Œ des bras. *a d* lien ou support de cette grue. G *e* coulisse qui porte la demilune *p,* qui est suspendue par des chaînes à l'S *n* accrochée à l'émerillon *m l,* qui l'est lui-même au trevier *b e* accroché à l'extrémité *e* de la coulisse. G H jauge pour faire avancer la coulisse.

La grue de la chaufferie Æ, porte la crémaillère qui suspend la verge ; près de l'autre chaufferie Œ est la fosse couverte de madriers.

Fig. I. Forgeron qui avec un tourne-à-gauche soutient le devers de la verge, pour que le plan des couvertures soit parallèle à la table de l'enclume. O V la verge à laquelle les ouvriers, *fig.* I. et 2. ont fait faire un demi-tour sur elle-même dans le crochet de la crémaillère, en même temps que suspendue par la seconde grue ils ont conduit l'amorce sur l'enclume ; dans le même temps les ouvriers de la seconde chaufferie apportent aussi le bras B P suspendu par la demi-lune *p,* qui l'est elle-même par des chaînes de fer à l'S qui est accroché à l'émerillon *m,* suspendu par le trevier *l e.* Les ouvriers dirigent le mouvement du bras au moyen de la griffe à bras *h k* R qui embrasse sa patte, de manière que l'amorce qui est en dessous et a été chauffée en cette situation à la forge Œ, vienne se placer sur l'amorce de la verge placée sur l'enclume S ; en même temps le maître ancrier placé dans l'angle que forme la verge avec le bras, porte avec une règle de fer la mesure de la distance entre un point marqué sur la verge et la pointe du bec de la patte, pour que le bras ait avec la verge l'inclinaison requise ; cette distance est égale à la corde de l'arc que le bras représente. Le bras mis en situation, l'ouvrier, *fig.* 7. quitte le ringard qu'il tient dans ses mains, tire la perche *m* Δ pour donner l'eau à la roue du marteau ; à la première levée le bois debout Q tombe de côté, ou est retiré par un autre ouvrier, les coups les plus violents se succèdent avec rapidité, pour profiter de la chaude suante que l'on a donnée aux deux pièces : c'est aussi par la même raison que les opérations que nous venons de décrire s'exécutent avec la plus grande célérité, en sorte que le bras est encollé, c'est-à-dire soudé à la verge, en moins de temps qu'il n'en faut pour lire la description de l'opération.

2. Autre forgeron qui tient la culasse de la verge pour pousser l'amorce sur l'enclume.

3. et 4. Forgerons qui tiennent le gouvernail de la griffe du bras et le conduisent vers l'enclume.

5. Autre forgeron qui tient l'extrémité du gouvernail de la griffe pour pousser le bras et faire appliquer son amorce sur celle de la verge.

6. Forgeron qui tire à lui la jauge pour pousser la coulisse de la grue à l'extrémité de laquelle le bras est suspendu.

7. Forgeron qui se dispose à pousser en joint avec son ringard le bras qui est présenté sur l'enclume.

Bas de la Planche.

Fig. I. Croisée de l'ancre dont les deux bras sont encollés. V *u* partie de la verge. V collet de la verge. B *p* le bras qui a été encollé le premier. B P le second bras. B *o,* B O le rond des bras. Près de *u* il y a de petites étoiles qui servent de repères pour porter la mesure dont on a parlé, et faire que les distances *u p, u* P soient égales, ou que les bras soient également écartés. *a a* anneau de corde dont la verge est entourée, pour empêcher la demi-lune de glisser le long de la verge. 1, 2 : 1,3 vides qui restent au collet et entre les bras ; on remplit ces vides avec des mises quarrées et des mises plates ; les mêmes vides se voient aussi de l'autre côté de l'ancre.

2. La même croisée vue de côté extérieur, où on voit les vides 3 et 3 qui doivent être remplis avec les mises quarrées et les mises plates. V tenon de la verge pris entre les tenons des bras qui lui sont soudés, l'un dessus et l'autre dessous. V *p,* V P les bras. V *o,* V O le rond des bras. *o p,* O P les pattes.

3. Mise plate vue par dessus, et destinée pour le collet I, 2 de la verge.

La mise *b e* est soudée au bout d'un ringard *e r,* qui sert à la transporter facilement de la chaufferie sur le collet I, 2 où elle est soudée par le gros marteau, c'est la partie arrondie ou le dessous dans cette figure, qui a reçu à la chaufferie une chaude suante, ainsi que le côté du collet auquel on veut l'adapter.

4. Mise plate vue par dessous, et destinée pour l'autre côté du collet de la verge. Cette mise *a c* de même soudée à un ringard *c r* est vue du côté convexe, qui est celui que l'on présente à la tuyère ; après que les mises sont soudées on coupe les ringards avec la tranche ou le couperet.

5. Mise plate pour le vide I, 3 du bras, vue par dessous ou du côté qu'elle doit être chauffée. *a r* ringard.

6. Mise quarrée pour remplir le vide du bras, vue par dessous ou du côté qu'elle doit être chauffée ; on place cette mise avec la mise plate. *b r* ringard.

7. Autre mise plate pour le vide de l'autre bras, vue par dessus ou du côté que frappe le marteau. *b, r r* son ringard.

8. Autre mise quarrée pour le vide de l'autre bras, vue par dessus ou du côté que frappe le marteau.

9. Une patte vue du côté concave opposé au bras. *a b* talon de la patte. *p* le bec.

10. Une patte vue du côté convexe ou du bras, où on distingue les façons 1 P : 2 P du bec P. A B talon. O naissance du rond du bras : ces deux dernières figures sont dessinées sur une échelle double.

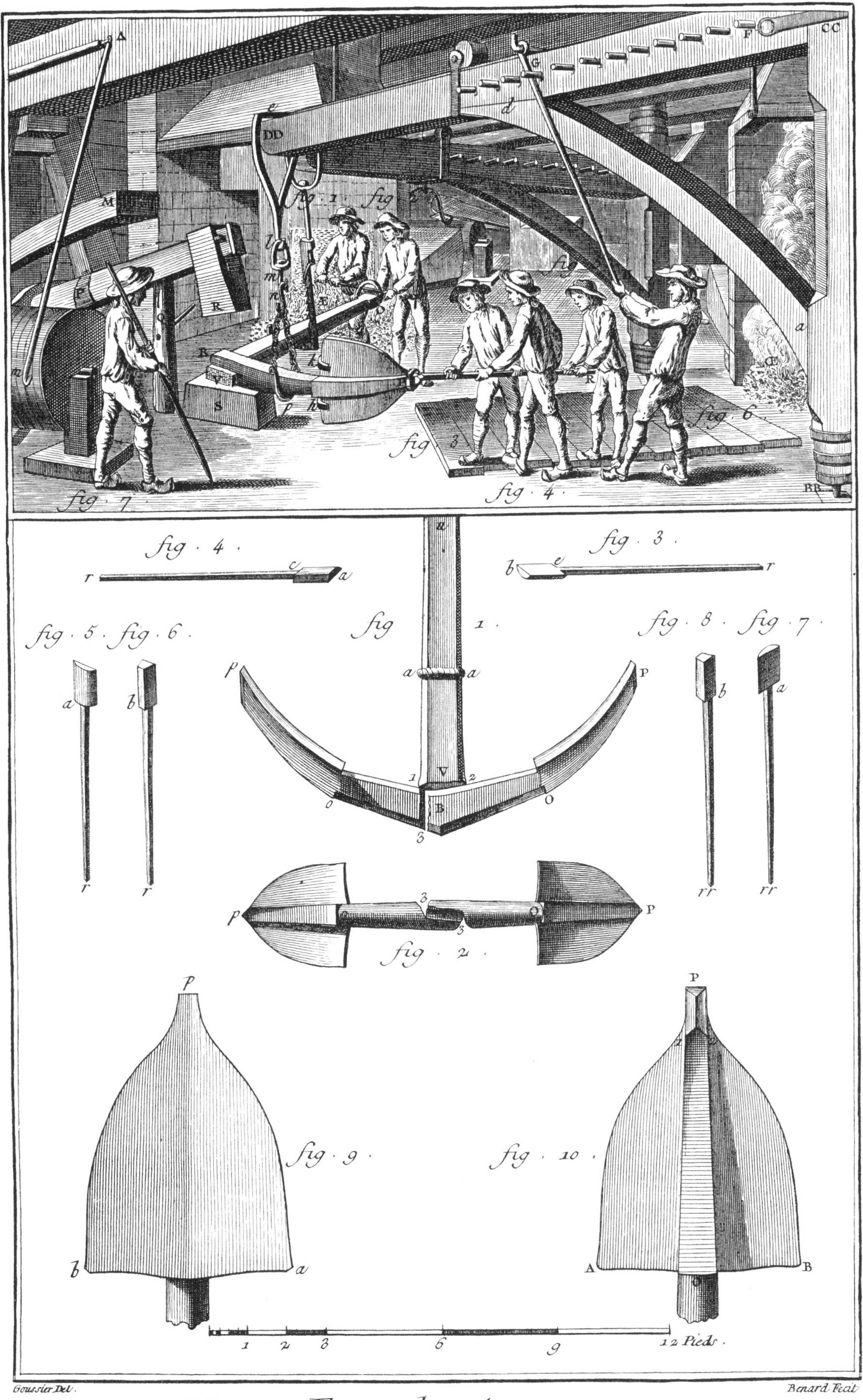

Goussier Del. Benard Fecit

Marine, Forge des Ancres,

l'Opération d'Encoler le premier Bras.

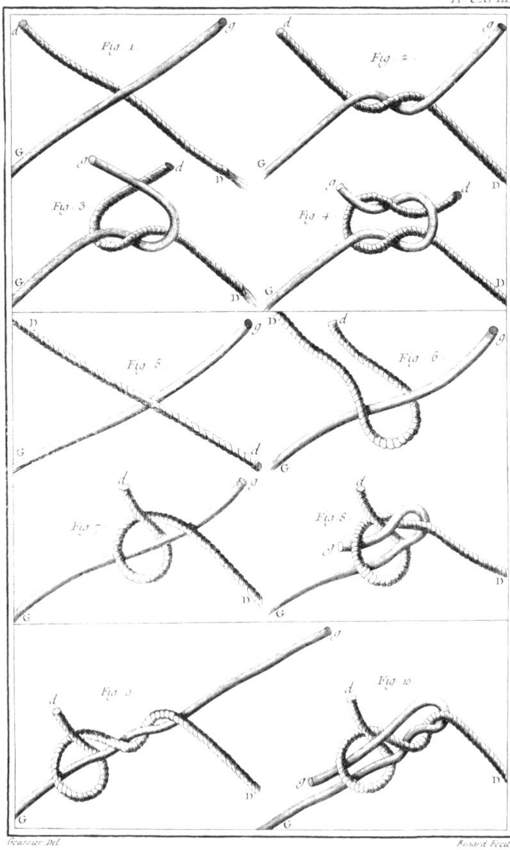

NŒUDS

PLANCHE CXVIII.

Cette Planche et les suivantes, contiennent la formation des différents nœuds en usage dans la fabrique des étoffes, soit pour réunir les parties de la soie, ou pour les différents cordages et agrès du métier. Dans toutes les figures où on représentera la réunion de deux fils ou de deux cordages, la lettre G indiquera celui qui est tenu par la main gauche, la lettre *g* le bout qu'il faut nouer : de même, les lettres D et *d* indiqueront le fil et son extrémité pour la main droite.

Fig. I. Premier temps de la formation du nœud plat. G *g*, la soie, fil, ficelle ou corde, tenu en G par la main gauche. *g*, bout du fil. D *d*, la soie, fil, ficelle ou corde, tenue par la main droite. D *d*, le bout du fil. On a eu attention de ne point faire câbler le premier fil, pour le mieux distinguer du second dans ses différentes circonvolutions. Le premier temps de la formation de ce nœud consiste à poser en croix le fil de la main gauche sur celui de la main droite.

2. Le second temps consiste à faire passer le bout *g* du fil gauche par dessous le fil D de la main droite, ou, ce qui revient au même, le fil *d* de la main droite par dessus le fil G de la gauche.

3. Troisième temps. Il faut mettre le bout du fil gauche *g* sur le bout du fil droit *d*, de manière qu'ils se croisent.

4. Quatrième temps de la formation du nœud plat. Il faut tenir de la main gauche le bout *g* du fil de cette main, faire passer le bout *d* dans la boucle du fil gauche ; il faut ensuite serrer en tirant chaque fil de son côté.

5. Premier temps de la formation du nœud à l'ongle. Il consiste à poser le fil de la main droite D *d*, sur le fil de la main gauche, en sorte que les deux bouts *d* et *g* soient vers la droite.

6. Second temps. Il faut faire repasser le fil de droite par dessous celui de la gauche ; ils sont arrêtés en cet état par le pouce et le premier doigt de cette main.

7. Troisième temps. Il consiste à ramener le fil D de la droite dans la fourche que forment les bouts *d* et *g* des deux fils.

8. Quatrième et dernier temps de la formation du nœud à l'ongle. Il faut faire repasser le bout *g* du fil gauche dans la boucle du fil de la droite, et serrer ensuite en tirant les fils D et G chacun de leur côté.

9. Les deux derniers temps de la formation du nœud nommé à l'ongle double. Les trois premiers temps étant les mêmes que pour le nœud précédent, il consiste à faire passer le fil gauche *g* sous le fil droit.

10. Dernier temps de la formation du nœud à l'ongle double. Il faut faire passer le bout *g* du fil gauche dans la boucle du fil droit, et serrer ensuite.

PLANCHE CXIX. *(page 201)*

Cette Planche contient la formation de deux nœuds d'un usage fréquent dans la fabrique, savoir le nœud tirant et la nœud coulant, en cinq temps chacun.

Fig. I. Premier temps de la formation du nœud tirant. Il faut disposer parallèlement les deux bouts de la ficelle qu'on veut réunir.

2. Second temps de la formation du même nœud. Il consiste à former vers la gauche une boucle avec le bout *g* du fil de la gauche passé en dessus.

3. Troisième temps. Il consiste à faire passer en dessous le bout *g* du fil gauche dans la boucle qu'il a formée, de manière qu'il embrasse en dessous le fil de droite.

4. Quatrième temps. Il faut ramener en dessous le fil *d* de la droite et former une boucle.

5. Cinquième temps. Il faut faire passer le bout *d* par dessous le fil de la gauche et le faire entrer dans la boucle que le même fil a formée, serrer ensuite.

Les cinq figures suivantes représentent la formation du nœud coulant fait à un bout d'une seule ficelle ; le bout de la ficelle sera indiqué par la lettre B, et sa longueur par la lettre F.

6. Premier temps de la formation du nœud coulant. Il faut, avec le bout B, former un anneau.

7. Second temps. Il faut faire passer le bout B dans l'anneau.

8. Troisième temps. Faire repasser le même bout B dans l'anneau, en réservant une boucle vers le bas.

9. Quatrième temps. Faire avec le bout B un tour autour de la corde F, et ramener le bout par dessous lui-même.

10. Le nœud entièrement achevé et dont toutes les circonvolutions sont serrées sur elles-mêmes.

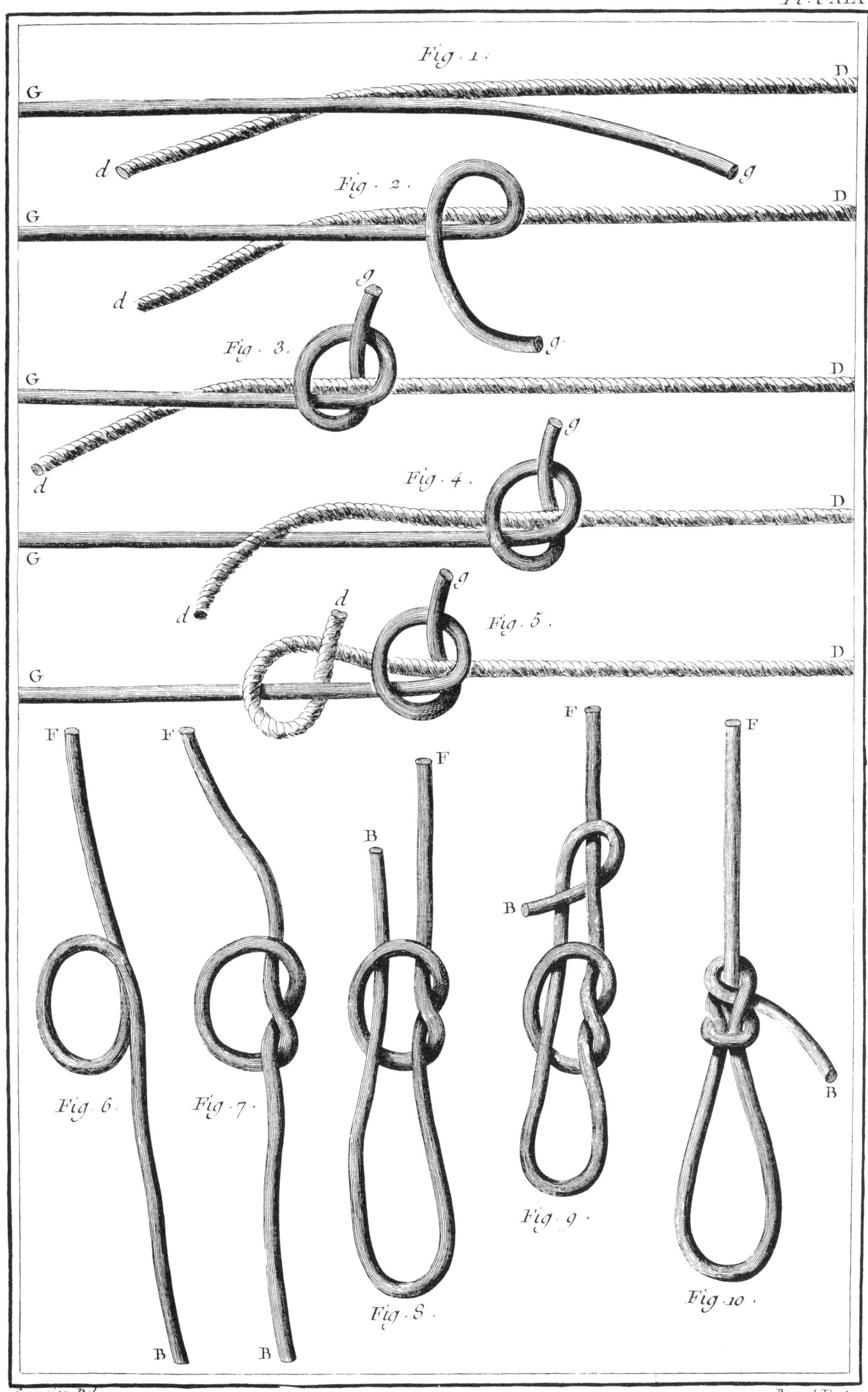

Goussier Del. Benard Fecit.

Soierie, Nœud Tirant et Nœud Coulant, les différens temps de leur formation.

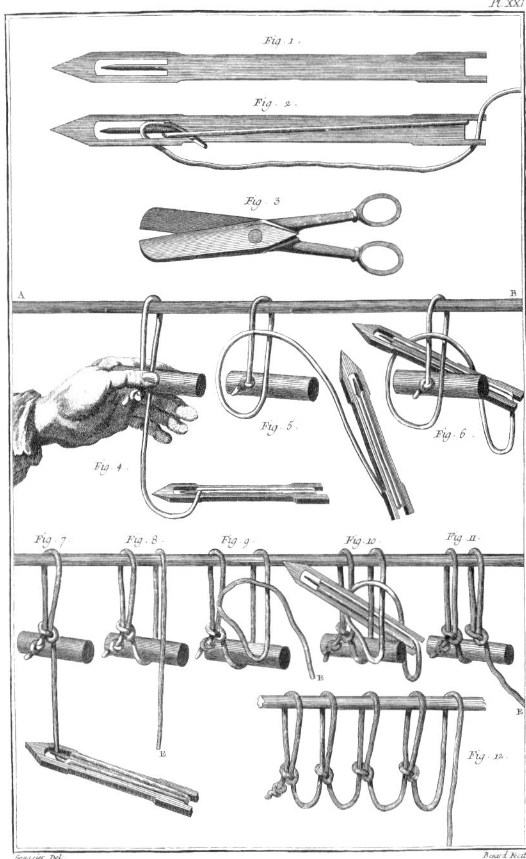

FABRIQUE DES FILETS
PLANCHE Ière. *(page 203)*

Fig. I. Jauge des mailles du filet, depuis quatre lignes jusqu'à deux pouces.
2. Jauge des mailles de la lisière supérieure du filet.
3. Aiguille vide.
4. Aiguille chargée.
5. 6. 7. Moules de la maille du filet.
8. Moule de la maille de la lisière du filet.
9. Flottes.
10. Pêcheur qui fait un filet.
11. Pêcheur qui arrête la maille de la lisière.
12. Femme qui attache les flottes.
13. 14. 15. 16. 17. Aiguille avec son peloton, pelotons de fil, moule, habitation du pêcheur.
18. Autre habitation du pêcheur.
19. 20. 21. 22. Rouet et rateaux de corderie à l'usage du pêcheur.
23. Pêcheur qui descend le fil ou la corde à filet, son câble dans la chaudière à goudron.
24. Pêcheur qui goudronne son câble.
25. Chaudière à goudronner sur son trépied.

PLANCHE XXI.

Fig. I. Aiguille sur laquelle on place le fil pour, après qu'elle en est chargée, servir à lacer le filet ; il y en a de toutes grandeurs pour servir aux différents fils, ficelles ou cordes dont on compose les filets.
2. La même aiguille chargée d'un tour de fil. Pour charger ou couvrir l'aiguille, prenez un peloton de fil, et en mettez le bout sur l'aiguille, posant le pouce de la main gauche dessus, et tenant le reste du fil dans la main droite, vous le ferez passer par l'ouverture pour en faire deux tours dessus le tenon de l'aiguille ; ce qui étant fait, menez le fil dans la coche et tournez l'aiguille de l'autre côté pour faire passer le fil sur le tenon par l'ouverture, puis le ramenez dans la coche pour repasser encore ce fil, et continuez de même, tant que l'aiguille soit assez chargée. Toutes les fois qu'on voudra faire passer ce fil dessus le tenon, il ne faudra que le pousser du pouce, la pointe du tenon sortira, ce qui donnera la facilité de passer le fil par derrière sans le mettre en double dans l'ouverture de l'aiguille.
3. Les ciseaux dont les pointes sont camuses.
Les figures suivantes représentent la manière de former les pigeons, levures ou premières mailles d'un filet.
4. Le moule ou cylindre de bois de saule tenu par le pouce de la main gauche et le premier doigt. Après avoir formé un nœud à l'extrémité du fil, et l'avoir passé par dessous la corde A B, sur laquelle on ourdit le filet, on ramène le nœud et le fil sur le moule où ils sont retenus par le pouce, comme la figure le représente ; et c'est le premier temps de la formation du pigeon.
Dans les figures suivantes il faut concevoir que la main gauche y est représentée.
5. Le second temps de la formation du pigeon. On rejette le fil en haut et sur la gauche, en sorte qu'il forme une boucle qui entoure le pouce.
6. Troisième temps de la formation du pigeon. On passe l'aiguille par dessous les deux fils qui sont contenus par le pouce, observant de la faire sortir par dedans la boucle formée précédemment.
7. Dernier temps de la formation du premier pigeon. Il consiste à tirer le fil pour serrer le nœud qui embrasse les deux branches du pigeon.
8. Premier temps de la formation du second pigeon. On a supprimé l'aiguille placée au prolongement du fil E.
9. Second temps de la formation du second pigeon ; l'aiguille placée en E a aussi été supprimée.
10. Troisième temps de la formation du second pigeon ; l'aiguille est passée sous les deux fils et dans la boucle.
11. Quatrième temps où le second pigeon est entièrement formé.
Les autres pigeons se forment de la même manière.
12. Quatre pigeons et le commencement d'un cinquième faisant partie de la levure d'un fil.
Pour faire la levure d'un filet qui étant étendu, se trouve de la grandeur qu'on le désire, il faut que la levure soit deux fois aussi longue. Exemple. Vous voulez que le filet soit long comme depuis A jusqu'à B, poursuivez cette façon de mailler jusqu'en C, qui est le double de la longueur A B, parce que les mailles étant ouvertes de côté et d'autre, le filet se raccourcira de moitié. Ayant maillé la longueur nécessaire, ouvrez les mailles des deux côtés, et passez-y une ficelle et nouez les deux bouts ensemble, la levure sera faite.

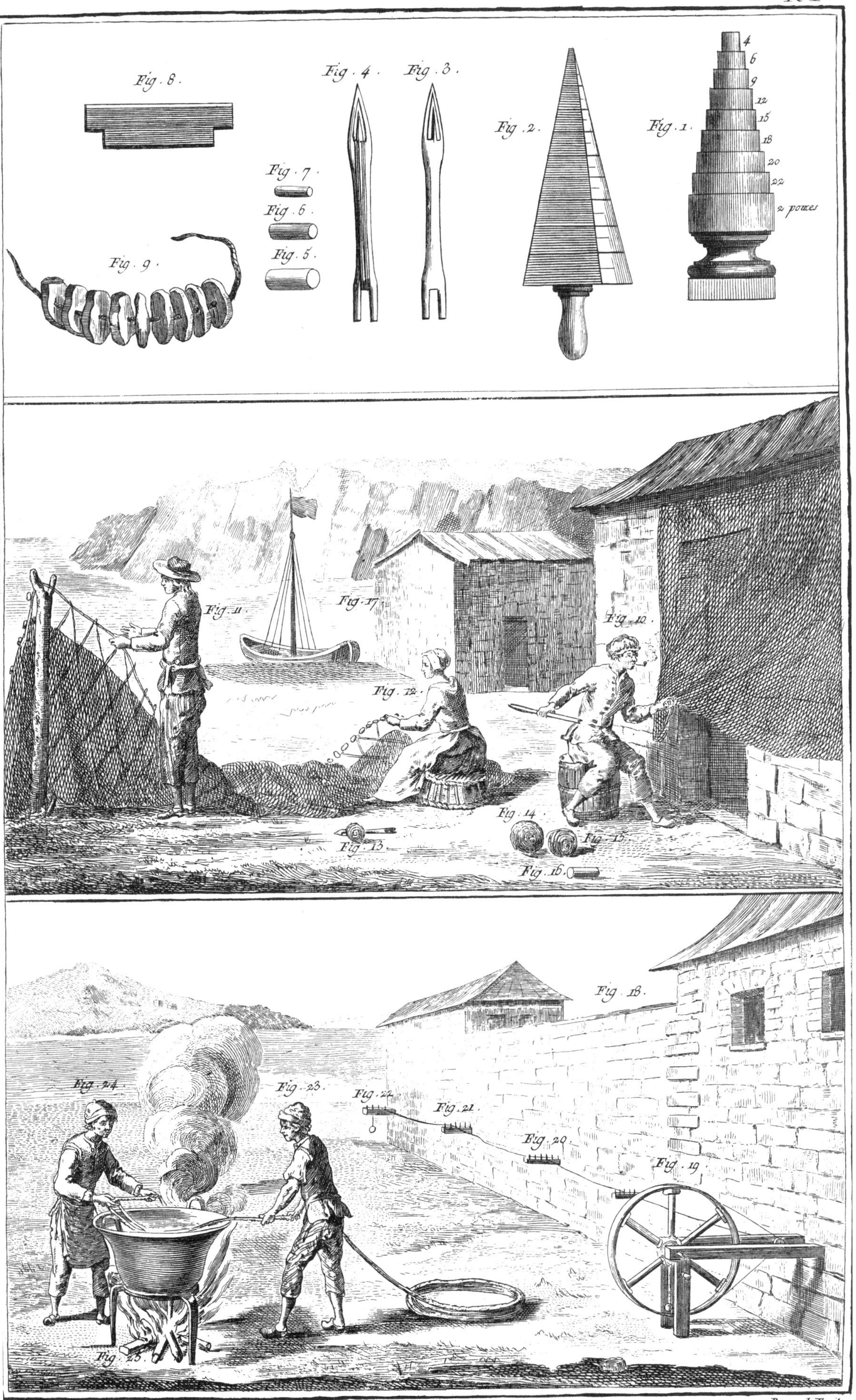

Goussier Del. Benard Fecit

Pesches de Mer. Fabrique des Filets.

PÊCHE DE MER

PLANCHE II.

Fig. I. Salicots. *a*, planche qui conduit de la rive à la pêcherie. *b*, pêcherie. *c d*, pêcheuses sur la planche qui vont à pêcherie. *e*, pêcheuse qui a plongé son filet et qui le retire. f, pêcheuse qui l'a retiré. *g*, pêcheuse qui le tient au fond de l'eau. *h*, pêcheuse qui le descend. *i*, *k*, *l*, *m*, cases de la pêcherie. *n*, pieux qui soutiennent les cases. *o*, filets. *p*, pieux qui soutiennent la planche. *q*, bâtiments en mer.
2. Manche ou guideau. *a*, *b*, guideau posé. *c*, *d*, pêcheurs dans leur bateau.
3. Acon. *a*, *b*, *c*, *d*, pêcheurs occupés à préparer leur pêche.
4. Haveneau à la mer avec bateau ou chaloupe. *a*, bateau ou chaloupe. *b*, *c*, pêcheurs. *d*, ancre. *e*, *f*, manches du filet attaché au bord de la chaloupe. *g*, *h*, *i*, filet qui se retire à l'aide des manches *e*, *f*.

PLANCHE IV. *(page 205)*

Fig. I. Echiquier. *a*, pêcheur qui plonge son échiquier. *b*, échiquier. *c*, *d*, bâton ou manche.
2. Pêches à la fouanne, à la fichure et au trident. Pêcheurs. *a*, *b*, *c*, *d*, occupés à ces sortes de pêches. *e*, bateau. *h*, trident. *f*, fichure. *g*, fouanne.
3. Chaudière ou caudrette. *c*, *b*, pêcheurs. *b*, caudrette.
4. Verveux ou rafle. *a*, *b*, *c*, *d*, *e*, *f*, *g*, *h*, verveux tendu. *h*, pointe du sac ou chausse attachée à un pieu. *a*, *c*, *d*, *b*, sac ou chasse. *g*, *d*, *b*, *h*, ailes ou entrée du filet. *d*, *e*, corde attachée à un pieu servant à fixer le filet.
5. Bout de quievre ou grand haveneau. *a*, *b*, pêcheurs. *a*, pêcheur qui tient son filet debout. *c*, pêcheur qui pousse son filet. *c*, *d*, *e*, filet. *c*, *d*, cornes sur lesquelles le filet poussé glisse.
6. Grand haveneau. *a*, *b*, *c*, pêcheurs. *a*, pêcheur à son filet qu'il a relevé. *b*, *c*, pêcheurs à la rame. *e*, *f*, *g*, filets.

Goussier Del. Benard Fecit

Pesches de Mer. Echiquier. Pesches à la Fouanne, à la Fischure, au Trident. Chaudiere ou Caudrette Verveux ou Rafle. Bout de Quievre ou grand Saveneau. Grand Haveneau.

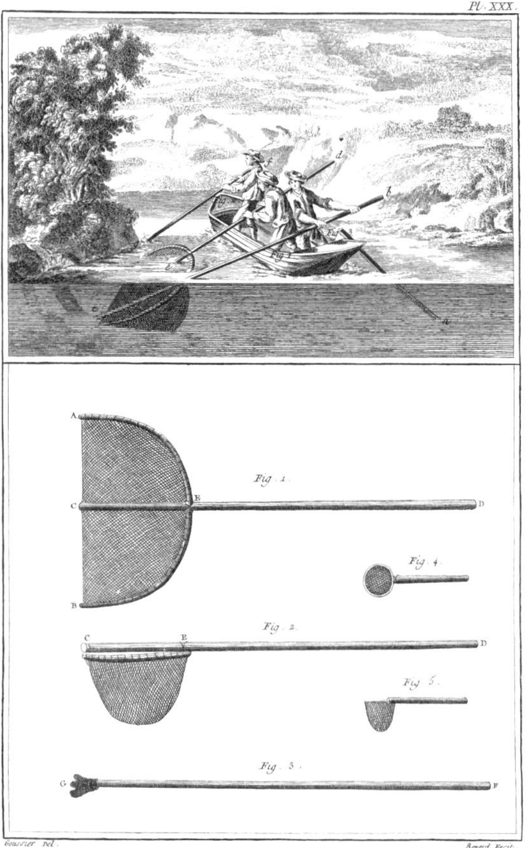

Pêche avec la Truble

PÊCHE DE RIVIÈRE

PLANCHE XXX.

La vignette représente la manière de pêcher avec la truble.

Pour faire cette pêche, trois hommes dans un bateau vont auprès des crones ou creux sous les berges. Le maître pêcheur, *fig.* I. descend la truble dans l'eau au pied de la berge en la tenant par le manche *d e*. Ses deux compagnons, *fig.* 2. et *fig.* 3. après avoir arrêté le bateau au moyen de quelque perche *a*, prennent chacun un bouloir *b c*, *f g*, avec lequel ils foulent le fond et le dessous des crones aux deux côtés de la truble ; cela fait, le maître pêcheur la relève le plus promptement qu'il peut en se servant du bord du bateau comme d'un point d'appui, et pesant sur l'extrémité *d* du manche de la truble.

Bas de la Planche.

Fig. I. Plan de la truble. C D, le manche. E A, E B, les enlarmes ou alarmes. A B, corde à laquelle le filet qui forme le sac de la truble est enlarmé.

2. Profil de la truble. C E D, le manche.

3. Bouloir dont se servent les compagnons du maître pêcheur ; c'est un bâton F G, de douze ou quinze pieds de long, l'extrémité G est garnie de quelques pièces de vieux chapeau pour effrayer le poisson et le chasser d'autant mieux dans la truble.

4. Puisette servant aux pêcheurs à la ligne pour enlever les gros poissons qui sont pris à leur ligne, et éviter en passant cet instrument par dessous le poisson lorsqu'il est à fleur d'eau, la rupture de la ligne, ou que le poisson ne se déprenne.

5. Profil du même instrument qui est composé d'un manche de bois, d'un cercle de gros fil de fer sur lequel est monté un filet en forme de poche ; cet instrument ou un semblable à châssis quarré, sert à puiser le poisson qui est dans la boutique du bateau.

PLANCHE XXXI. *(page 207)*

La vignette représente la manière de pêcher avec le filet qu'on appelle *gille* : dans l'instant où le filet est pêchant, deux hommes sont dans le bateau, l'un manœuvre avec les avirons pour contenir le bateau en travers du courant de la rivière, et le second tient la corde de la queue du filet pour le relever ensuite ; on voit par la direction de la flèche qui indique le courant que le filet est jeté du côté d'amont.

Fig. 2. Plan du bateau dans lequel on voit le filet prêt à être jeté à l'eau ; la corde du plomb de ce filet, dont la forme totale est un cône ou chausse pointue, est arrêté sur deux tourets ou deux clous *a* et *b*, entre lesquels il y a environ le quart de la circonférence de la corde plombée de l'ouverture du filet ; en accrochant cette corde aux clous dont on vient de parler, on a l'attention de la tordre un demi-tour sur elle-même, pour que jetant le filet à l'eau en le renversant par dessus le bord du bateau, le filet se trouve accroché par sa partie intérieure comme la figure suivante le fait voir.

3. Plan du filet jeté à l'eau et dans l'état que la vignette représente. *a b*, quart de la corde du plomb qui est accrochée aux tourets, les trois autres parties sont ainsi disposées ; une partie descend du touret *a*, une autre du touret *b*, au fond de la rivière ; la troisième partie qui joint les deux autres traine sur le fond, en sorte que l'ouverture du filet forme comme un quarré dont un côté traîne sur le fond, et l'autre est attaché au bateau qui en dérivant plus vite que le filet, l'entraîne et le fait étendre du côté d'amont ; lorsque l'on veut fermer le filet, on le décroche au point *a* et *b*, cette partie du filet tombe au fond de l'eau, et le filet se trouve dans la position de la figure suivante.

4. Le filet entièrement jeté dans l'eau, le pêcheur qui est dans le bateau travaille à le relever au moyen de la corde qu'il tient dans ses mains ; à mesure qu'il tire cette corde, les plombs de l'ouverture du filet se rapprochent les uns des autres, et en ferment l'ouverture avant même que le filet ait quitté le fond de l'eau.

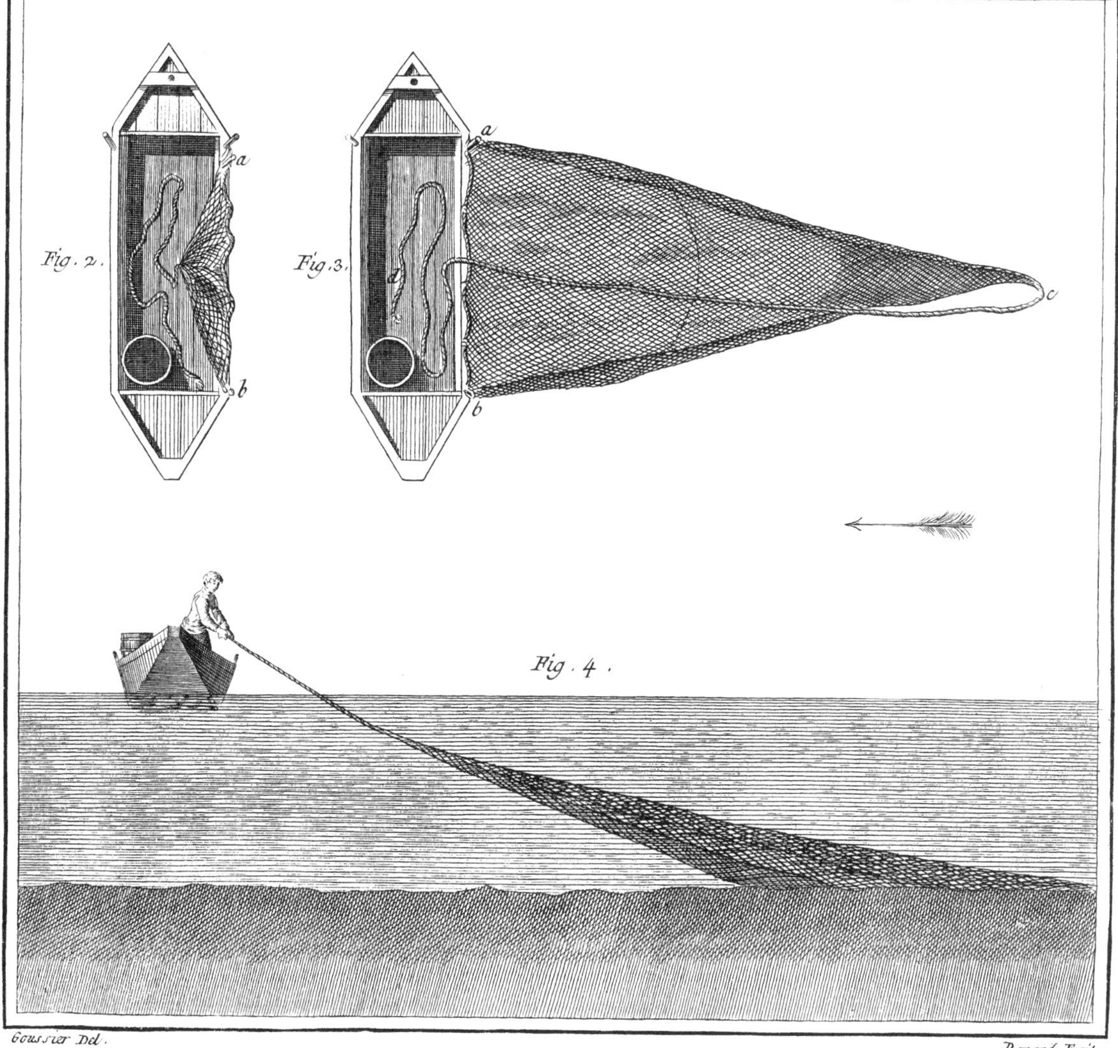

Goussier Del.

Benard Fecit.

Pêche, Pêche avec le Gille.

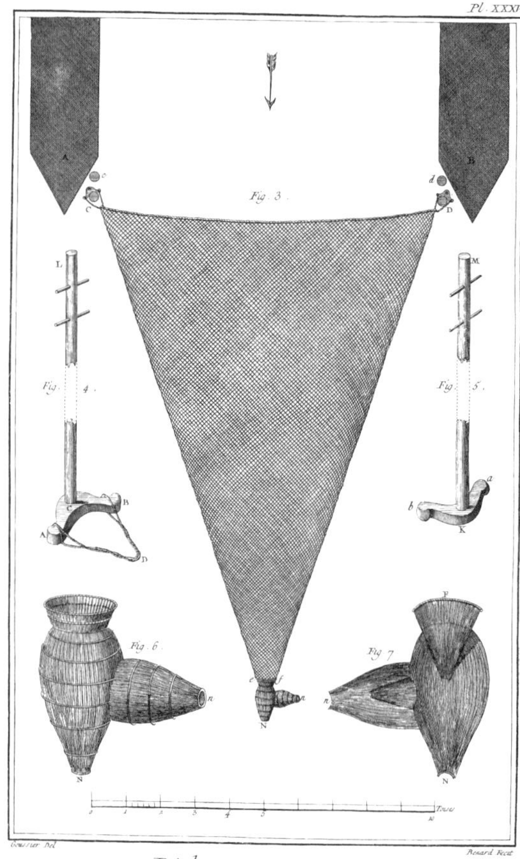

Pêche, Plan du Gord.

GORD

PLANCHE XXXIV. *(page 209)*

Gord, sorte de filet sédentaire établi à l'aval de l'arche d'un pont sur une eau courante ; tel est celui établi à Paris au pont Notre-Dame ; c'est celui que la vignette représente, ou ceux établis à Saint-Cloud, qui ne différent de celui-ci qu'en ce qu'ils sont plus petits, les arches de ce pont ayant moins d'ouverture. Le filet que l'on nomme aussi *guido*, est une grande chausse ou entonnoir dont l'ouverture *g h i k*, est un quarré, dont la longueur *g h* est égale à la largeur de l'arche, et la hauteur *h k* de quinze ou dix-huit pieds. Sa longueur jusqu'à la nasse N qui la termine est de douze à quatorze toises ; il est représenté tendu dans la vignette, en état de prendre le poisson. Le filet arrêté au pont par deux pieux, le long desquels les boucles qui terminent les quatre angles du quarré de son ouverture peuvent monter et descendre ; les boucles *g* et *h* sont à fleur d'eau ou peu élevées au dessus, les boucles de fond *i* et *k* sont arrêtées à une espèce de palonnier qui embrasse le pieu du côté opposé au filet ; on enfonce ces morceaux de bois, et par conséquent la partie du filet qui y est attachée au moyen de deux longs bâtons dont ils sont emmanchés, et que par cette raison on a nommés enfonçoirs. Au dessus des pieux dont on a parlé sont construits des cabinets *a* et *b*, dans chacun desquels il y a un treuil qui, au moyen d'une corde, sert à relever l'enfonçoir au dessus duquel il répond ; sur le milieu de l'arche est une galerie à laquelle les cabinets communiquent par des escaliers ; cette galerie contient trois treuils *p q r*, les deux des extrémités reçoivent les cordes *p s*, *r t* ; ils servent avec les deux treuils des cabinets, à relever le bas de l'ouverture du filet, et à rapprocher la corde du fond *i s t k* de la corde *g h* du dessus ; le troisième treuil *q* sert, au moyen de la corde *q o*, que l'on attache à l'extrémité du filet du côté de la nasse, à relever le filet hors de l'eau, pour le faire sécher au devant du vide de l'arche, après toutefois en avoir détaché la nasse N *n* qui est reçue dans le bateau ou la barque du pêcheur.

Bas de la Planche.

Fig. 2. Elévation géométrale du même filet tendu vu du côté d'aval. A C, B D, les deux pieux qui servent de guide aux boucles du filet et aux enfonçoirs, ces pieux en cachent d'autres qui sont semblables ; celui de derrière est relié à celui de devant par des moises et le chapeau qui les assemble ; c'est sur les chapeaux que sont construits les cabinets dans lesquels sont les treuils E et F, qui servent à relever les enfonçoirs. G H, corde du dessus du filet. G I, H K, côtés ou ailes du filet. I S T K, corde de fond du filet. N *n*, la nasse. I L, K M, les enfonçoirs. P et R, treuils dans la galerie pour relever au moyen des cordes P S, R T, le fond du filet, en même temps que les deux treuils E et F relèvent les enfonçoirs. Q O, corde du treuil du milieu pour relever entièrement le filet par la partie qui joint la nasse N.

PLANCHE XXXV.

Suite de la précédente, contenant le plan du gord et les développements nécessaires de la nasse et des enfonçoirs. *Fig.* 3. Plan du filet et d'une partie des deux piles de l'arche, à l'aval de laquelle il est placé, ainsi que la flèche le fait connaître. A et B, partie du plan des deux piles. C et D, plan des deux pieux qui servent de guide aux enfonçoirs ; on voit par ce plan comment les palonniers dont on a parlé embrassent le pieu du côté d'amont. *c* et *d*, plan des deux autres pieux qui, avec ceux côtés C et D, soutiennent les cabinets C D *f e*, le filet étendu, et auquel est adaptée la nasse *e* N *f*. 4. Enfonçoir vu du côté d'aval ou du côté de sa concavité, qui s'applique au pieu qui lui sert de guide. A B, le palonnier. C L, le manche ou enfonçoir proprement dit ; il est traversé de plusieurs chevilles ou échelons pour pouvoir le faire descendre en montant dessus : la partie supérieure est liée par la corde qui va au treuil d'un des cabinets ; on a fracturé le manche, parce que sa longueur n'aurait pas pu tenir dans la Planche. Cette figure ainsi que les suivantes, est dessinée sur une échelle double. A D B, corde à laquelle en D est attachée la boucle inférieure du filet. 5. Second palonnier vu du côté d'amont ou du côté convexe. *b* et *a*, crochet du palonnier. K M, manche. 6. Nasse en perspective dessinée sur une échelle quadruple. F, ouverture de la nasse qui se raccorde intérieurement avec l'extrémité du filet. N, petit bout de la nasse par lequel on fait sortir le poisson qui y est pris ; on ferme cette ouverture avec un tampon ou un morceau de filet. *n*, seconde nasse ou réduit de la grande nasse. 7. Coupe de la nasse et du réduit par le milieu de sa longueur.

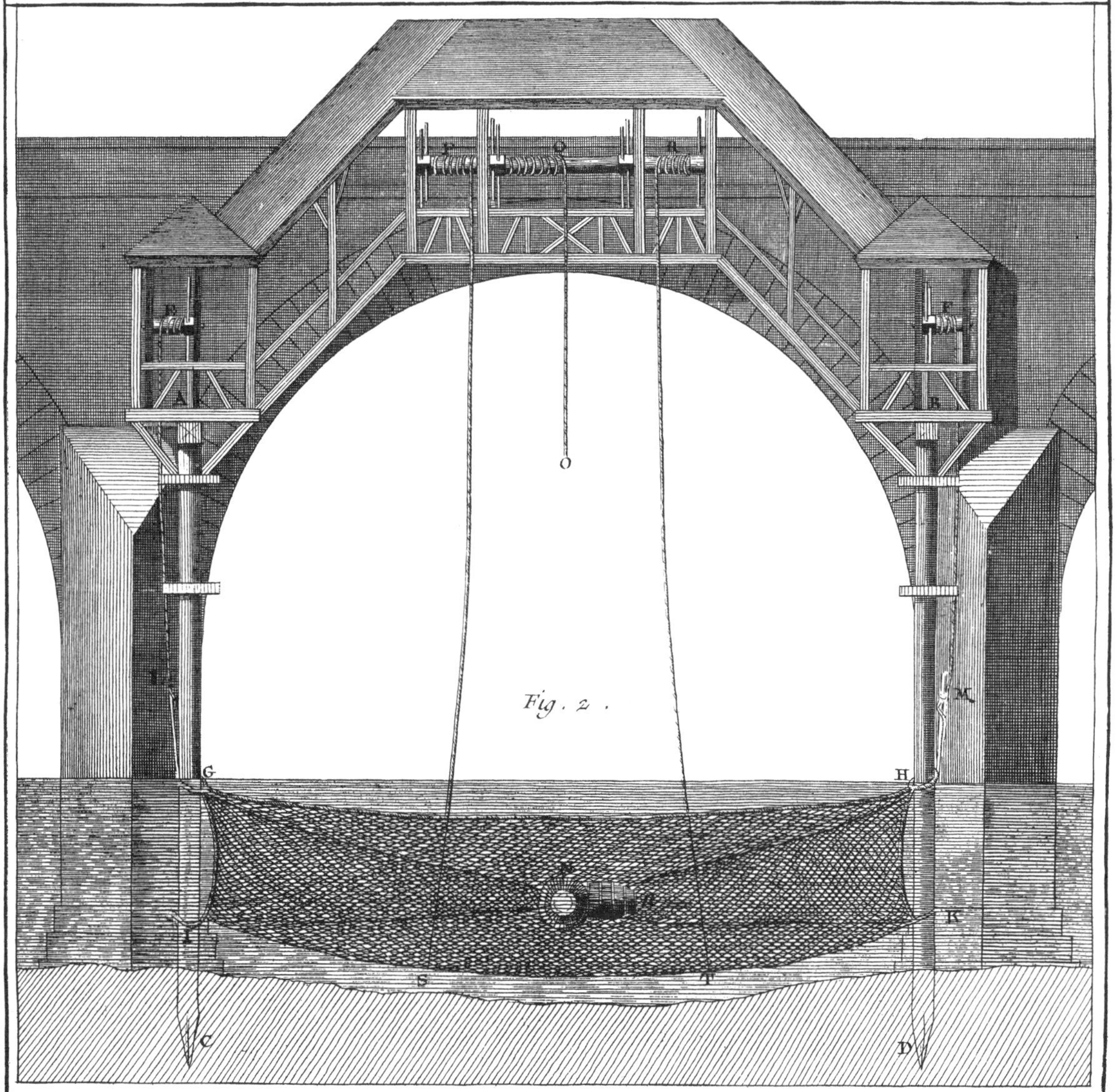

Fig. 2.

Goussier Del. — Benard Fecit.

Pêche, Gord, en Perspective et en Elévation.

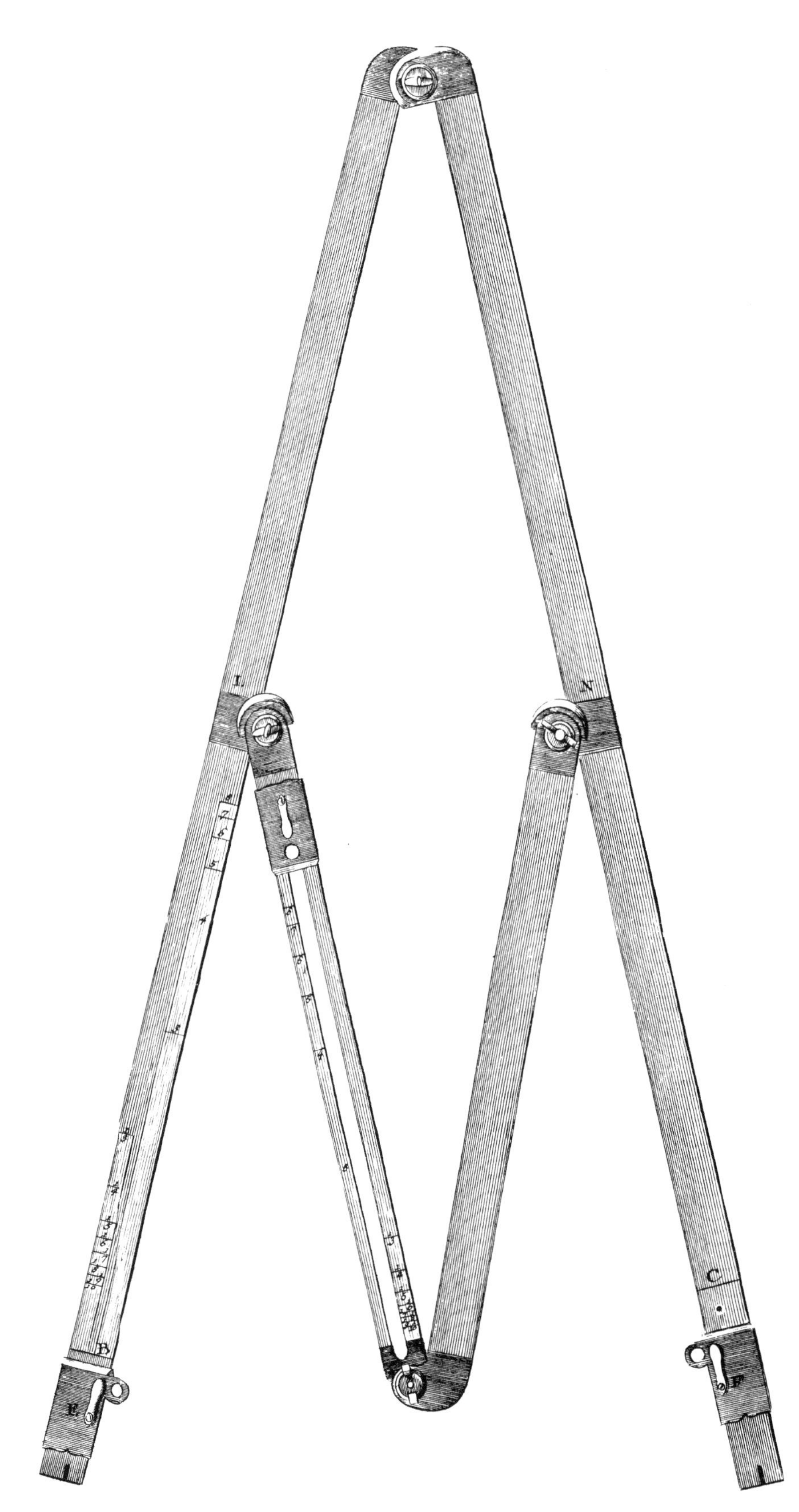
L
N
B
C
E
F

ARTS

« Nous invitons les artistes à prendre de leur côté conseil des savants et à ne pas laisser périr avec eux les découverts qu'ils feront. Qu'ils sachent que c'est se rendre coupable d'un larcin envers la société que de renfermer un secret utile ; et qu'il n'est pas moins vil de préférer en des occasions l'intérêt d'un seul à l'intérêt de tous, qu'en cent autres où ils ne se balanceraient pas eux-mêmes à prononcer. S'ils se rendent communicatifs, on les débarrassera de plusieurs préjugés, et surtout de celui où ils sont presque tous, que leur Art a acquis le dernier degré de perfection. Leur peu de lumières les expose souvent à rejeter sur la nature des choses un défaut qui n'est qu'en eux-mêmes. Les obstacles leur paraissent invincibles dès qu'ils ignorent les moyens de les vaincre. Qu'ils fassent des expériences, que dans ces expériences chacun y mette du sien ; que l'artiste y soit pour la main d'œuvre, l'Académicien pour les Lumières et les conseils, et l'homme opulent pour le prix des matières, des peines et du temps... »
Extrait de l'article ***Art****, Volume I, 1751.*

La suite des planches sur les arts et leurs commentaires sont de véritables petits traités sur le dessin, la gravure, l'architecture... Chacun est d'ailleurs écrit par un « maître de l'art » : l'architecte Jacques François Blondel, l'artiste Charles Nicolas Cochin, les graveurs Jean Baptiste Papillon et Benoît Louis Prévost. Ces articles présentent des créations contemporaines de cette époque, montrant la modernité des goûts des encyclopédistes.
Les planches sur l'Antiquité représentent des sculptures et des monuments romains très connus, montrant les rapports de filiation qu'entretiennent avec eux les bâtiments contemporains présentés dans le chapitre « Architecture » ou les dessins les plus parfaits expliqués au chapitre « Dessin ».

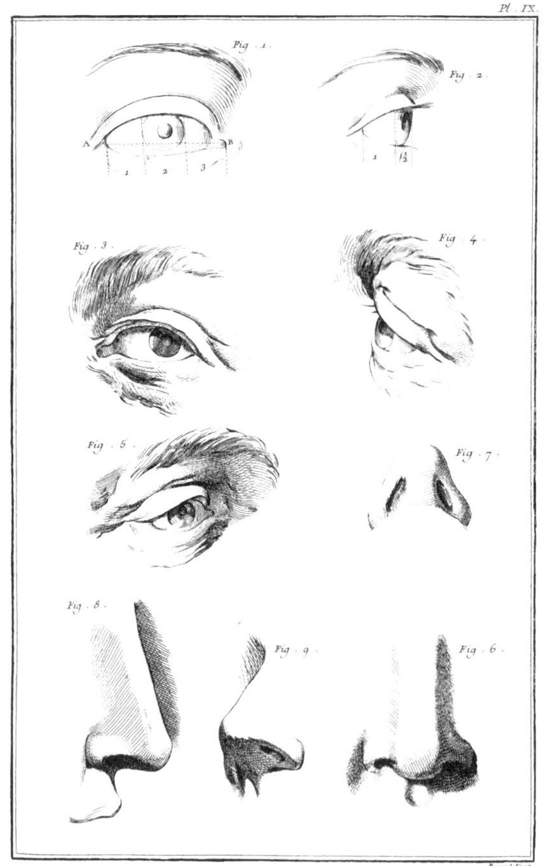

Dessein.

DESSIN

PLANCHE IX

Fig. I. Œil, vu de face. La longueur A B de l'œil se divise en trois parties, et une de ces parties donne la hauteur de l'œil.
2. Œil de profil. La hauteur occupe une partie, et la longueur une et demie, suivant la construction de la figure précédente.
3. Œil de face, regardant de côté.
4. Œil de profil, vu un peu en dessus.
5. Œil de trois quarts. Cet œil doit avoir moins de longueur que l'œil de face, et excéder celle de profil, la hauteur est la même.
6. Nez vu de face.
7. Nez vu en dessous.
8. Nez de profil.
9. Nez de trois quarts, vu en dessous.
Les deux premières figures ne sont qu'au trait, afin de donner un exemple de ce que nous avons nommé esquisses ; les autres figures sont ombrées.

PLANCHE X *(page 213)*

Fig. I. Bouche de face.
2. Bouche de profil.
3. Bouche de profil, vue un peu en dessus.
4. Bouche de face, vue en dessous.
5. Bouche de trois quarts, vue en dessous. Dans cette situation, la lèvre supérieure acquiert plus de largeur que l'inférieure.
6. Bouche de face, vue en dessus. Dans cette situation, la lèvre supérieure paraît plus mince que l'inférieure.
7 et 8. Oreilles vues en face.

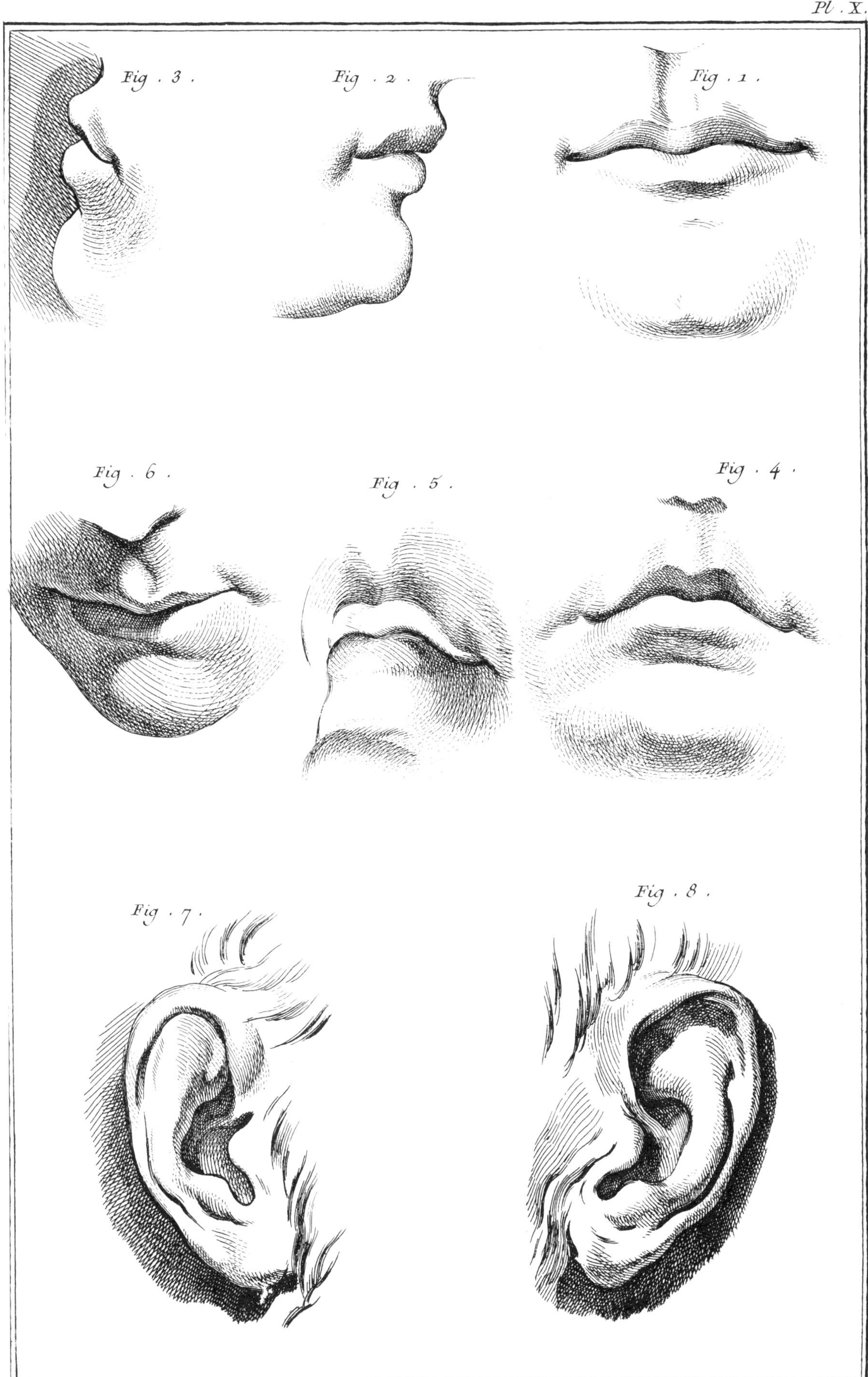

Benard Fecit.

Dessein,

PLANCHE XI

Fig. I. Tête de profil, d'après Raphaël.
2. Tête de profil, vue en dessous, d'après le même.

PLANCHE XXIII *(page 215)*

Fig. I. Tête de jeune homme, représentant l'adolescence, du dessin de Monsieur Boucher.
2. Tête de jeune fille, représentant l'adolescence, par le même.
3. Tête de vieillard, du dessin de Jouvenet.
4. Tête de vieille, du dessin de Blœmaert.

On ne doit pas prendre indifféremment tous les sujets qui se présentent pour servir de modèle ; les traits de la jeunesse sont quelquefois séduisants, sans être réguliers ; mais plus on sera touché par les beautés de l'antique, plus on sera habile à juger solidement des formes et des proportions les plus convenables.

La vieillesse a aussi ses difficultés et son caractère. Les traits abattus, les rides, les yeux plus enfoncés sont les lignes qui peuvent caractériser l'âge, mais il faut aussi que la noblesse des traits et les grandes formes s'y trouvent réunies.

D'ailleurs cette étude tient beaucoup à celle de l'expression, c'est à dire que toutes les têtes de vieillards ne sont pas propres à remplir l'objet du dessinateur : un artiste doit ici consulter autant la raison que les règles de l'art ; afin que les traits de l'homme qu'il prendra pour modèle, répondent à ceux de l'espèce d'homme qu'il veut représenter. Il en est de même de la jeunesse.

Prevost Fecit

Dessein, les Ages.

PLANCHE XII. *(page 217)*

Fig. I. Main ouverte, vue par la paume.
La main a la longueur d'une face de *a* en *b*, on la divise en deux parties égales au point *c*, dont une pour la paume de la main et l'autre pour les doigts.
Les doigts sont divisés en trois parties inégales, pour indiquer les jointures des phalanges ; la première phalange du côté de la paume de la main est plus grande que celle du milieu, et celle-ci plus grande que celle de l'extrémité du doigt.
2. Main ouverte, vue par la paume, les doigts un peu racourcis.
3. Main vue par le dos.
4. Main fermée.
Ces trois figures sont faites d'après des dessins de M. Ch. Vanloo.
5. Mains de femmes, vues par le dos, d'après M. Natoire.

PLANCHE XIII.

Fig. I. Pied vu en face.
Sa hauteur C D se divise en trois parties égales, une pour les doigts, et les deux autres pour le coup de pied. On divise aussi la largeur en trois parties ; la première, pour le pouce ; la seconde, pour les deux doigts qui suivent ; et la troisième, pour les deux autres doigts, en y comprenant l'épaisseur de l'orteil du petit doigt.
2. Pied vu de côté ou de profil.
Il a de longueur une tête. On divise la distance A B en quatre parties égales ; la première donne le talon ; la seconde, depuis le talon jusqu'à la plante du pied ; la troisième, jusqu'à l'orteil ; et la quatrième, la longueur des doigts.

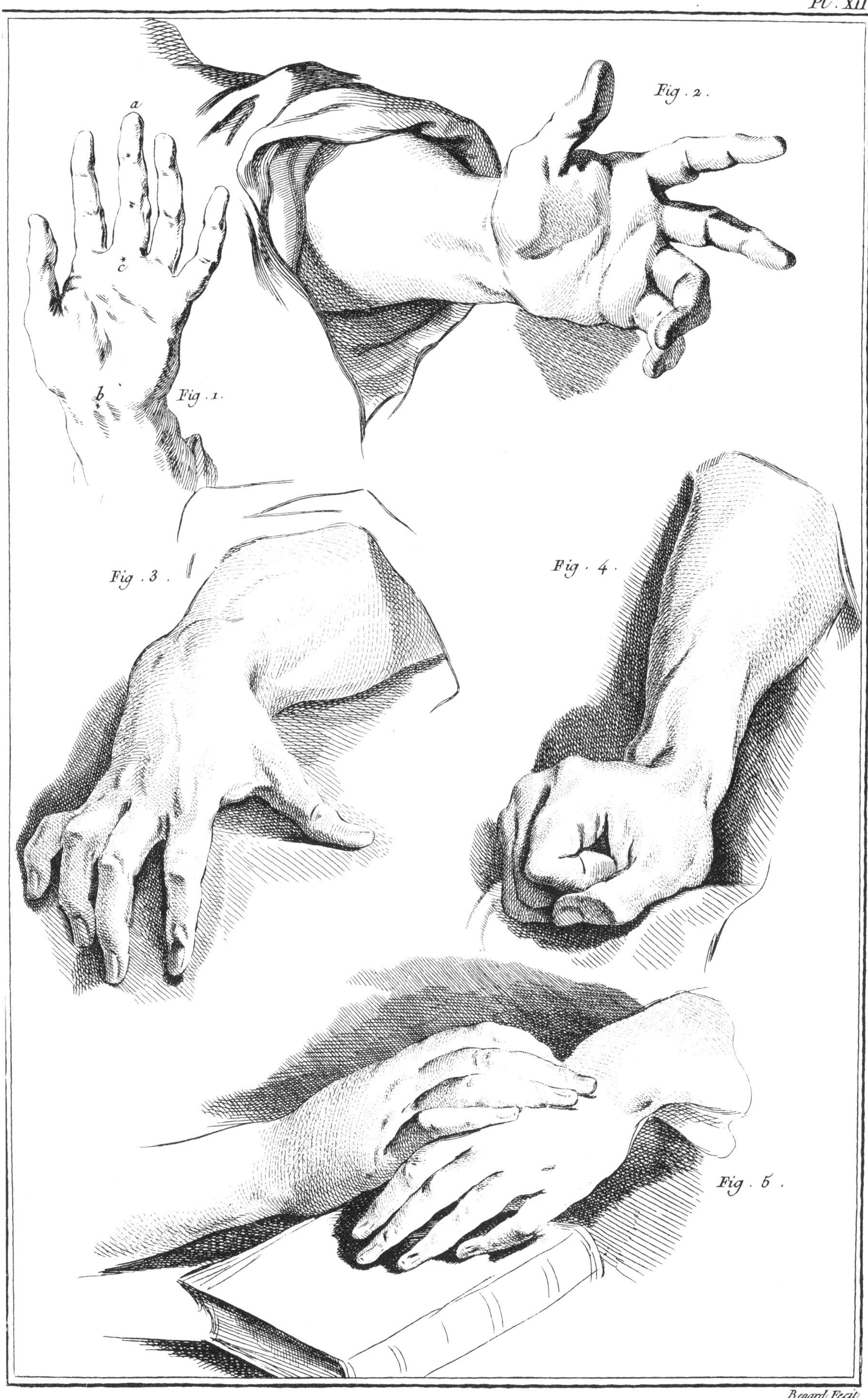

Benard Fecit

Dessein, Mains.

DES PASSIONS

PLANCHE XXIV.

Les figures et leurs explications sont d'après Le Brun.

Fig I. ***Admiration simple.*** Cette passion ne causant que peu d'agitation, n'altère que très peu les parties du visage ; cependant que le sourcil s'élève, l'œil s'ouvre un peu plus qu'à l'ordinaire. La prunelle placée également entre les paupières, paraît fixée vers l'objet, la bouche s'entr'ouvre et ne forme pas de changement marqué dans les joues.

2. ***Admiration avec étonnement.*** Les mouvements qui accompagnent cette passion ne sont presque différents de ceux de l'admiration simple, qu'en ce qu'ils sont plus vifs et plus marqués, les sourcils plus élevés, les yeux plus ouverts, la prunelle plus éloignée de la paupière inférieure et plus fixe, la bouche plus ouverte, et toutes les parties dans une tension beaucoup plus sensible.

3. ***La vénération.*** De l'admiration, naît l'estime, et celle-ci produit la vénération, qui lorsqu'elle a pour objet quelque chose de divin et de caché aux sens, fait incliner le visage, abaisser les sourcils, les yeux sont presque fermés et fixes, la bouche fermée : ces mouvements sont doux et ne produisent que peu de changement dans les autres parties.

4. ***Le ravissement.*** Quoique le ravissement ait le même objet que la vénération, considéré différemment, les mouvements n'en sont point les mêmes ; la tête se penche du côté gauche, les sourcils et la prunelle s'élèvent directement, la bouche s'entr'ouvre, et les deux côtés sont aussi un peu élevés. Le reste des parties demeure dans son état naturel.

PLANCHE XXV *(page 220)*

Fig. I. ***Le ris.*** De la joie mêlée de surprise naît le ris, qui fait élever les sourcils vers le milieu de l'œil et baisser du côté du nez ; les yeux presque fermés paraissent quelquefois mouillés, ou jeter des larmes qui ne changent rien au visage ; la bouche entr'ouverte, laisse voir les dents ; les extrémités de la bouche retirées en arrière, font faire un pli aux joues qui paraissent enflées, et surmonter les yeux ; les narines sont ouvertes, et tout le visage de couleur rouge.

2. ***Le pleurer.*** Les changements que cause le pleurer sont très marqués ; le sourcil s'abaisse sur le milieu du front ; les yeux presque fermés, mouillés et abaissés du côté des joues ; les narines enflées, les muscles et veines du front sont apparents, la bouche fermée, les côtés abaissés faisant des plis aux joues, la lèvre inférieure renversée pressera celle de devant, tout le visage ridé et froncé, sa couleur rouge, surtout à l'endroit des sourcils, des yeux, du nez et des joues.

3. ***La compassion.*** L'attention vive aux malheurs d'autrui, qu'on nomme compassion, fait abaisser les sourcils vers le milieu du front, la prunelle est fixe du côté de l'objet, les narines un peu élevées du côté du nez, font plisser les joues ; la bouche ouverte, la lèvre supérieure élevée et avancée, tous les muscles et toutes les parties du visage abaissées et tournées du côté de l'objet qui cause cette passion.

4. ***Tristesse.*** L'abattement que la tristesse produit fait élever les sourcils vers le milieu du front plus que du côté des joues, la prunelle est trouble, le blanc de l'œil jaune, les paupières abattues et un peu enflées, le tour des yeux livide, les narines tirant en bas, la bouche entr'ouverte et les coins abaissés, la tête nonchalamment penchée sur une des épaules ; la couleur du visage plombée, les lèvres pâles et sans couleur.

PLANCHE XXVI. *(page 221)*

Fig. I. ***La haine ou jalousie.*** Cette passion rend le front ridé, les sourcils abattus et froncés, l'œil étincelant, la prunelle à demi cachée sous les sourcils tournés du côté de l'objet, elle doit paraître pleine de feu aussi bien que le blanc de l'œil et les paupières, les narines pâles, ouvertes, plus marquées qu'à l'ordinaire, retirées en arrière, ce qui fait paraître des plis aux joues, la bouche fermée en sorte que l'on voit que les dents sont serrées, les coins de la bouche retirés et fort abaissés, les muscles des mâchoires paraîtront enfoncés, la couleur du visage partie enflammée, partie jaunâtre, les lèvres pâles ou livides.

2. ***La colère.*** Les effets de la colère en font connaître la nature. Les yeux deviennent rouge et enflammés, la prunelle égarée et étincelante, les sourcils tantôt abattus, tantôt élevés également, le front très ridé, des plis entre les yeux, les narines ouvertes et élargies, les lèvres se pressant l'une contre l'autre, l'inférieure surmontant la supérieure, laisse les coins de la bouche un peu ouverts, formant un ris cruel et dédaigneux.

3. ***Le désir.*** Cette passion rend les sourcils pressés et avancés sur les yeux qui sont plus ouverts qu'à l'ordinaire, la prunelle enflammée se place au milieu de l'œil ; les narines s'élèvent et se serrent du côté des yeux, la bouche s'entr'ouvre, et les esprits qui sont en mouvement donnent une couleur vive et ardente.

4. ***Douleur aiguë.*** La douleur aiguë fait approcher les sourcils l'un de l'autre et élever vers le milieu, la prunelle se cache sous le sourcil, les narines s'élèvent et marquent un pli aux joues, la bouche s'entr'ouvre et se retire ; toutes les parties du visage sont agitées à mesure de la violence de la douleur.

le Brun Pinx. Benard Fecit.

Dessein,

Expreßion des Paßions.

le Brun Del. Benard Fecit.

Dessein,

Expreßion des Paßions.

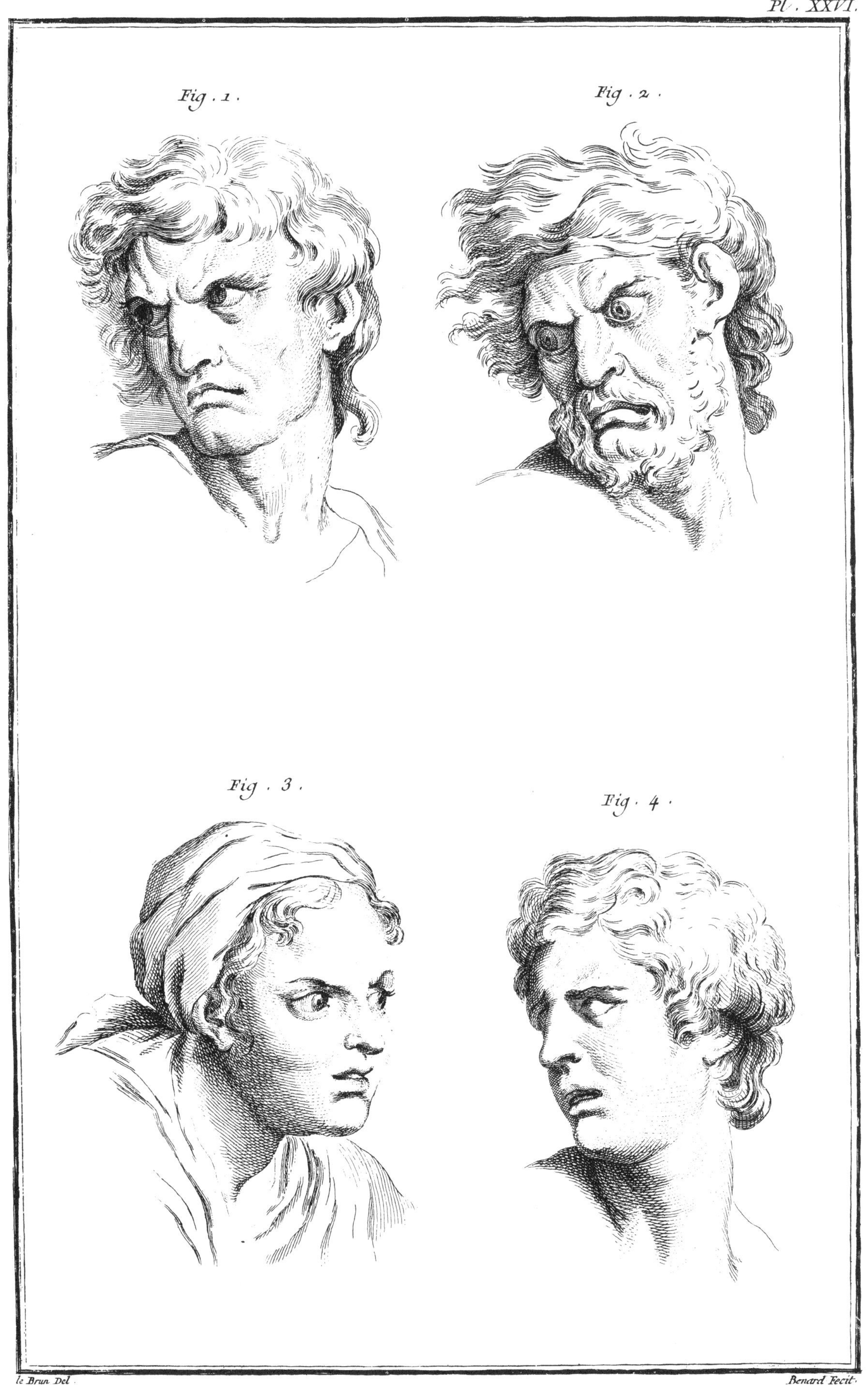

le Brun Del.   Benard Fecit.

Dessein,

Expreßion des Paßions.

GRAVURE

PLANCHE Ière.

La vignette représente un atelier où on a rassemblé les principales opérations de la gravure à l'eau-forte et au burin.

Fig. I. Un graveur qui vernit une planche au vernis mou. *a* est la planche posée sur le réchaud. I. bis. Représente un homme qui noircit le vernis. On suppose ici que la planche est trop grande pour la pouvoir soutenir d'une main, tandis que de l'autre on tient le flambeau : voici comme on s'y prend en pareil cas. On passe dans un piton attaché au plancher, quatre cordes d'égale longueur, *b, c, d, e* ; chacune de ces cordes a une boucle à son extrémité ; on suspend le cuivre que l'on veut noircir par ses quatre angles que l'on fait entrer dans chacune des boucles *b, c, d, e* ; en sorte que *a* soit le côté verni de la planche. L'on conduit le flambeau parallèlement au côté *b e* dans toute la largeur *b c,* et ensuite parallèlement au côté *e d* dans toute la longueur *b e, c d,* et dans d'autres sens, jusqu'à ce que la superficie soit également noire partout ; il faut prendre garde que la mèche du flambeau ne touche au vernis, mais seulement la flamme. Si on appréhendait que les angles du cuivre ne sortissent des boucles, on mettrait un étau à main à chaque coin de la planche, et les boucles se prendraient dans les queues de ces étaux. Lorsque le cuivre est petit, on le tient d'une main par un étau qui sert de poignée, et on a la facilité de le retourner comme on le voit ici, c'est-à-dire que le côté verni soit en *a.* 2. Cette opération est de faire mordre avec l'eau-forte à couler. A. Le graveur qui verse l'eau sur une planche posée sur un chevalet. 3. Est un graveur occupé à graver à la pointe sur le vernis : cette figure suffira pour donner une idée de la position de la main dont il est parlé à l'article GRAVURE. *g* le tableau que ce graveur copie ; *i* la planche vernie sur laquelle il grave ; *l* son châssis. 4. Manière de faire mordre avec l'eau-forte à couler, en ballottant une boîte qui contient la planche et l'eau-forte. La même Planche représente aussi une machine, qui par le mouvement qu'elle communique à la boîte, produit ce ballottement, et dispense l'artiste de le faire. *V.* l'article GRAVURE. 5. Graveur qui fait mordre avec de l'eau-forte de départ : on le suppose ici dans l'instant où il vide l'eau-forte de dessus sa planche ; *n* la table sur laquelle il pose la planche lorsqu'elle mord ; *o* le petit poëlon qui contient la miction dont il va couvrir les endroits que l'eau-forte a assez pénétrés. 6. Le graveur au burin ; *m* la table ; H le coussinet placé sous la planche ; *l* le tableau ; *k* son châssis. 7. Un graveur occupé à repousser. On voit à terre, sur le devant de la vignette en D, une pierre à l'huile dans la position où on la tient lorsqu'on veut la dresser ou l'unir.

Bas de la Planche.

Fig. I. A burin quarré ; *a a* le ventre du burin, *c* sa face *d* son manche coupé en *q.* B burin losange ; *e* sa face, *f* la queue qui entre dans le manche : on se sert de burins de différentes grosseurs et de différentes formes, suivant le besoin ; on voit en *g* le calibre d'un burin quarré, plus gros que *h,* et celui-ci plus fort que *i* ; au dessus sont deux autres formes de burins losangés ; *k* est plus losangé et plus gros que *l. Fig.* C'est le bout d'un burin vu par la face. *a b c m* la face. *a b, b c* les deux côtés du ventre ; *a m, c m* les deux côtés du dos ; *b n* l'arrête du ventre. Voyez *fig.* D la manière d'aiguiser le ventre et la face d'un burin. 3. Emmancher le burin. F le manche d'un burin ; *p* la virole ; *q* la partie du manche que l'on coupe suivant la ligne *r s,* lorsque le burin est emmanché ; de manière que la ligne *r s s* du manche et le ventre du burin ne fassent qu'une ligne droite, comme on le voit en *a a q, fig.* I. *Fig.* D aiguiser le burin. *a b* pierre à l'huile montée dans un morceau de bois *c d* ; *h* la poignée ; *e e* le burin, dont un des côtés du ventre pose à plat sur la pierre ; on appuie ferme sur le burin et on le fait aller et venir sur la pierre de *a* en *b* et de *b* en *a,* jusqu'à ce que ce côté soit bien plat ; c'est ce qu'on appelle faire le ventre. On en fait autant de l'autre côté du ventre, et il en résulte que l'arrête figurée par *b n, fig.* C, est très aiguë et tranchante. A la suite de cette opération on fait la face, on tient son burin dans la position *f g,* obliquement à la surface de la pierre, et l'arrête du ventre tournée en *i* ; en appuyant on fera mouvoir le bout *f* de *b* en *a* et de *a* en *b* : la face sera faite lorsqu'il résultera des deux opérations ci-dessus, que les deux côtés du ventre *a b, b c n (fig.* C), formeront avec la face *a b c m* un angle très aigu et très mordant. Dégrossir le burin, c'est en ôter, soit sur la pierre, soit sur la meule, la partie *a c m o (fig.* C) ; on le fait, lorsque l'on veut dégager son burin par le bout, et il en résulte cet avantage, que plus la superficie *a b c m* est petite, moins l'artiste emploie de temps à faire la face de son burin. On se sert quelquefois et en dernier lieu pour donner plus de perfection au ventre du burin, d'une pierre à rasoir : la pierre à l'huile doit être parfaitement unie ; mais comme il arrive ordinairement que les burins usent la pierre et la creusent vers le milieu, on se servira pour les unir et les dresser de grès pulvérisé qu'on jettera sur le carreau, et l'on frottera le côté usé de la pierre sur ce grès, jusqu'à ce que toute sa concavité soit emportée. 4. V V ébardoir ; *w* son manche ; *u* la virole ; T le plan ou profil de l'ébardoir. 5. *x x* grattoir ; *y* son manche ; X profil de cet outil : on observera qu'on ne se sert point de la pointe de ces outils, mais des arrêtes tranchantes V V, *x x,* formées par la rencontre de leurs faces : on aiguise ces outils comme on fait le ventre d'un burin. Voyez la *fig.* D. 6. *z* brunissoir ; l'autre bout Z est un grattoir, et la partie comprise entre deux est une poignée qui leur est commune : on voit en *a a* le profil de la partie Z de cet outil. 7. Brunissoir emmanché. A son fer ; B son manche : on se sert de cet outil par les tranches arrondies *e f, e g* extrêmement polies. On voit en C le profil de cet outil. *a a* sont les côtés dont on se sert. *Voy.* l'usage du brunissoir aux articles BRUNIR et GRAVURE.

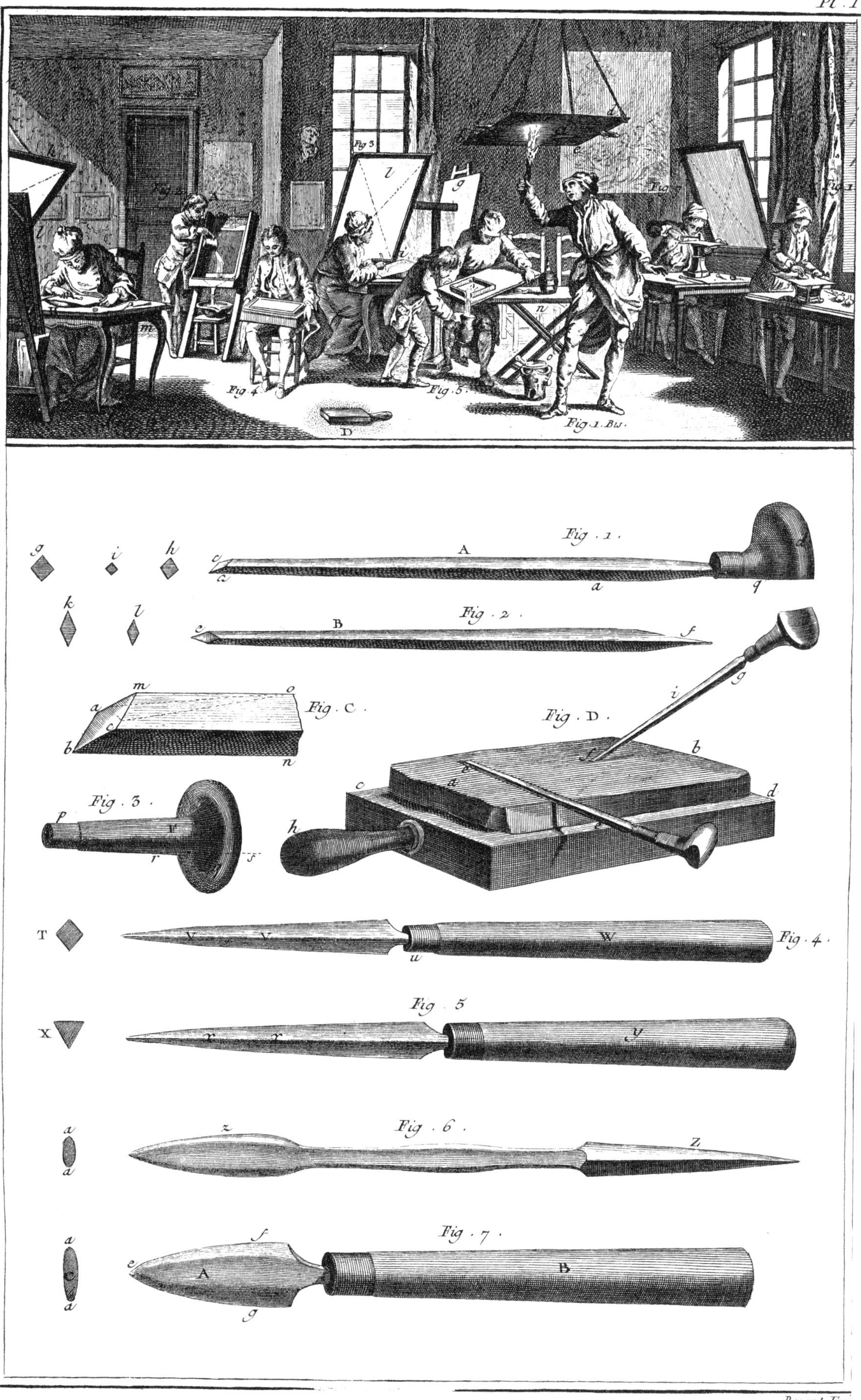

Benard Fecit

Gravure en Taille-douce.

PLANCHE V.

Fig. I. Faire mordre à l'eau-forte à couler. A A B le chevalet pour faire mordre. B la planche de bois qui sert d'appui. C C planche supposée appuyée sur le chevalet, et portée par les chevilles *l, l*. D D les rebords du chevalet. E l'auge dans laquelle tombe l'eau-forte que l'on verse sur la planche C C. *e e* talus intérieur de l'auge qui ramène l'eau vers *f*, où l'on voit un goulot par lequel elle tombe dans la terrine *g*. *h* le pot pour verser l'eau-forte. *i i* chevilles qui soutiennent l'auge E.
Lorsqu'on aura versé plusieurs potées sur la planche B, on la retournera dans un sens contraire, comme la *fig* 2 et la *fig*. 3 le montrent, et on reversera le nouveau. *Voyez* l'article GRAVURE.
4. Ayant à faire mordre la planche B, on fera attention aux différents plans *l, m, n, o*, qui ne doivent pas mordre autant que les autres. Les plans les plus éloignés comme *l* seront couverts les premiers, *m* les seconds, *n* ensuite, et le premier plan *o* le dernier. Si le ciel est vague, ce sera aussi une des premières choses que l'on couvrira ainsi que les demi-teintes qui se retrouveront dans les autres plans lorsqu'elles seront assez mordues. En général le paysage doit être un peu plus mordu qu'un sujet tout de figures.
5. Manière de faire mordre à plat avec l'eau-forte de départ. *p p* la table. *h, i, k, l*, les rebords de cire qui contiennent l'eau-forte sur la planche *u*. *x* la plume avec laquelle on remue l'eau-forte pour enlever la mousse qui se forme sur les tailles. On retire de temps en temps l'eau-forte pour couvrir les endroits qui ne sont pas assez mordus, et on se sert pour cet usage de miction ou de vernis de Venise. On trouvera à l'article GRAVURE tout ce qui peut concerner l'emploi de l'une ou l'autre eau-forte, les précautions à prendre en faisant mordre, la composition de la miction, etc.
6. Châssis. Les quatre tringles sont assemblées en *a a a a*. *b b* ficelles tendues d'un angle à son opposé. *c c* plusieurs feuilles de papier collées ensemble, et ensuite collées sur les quatre côtés du châssis. On voit l'usage du châssis, *fig*. 5. 6. et 7. de la vignette. On huile ou vernit le papier du châssis pour le rendre plus transparent.
7. Lampe et châssis pour graver le soir. *e* la lampe à trois mèches. *f* virole dans laquelle s'introduit la branche de fer *g* qui porte la lampe et le châssis. *h* piton à vis qui s'enfonce dans le mur pour porter le tout. *i* la planche sous le châssis.

Benard Fecit.

Gravure, Maniere de faire mordre à l'eau-forte.

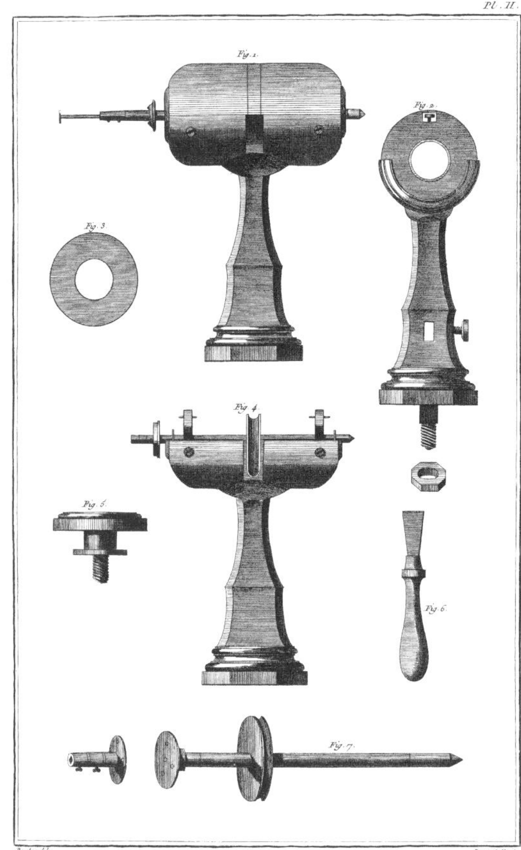

Gravure en Pierres fines.

PLANCHE Ière. *(page 227)*

Fig. I. Situation dans laquelle le graveur doit être pour travailler.
2. Vue en perspective de la table sur laquelle est posé le touret.
3. Vue du plan de ladite table.
4. Elévation géométrale de la même table, avec le développement de la roue.

PLANCHE II.

Fig. I. Touret monté sur son pied et enveloppé d'une chappe en forme de petit touret qui est coupé en deux parties, l'une qui est adhérente au pied du touret, et sert de soutien à la machine, et où dans chaque face est une ouverture laissant un passage libre à la corde qui va chercher la roue.
2. Touret vu par devant et encore sans chapeau.
3. Extrémité de la tige qui laisse voir la bouche ou ouverture de ladite forure percée quarrément.
4. Même touret dont la partie supérieure du tonnelet a été enlevée, afin de découvrir toutes les pièces qui y sont renfermées, et qui composent le corps du touret.
5. Fort écrou qui retient le pied du touret par dessous la table, qui l'y assujettit, et empêche la machine de vaciller.
6. Tournevis pour monter et démonter les pièces d'assemblage qui composent le touret, quand on les veut nettoyer.
7. Tige ou canon foré, dans l'intérieur duquel se logent les outils.

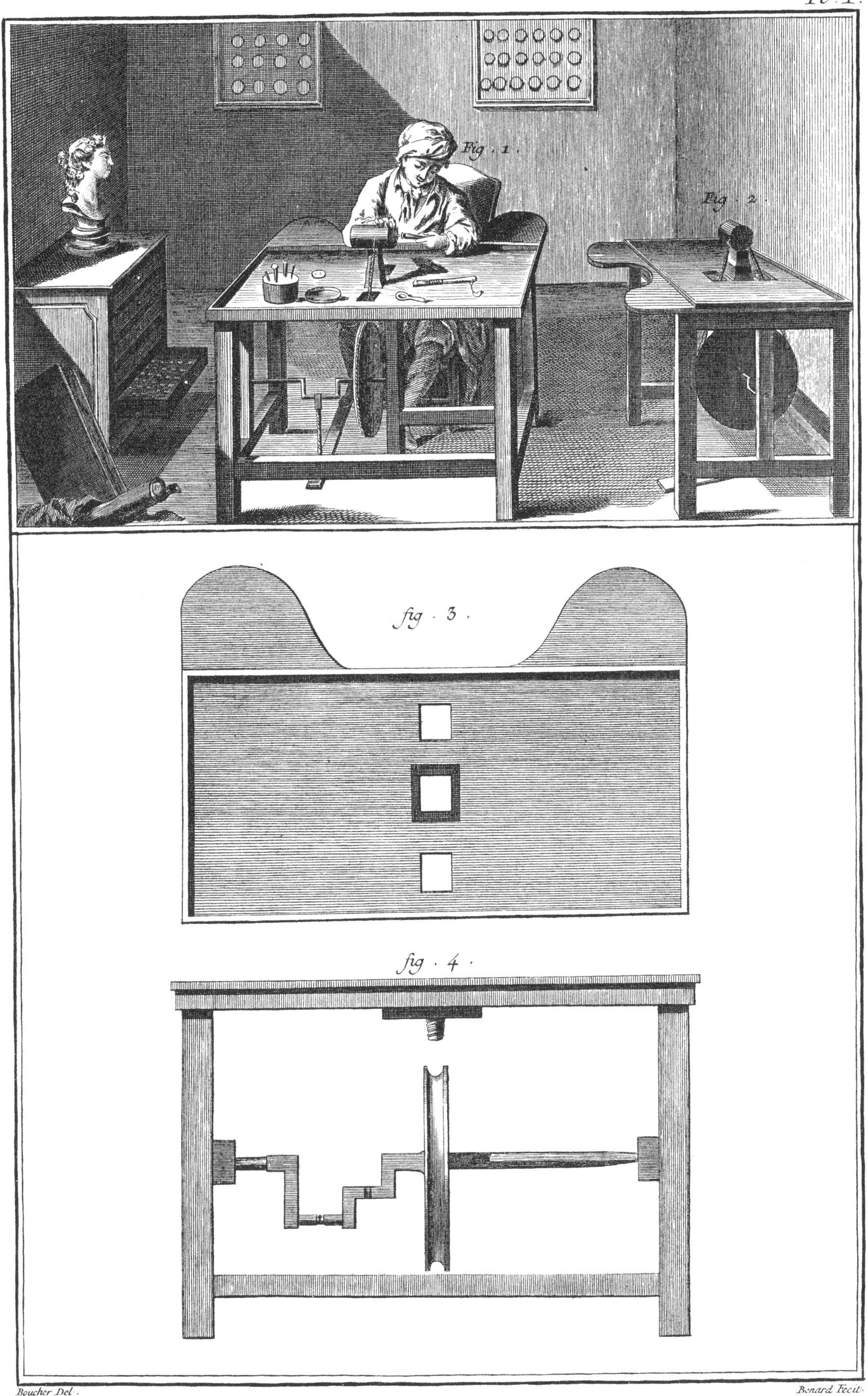

Boucher Del. Benard Fecit.

Gravure en Pierres fines.

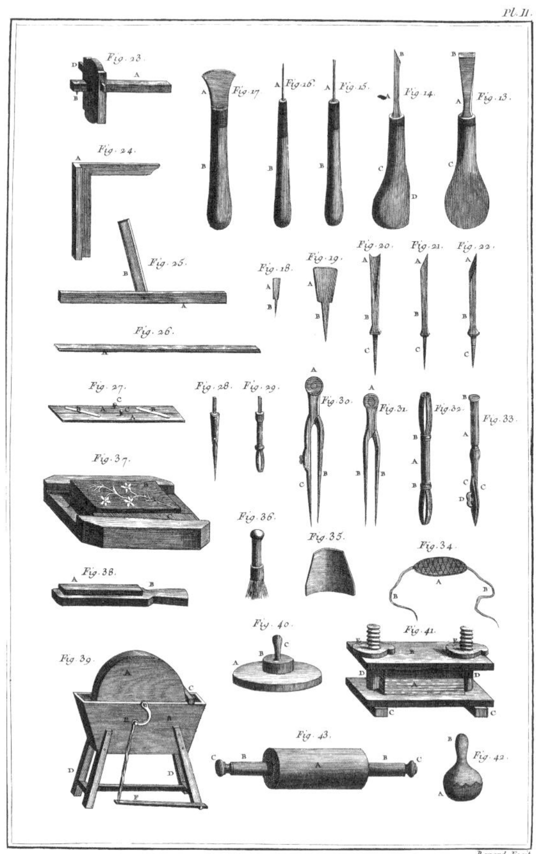

Gravure en Bois, Outils.

OUTILS

PLANCHE Ière. *(page 229)*

Le haut de cette Planche représente un atelier de *Gravure en bois*, où plusieurs ouvriers sont diversement occupés, un en *a* à ébaucher des planches ; un en *b* à faire chauffer les outils pour les tremper ; un autre en *c* à les faire recuire à la lumière ; et plusieurs autres en *d* à graver sur des planches de bois. Le reste de l'atelier est formé de différents outils propres à la Gravure en bois.

Fig. I. Etabli. A la table. B B les pieds. C le valet. Manche de pointe à graver, voyez les *fig*. II. et 12. 2. Rabot. A le rabot. B le fer. Côté du biseau de la pointe à graver, voyez la *fig*. 10. 3. Varlope. A la varlope. B le fer. C le manche. D la volute. Côté sans biseau de la pointe à graver, voyez la *fig*. 9. 4. Scie à main. A le fer de la scie. B le châssis. C le manche. Dos de la pointe à graver, voyez la *fig*. 8. 5. Maillet. A le maillet. B le manche. Pointe à graver ficelée, voyez la *fig*. 7. 6. Marteau. A la tête. B la panne. C le manche. Fermoirs emmanchés, voyez les *fig*. 13. 14. et 15. 7. Pointe à graver emmanchée et ficelée. A la première partie du chef. B la seconde. C la ficelle tortillée. D le manche. Fermoirs emmanchés, voyez les *fig*. 13. 14. et 15. 8. Dos de la pointe à graver. A la première partie du chef. B la seconde. Gouges, voyez la *fig*. 20. 9. Côté sans biseau de la pointe à graver. A la première partie du chef. B la seconde. Gouges, voyez la *fig*. 20.
10. Côté du biseau de la pointe à graver. A la première partie du chef. B la seconde. C le biseau. Trusquin, voyez la *fig*. 23. 11. et 12. Manches de bois de pointe à graver. A A les fentes. B B les bouts dentés pour retenir la ficelle. C C les boutons. Entaille, *fig*. 11. voyez la *fig*. 37. Racloir, *fig*. 12. voyez la *fig*. 17. Equerre de cuivre, *fig*. 13. voyez la *fig*. 24. Fausse règle ou fausse équerre, *fig*. 14. voyez la *fig*. 25. Garde-vue, *fig*. 15. voyez la *fig*. 35. Mentonnière, *fig*. 16. voyez la *fig*. 34. Brosse, *fig*. 17. voyez la *fig*. 36. Presse, *fig*. 18. voyez la *fig*. 41. Broyon, *fig*. 20. voyez B C *fig*. 40. Rouleau, *fig*. 21. voyez la *fig*. 43.

PLANCHE II.

13. Fermoir vu de face. A le fer. B le biseau. C le manche. 13. voyez la *fig*. 55. 14. Fermoir vu de profil. A le fer. B le biseau. C le manche. D la partie du manche abattue. 14. voyez la *fig*. 57. 15. Petit fermoir fait d'aiguille. A le fer. B le manche. 15. voyez la *fig*. 56. 16. Pointe à tracer. A la pointe. B le manche. 16. voyez la *fig*. 59. 17. Racloir. A le fer à queue d'aronde. B le manche.
17. voyez la *fig*. 60. 18. Petit grattoir. A le fer. B la pointe. 18. voyez la *fig*. 58. 19. Autre grattoir plus fort. A le fer. B le manche. 19. voyez la *fig*. 58. 20. Gouge. A le tranchant concave. B la tige. C la pointe. 21. Bec-d'âne. A le taillant. B la tige. C la pointe. 22. Burin en grain d'orge. A le taillant. B la tige. C la pointe. 23. Trusquin. A le quarré. B la pointe. C la platine. D la clavette ou serre. 24. Equerre. A l'épaulement. 25. Fausse règle à parallèle. A A les règles. B B les platines. C C les boutons. Voyez les *fig*. 26. et 27.
26. Règle simple. A le chanfrein. 27. Règle à parallèle. A A les règles. B B les platines. C C les boutons. 28. Pointe à l'encre du compas à quatre pointes. 29. Pointes au crayon du compas à quatre pointes. 30. Compas à quatre pointes. A la tête. B la pointe immobile. C la pointe mobile. 31. Compas simple. A la tête. B B les pointes. 32. Porte-crayon. A le porte crayon. B B les viroles. 33. Tire-ligne. A la tige. B le bouton. C C les platines. D la vis. 3, manivelle. F la pédale. 40. marbre. A le marbre. B le broyon. C le manche. 41. Presse. A le papier pressé. B B les plateaux. C C les calles. D D les vis. E E les écrous. 42. Balle. A le cuir cloué. B le manche. 43. Rouleau. A le rouleau couvert de drap. B B les manches à virole. C C les boutons.

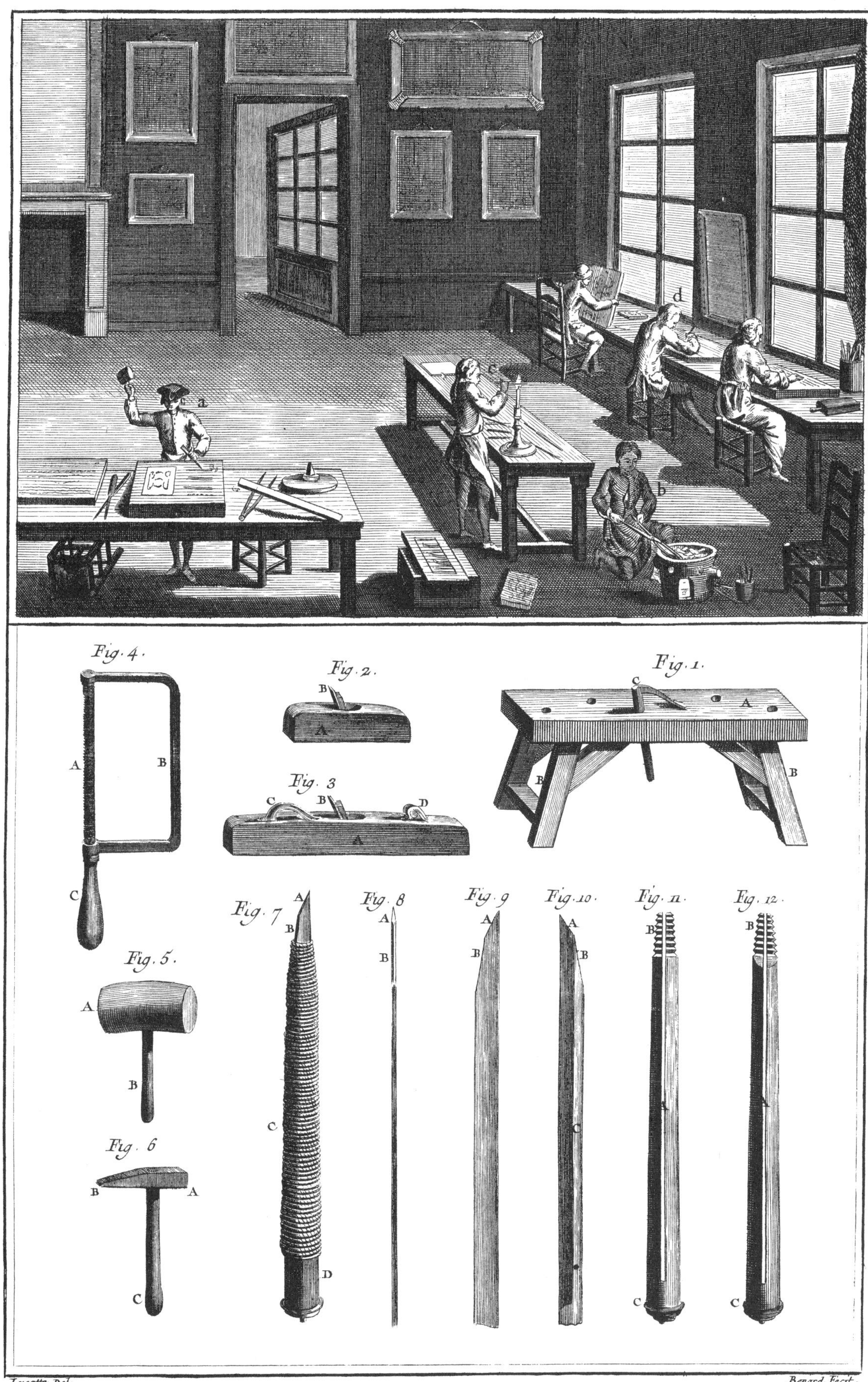

Lucotte Del. Benard Fecit.

Gravure en Bois, Outils.

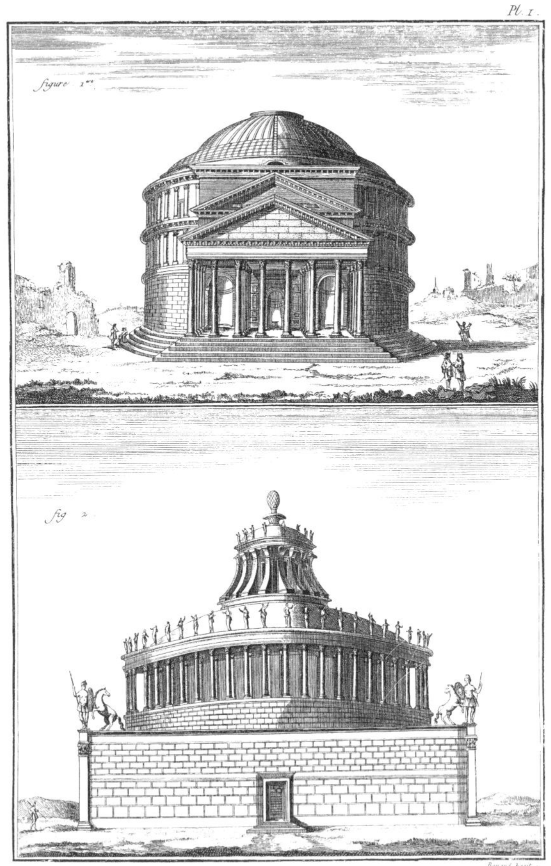

ANTIQUITÉS

PLANCHE Ière.

Fig. Ière. Le temple de Jupiter vengeur, ou le Panthéon d'Agrippa.
2. Le tombeau d'Adrien.

PLANCHE II. *(page 231)*

Fig. I. L'amphithéâtre des Vespasiens fameux par les combats des bêtes et des gladiateurs.
2. Ruines de l'amphithéâtre des Vespasiens.

Benard Fecit.

Antiquités.

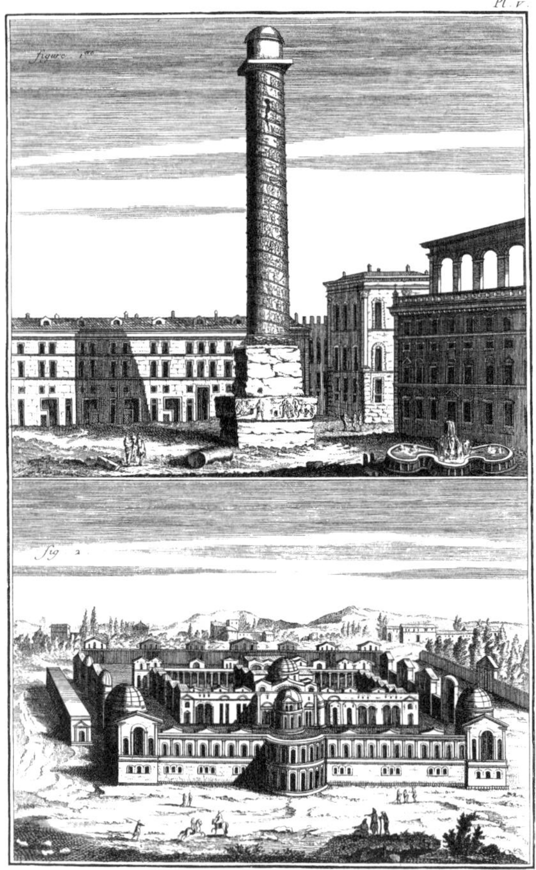

PLANCHE V.

Fig. I. Colonne d'Antonin relevée par Sixte-Quint ; sa hauteur est de cent soixante quinze pieds.
2. Thermes ou bains de Dioclétien, construits sur le mont Viminal.

PLANCHE IV. *(page 233)*

Fig. I. Cirque de Caracalla, construit hors de la ville, sur la voie Appienne, dans le voisinage du tombeau des Metellus.
2. Théâtre construit par Auguste en honneur de Marcellus, fils de sa sœur.
3. Le forum, ou marché de Nerva : il est aussi connu sous le nom de transitorium, ou passage.

PLANCHE III. *(pages 234-235)*

Fig. I et 2. Arc de Constantin.
3 et 4. Arc de Septime Severe.

Benard Fecit.

Antiquités

figure 1ere

fig 3

Benard Fecit

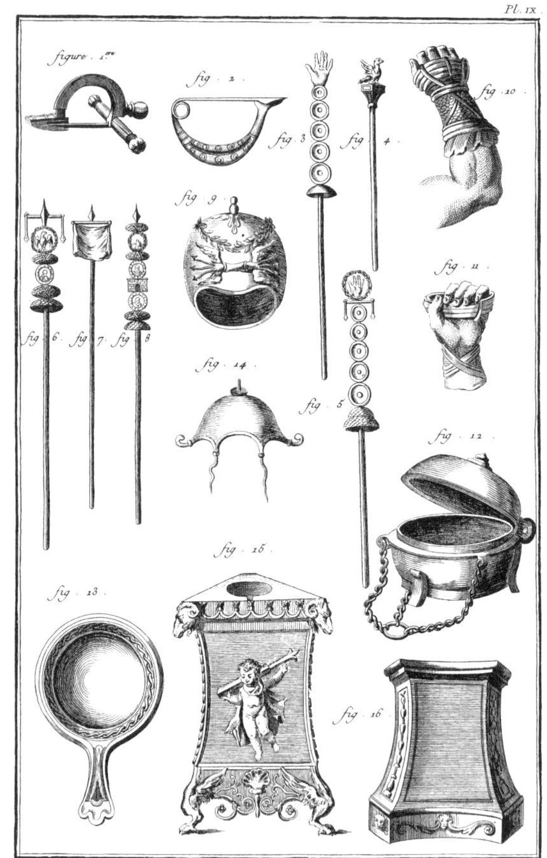

PLANCHE VIII. *(page 237)*

Fig. I. 2. Bracelets.
3. 4. 5. 6. Pendants d'oreille.
7. 8. 9. Amulettes.
10. Bustes de jeunes Romains.
11. 12. Coiffures.
13. 14. 15. 16. Chaussures.

PLANCHE IX.

Fig. I. 2. Boules.
3. 4. 5. 6. 7. 8. Enseignes militaires.
9. Albo galerus.
10. et 11. Cestes.
12. Encensoir.
13. Patère.
14. Apex.
15. Trépied.
16. Autel.

Benard Fecit.

Antiquités.

PLANCHE Ière**.** *(page 239)*

Fig. I. La lanterne de Démosthène.
2. Le temple de Thésée.

PLANCHE II.

Fig. I. Ruines du monument de Philopappus.
2. Ruines d'un temple bâti sur le mont Larium.
3. Ruines du monument Trusyllus.
4. Ruines du Propylée.

J. Dreppe Del.

Benard Direxit.

Antiquités, Ruines d'Athenes.

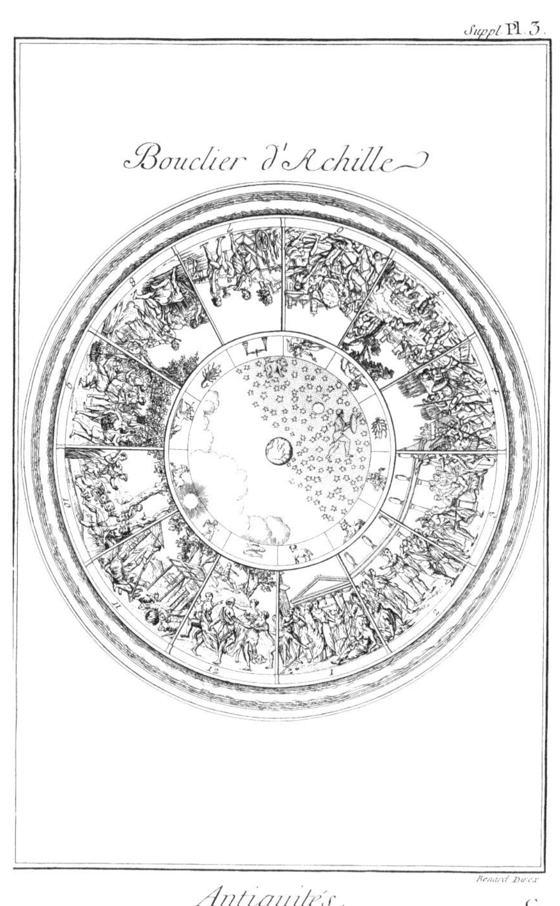

PLANCHE III.

Bouclier d'Achille.

PLANCHE II. *(page 241)*

Apothéose d'Homère.

PLANCHE VI ET VII. *(pages 242-243)*

Différentes formes de chaussures antiques, et la manière d'attacher les plantes avec des rubans.

Benard Direx.

Antiquités, Apothéose d'Homere.

B

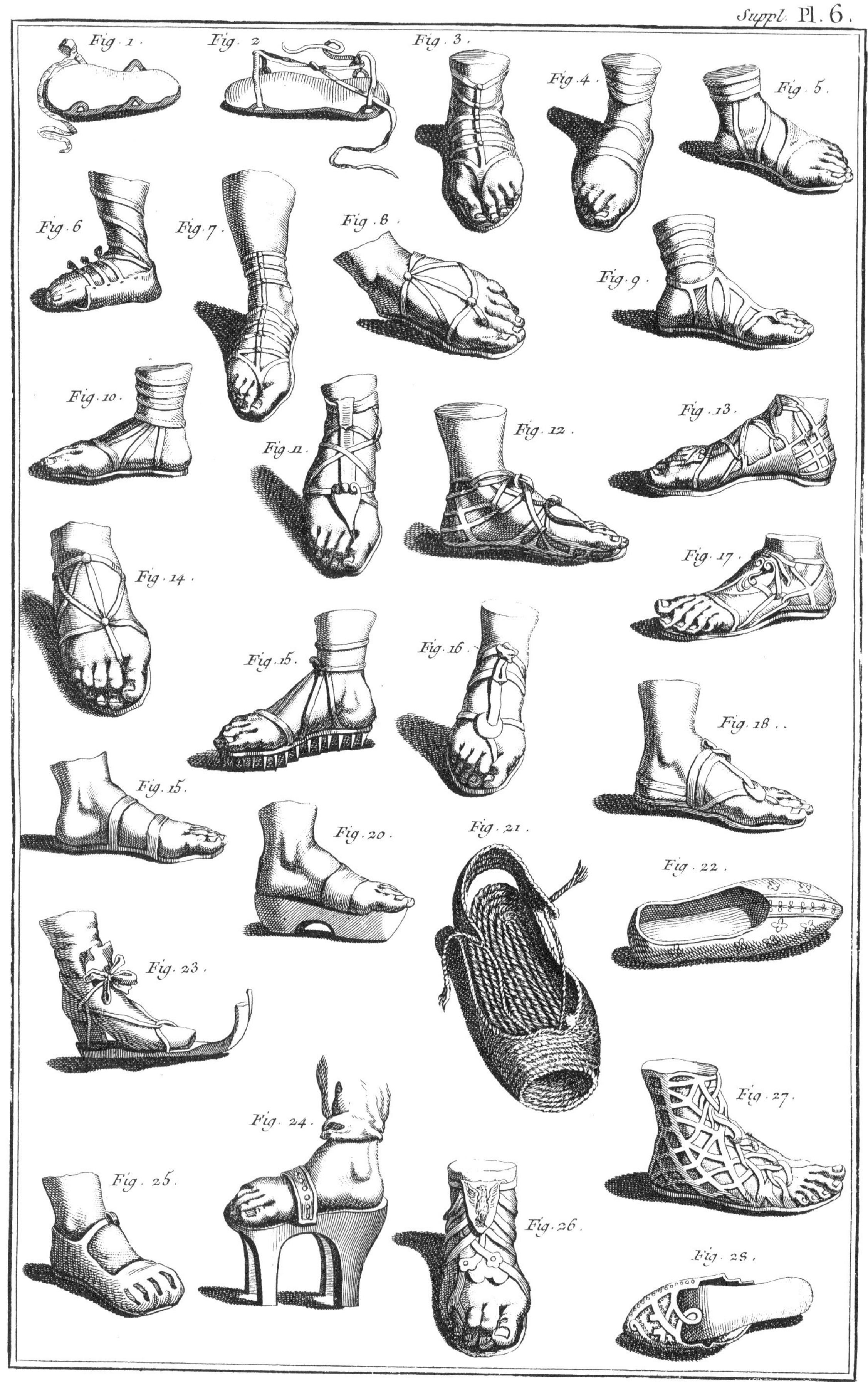

Benard Sculp.

Antiquités, Différentes Chaussures.

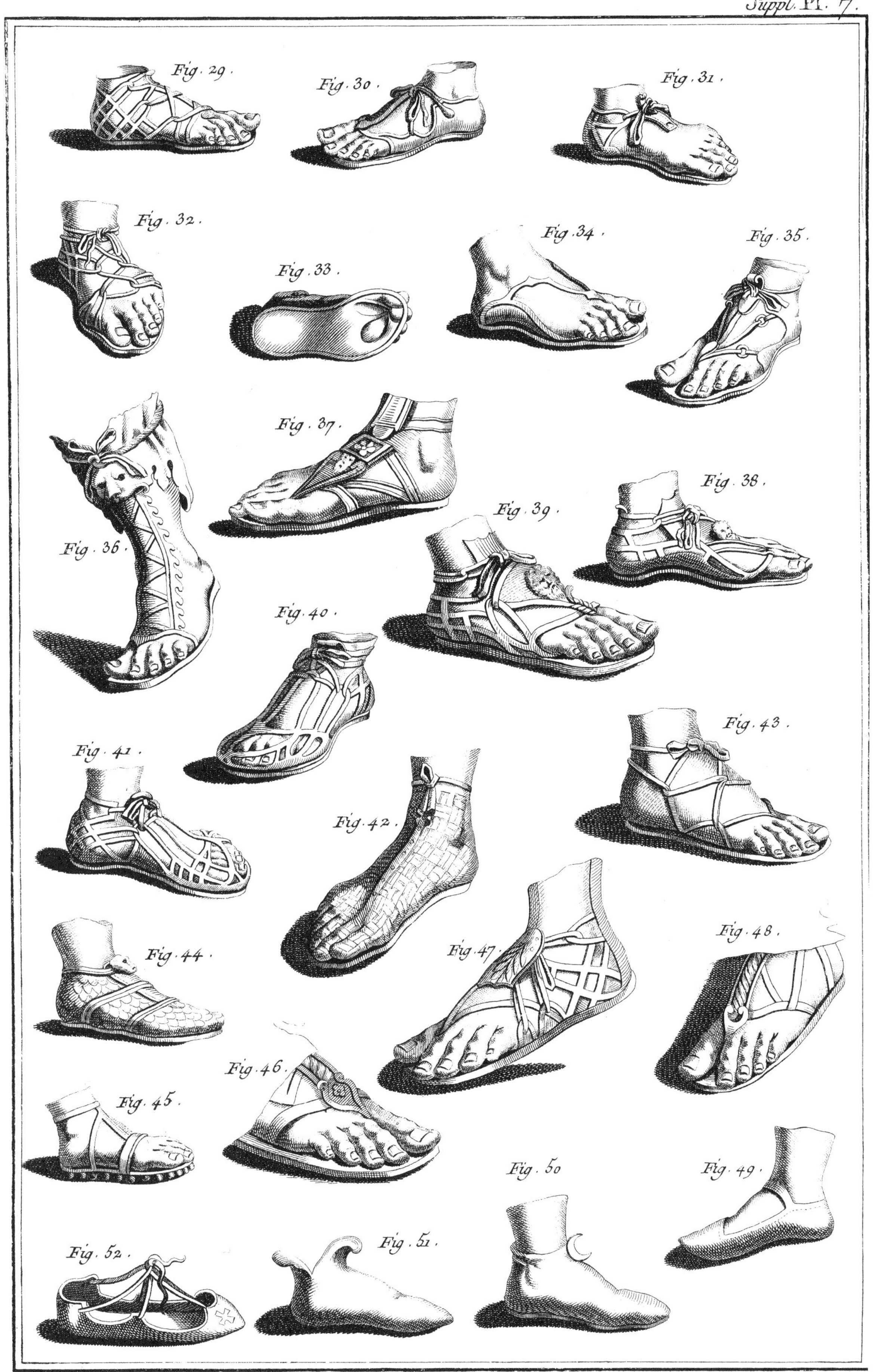

Benard Sculp.

Antiquités, Différentes Chaussures.

ARCHITECTURE

PLANCHE Ière.

Des cinq ordres d'Architecture.

Cette Planche présente les cinq ordres d'Architecture, dont le dorique, l'ionique et le corinthien sont grecs, et les deux autres romains.

Ces cinq ordres sont réduits ici à une même hauteur, afin qu'on puisse reconnaître par leur diverse grosseur, sur une élévation commune, leurs différents caractères ; car il faut savoir que le toscan connu sous le nom d'ordre rustique, ne doit avoir de diamètre que la septième partie de sa hauteur, y compris base et chapiteau.

Le dorique, connu sous le nom d'ordre solide, la huitième partie.

L'ionique, considéré comme ordre moyen, la neuvième partie.

Le corinthien et ***le composite,*** appelés les ordres délicats, la dixième partie.

Vitruve a refusé le nom d'ordre à ce dernier, à cause de son égalité de rapport avec le corinthien, prétendant avec raison que ce ne sont point les ornements qui constituent l'ordre, mais bien la différence du rapport de leur grosseur avec leur hauteur.

Ces cinq ordres sont conformes aux mesures de Vignole, l'un des dix commentateurs de Vitruve, et celui qu'on a suivi en France le plus généralement. Cet auteur donne au piédestal A le tiers de la hauteur de l'ordre B, et à l'entablement C, le quart de B ; il conserve cette même proportion pour tous les cinq ordres. Ce n'est pas qu'on ne puisse donner moins de hauteur à l'entablement et au piédestal ; par exemple, réduire A au quart, et C au cinquième de B, comme le propose Palladio ; ou enfin tenir l'entablement entre le quart et le cinquième, ainsi que l'enseigne Scammozzy. Mais ces différences de hauteur doivent se déterminer selon l'application qu'on fait des ordres à l'architecture, et la diversité des bâtiments où on les met en œuvre ; de manière que c'est à la prudence de l'Architecte de combiner l'effet que doivent produire ces hauteurs plus ou moins considérables, toutes trois pouvant également réussir, à savoir, celle de Vignole, pour les dehors des grands édifices ; celles de Palladio et de Scammozzy, pour leur décoration intérieure.

Le piédestal A, l'ordre B, et l'entablement C, composent donc les trois principales parties d'une ordonnance d'architecture ; mais c'est B qu'on appelle l'ordre proprement dit, y compris la base D, le fût E, et le chapiteau F : aussi est-ce cet ordre qui donne et assigne au piédestal et à l'entablement leur véritable proportion.

Chacune de ces deux parties principales, ainsi que l'ordre, sont composées à leur tour de plusieurs autres parties ; savoir, pour le piédestal, le socle *g,* le dais *h,* et la corniche *i* ; et pour l'entablement, l'architrave *k,* la frise *l,* et la corniche *m.* Toutes ces parties sont encore divisées par d'autres qu'on appelle moulures, dont nous traiterons dans les Planches suivantes.

Ce que nous venons de dire touchant l'ordre toscan, peut s'appliquer aux quatre autres ; leur dimension et la division de leurs membres étant les mêmes, et ne différant que dans les détails et dans l'application de leurs principaux ornements, ainsi que nous aurons l'occasion de le faire remarquer ailleurs.

Les Cinq Ordres de Colonnes des Grecs et des Romains.
m
l
C
k
n
F
E
B
D
i
h
A
g
o
Toscan.
Dorique.
Ionique.
Corinthien.
Composite.
2 Modules.
2 Modules.
2 Modules.
2 Modules.
2 Modules.
Benard Fecit.

Architecture.

PLANCHE VII.

Des cannelures et des chapiteaux.

On a tracé sur cette Planche les cannelures des fûts des colonnes doriques, ionique, corinthienne et composite, l'ordre toscan ne devant jamais avoir de cette espèce d'enrichissement, parce que la cavité des cannelures ne convient point à la rusticité de cet ordre ; en sorte que, lorsqu'on en veut orner la tige, on introduit des bossages qui lui ajoutent par leur relief un caractère de fermeté.

Les cannelures de l'ordre dorique sont à vive arrête, et beaucoup plus méplates que celles des autres ordres, dans le dessein d'altérer le moins possible la solidité de sa tige; mais malgré l'opinion de Vignole à cet égard, qui la tient de Vitruve, nous pensons que cette vive arrête non seulement efface à l'œil la circonférence de la colonne, mais qu'elle lui procure une légèreté apparente qui ne peut aller avec son caractère viril ; caractère que le listeau qui se remarque entre chaque cannelure des autres ordres, lui restituerait : aussi le plus grand nombre de nos architectes ont-ils observé ce listeau à l'ordre dorique. Au reste, les cannelures doivent s'employer avec discrétion dans les colonnes et les pilastres. Cet enrichissement semble ne devoir avoir lieu que lorsque les membres principaux de l'ordre sont ornés ; et dans ce cas il peut même être chargé de sculpture pour plus de magnificence, et pour procurer à l'ordonnance un plus parfait assortiment, de manière que la base, le fût et le chapiteau ne fassent qu'un seul et même tout qui donne le ton au piédestal, à l'entablement et aux différentes parties de l'édifice.

Cette Planche, qui a pour objet d'offrir les chapiteaux des cinq ordres avec le chapiteau ionique moderne, nous porte à dire un mot en particulier de leurs différentes moulures et ornements.

Le chapiteau toscan, le plus simple de tous, est composé d'un tailloir *a*, d'une cimaise *b*, d'un gorgerin *c*, plus d'une astragale *d*, mais qui appartient au fût de la colonne.

Le chapiteau dorique est composé des mêmes membres, mais il est plus orné de moulures ; la proposition de son ordre étant moins rustique qu'au précédent, il paraît convenable que la division de ses parties soient en plus grand nombre.

Le chapiteau ionique, couronnement de l'ordre moyen, non seulement est aussi composé d'une plus grande quantité de moulures, mais il est enrichi d'ornements et de volutes qui, selon l'opinion de plusieurs historiens, ont été appliqués à cet ordre, d'après l'idée de la coiffure des dames de la Grèce, à qui cet ordre féminin doit sa proportion, comme l'ordre dorique masculin doit la sienne à la proportion d'un homme robuste. Ce chapiteau nommé antique, diffère de celui qu'on appelle moderne, en ce que ses deux parties latérales sont dissemblables ; disparité qui a fait imaginer à Scammozzy le second chapiteau ionique qui se remarque dans cette Planche, appelé communément le chapiteau ionique moderne, et dont le plan du tailloir concave dans ses quatre faces autorise huit volutes angulaires ; au lieu que les quatre faces rectilignes du chapiteau antique n'en peut recevoir que quatre, savoir, deux sur chaque face principale, et deux coussinets dans ses deux faces latérales, ainsi que Philibert Delorme l'a exécuté aux palais des Tuileries du côté des jardins.

Le chapiteau corinthien est regardé comme le chef-d'œuvre de Callimaque, sculpteur grec, chapiteau qui a été imité par tous nos modernes, et qui n'a guère souffert d'altération que par la négligence de quelques-uns de nos artistes ; chapiteau enfin qui a donné naissance à l'ordre qui porte son nom, et qui est appelé par Scammozzy, en faveur de son élégance, ordre virginal. Ce chapiteau est composé de huit volutes *a*, de deux rangs de feuilles *b*, et de huit caulicules *c* ; ses feuilles s'imitent de l'Olivier ou de l'Acante, selon leur application à l'Architecture. Les chapiteaux corinthiens de l'intérieur de l'église du Val-de-Grâce passent pour les plus estimés de ceux qui se voient à Paris.

Le chapiteau composite, ouvrage des Romains, n'est autre chose que l'assemblage des feuilles du chapiteau corinthien, et des volutes du chapiteau ionique moderne. Ces feuilles se font ordinairement à l'imitation du persil, et quelquefois se symbolisent, à raison de la dédicace du monument où on les met en œuvre.

Il se fait encore d'autres chapiteaux qu'on appelle composés, parce qu'il contiennent divers attributs relatifs à la guerre, aux beaux-arts, à la marine, etc. mais ces sortes de productions appartenant plutôt à la Sculpture qu'à l'Architecture, ne doivent jamais changer le nom à l'ordre, comme l'ont prétendu plusieurs de nos artistes, qui, en faveur de quelque altération qu'ils ont faite à leur chapiteau, ont donné à leurs colonnes ou pilastres le nom d'ordre français, d'ordre espagnol, etc. comme si les ornements constituaient l'ordre, et non le rapport de leur tige comparé avec leur diamètre inférieur.

Benard Fecit.

Architecture.

Architecture.

PLANCHE X. *(page 249)*

Des portes.

La proportion des portes, c'est-à-dire le rapport de leur hauteur avec leur largeur, doit dépendre de l'expression de l'ordonnance dont elles feront partie. Les anciens et la plus grande partie des architectes du dernier siècle, d'après le sentiment de Vitruve et de Vignole, ont donné à toutes les hauteurs de leurs ouvertures le double de leur largeur. Nos modernes ont pensé que cette hauteur commune à toutes les ouvertures, ne pouvait aller aux cinq ordres, qui chacun ont des proportions différentes ; en conséquence ils ont conservé la hauteur du double de l'ouverture, pour les portes toscanes ; ce double et un sixième aux portes doriques ; ce double et un quart, aux ioniques ; et ce double et demi, aux corinthiennes et composites.

La forme des ouvertures est encore une chose essentielle à observer. Il s'en fait de quatre manières, savoir, de surabaissées, comme la porte rustique ; de plein cintre, comme la porte toscane et corinthienne ; de bombées, comme la porte dorique ; à plates-bandes, comme la porte ionique et la composite. Mais il faut savoir que de ces quatre formes d'ouvertures, le plein cintre et la plate-bande sont les plus approuvées.

Après la proportion et la forme des portes, vient l'application de leurs ornements. Ceux des portes rustiques ne doivent être que des bossages *a* ; ceux des portes toscanes, des refends *a* ; les portes doriques peuvent avoir des chambranles *a*, et être couronnées d'attique *b* ; les portes corinthiennes peuvent avoir des amortissements *a*, et être enfermées dans une tour creuse, tel qu'on le remarque à la porte de l'hôtel de Conti, dont ce dessin est une copie ; les portes corinthiennes peuvent avoir pour enrichissements des piédroits *a*, des alèses *b*, des impostes *c*, des alchivoltes *d*, des claveaux *e*, et être surmontées de tables tranchantes *f*, ornées de guirlandes ; enfin, les portes composites peuvent être ornées de chambranle *a*, d'amortissement *b*, et d'un fronton *c*, ainsi que se remarque celle du rez-de-chaussée de l'intérieur de la cour du Louvre ; autant de membres d'Architecture et d'ornements qui peuvent se varier à l'infini, mais dont l'application, le relief et l'expression doivent se puiser dans les ordres, dans les entre-colonnements desquels ces ouvertures sont ordinairement placées.

PLANCHE XI.

Des croisées.

Les croisées doivent avoir les mêmes proportions que les portes, parce que toutes les ouvertures dans un bâtiment doivent avoir les mêmes rapports : les ornements sont à-peu-près dans le même cas, mais leur forme doit différer, les cintres surbaissés et les pleins cintres ne convenant qu'aux ouvertures des portes ; et les arcs bombés et les plates-bandes semblant devoir être consacrés seulement aux ouvertures des croisées. Certainement chaque membre dans l'Architecture porte un caractère établi par l'usage, dont on ne doit s'écarter que par de bonne raisons : cependant cette considération apparut arbitraire à la multitude ; d'où il est résulté qu'au lieu de faire de belles portes et de belles croisées dans nos bâtiments français, on n'a plus songé qu'à faire des percements dans les murs de face, sans égard à la beauté des formes, à la conformité de l'ordonnance, et à la relation que les vides doivent avoir avec les pleins, dans la décoration de nos édifices. C'est en pure perte pour le grand nombre qu'on remarque au Louvre, au Luxembourg, à la Sorbonne, des dessins en ce genre d'un goût exquis ; on imite ceux des Tuileries, du Palais Royal, et tant d'autres fort au-dessous de ceux que nous citons, sans songer que les croisées se répétant à l'infini dans un bâtiment, c'est vouloir multiplier la médiocrité, que de négliger l'étude de cette partie intéressante de la décoration.

La croisée rustique de cette Planche est à appui plein : la toscane offre un balcon de fer placé ici pour faire sentir l'abus de ce genre frivole, auquel on devrait toujours substituer une balustrade, comme à la croisée dorique, surtout lorsque l'on est forcé de faire descendre le bas de l'ouverture jusques dessus le sol des appartements. La croisée ionique est couronnée d'une mezzanine, sinon que cette deuxième ouverture soit toujours nécessaire, mais pour en présenter un exemple. Les croisées corinthiennes et composites sont à l'imitation de celles du Louvre, et offrent autant de modèles qui peuvent servir d'autorité, mais qui, comme les portes, peuvent le varier à l'infini, selon l'application qu'on en veut faire dans l'Architecture.

Portes relatives aux Cinq Ordonances des Ordres d'Architecture.

Porte Rustique.

Porte Toscañe.

Porte Dorique.

Porte Ionique.

Porte Corinthieñe.

Porte Composite.

Benard Fecit

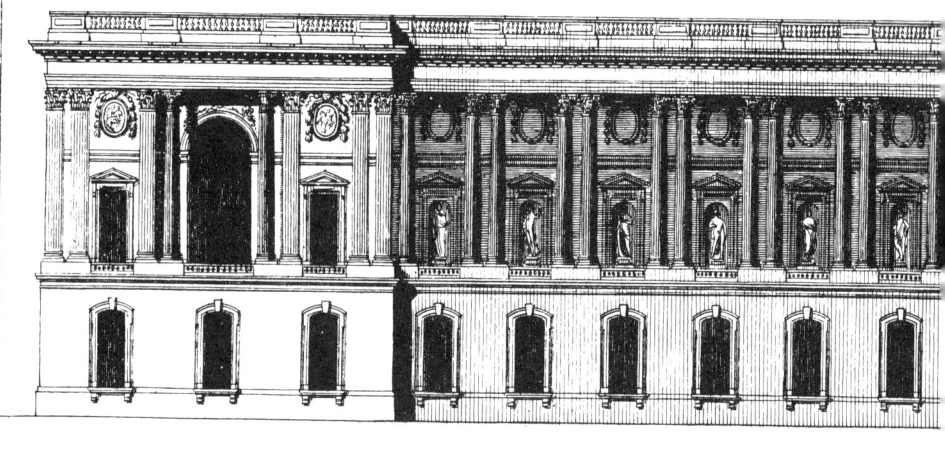

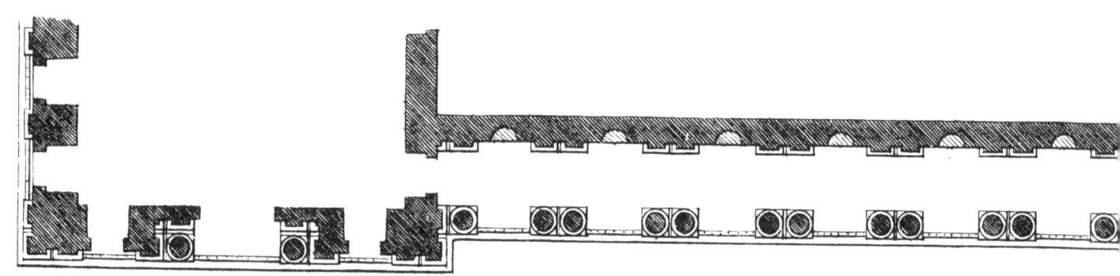

Echelle de 5

olonnade du Louvre.

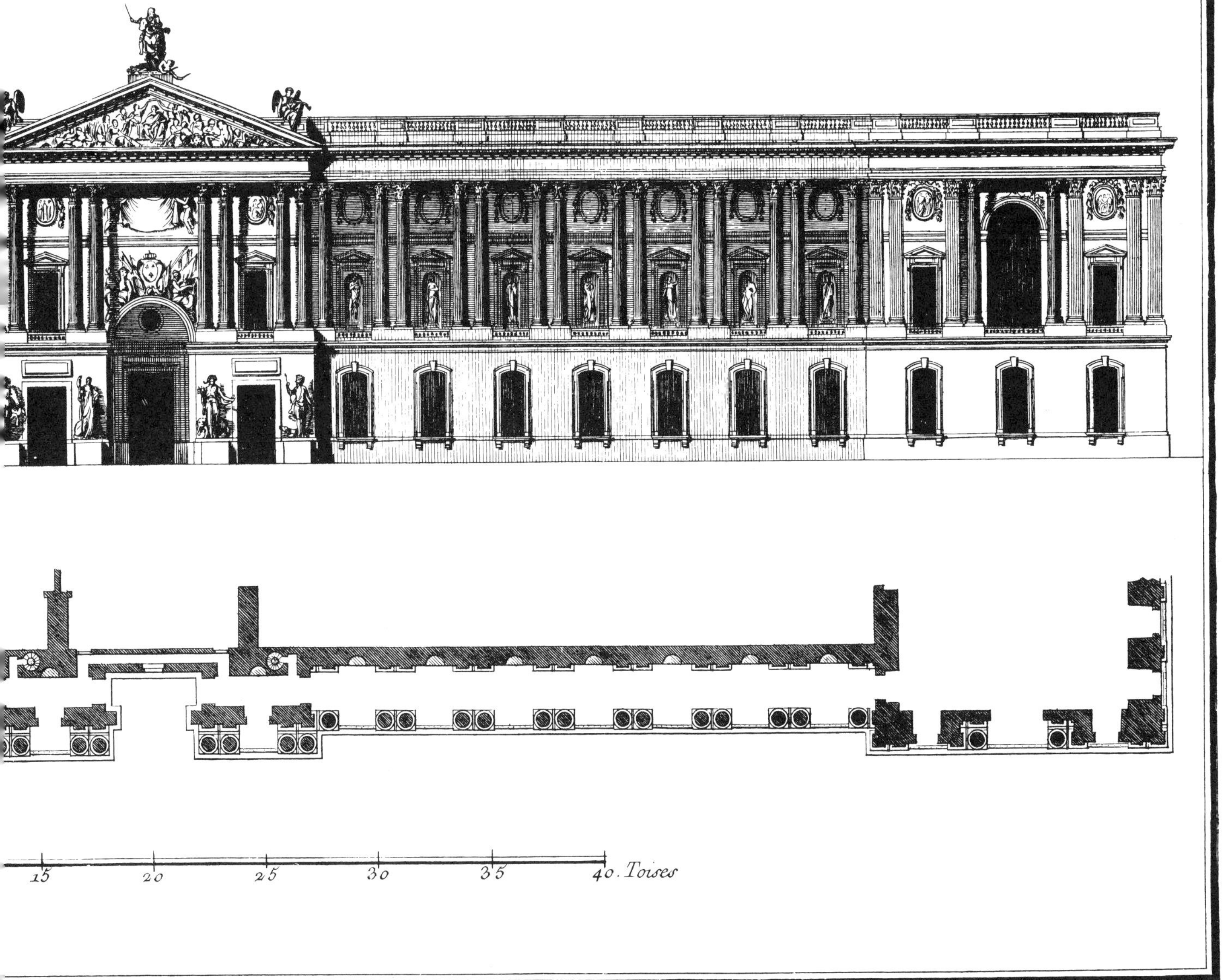

Benard Fecit

Architecture.

PLANCHE XIX.

Cette Planche offre le frontispice de l'église et la façade extérieure des bâtiments du côté de la rue. Ces derniers sont d'un bon style, se lient heureusement par le moyen de la tour creuse, avec le portail de l'église d'ordonnance grave et régulière, et où cependant un ordre ionique eût peut-être été plus convenable que le dorique, comme on le voit du côté des jardins.

PLANCHE XXI. *(page 254)*

Cette Planche offre la coupe prise dans le plan du rez-de-chaussée sur la ligne D, E. On remarque dans cette coupe l'intérieur de l'église, celle du choeur des dames religieuses, le profil du grand escalier, et les développements de la maçonnerie et de la charpente de la plus grande partie de ce monument. On y remarque aussi, quoiqu'en petit, ce genre de la décoration et des ornements, dont le style ne peut faire que beaucoup d'honneur à M. Franque, dont nous possédons à Paris et dans les plus grandes parties de nos provinces des ouvrages très estimés.

Elevation du Projet de la f

...eure de l'Eglise et des Bâtiments de l'Abbaye Royale de Panthemont du côté de la rue de Grenelle.

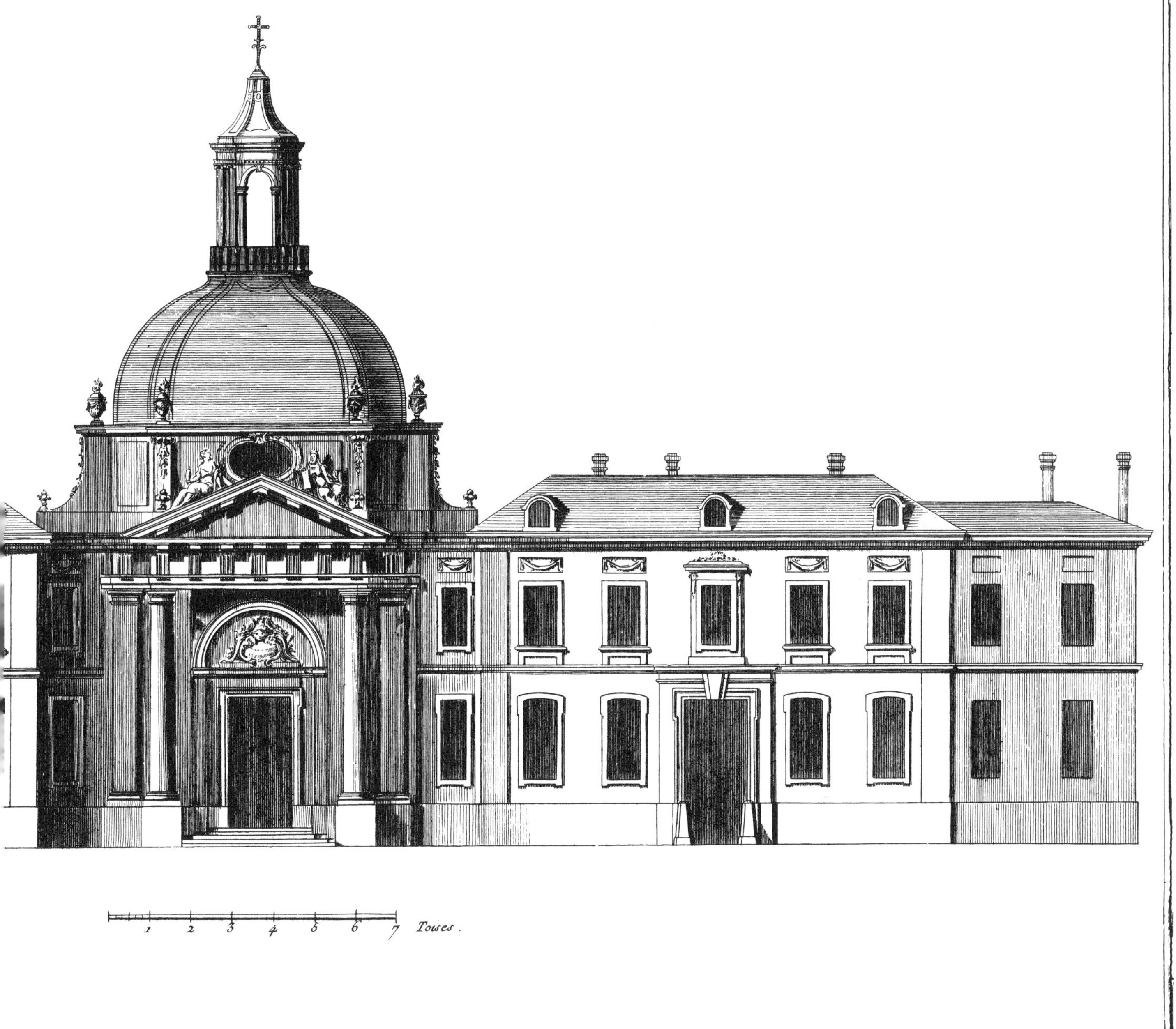

Benard Fecit.

Architecture

Architecture

l'Eglise de Panthemont projettée.

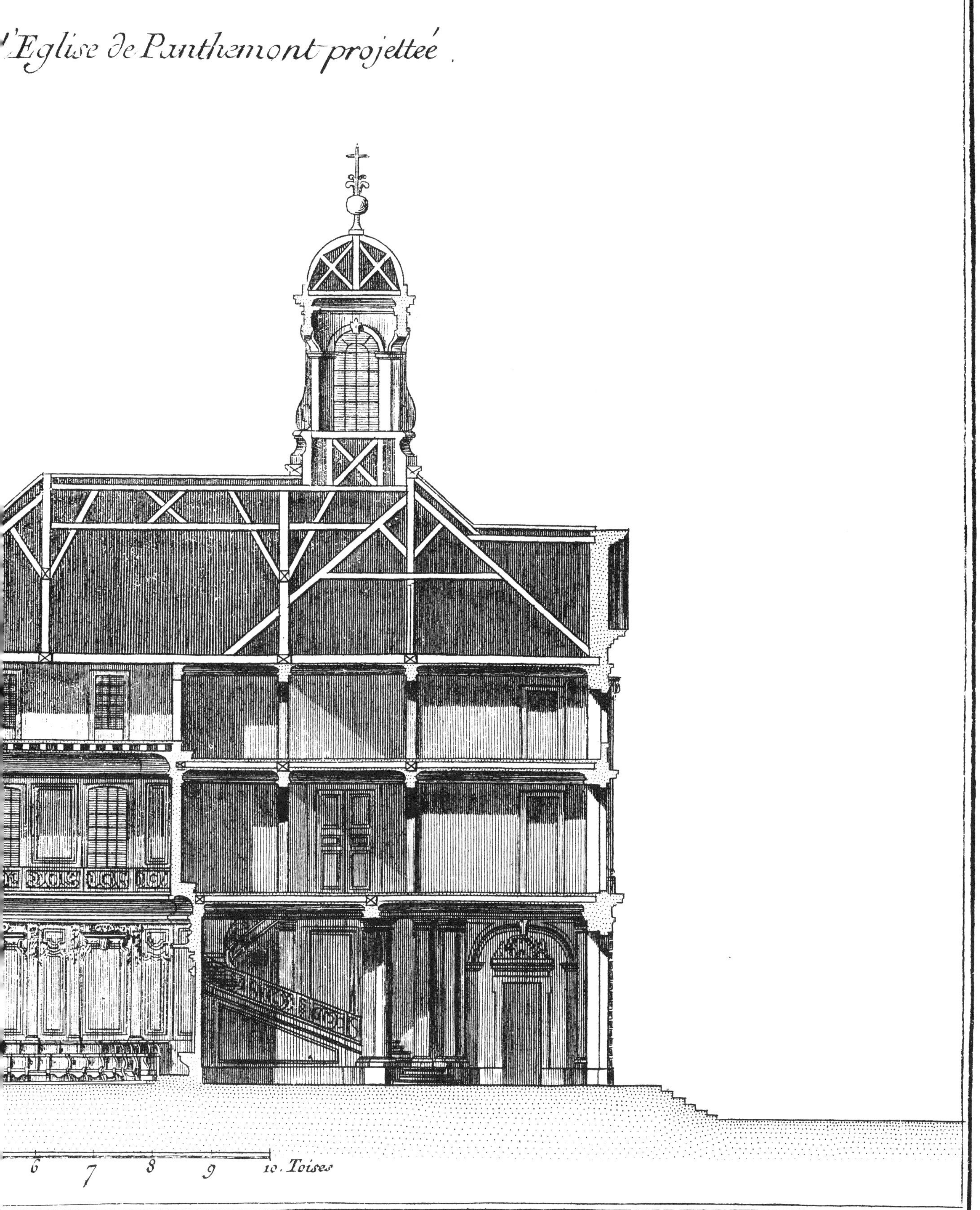

Benard Fecit.

Eleva

PLANCHE XXIV.

Le format de ce Volume n'ayant point permis de joindre les deux ailes au principal corps-de-logis, on a pris le parti de les graver séparément sur la même Planche, ce qui ne laisse pas de nuire à l'effet général de l'ensemble ; mais on peut se représenter la partie A jointe à celle B, et celle C jointe à la partie D, pour en juger. Au reste ces deux ailes ne sont que les élévations des dépendances de ce bâtiment, mais ajustés de manière que malgré leur infériorité elles contribuent à faire valoir l'ordonnance de l'hôtel proprement dit.

Cet édifice est composé de deux étages, le rez-de-chaussée orné d'ordre ionique, le premier d'ordre corinthien. Le principal corps-de-logis placé entre cour et jardins, jouit du côté de la cour de l'aspect de la place publique par la colonnade qui se voit ici, et dont les axes des entre-colonnements correspondent à ceux des croisées du principal corps des bâtiments. Nous ne ferons point l'analyse de cette production, son éloge serait déplacé, et on doit naturellement nous dispenser d'en faire la critique ; nous ferons remarquer seulement la relation scrupuleuse que nous avons observée entre les dehors et les dedans, comme le principal objet de la composition d'un bâtiment de cette espèce.

Nous n'avons donné ni la façade du côté du jardin, ni la coupe de ce bâtiment, dans le dessein d'éviter la multiplicité des Planches : d'ailleurs on sentira facilement par l'inspection du plan, l'effet que ces façades doivent produire, et nous nous flattons que ce projet fera quelque plaisir à tout amateur impartial.

… côté de l'entrée d'un grand Hôtel avec ses dépendances,

… du Dessein de Jacques François Blondel Architecte du Roy.

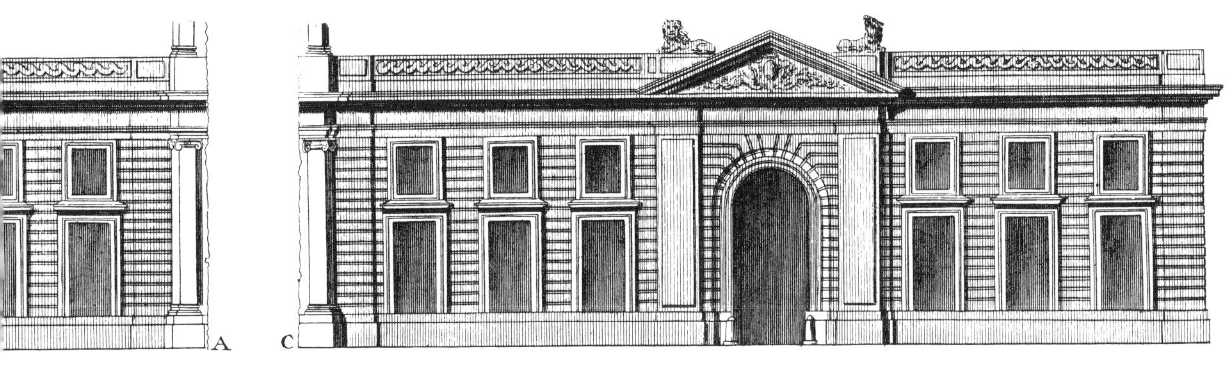

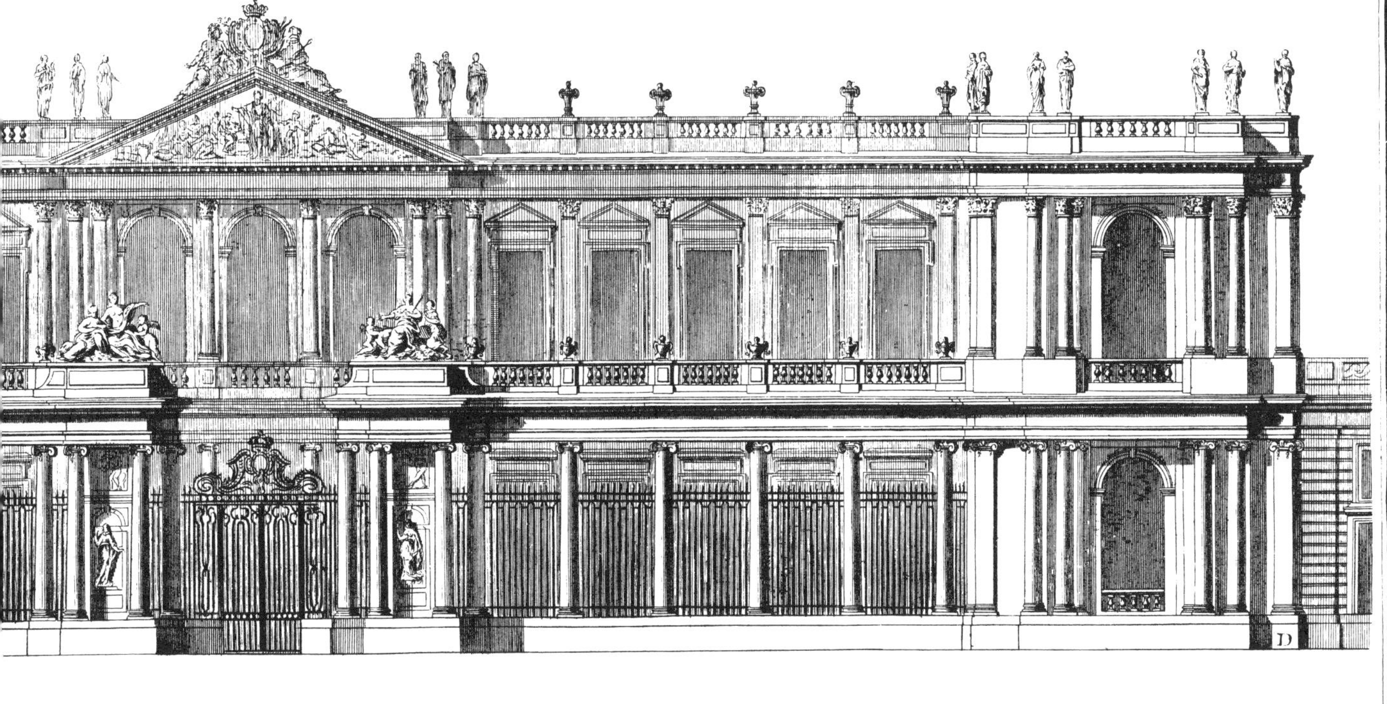

Benard Fecit.

Architecture.

Elevation du côté de la cheminée de la Chambre de Parade.

Echelle de 1 2 3 4 5 6 12. Piéds

PLANCHE XXXIII.

Elévation du côté de la cheminée de la chambre de parade.

Cette décoration est du meilleur genre. De belle parties, des détails heureux, des matières précieuses, des étoffes de prix, tout concourt à procurer à cette pièce une très grande magnificence ; les ornements d'ailleurs nous ont paru assez intéressants, pour que nous en donnions la plus grande partie dans les Planches XXXVI. et XXXVII. mais ce que nous n'avons pu rendre, sont les beautés de l'exécution considérées séparément dans chaque genre, et qui doivent exciter la curiosité des amateurs et des artistes éclairés.

Elevation du côté du Lit de Parade.

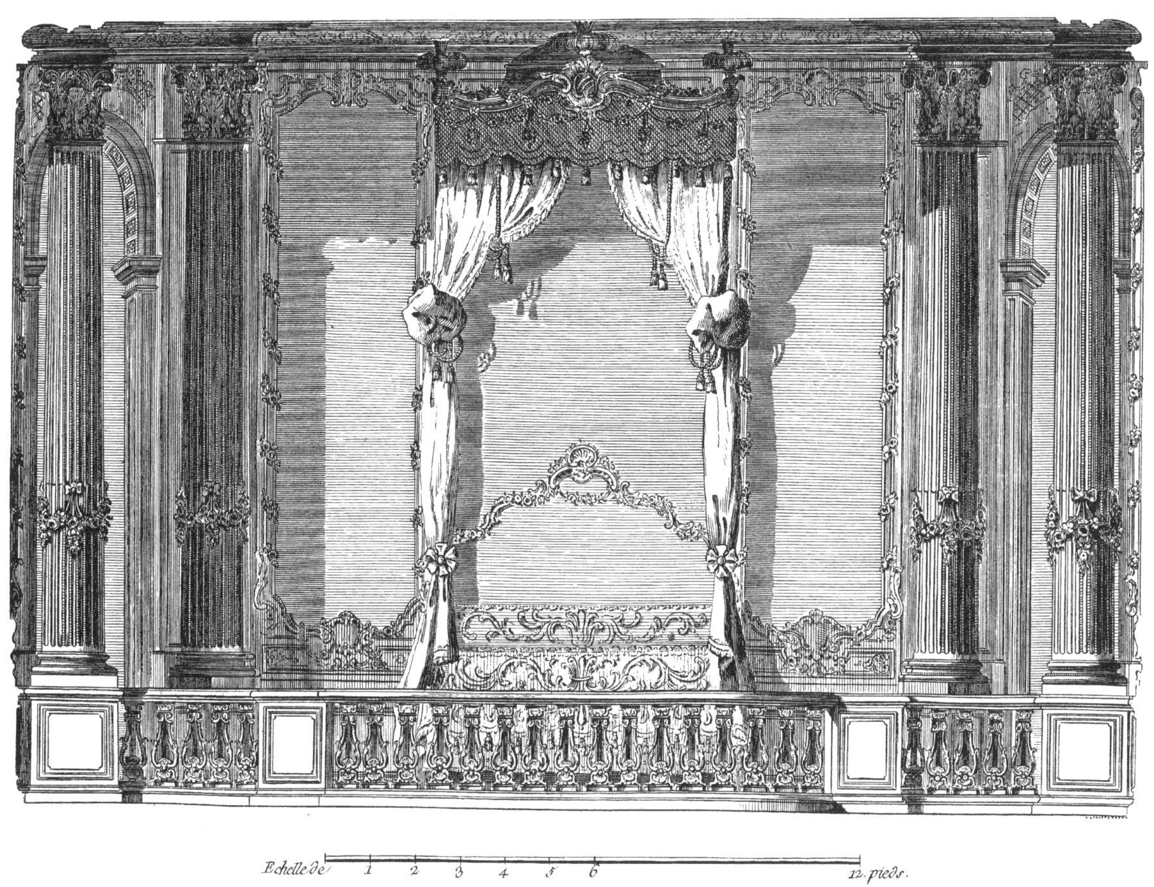

PLANCHE XXXIV.

Elévation du côté du lit de parade.

Cette Planche fera connaître une des meilleures décorations en ce genre, qui se soit vue jusquà présent dans l'intérieur de nos appartements. Les quatre colonnes qui se remarquent ici, dont deux placées sur un plan différent, donnent à cette ordonnance un caractère grave, qui n'ôte cependant rien à son élégance. La forme du plan contribue même à ajouter de la beauté à cette décoration, et à contenir le lit avec la dignité qui lui convient ; d'ailleurs la forme de ce lit, la richesse de ces étoffes, la balustrade qui le renferme, les glaces qui sont placées dans les pans coupés, la forme ingénieuse des chapiteaux et des cannelures de l'ordre, enfin l'exacte régularité de chaque partie, tout dans ce dessin fait le plus grand plaisir. Cette belle pièce est terminée par une corniche composée d'ornements d'un excellent genre, et dont on trouvera les dessins pour la plus grande partie, Planche XXXVII.

PLANCHE XXXVI.

Développements des principaux ornements répandus dans la décoration des trois pièces précédentes.

Le genre mâle que la plupart de nos architectes cherchent aujourd'hui à donner à nos ornements, leur a semblé néanmoins ne pas devoir exiger ce caractère de pesanteur que nos anciens ont affecté dans les dedans des appartements, ni cette prodigalité de petites parties que nous avons déjà reprochée à la plupart de nos sculpteurs en bois, mais un juste milieu entre ces deux excès, parce qu'ils ont senti enfin que les décorations intérieures doivent être agréables ; que rien n'y doit paraître lourd ni dans les masses ni dans les détails ; que même il était nécessaire de réveiller leur ordonnance par un peu de contraste, pourvu qu'il ne fût point outré ; le contraste dont plusieurs ont abusé quelquefois, n'ayant engendré que des chimères, et qu'ils ont senti que trop de symétrie à son tour ne produisait souvent que des compositions froides et monotones. Les ornements de cette Planche sont également exempts de ces deux défauts, en fixant, pour ainsi dire, le véritable goût et le style propre à cette partie de l'art.

Développement des principaux Ornements répandus dans les Décorations des trois pieces precédentes.
Dessus de porte de la Chambre de Parade.
Table de marbre et Girandole placée en face de la Cheminée du Sallon.
Benard Fecit.

Architecture

Plan au Rez de chaussée et Élévation intérieure de l'Escallier qui conduit du Cloître au Dortoir de l'Abbaye de Vauluisant, exécuté sur les desseins de M.r Franque Architecte du Roy.

PLANCHES XXXVIII ET XXXIX.

Ces deux dernières Planches offrent les plans et les décorations intérieures d'un escalier bâti sur les dessins de M. Franque, architecte du roi, à l'abbaye de Vaux-Luisant. La simplicité qui règne dans son ordonnance, sans être pauvre, la proportion des membres qui y président, un certain caractère de fermeté qui se remarque dans les profils, la forme ingénieuse des rampes et du contour des marches qu'il a fallu assujettir à la hauteur du premier étage, en conservant un palier au milieu, sont les motifs qui nous ont portés à préférer cet exemple à tout autre d'une distribution plus compliquée. D'ailleurs l'Architecture française offrira à nos lecteurs plus d'un modèle en ce genre, et plusieurs monuments considérables, qui accompagnés des descriptions que nous avons été chargés d'en faire, pourront contribuer à développer les connaissances des jeunes artistes. Au reste, ce sera au public éclairé à juger des observations répandues dans l'un et l'autre ouvrage ; au-moins l'assurons-nous de notre impartialité. La meilleure preuve que nous en puissions donner, c'est le choix des productions que nous lui offrons ici, et la réputation que se sont acquis les habiles artistes qui ont la meilleure part en cette collection.

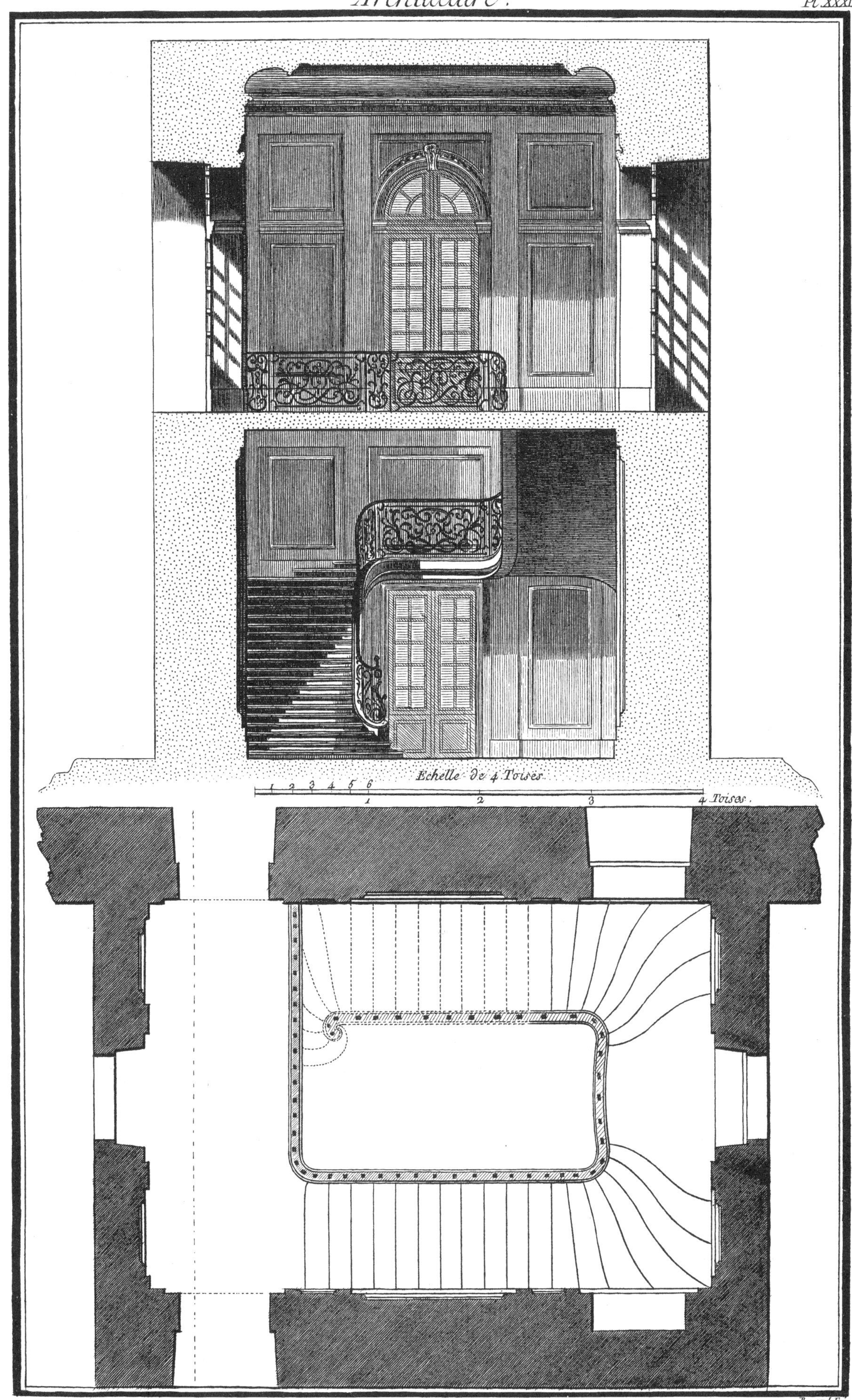

Benard Fec.

Plan du premier étage et Elévation interieure de l'Escallier qui conduit du Cloitre au Dortoir de l'Abbaye de Vauluisant executé sur les Desseins de M.r Franque Architecte du Roy.

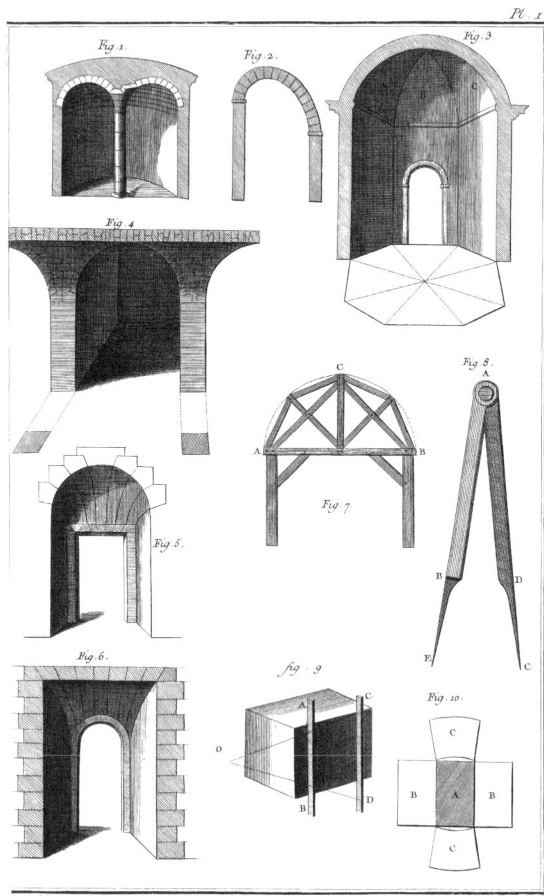

COUPE DES PIERRES

PLANCHE Ière.

Fig. I. Voûte annulaire dont le plan est un cercle.
2. Arc rampant dont les impostes ne sont point de niveau.
3. Arc de cloître. A, B, C, portions de berceaux.
4. Voûte d'arrête.
5. Arrière-voussure de la porte Saint Antoine.
6. Arrière-voussure de Montpellier.
7. Ceinture pour soutenir les voussoirs pendant la construction d'une voûte. A B, entrait qui répond au niveau des impostes. C, poinçon qui répond au dessous de la clé ; les autres pièces servent à soutenir les dosses sur lesquelles on construit la voûte.
8. Compas d'appareilleur. A E, la branche femelle, fendue depuis A jusqu'en B, pour recevoir la partie A D de l'autre branche A C.
9. Dégauchissement d'une pierre ; il se fait avec les deux règles A B, C D, que l'on place dans des ciselures pratiquées à la pierre dont on taille toute la surface, selon la direction du fond de ces ciselures.
10. Développement. A, doële. B, panneaux de lit. C, panneaux de tête.

PLANCHE IV. *(page 265)*

Fig. 29. Epure.
30. Voûte plate d'une seule pierre.
31 et 31. n° 2. Voûte plate, composée de plusieurs rangs de voussoirs inscrits les uns dans les autres.
32. Plate-bande.
33. Plancher composé de poutrelles, proposé par Serlio.
34. A, extrados. B, intrados ou doële d'un voussoir d'une voûte plate.
35. Doële d'une voûte plate, proposée par M. Abeille.
36. Extrados de la même voûte.
37. Compartiment de l'extrados d'une voûte plate, dont les claveaux ne laissent point de vide.
37. n° 2. A, doële d'un des claveaux de la voûte précédente. B, extrados du même claveau.
38. Compartiment de l'extrados d'une voûte plate en quarrés égaux, diagonalement opposés à ceux de l'intrados.
38. n° 2. *a* doële ou intrados d'un des claveaux de la voûte précédente. *b*, extrados du même claveau.

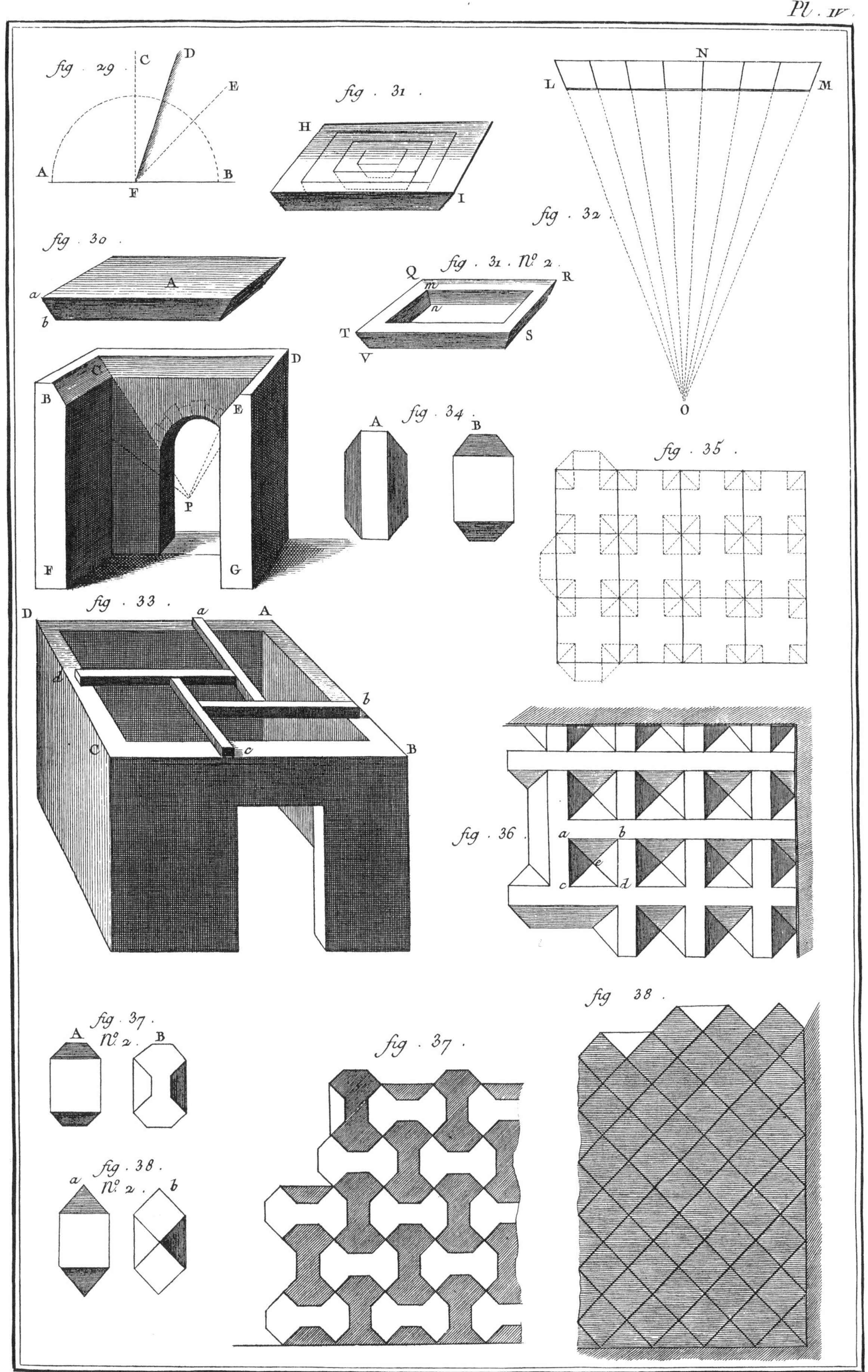

Benard Fecit.

Architecture, Couppe des Pierres.

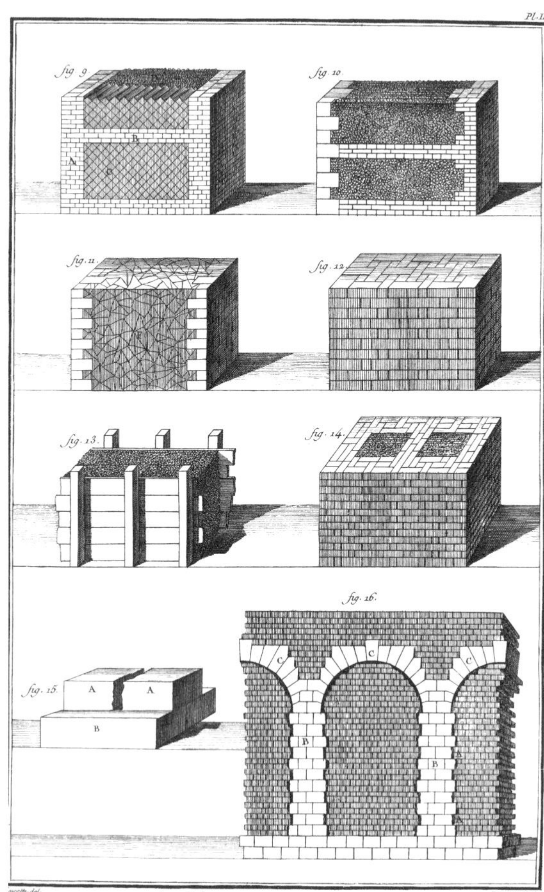

MACONNERIE

PLANCHE Ière. *(page 267)*

(page 267)

Le haut de la Planche représente des maçons diversement occupés ; les uns A à monter des pierres taillées ; d'autre B sur un échafaud à enduire un mur de plâtre ; d'autres C, à construire un ouvrage de maçonnerie. On voit en D et en E deux tailleurs de pierre ; en F, ceux qui préparent la chaux ; en G, un scieur de pierre ; en H, I, K, les manœuvres occupés à servir dans la construction des bâtiments.

Fig. I. Maçonnerie maillée, que Vitruve appelle *reticulatum.*

2 et 3. Maçonnerie en liaison, appellée par Vitruve *insertum.*

4, 5 et 6. Maçonnerie de pierres brutes. L'*isodomum*, le *pseudisodomum,* et l'*empleiton* grec. A, les assises. B, les couches de mortier. C, l'enduit de plâtre. D, le garni.

7. Maçonnerie en liaison et cramponnée, ou le *revinctum* des anciens. E, les pierres cramponnées. F, les crampons. G, le garni.

8. Pierres démaigries ou plus creuses en maçonnerie, vers le milieu que par les bords.

PLANCHE II.

Fig. 9. Maçonnerie en échiquier. A, angles faits de briques. B, rang de briques, qui tient le mur et le traverse. C, échiquier. D, partie intérieure du mur fait de ciment.

10. Autre maçonnerie en liaison. Deux faces de mur de carreau de pierre ou de brique ; l'intérieur du mur E est de ciment ou de cailloux de rivière, et soutenu de trois pieds en trois pieds dans sa hauteur par trois lits de brique.

Fig. 11. Maçonnerie incertaine ou rustique. F, pierres incertaines.

12. Maçonnerie en pierres de taille.

13. Mur de remplage.

14. Maçonnerie faite de carreaux et boutisses de pierres dures ou tendres, posées en recouvrement les unes sur les autres. A A, carreaux. B, boutisses.

Exemples de quelques précautions à observer dans l'art de bâtir.

16. A, arrachements. B, chaînes de pierres. C, arcades ou décharges.

Benard Fecit.

Architecture, Maçonnerie.

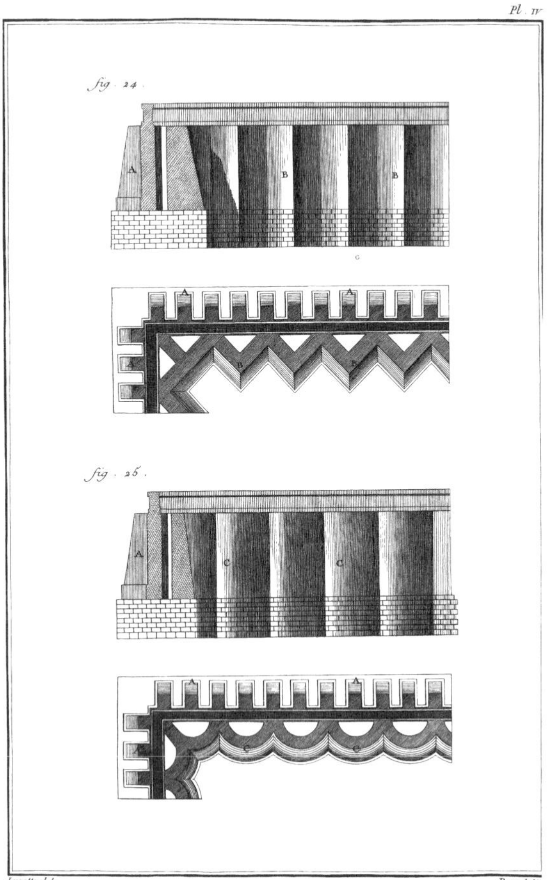

PLANCHE IV.

Fig. 24. Autres murs de terrasse, avec des contre-forts A en-dehors, et d'autres contre-forts B en-dedans, diagonalement disposés en forme de scie.
25. Les mêmes murs de terrasse, avec des contre-forts en-dehors, semblables à ceux de la figure 24 mais dont les contre-forts du dedans C, C, sont disposés en forme de portion circulaire.

Nota. Les outils et les machines à l'usage du maçon et du tailleur de pierre, sont réprésentés ci-après, Pl. XI. XII.

PLANCHE IX. *(page 269)*

Fondements.

Fig. 32.et 33. Manière de fonder par les piles. A, les piles. B, le bon fond. C, C, C, *fig.* 32. arcs bandés sur les piles. C, C, C, *fig.* 33. arcs renversés.
34. et 35. Manière de fonder sur le roc. A A, le roc. B, B, piles élevées, ou maçonneries adossées. C, *fig.* 34. assises pratiquées par ressaut au roc. C, C, *fig.* 35. harpes des pierres, et arrachements pratiqués au rocher.
36. Manière de fonder par les pierrées. A A A, le roc. B B, C C, E E, cloisons de charpentes. D, D, les bords inférieurs de cette cloison.
37. La même manière de fonder par les pierrées avec une seule cloison, quand le roc est escarpé. A, le roc. B, espace entre le roc et la maçonnerie, qu'on remplit de pierrées. C, cloison. B, maçonnerie.
38. Fondation par arcades, dans les cas où l'on veut économiser. A A, le roc. C, C, massifs. B, B, les arcades. D, D, retombées des arcades.
39. Fondements sur la glaise. A, grillages de charpente. B, longrines. C, traversines.
40. Fondements sur le sable. A, tranchée. B, madriers. C, étrésillons ou pièces de bois qui en font la fonction.

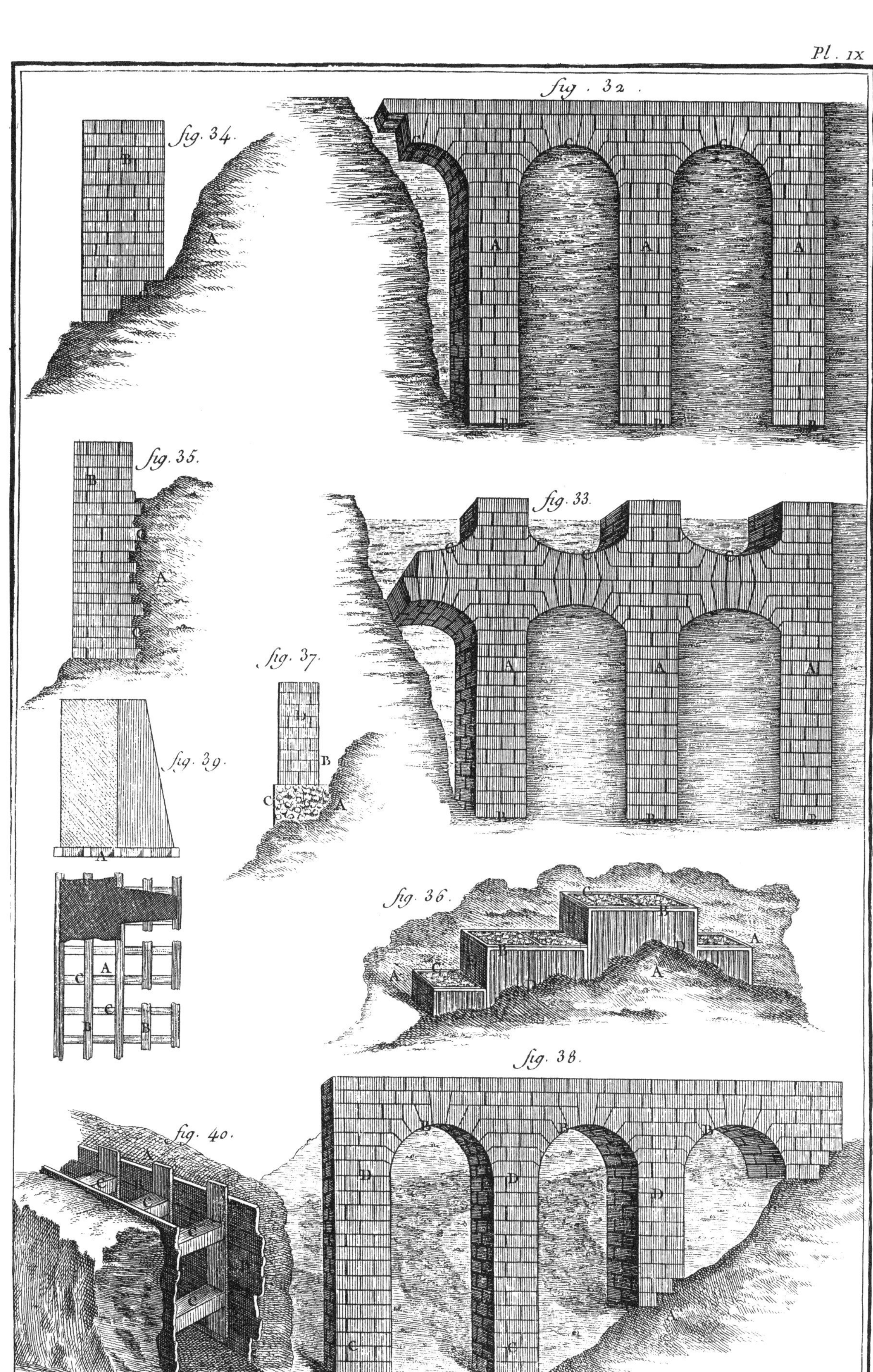

Benard Fecit.

Architecture Maçonnerie.

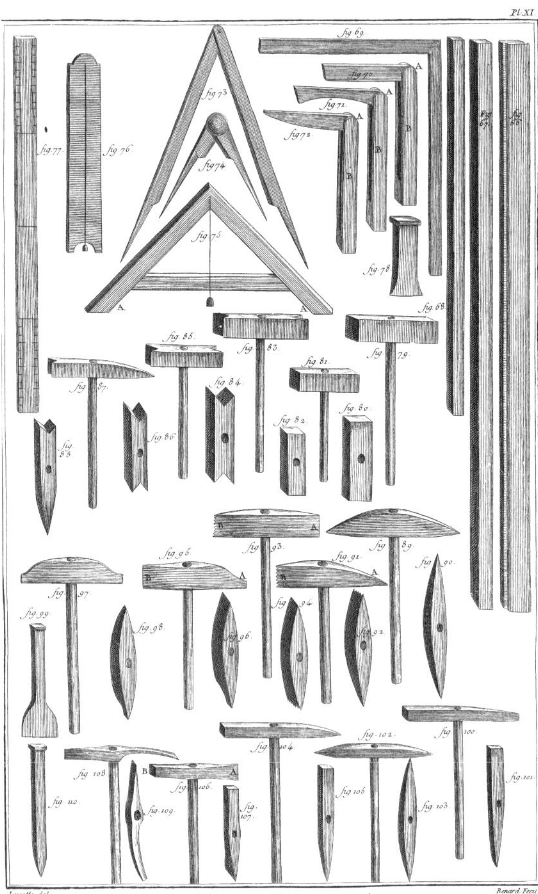

PLANCHE XI.
Outils du maçon et du tailleur de pierre.

Fig. 66. Règle de bois.
67. Autre règle de bois.
68. Troisième règle de bois.
69. Equerre de fer.
70. Fausse équerre de bois.
71. Beuvau concave.
72. Beuvau convexe.
73. Grand compas.
74. Petit compas.
75. Niveau.
76. Autre niveau.
77. Règle d'appareilleur.
78. Coin de fer.
79. Masse de fer, appellée grosse masse.
80. Fer de la grosse masse, vu du côté de l'œil.
81. Petite masse.
82. Fer de la petite masse, vu du côté de l'œil.
83 et 85. Têtus.
84 et 86. Fers de ces deux têtus.
87 et 88. Autre têtu à démolir, avec son fer.
89 et 90. Marteau à deux pointes, et son fer vu du côté de l'œil.
91 et 92. Marteau bretelé à pointe, et son fer.
93 et 94. Marteau avec bretelure et hache, et son fer, vu du côté de l'œil.
95 et 96. Marteau avec hache des deux bouts, et son fer.
97 et 98. Marteau à dégrossir, et son fer.
99. Ciseau large.
100 et 101. Marteau à démolir les cloisons et les murs en plâtre, avec son fer.
102 et 103. Marteau à deux pointes, et son fer.
104 et 105. Marteau quarré d'un côté, et à pointe de l'autre, avec son fer, vu du côté de l'œil.
106 et 107. Hachette.
108 et 109. Décintroir.
110. Poinçon.

PLANCHE XII. *(page 271)*

Fig. 111. Maillet.
112. Ciseau à main.
113. Gouge.
114. Rissard sans bretelure.
115. Rissard avec bretelure.
116. Aiguille ou trépan.
117. Rabot de bois.
118. Houe.
119. Drague.
120. Fouet avec son plomb.
121. Rondelle.
122. Crochet sans bretelure.
123. Crochet avec bretelure.
124. Rissard.
125. Truelle.
126. Autre truelle.
127. Autre truelle avec bretelure.
128. Pic.
129. Pic vu du côté de la douille.
130 et 131. Pioche.
132. Pelle.
133. Batte.
134. Hotte.
135. Brouette.
136. Banneau.
137. Oiseau.
138. Auge.
139. Panier.
140. Sas.
141. Bar.
142. Civière.
143. Scie sans dents.
144. Cuillère de fer.

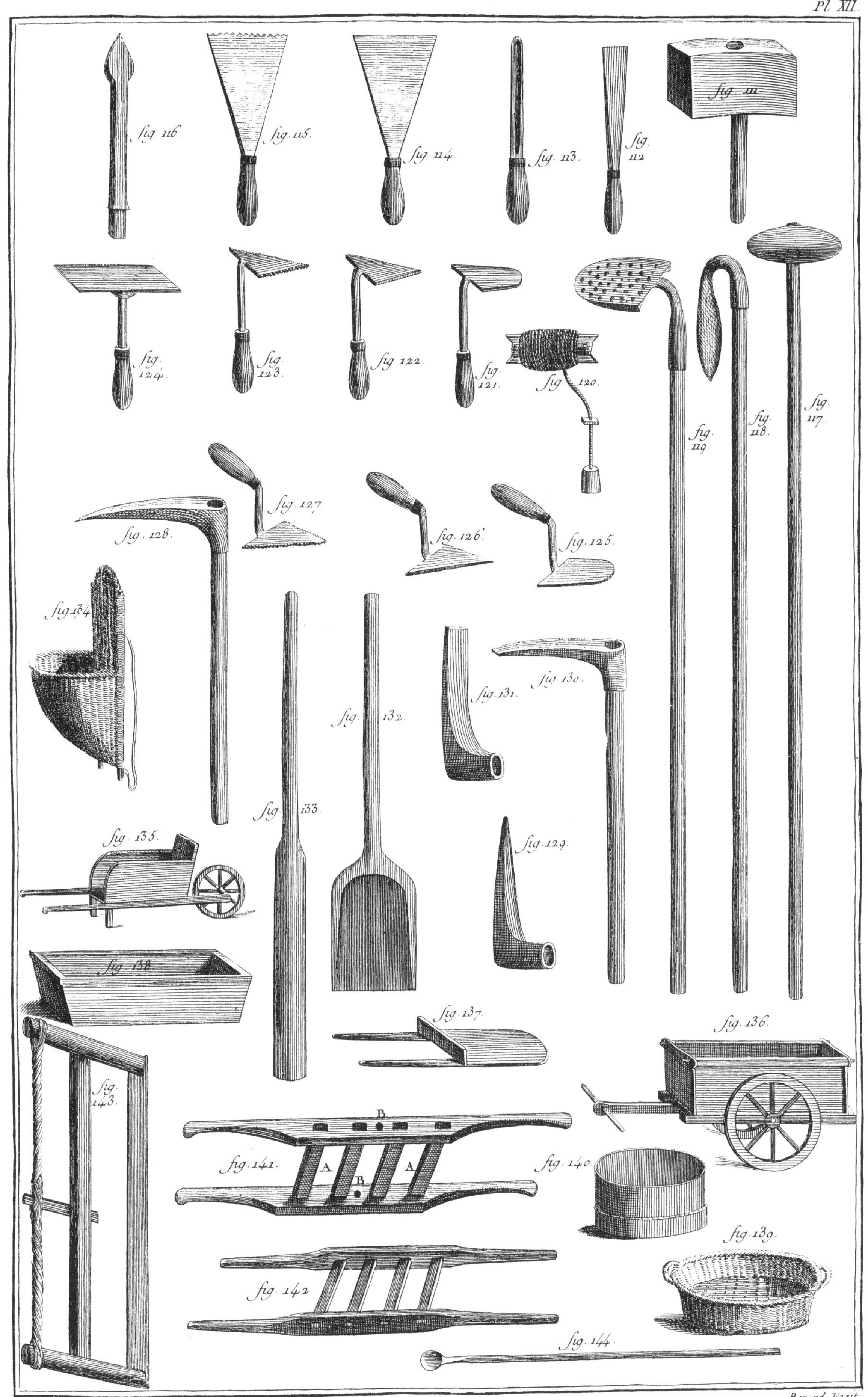

Benard Fecit

Architecture Maçonnerie.

TUILERIE

PLANCHE Ière.

La vignette représente une tuilerie et tous les bâtiments nécessaires.

A, B, C, le fourneau adossé à un terrain élevé par lequel on monte au-dessus. Les murailles sont fortifiées et soutenues par des contre-forts C, C, entre lesquels il y a deux portes pour entrer dans le fourneau. D, E, la halle dans laquelle on calibre le carreau et on le met sécher à l'ombre, ainsi que la tuile. F, moulerie. Elle a plusieurs ouvertures ou fenêtres. Le mouleur, qui est au-dedans de ce bâtiment, donne au coucheur les tuiles ou planchettes à mesure qu'il les a moulées. La fenêtre S fermée par une toile pendante sert à introduire le sable dont le mouleur a besoin pour sécher son moule et le bloc sur lequel il travaille. L'ouverture *q* sert à tirer au-dehors le sable qui tombe aux pieds du mouleur. Les autres ouvertures *p*, aussi fermées par des toiles, répondent à la partie de ce bâtiment où on marche la terre glaise. Derrière ce bâtiment est une fosse dans laquelle on détrempe la terre glaise. On voit une de ces fosses en *m* ; elle est ordinairement entourée de glaise sèche et concassée en petits morceaux. *r*, tonneau ou baquet rempli d'eau, et enterré de presque toute sa hauteur, et à moitié recouvert par une planche. Le coucheur y trempe les planchettes sur lesquelles il transporte la tuile. *n*, petit pont et bascule servant à puiser l'eau nécessaire, qui coule par des rigoles dans les fosses à tremper.

Fig. I. Ouvrier qui prépare et aplanit une aire ou place *d, e, f*, couverte de sable, pour mettre sécher les moulées.

2. Coucheur qui étend sur la place *a, b, d*, les tuiles ou planches de terre que le mouleur lui a fournies ; il les transporte en se servant de petits ais de bois qu'on nomme aussi planchettes, sur les aires ou places où il les laisse sécher.

3. Leveur qui rassemble les planches ou tuiles quand elles sont presque sèches, pour les transporter dans la halle couverte D, E.

4. Ouvrier qui marche la terre glaise, c'est-à-dire qui la pétrit avec les pieds. La terre suffisamment corroyée est transportée à la pelle sur le banc à terre qui est à droite du mouleur.

5. Le mouleur placé debout devant le bloc *c*, et entre les deux massifs E, C, qu'on nomme bancs. Le premier est destiné à recevoir la terre corroyée qu'on voit en D, et le second C, le sable A avec lequel il saupoudre le moule et le bloc sur lequel il travaille. Le sable est retenu sur le banc par des planches appuyées sur le talleau B, et un semblable fixé à la muraille opposée. *a*, planchette que le mouleur aplanit avec le racle. *b*, l'auget plein d'eau, dans lequel le mouleur met tremper le racle. *d*, planchette de bois avec laquelle le coucheur transporte les planches pour les faire sécher sur les aires ou places. E, ouverture par laquelle on retire le sable qui est tombé aux pieds du mouleur.

6. Plan de l'atelier du mouleur. M, la fosse où on détrempe la terre glaise. Q, fenêtre par laquelle on la jette dans la marche, qui est l'espace entre P et R. P, R, ouvertures pour entrer dans la marche : on les ferme avec des toiles. E, banc à terre. B, place du mouleur. C, banc à sable. *s*, fenêtre par laquelle on jette le sable sur le banc. *c*, bloc. *c*, l'auget. F, place du coucheur. D, tonneau ou baquet plein d'eau, dans lequel le coucheur trempe ses planchettes.

7. Moule à tuiles de petit moule. Ce châssis, qui a un demi-pouce d'épaisseur, a intérieurement neuf à dix pouces de longueur sur six de large. Il a une échancrure *a* qui reçoit la terre avec laquelle le coucheur forme le crochet de la tuile.

8. Moule pour la tuile du grand moule. Il a sept lignes d'épaisseur, treize pouces de long et huit de large, et aussi une échancrure *a* pour former le crochet de la tuile.

9. Moule pour la brique. Il a intérieurement un pouce deux lignes d'épaisseur, huit pouces de long et quatre pouces de large.

10. La plane avec laquelle le mouleur étend la terre dans les moules à tuile, et dont il se sert comme l'ouvrier (*fig.* 5.) se sert du racle : il y en a de différentes grandeurs.

11. Moule à planche dont on fait le carreau. Il a intérieurement douze pouces de long sur six de large, et sept lignes d'épaisseur pour la planche dont on fait le carreau du petit moule. On se sert d'un plus grand pour la planche dont on fait le carreau du grand moule.

12. Racle : il est de bois, comme tous les autres outils, et sert au mouleur pour aplanir la terre dont il forme les planches.

13. Planchette avec laquelle le coucheur (*fig.* 2.) transporte les planches de terre glaise sur les places pour les faire sécher. Il y en a de plus longues et de plus larges pour la tuile.

14. Plioir sur lequel le leveur (*fig.* 3.) transporte la tuile faîtière, et sur lequel il lui fait prendre la courbure convenable. C, la poignée du plioir. E, la tuile.

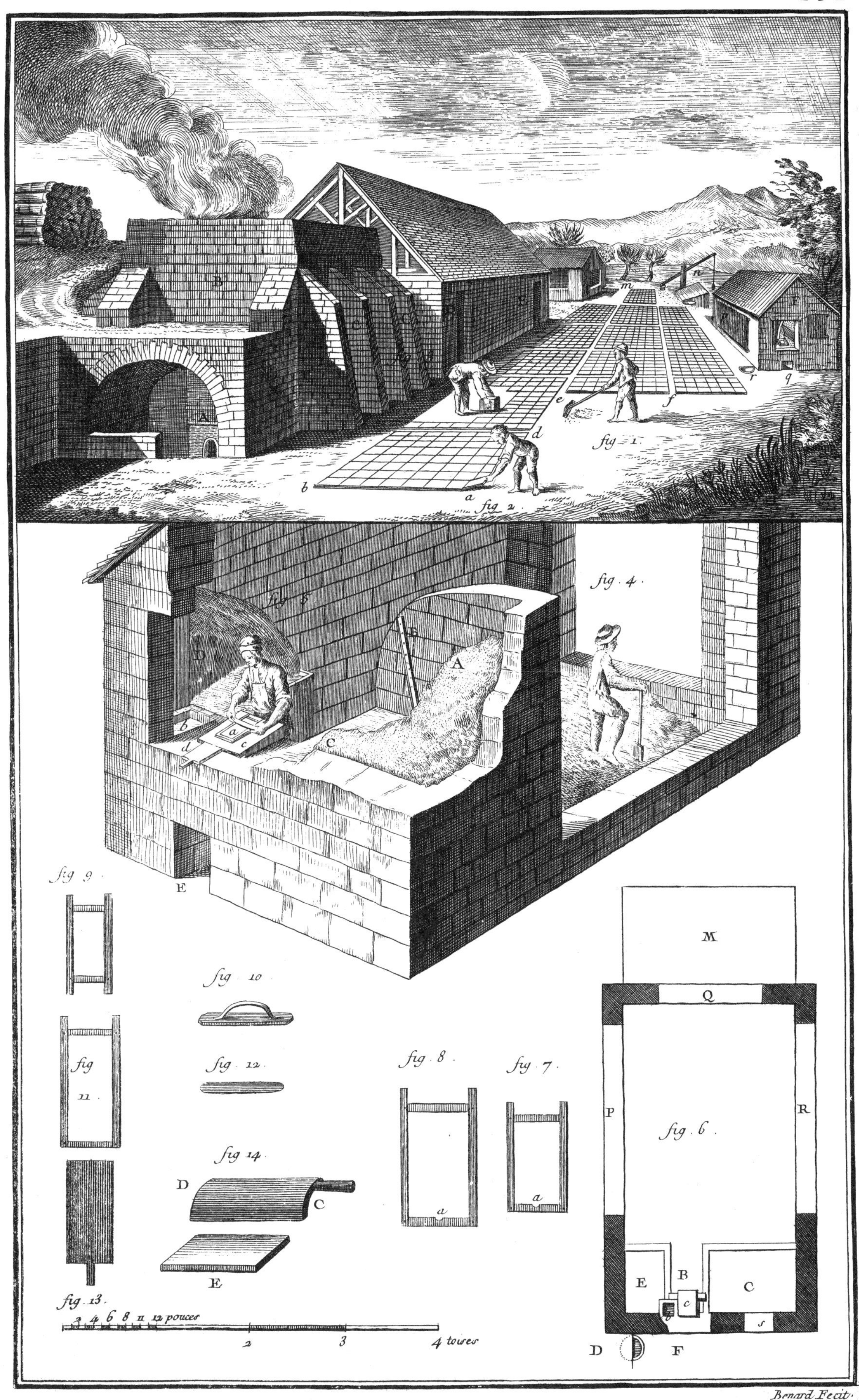

Benard Fecit.

Tuilerie.

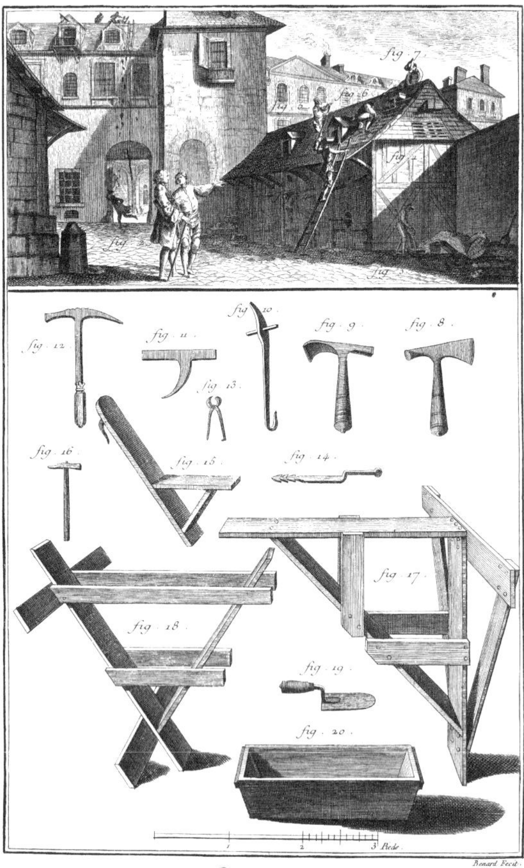

Couvreur.

COUVREUR, CARRELEUR

PLANCHE I BIS

Fig. I. Bâtiment à la couverture duquel on travaille.
2. Architecte qui donne des ordres au principal ouvrier.
3. Manœuvre qui prépare le plâtre pour le gâcher.
4. Manœuvre qui porte aux ouvriers le plâtre gâché.
5. Ouvrier qui balaye les places où l'on doit employer le plâtre.
6. Ouvrier qui pose les tuiles sur le lattis.
7. Ouvrier qui pose les faîtières.
8. Marteau à couper.
9. Marteau à hacher.
10. Contrelattoir.
11. Enclume sur laquelle on coupe les ardoises.
12. Marteau à couper l'ardoise.
13. Tenailles.
14. Tire-clou.
15. Oiseau.
16. Martelet.
17. Chevalet.
18. Chevalet rampant.
19. Truelle.
20. Auge à gâcher.

PLANCHE Ière. *(page 275)*

Fig. I. Ouvrier qui nivelle le plancher.
2. Manœuvre qui porte le carreau à l'ouvrier qui le pose.
3. Ouvrier qui pose le carreau.
4. Règle.
5. Niveau.
6. Auge à mortier.
7. Truelle.
8. Décentoire.
9. Plane.

Les figures suivantes appartiennent à la manière de faire le carreau.

10. Plan du four à cuire le carreau. A, porte de la bouchette. B, la bouchette. C, le four. D, le têtin. E, la cheminée.
11. Coupe du four prise en travers, en regardant du côté de la cheminée.
12. Coupe du four, de la bouchette et de la cheminée prise sur la longueur.
13. A, terre argilleuse pétrie pour faire le carreau. B, tas de sable pour mêler à la terre. C, moule quarré.
14. Couteau à couper la terre.
15. Moule hexagone.
16. Petits carreaux hexagone.
17. Petits carreaux quarrés.

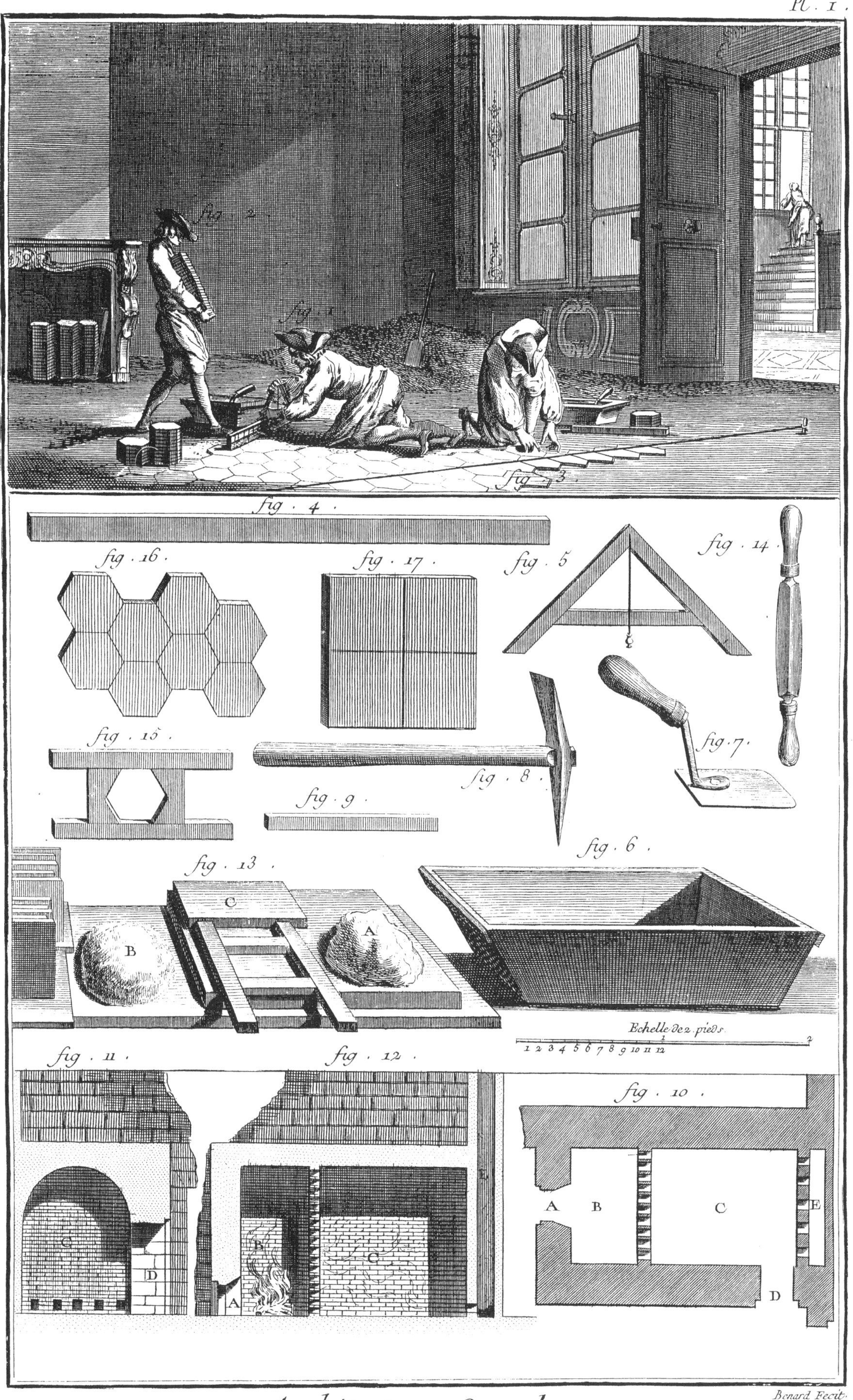

Benard Fecit.

Architecture, Carreleur.

THEATRE

PLANCHE X

Table dixième, plan géométrique en travers et la vue du parquet, la couronne.

I. Perspective des fabriques et des maisons qui environnent la place derrière le château royal.

2. La place des archives royales, le jardin de l'Académie, du dessin du feu célèbre abbé D. Philippe Juvara, premier architecte du roi de Sardaigne.

3. Portique et entrée des archives.

4. Vides pour les tuyaux des fourneaux.

5. Rangs des poutres qui forment le toit, tant sur la salle de peinture que sur le parquet de la scène.

6. Vides pour conserver l'ordre des grandes fenêtres sans interruption, qui ont vue sur le jardin de l'académie, et ensemble pour donner du jour et de l'air à tous les étages des corridors.

7. Centre d'où l'on a décrit la portion de cercle qui forme le plafond de la salle, afin que le son de la voix et les rayons de la lumière soient renvoyés vers le milieu de la salle. L'on voit sur le plafond représenté en fort belle peinture le mariage de Jupiter et de Junon, accompagnés de tous les dieux de la fable. La partie convexe au dessus dudit plafond est couverte d'un ciment fort dur, afin que si l'on verse de l'eau dans la salle des peintures qui est au dessus, la peinture n'en soit pas endommagée.

8. Cercle pointé pour marquer la proportion de la salle aussi large que haute.

9. Encaissements continués tout autour dans la corniche, couverts et enduits d'un bon ciment, et presque remplis de sable, pour absorber l'eau, qui découlant de la salle supérieure, pourrait tomber sur la partie convexe du plafond dont nous avons parlé.

10. Salle fort vaste et fort éclairée pour peindre les scènes, avec des cheminées, etc.

11. Séparation des loges.

12. Séparation des corridors.

13. Paradis.

14. Amphithéâtre au fond des paradis.

Dumont Del.

Salles de Spectacl

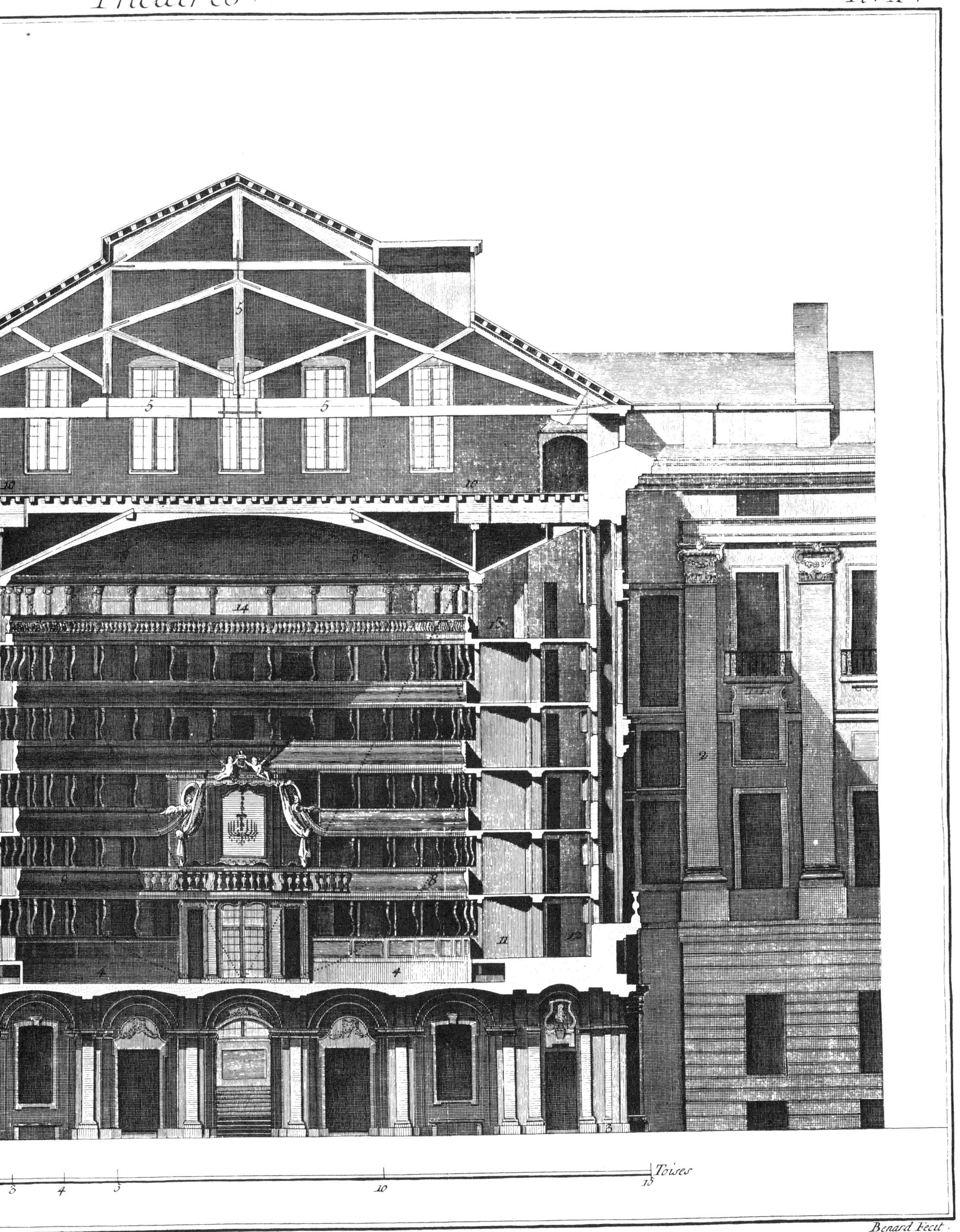

Benard Fecit.

Plan Géométrique en travers et la Vue du Parquet LA COURONNE.

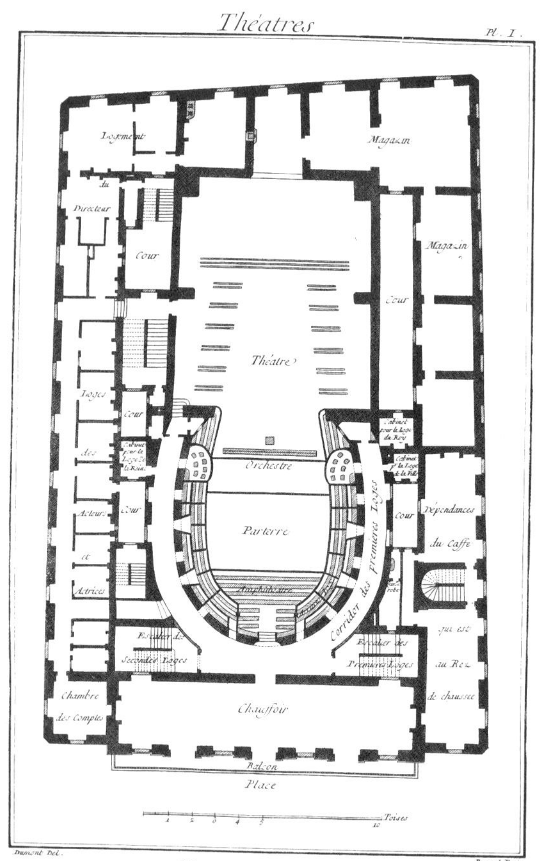

Salles de Spectacles.
Plan de la Salle de Comedie de Lyon.

M

COMÉDIE DE LYON

PLANCHES I. ET II.

Plan, Coupe et Elévation de la Salle de la Comédie de Lyon, exécutée sur les dessins de M. Soufflot, Architecte et Contrôleur des Bâtiments du Roi.

Les renvois sont gravés sur les Planches dont les dessins ont été faits par M. Dumont, professeur d'architecture.

COMÉDIE FRANCAISE

PLANCHES *(page 280-281)*

Elévation du côté de l'entrée du bâtiment, et coupe en-travers prise sur la ligne C, D, de la Planche première.

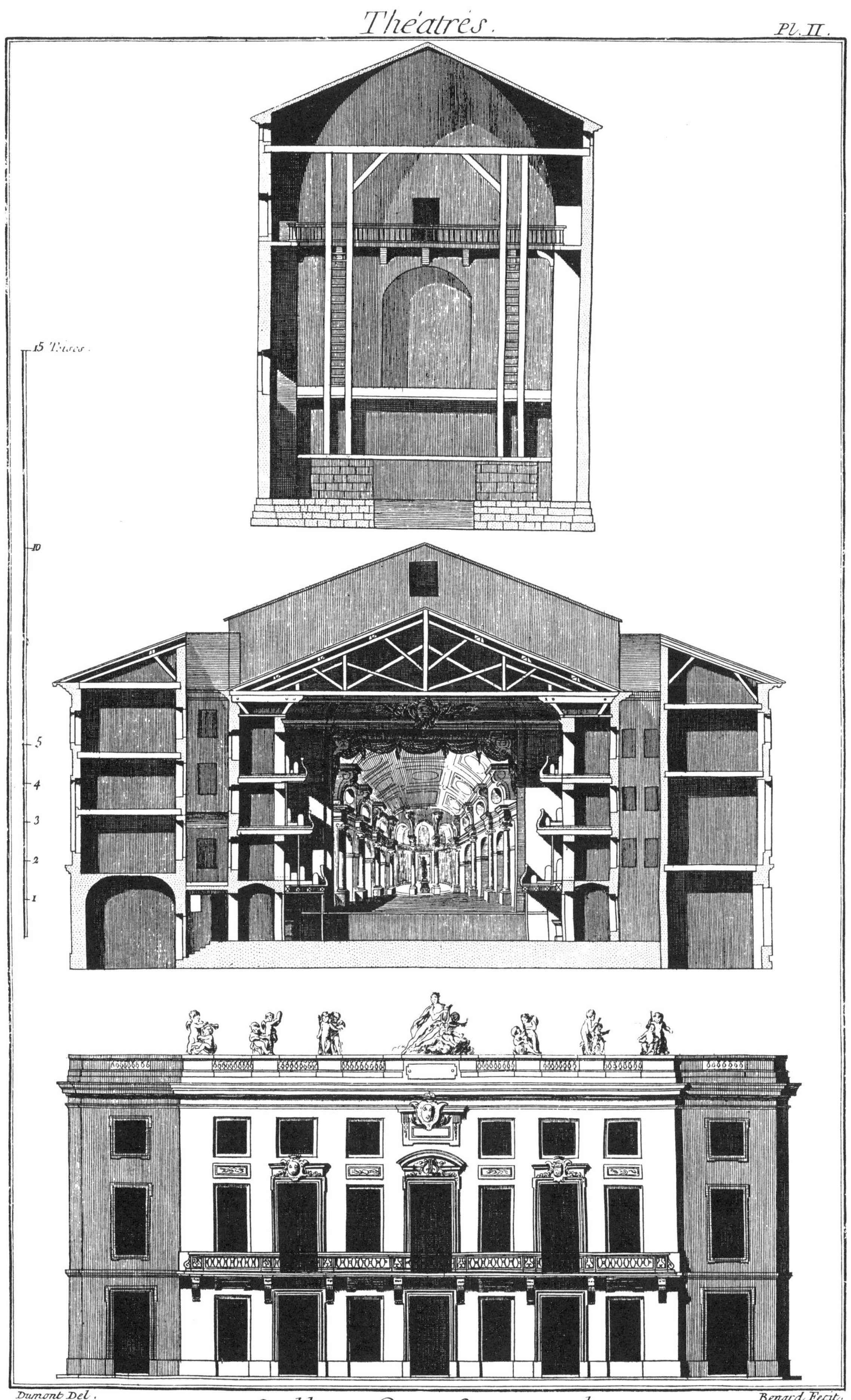

Dumont Del. Benard Fecit.

Salles de Spectacles

Coupes et Élévations de la Salle de Comedie de Lyon.

N

Elévation du coté de l'Entrée du Batiment de la Comedie Françoise.

Coupe de la Salle de Spectacle de la Comedie Françoise Vue du côté du Theatre et prise dans les Plans sur la ligne C.D.

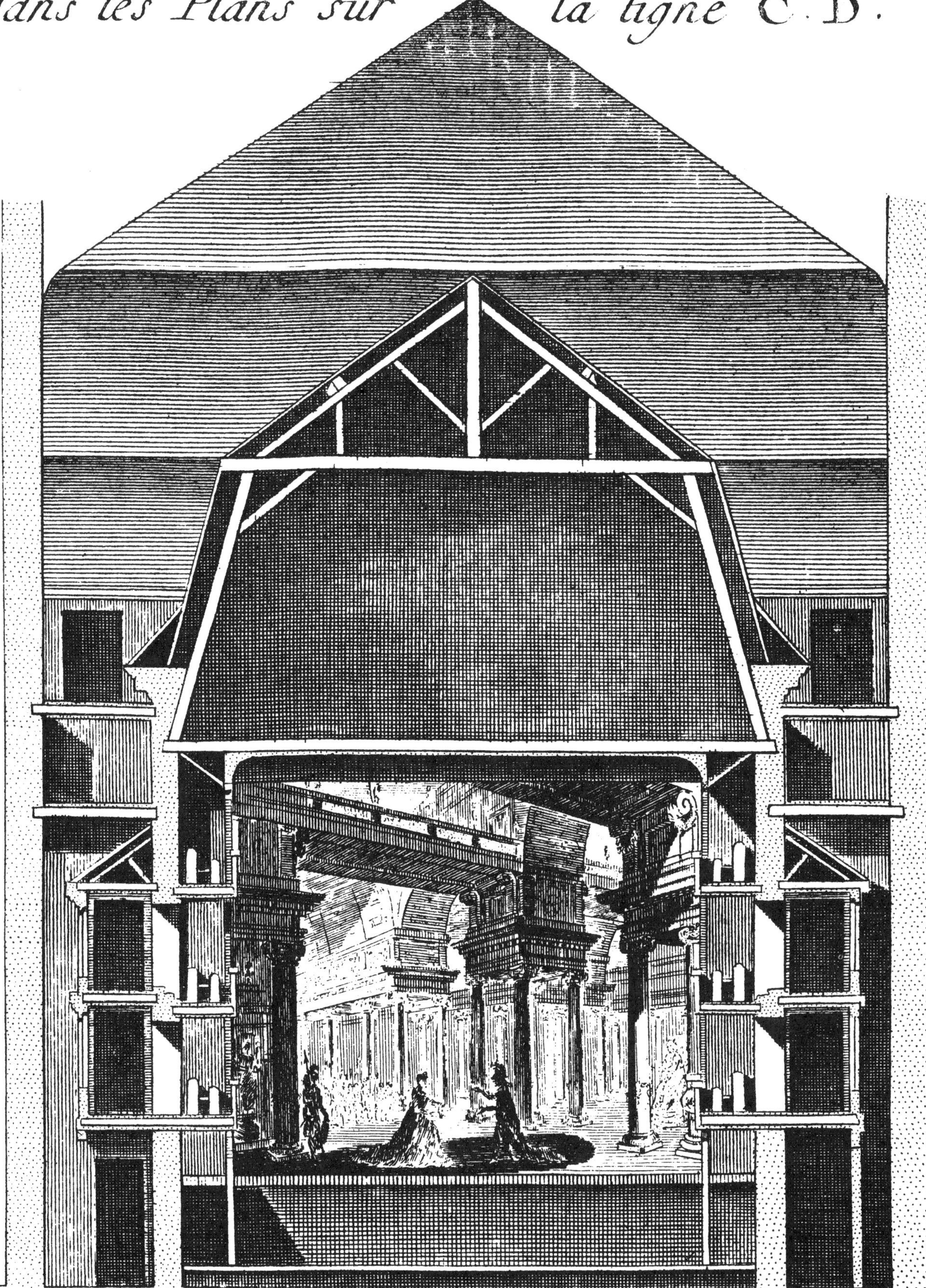

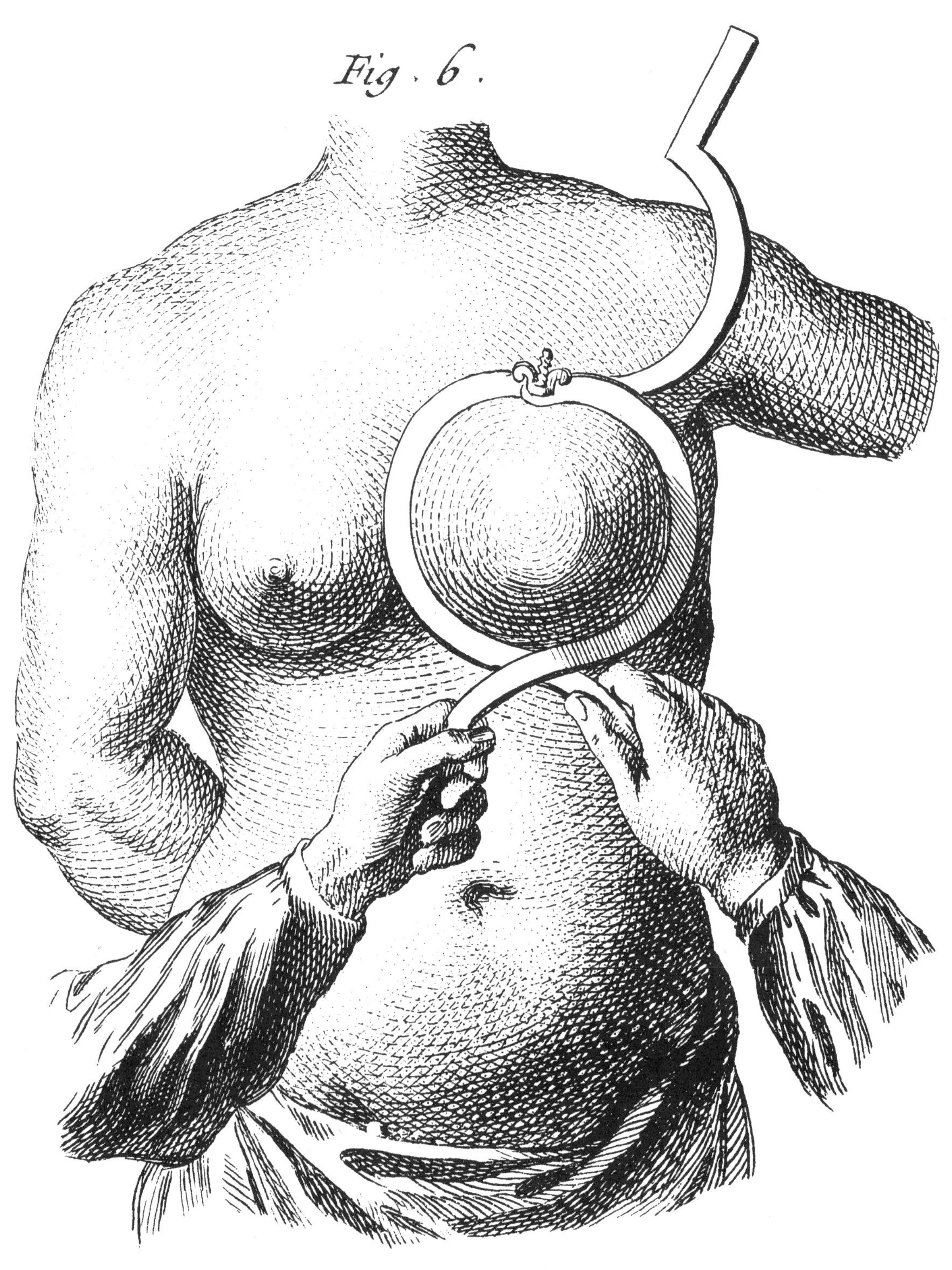

Fig. 6.

MÉDECINE

« Est-ce à l'expérience, est-ce au raisonnement, que la *Médecine* doit ses plus importantes découvertes ? Qui des deux doit-on prendre pour guide ? Ce sont des questions qui méritent d'être agitées et qui l'ont été suffisamment. Il s'est heureusement trouvé des hommes d'un mérite supérieur qui ont montré la nécessité de l'une et de l'autre, les grands effets de leur conspiration, la force de ces deux bras réunis, et leur faiblesse lorsqu'ils sont séparés. »
*Extrait de l'article **Médecine.** Volume X, 1765.*

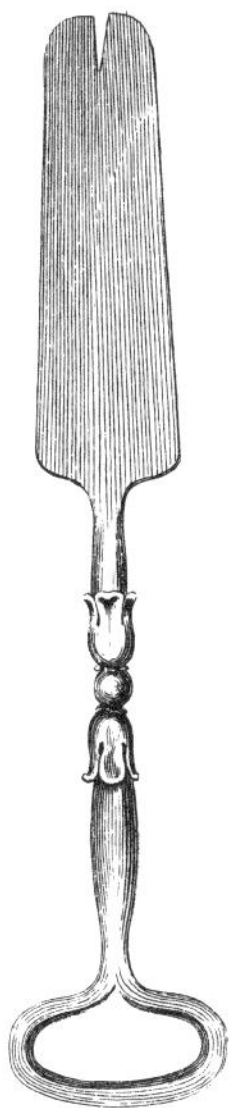

Le 18 décembre 1731 est fondée l'Académie Royale de Chirurgie. Cette grande compagnie aura le mérite de grouper l'élite des chirurgiens de la capitale, de démontrer la valeur d'un travail collectif, de susciter des idées. Les trois hommes de pointe sont Mareschal, Lapeyronie et La Martinière.

En 1743, Louis XV signe la fameuse ordonnance qui doit être tenue pour la « Déclaration des Droits des Chirurgiens », séparant à jamais les chirurgiens des barbiers.

Au XVIIIe siècle, « les progrès de la chirurgie, écrit Voltaire, furent si rapides qu'on venait à Paris des autres bouts de l'Europe pour les opérations qui demandaient une dextérité non commune ». En effet, déjà, Quesnay envisageait l'extirpation de tumeurs cérébrales et Jacques Daviel créait la méthode de guérison de la cataracte par l'extraction du cristallin, c'est-à-dire le plus beau fleuron de l'Académie Royale.

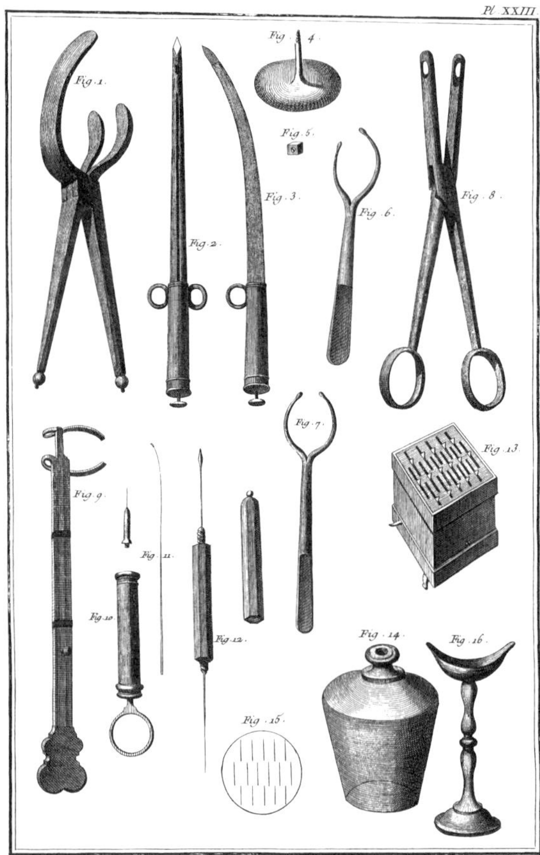

CHIRURGIE

PLANCHE XXIII.

Fig. I. Glossocatoche.
2. Trocart pour les contre-ouvertures, de l'invention de *M. Petit.*
3. Pharyngotome.
4. Obturateur du palais.
5. Son écrou.
6, 7 et 9. *Speculum oculi.*
8. Pincettes à polype.
10. Seringue pour les points lacrymaux.
11. Stylet fin pour sonder les points lacrymaux. *Voyez* l'art. FISTULE LACRYMALE.
12. Aiguille à abattre la cataracte. *Voyez* l'art. CATARACTE et la nouvelle méthode de tirer le crystallin au mot EXTRACTION.
13. Le scarificateur.
14. La ventouse de verre.
15. Les seize scarifications que l'on fait d'un seul coup avec le scarificateur.
16. Gondole pour baigner l'œil. *Voyez* l'art. BASSIN OCULAIRE.

PLANCHE XV. *(page 285)*

Concernant les accouchement et la taille des femmes.

Fig. I. Forceps droit.
2. Une branche de forceps courbe.
3. L'instrument de *Roonhuysen* pour déclaver la tête.
4. Le lithotome de *M. Louis,* pour la taille des femmes. Les lignes ponctuées montrent le jeu de la lame tranchante.
5. La chape vue par derrière.
6. La chape de profil.
7. La lame tranchante du côté de la crête qui lui sert de guide dans la chape.

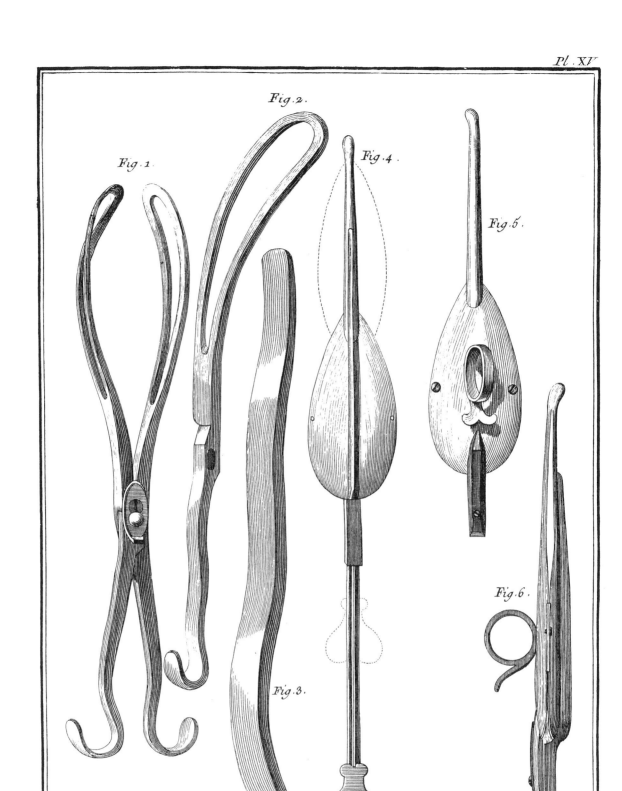

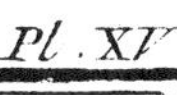

Fig. 2.

Fig. 1.

Fig. 4.

Fig. 5.

Fig. 6.

Fig. 3.

Fig. 7.

Goussier del.

Benard Fecit

Chirurgie.

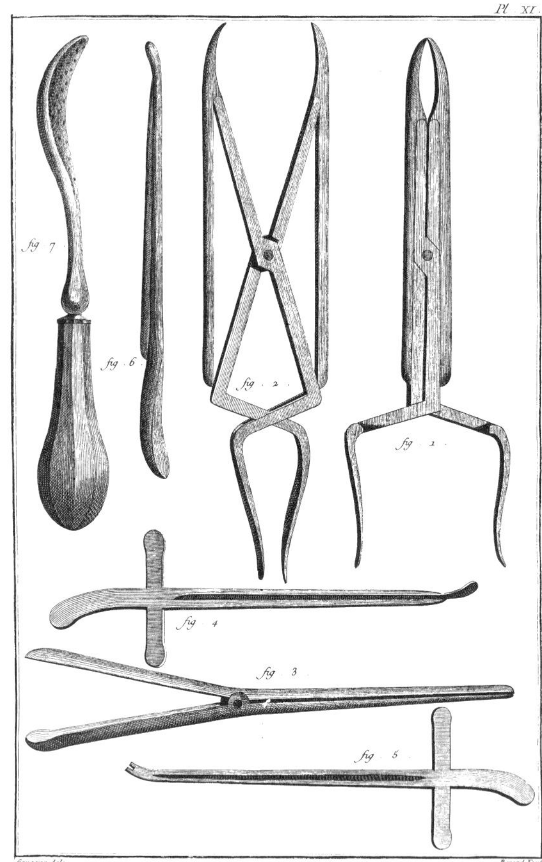

PLANCHE X. *(page 287)*

Concernant la taille.

Fig. 1, 2, 3. Algalies de différentes grandeurs. *Voyez* l'art. ALGALIE.
4. Algalie ou sonde brisée.
5, 6. Algalie à bouton.
7. Tenette à casser les pierres trop grosses.
8. Algalie avec un tuyau flexible, pour injecter la vessie dans la taille ou haut appareil. Voyez les articles HAUT APPAREIL et INJECTION.
9. Tenette droite pour l'extraction de la pierre.
10. Tenette courbe.

PLANCHE XI.

Pour l'opération de la taille.

Fig. I. Dilatatoire fermé.
2. Dilatatoire ouvert.
3. Dilatatoire plus simple.
4 et 5. Conducteurs mâle et femelle.
6. Instrument qui sert de curette et de conducteur. *Voyez* l'art. BOUTON.
7. Crochet à curette.

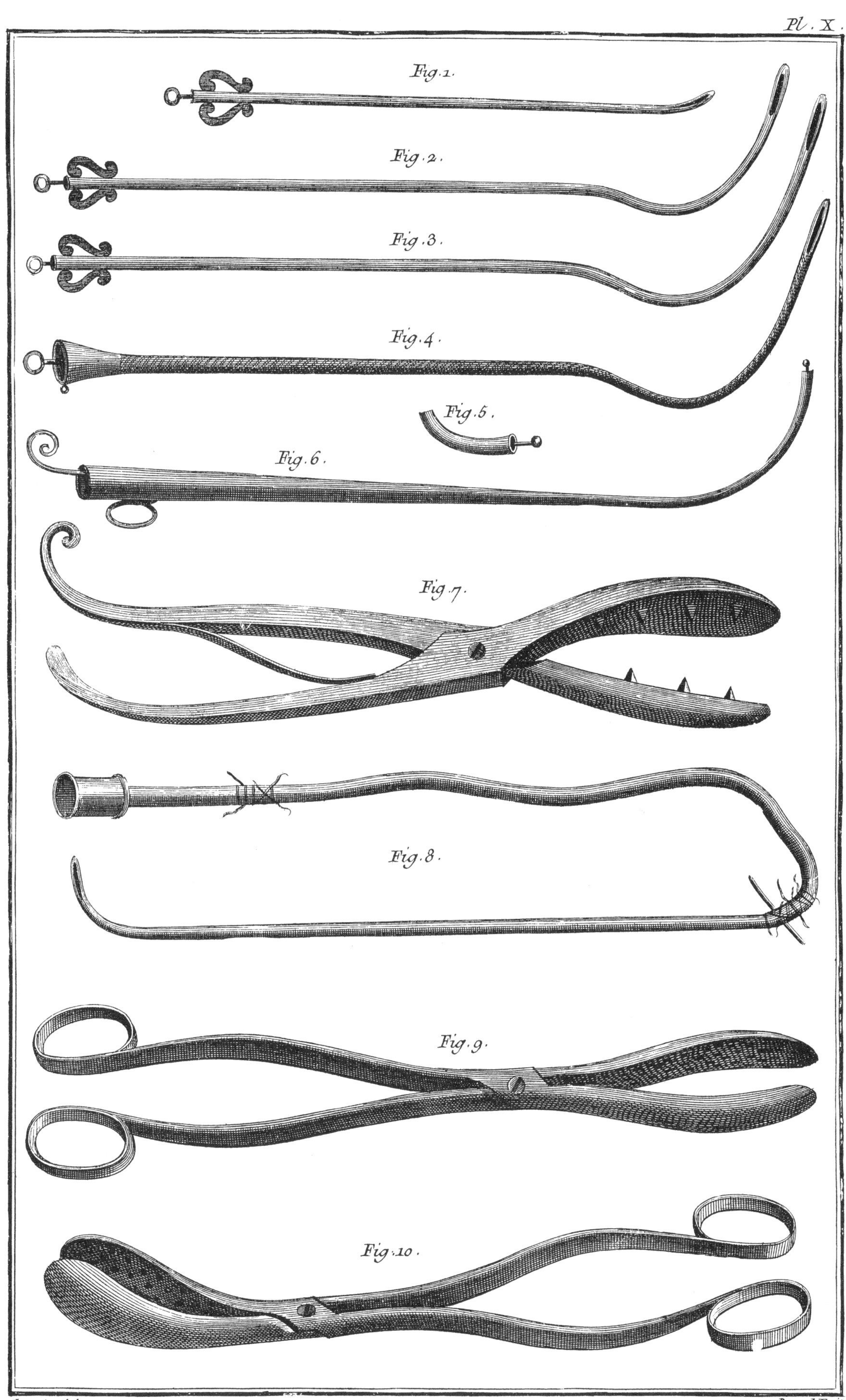

Goussier del.

Benard Fecit

Chirurgie.

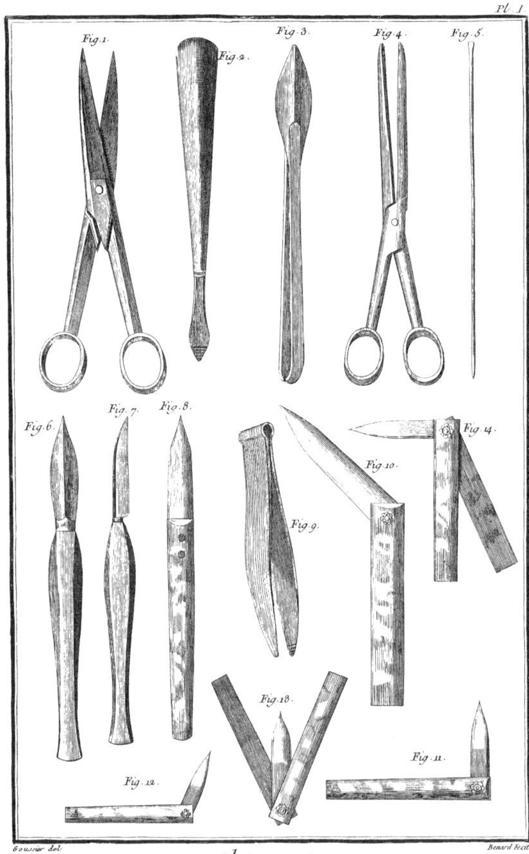

PLANCHE Ière.

Fig. I. Ciseaux droits.
2. Spatule.
3. Feuille de myrte.
4. Pincettes à pansements.
5. Stylet.
6, 7 et 8. Scalpels.
9. Pincettes à disséquer.
10, 11, 12, 13, 14. Lancettes.

PLANCHE III. *(page 289)*

Fig. I. Ciseaux courbes.
2. Petite curette.
3. Bec de grue.
4 et 5. Tire-balles.
6, 7, 8, 9, 10 et 11. Aiguilles.
12 et 13. Porte-aiguilles.
14. Sonde ailée.
15 et 16. Bistouri herniaire.
17. Bistouri à la lime.
18. Aiguille à anévrisme.
19. Porte-pierre infernale.

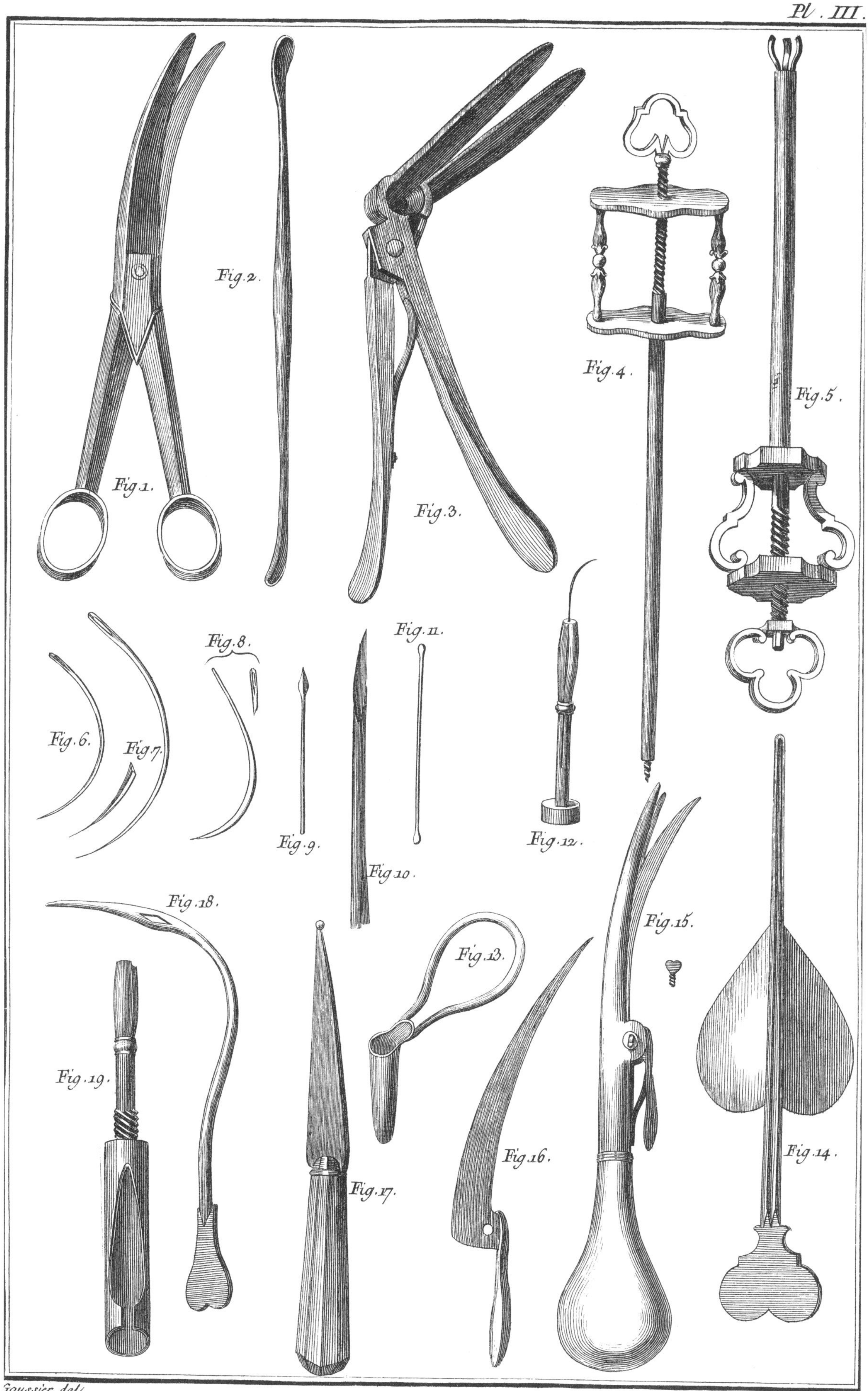

Goussier del.   Benard Fecit.

Chirurgie.

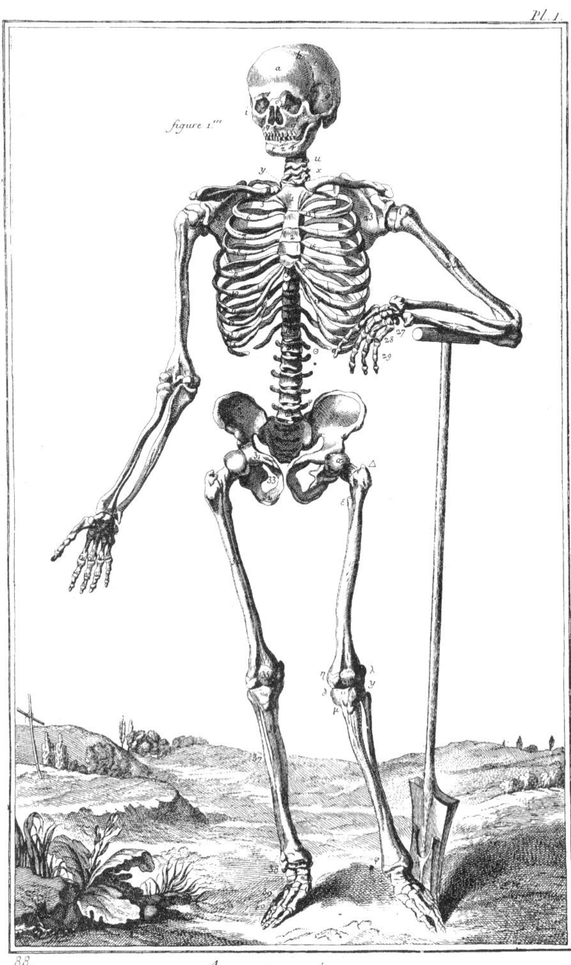

ANATOMIE

PLANCHE Ière.

Le squelette vu par devant, d'après Vesale.

Fig. I. *a,* L'os du front, ou le coronal. *b,* la suture coronale. *c,* le pariétal gauche. *d,* la suture écailleuse. *e f g,* l'os temporal. *f,* l'apophyse mastoïde. *e,* l'apophyse zygomatique. *h,* les grandes ailes de l'os sphénoïde, ou l'apophyse temporale. *i i,* les os de la pommette. *k,* la face des grandes ailes, qui se voit dans les fosses orbitaires. *l,* l'os planum. *m,* l'os unguis. *n,* l'apophyse montante de l'os maxillaire, *o,* les os du nez. *p,* la cloison. *q q,* les os maxillaires. *r r,* la mâchoire inférieure. *s,* le trou sourcilier. *t,* le trou orbitaire inférieur. *u,* la cinquième vertèbre du cou. *x,* la sixième. *y,* le trou de leur apophyse transverse. *z,* la symphise du menton. *1, 2, 3,* le sternum. 1, la pièce supérieure, qui reste toujours séparée de celle qui suit. 2, la partie moyenne, qui dans l'adulte n'est composée que d'une seule pièce, et de cinq à six dans les jeunes. 3, le cartilage xiphoïde. 4, les clavicules. 5, 6, 7, 8, 9, 10, 11, les vraies côtes. 12, 13, etc. les fausses. 15, 16, 17, 18, les cartilages qui unissent les vraies côtes au sternum. 19, la dernière vertèbre du dos. 20, 21, les cinq vertèbres des lombes. I, *w,* leurs apophyses transverses. 22, 22, l'os sacrum. *t, t,* les trous de l'os sacrum. 23, l'omoplate. 24, l'os du bras, ou l'humerus. 25, le rayon ou radius. 26, l'os du coude, ou le cubitus. 27, le carpe. 28, le métacarpe. 29, les doigts qui sont composés chacun de trois os nommés phalanges. 30, 31, 32, les os innominés, ou les os des hanches. 30, l'os ileum. 31, l'os pubis. 32, l'os ischium. 33, le trou ovalaire. 34, le fémur. *a,* sa tête. ß, son col. Δ, le grand trochanter. Σ, le petit trochanter. *n,* le condyle interne. *t* le condyle externe. 35, la rotule. 36, le tibia. le condyle externe, le condyle interne, l'empreinte ligamenteuse où s'attache le ligament de la rotule, la cheville ou la malléole interne 37, le peroné. π, la malléole externe. 38, le tarse. + l'astragale. ‡‡, le naviculaire. ‡‡‡; les trois os cunéiformes. 39, le métatarse. 40, les doigts qui sont composés chacun de trois os nommés phalanges.

PLANCHE II. *(page 291)*

Le squelette vu de côté.

Fig. I. *a* A B, le coronal. B, la suture coronale. A, la tubérosité sourcilière. *a,* le trou sourcilier. C, le pariétal. D, l'empreinte musculaire du temporal. E, la suture écailleuse. F, la portion écailleuse de l'os des tempes. G, l'occipital. H, le trou mastoïdien postérieur. I, l'apophyse mastoïde. K, le trou auditif externe. L, l'apophyse zygomatique de l'os des tempes. M, l'apophyse zygomatique de l'os de la pommette. L M, l'arcade zygomatique. N, l'os de la pommette. O, l'apophyse orbitaire de l'os de la pomette. P *r,* la fosse temporale. R, l'orbite. S, l'apophyse montante de l'os maxillaire. T, les os du nez. V, la fosse maxillaire. S V, l'os maxillaire. X, le condyle de la mâchoire inférieure. Y, l'apophyse coronoïde. Z, le trou mentonnier. *b,* l'entrée des fosses nasales. *c,* le métacarpe. *d,* les doigts. *e,* le second rang des os du carpe. *f,* le premier rang des os du carpe. *g,* le cubitus. *h,* le radius. *i,* la tête du radius. *k,* l'olécrane. *l,* l'apophyse coronoïde du cubitus. *m,* le condyle externe de l'humerus. *n,* son condyle interne. *o,* la marque de l'endroit où la tête de l'humerus est séparée de cet os dans le fœtus. *p,* la tête de l'humerus. *q r s t u x y z,* l'omoplate. *q,* la fosse sous-épineuse. *r,* la fosse sur-épineuse. *s,* l'acromion. *t,* l'apophyse coracoïde. *u,* l'angle postérieur supérieur. *x s,* l'épine de l'omoplate. *y,* l'angle postérieur inférieur. *z,* le col de l'omoplate. 1, la clavicule. 2, 3, 4, 5, 6, 7, les différentes pièces du sternum dans les jeunes sujets. 8, 9, les deux dont le cartilage xiphoïde est quelquefois composé. 10, 11, 12, 13, 14, 15, 16 et 21, les cartilages des côtes. 21, endroit où ces cartilages sont unis avec les côtes. 22, 23 etc. 33. les côtes. 34, la première vertèbre du cou. 35, 36 et 37. les vertèbres du cou. 38, une apophyse épineuse. 39, les apophyses transverses. 40, intervalle entre deux vertèbres pour le passage des nerfs. 41, 41, 41, etc. les cinq vertèbres lombaires. 42, les os des iles. 43, une partie de l'os sacrum. 44, le coccyx. 45, le fémur. 46, l'os ischion. 47, l'os pubis. 48, la tête du fémur. 49, son cou. 50, le grand trochanter. 51, le condyle externe du fémur. 52, le condyle interne. +, la rotule. 53, 54, 55, le tibia. 54, la tubérosité où s'attache le ligament de la rotule. 55, la malléole interne. 56, le péroné. 57, la malléole externe. 58, l'astragale. 59, le calcaneum. 60, le cuboïde. 61, le naviculaire. 62, le moyen cunéiforme. 63, le petit cunéiforme. 64, le grand cunéiforme. 65, le métacarpe. 66, les doigts.

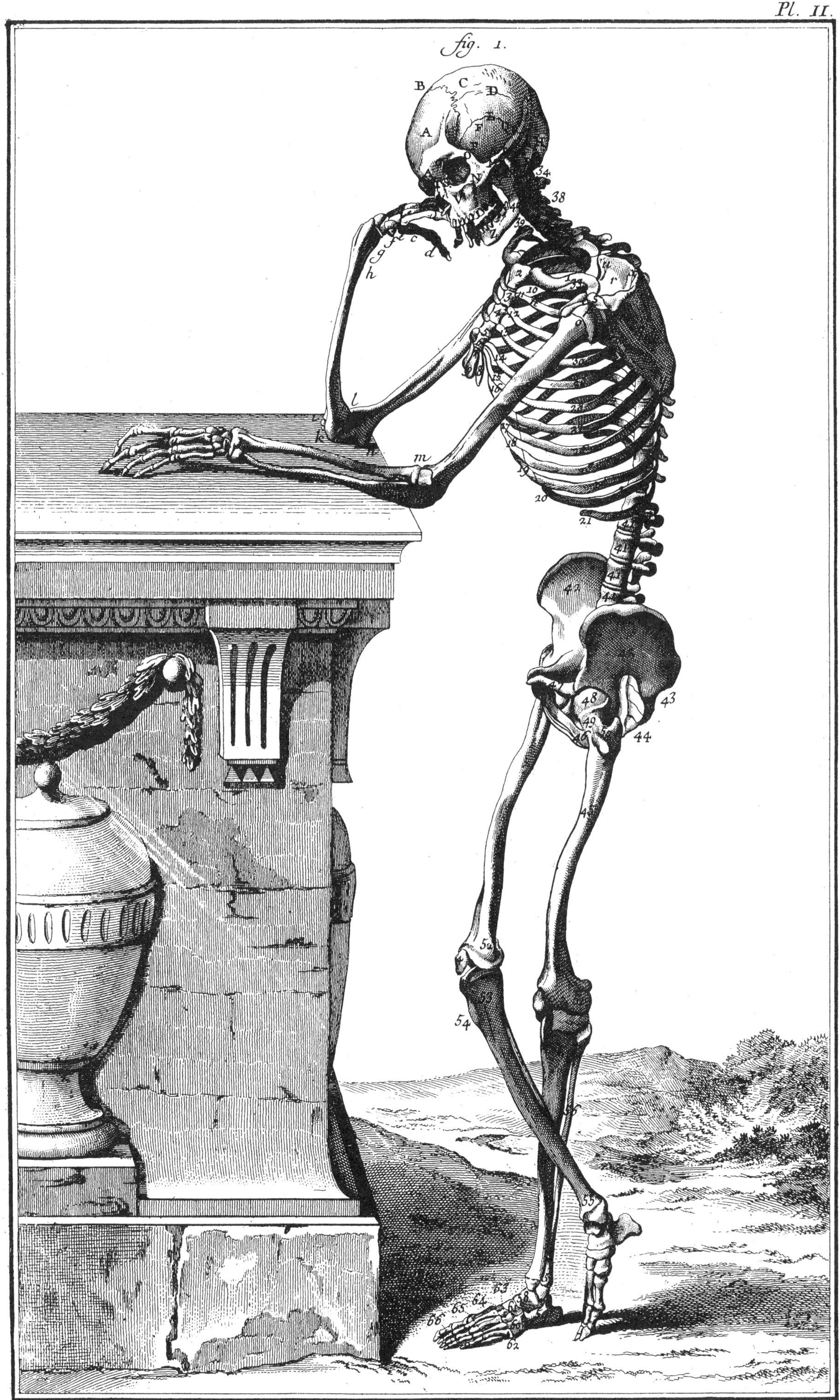

Anatomie.

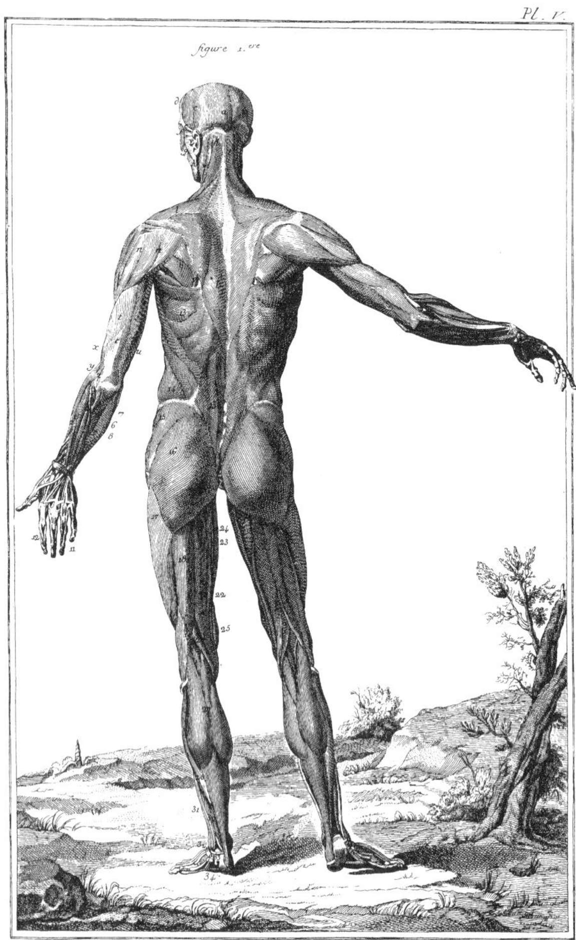

PLANCHE V.

L'écorché vu par le dos, d'après Albinus.

a a, les muscles occipitaux. *c,* le releveur de l'oreille. *d,* le frontal. *e,* une partie de l'aponévrose qui recouvre le temporal. *f,* l'orbiculaire des paupières. F, le muscle antérieur de l'oreille. *g,* le zygomatique. *h,* le masséter. *i,* le sterno-mastoïdien. *k,* le splenius. *l l l,* le trapèze. *m,* le petit complexus. *n n,* le deltoïde. *o,* le sous-épineux. *p,* portion du rhomboïde. *q,* le petit rond. *r,* le grand rond. *s,* le long extenseur. *t t,* le court extenseur. *u,* le brachial interne. *x,* le brachial externe. *y,* le long supinateur. *z z,* les radiaux externes. *1,* l'anconée. 2, 3, l'extenseur commun des doigts. 4, 4, le long extenseur du pouce. 5, le court extenseur. 6, le cubital interne. 7, l'extenseur du petit doigt. 8, le cubital externe. 9, le ligament annulaire externe. 10, ligament particulier qui retient le tendon de l'extenseur du petit doigt. 11, le tendon de l'extenseur commun. 12, les tendons des inter-osseux. +, l'union des tendons des extenseurs. 13, le grand dorsal. 14, le grand oblique du bas-ventre. 15, le moyen fessier recouvert de l'aponévrose du fascia lata. 16, le grand fessier. 17, le vaste externe recouvert du fascia lata. 18, 19, le biceps. 18, la longue tête. 19, la courte. 20, 22, le demi-membraneux. 21, le demi-nerveux. 23, le triceps inférieur. 24, le grêle interne. 25, le vaste interne. 26, le plantaire. 27, les deux jumeaux. 28, le solaire. 29, le long fléchisseur du pouce. 30, le court péronier. 31, le péronier antérieur. 32, ligament qui retient les tendons de l'extenseur des doigts. 33, ligaments qui retiennent les tendons des péroniers. 34, le grand parathénar, ou l'abducteur du petit doigt.

PLANCHE IV. *(page 293)*

L'écorché vu de face, d'après Albinus.

a, a, les muscles frontaux. *b,* une partie de l'aponévrose qui recouvre le muscle temporal. *c,* le muscle supérieur de l'oreille. *d,* le muscle antérieur de l'oreille. *e e,* l'orbiculaire des paupières. *f,* le tendon de ce muscle. *g,* le muscle sourcilier. *h h,* les pyramidaux du nez. *i,* l'oblique descendant du nez. *k,* une partie du myrtiforme. *l l,* le grand incisif. *m,* le petit zygomatique. *n,* le grand zygomatique. *o,* le canin. *p p,* le masséter. *q,* le triangulaire de la lèvre inférieure. *r,* le quarré de la lèvre inférieure. *s s,* l'orbiculaire des lèvres. *u u,* le peaussier. *x x,* le sterno-mastoïdien. *y y,* le clyno-mastoidien. *i,* le sterno-hyoïdien. A, le sterno-thyroïdien. B, la trachée-artère. C D, le trapèze. E, le deltoïde. F, le grand pectoral. G H I N, le biceps. G, la courte tête. N, la longue. H, son aponévrose coupée. I, son tendon. K, le long extenseur. L, le court extenseur. M M, le brachial interne. O, le coraco brachial. P, le long supinateur. Q, le rond pronateur. R, le radial interne. S, le long palmaire. T, l'aponévrose palmaire. V V, le sublime. X, le fléchisseur du pouce. Y, les extenseurs du pouce. *1,* le thénar. 2, le court palmaire. 3, l'hypothénar. 4, les ligaments qui retiennent les tendons des fléchisseurs des doigts. 5, le tendon du sublime. 6, le profond ou le perforant. 7, le mésothénar. 8, 8, le radial externe. 9, 9, le long extenseur du pouce. 10, le court. 11, l'extenseur des doigts. 12, l'adducteur du pouce. 13, le muscle adducteur du doigt index. 14, l'inter-osseux du doigt index. 15, le ligament annulaire externe. le grand dorsal. 16, 16, 16, les digitations du grand dentelé. 17, 17, le muscle droit du bas ventre, qui paraît à travers l'aponévrose du grand oblique. 18, 18, le grand oblique. 19, le ligament de Fallope. +, l'anneau. 20, le testicule dans les enveloppes sur lesquelles le muscle crémaster s'étend. 21, l'aponévrose du fascia lata. 22, le fascia lata. 23, le couturier. 24, l'iliaque. 25. le psoas. 26, le pectinée. 27, le triceps supérieur. 28, le grêle interne. 29, le droit antérieur. Δ, le triceps inférieur. 30, le vaste externe. 31, le vaste interne. 32, le tendon du couturier. 33, le tendon du grêle interne. 34, le cartilage inter-articulaire. 35, le ligament de la rotule. 36, le jambier antérieur. 37, l'extenseur commun. 38, le fléchisseur des doigts. 39, le fléchisseur du pouce. 40, le jambier postérieur. 41, ligament qui retient les fléchisseurs du pied. 42, les jumeaux. 43, le solaire. 44, 45, les ligaments qui retiennent les extenseurs du pied et des doigts. 46, le court extenseur des doigts. 47, le thénar.

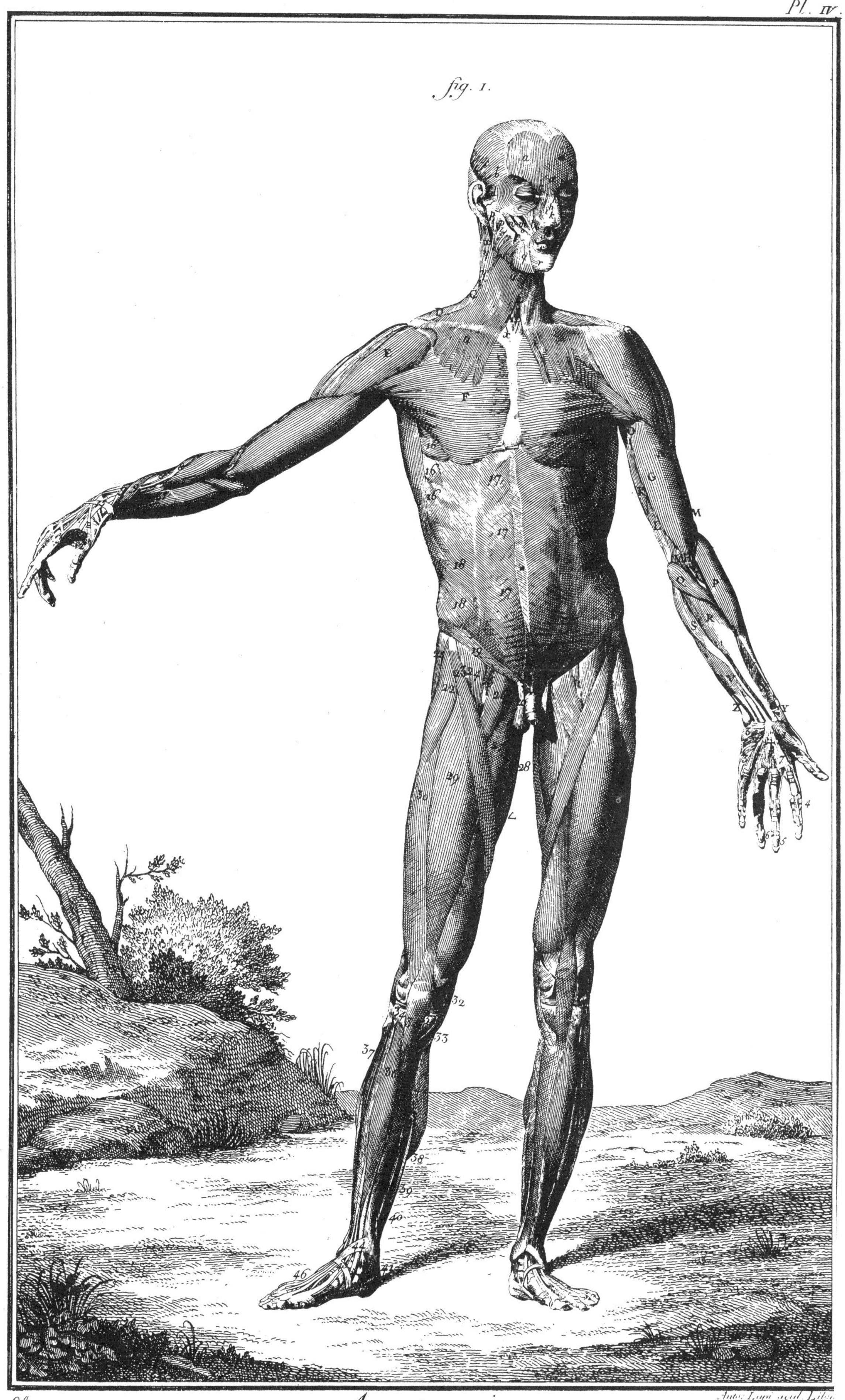

94

Anto. Lapi sculp. Liburn.

Anatomie.

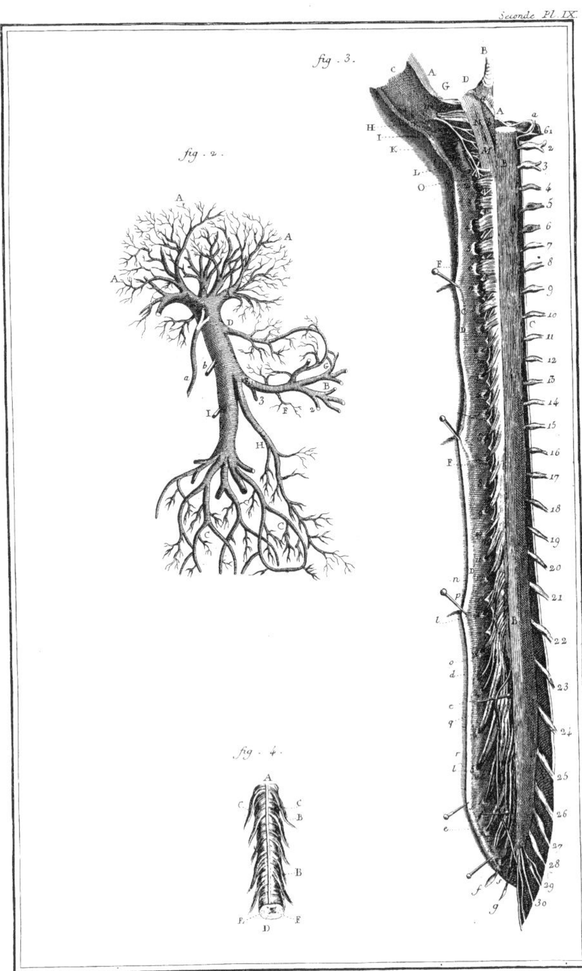

PLANCHE IX *(page 295)*

Les trônes de la veine cave avec leurs branches disséquées dans un corps adulte, etc. d'après les Transactions Philosophiques.

Fig. I. A A, l'orifice de la veine cave, comme elle paraît lorsqu'elle est séparée de l'oreillette droite du cœur. *a,* l'orifice de la veine coronaire du cœur. B A, le tronc supérieur ou descendant de la veine cave. C C A, le tronc inférieur ou ascendant, ainsi nommé du mouvement du sang dans ces troncs. D D, les veines sous-clavières. +, la partie de la veine gauche, qui reçoit le canal thoracique. *b,* la veine sous-clavière azygos, dont les branches aboutissent aux côtes. *d d,* les veines mammaires internes. E E, les branches iliaques droites et gauches. F F, les veines jugulaires internes. G G, les jugulaires externes. H H, les veines qui ramènent le sang de la mâchoire inférieure et de ses muscles. I I, les troncs des jugulaires internes coupés à la base du cerveau. *f,* les veines du thymus et du médiastin. *g g,* les veines des glandes thyroïdales. *h,* la veine sacrée. *i,* la branche iliaque interne. *k,* l'externe. K K, les veines occipitales. L, la veine droite axillaire. M, la céphalique. N, la basilique. O, la veine médiane. P, le tronc des veines du foie. Q, la veine phrénique du côté gauche. R, la veine phrénique droite. *r,* grande veine de la glande rénale gauche et des parties centes. S, la veine émulgente gauche. T, la veine adjaémulgente droite qui dans ce sujet est beaucoup plus basse que la gauche contre l'ordinaire. U U, les deux veines spermatiques. X X, deux branches qui communiquent du tronc ascèndant de la veine cave à la veine azygos, par le moyen desquelles le vent passe dans le tronc descendant de la cave, lorsqu'on souffle dans l'ascendante aux points A P C ; quoique le tronc aux points A P et C soit fortement attaché au chalumeau. *, branche non commune entre le tronc le plus bas de la veine cave, et la veine émulgente gauche. Y, veine qui ramène le sang des muscles du bas-ventre à la branche iliaque externe. Z, la veine épigastrique du côté droit. *l l,* la veine saphène. *m,* la veine crurale.

PLANCHE IX. N° 2.

Les troncs de la veine porte disséqués et développés.

Fig. 2. A A A, les branches de la veine porte séparées du foie. *a,* la veine ombilicale. B, la branche splénique. C C, les branches mésentériques continuées depuis les intestins. *b,* le tronc de la veine pancréatique qui reçoit les branches qui viennent du duodénum. *c c,* la veine gastrique coronaire supérieure. D, la veine coronaire supérieure de l'estomac du côté gauche. E, la veine coronaire inférieure. 1, la veine épiploïque supérieure droite. 2, la gauche, avec 3 sa médiane. F, la gastro-épiploïque. G, les veines appelées vasa brevia. H, la veine hémorroïdale, qui vient du rectum et de l'anus.

Fig. 3. La moelle épinière à gauche, *d'après Huber.* A, la partie antérieure de la première vertèbre du col, élevée un peu obliquement en haut. *a,* apophyse oblique supérieure de cette vertèbre. *b,* son apophyse transverse. B B, production de la dure-mère, qui enveloppe la moelle épinière. C C, l'intervalle qui reste entre cette moelle et la cavité des vertèbres qui la renferme. 1, 2, 3, 4, etc. jusqu'à 30, les nerfs de la moelle épinière du côté gauche, avec leur ganglion.

Cette figure représente à droite : A, espace occupé par le lobe renversé du cervelet et par son appendice uniforme B figuré simplement. C, portion de l'os pierreux et de l'occipital, recouverts de la dure -mère. D, une partie de la moelle allongée, à laquelle la moelle épinière est continue. *a,* ligne blanche médullaire qui s'élève du sillon du quatrième ventricule, pour se joindre à la septième paire. *b,* le quatrième ventricule. *c,* sa rainure longitudinale continue en calamus scriptorius. *d,* éminence de la moelle épinière qui la termine. *e e* ligament de la pie-mère, qui s'étend au milieu de la queue du cheval. *f,* le ganglion de la vingt neuvième paire de nerfs. *g,* le ganglion de la trentième. F F, la dure-mère renversée de dessus la moëlle épinière. G, le nerf de la septième paire. H, la huitième paire. I, l'accessoire de la huitième paire. K, filets de communication des nerfs cervicaux entre eux. L, le ligament denticulaire qui sépare les filets qui partent de la partie antérieure de l'épine, de ceux qui partent de la postérieure. M, lien des corps pyramidaux postérieurs. N, les corps olivaires postérieurs. O, l'artère vertébrale. *m m,* filaments qui partent de la partie antérieure de l'épine, pour s'unir avec ceux qui partent de la postérieure. *n,* l'endroit où les filaments nerveux commencent à concourir et à former la base de la queue du cheval. *o,* endroit où la moelle épinière ne fournit plus de filets nerveux. *p,* origine des filets nerveux qui forment la queue du cheval. *q q,* la queue du cheval. 1, C jusqu'à 8, C, les nerfs cervicaux. 1, D jusqu'à 12, D, les nerfs dorsaux. 1, L jusqu'à 5, L, les nerfs lombaires. 1, S jusqu'à 5, S, les nerfs sacrés.

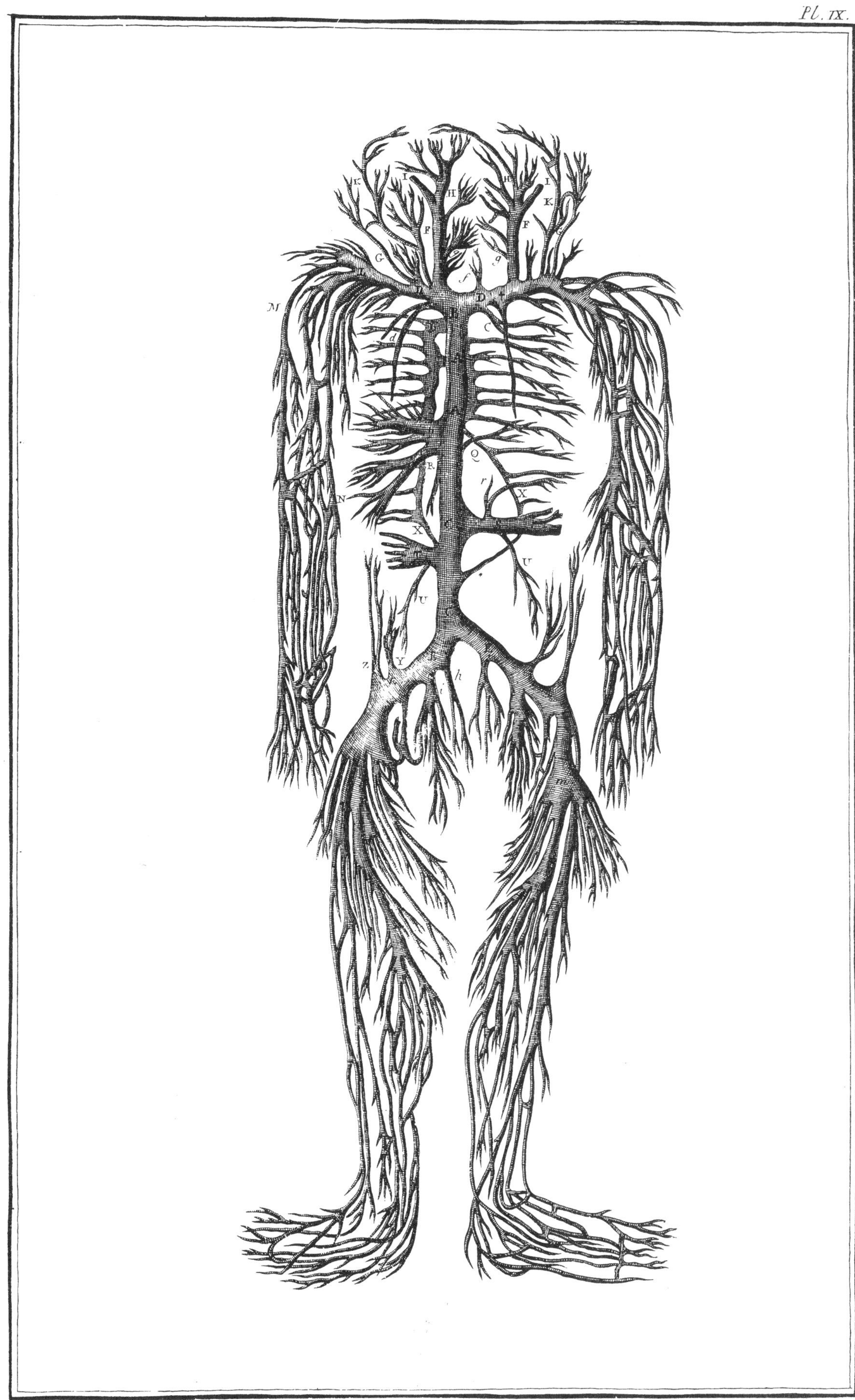

Anatomie.

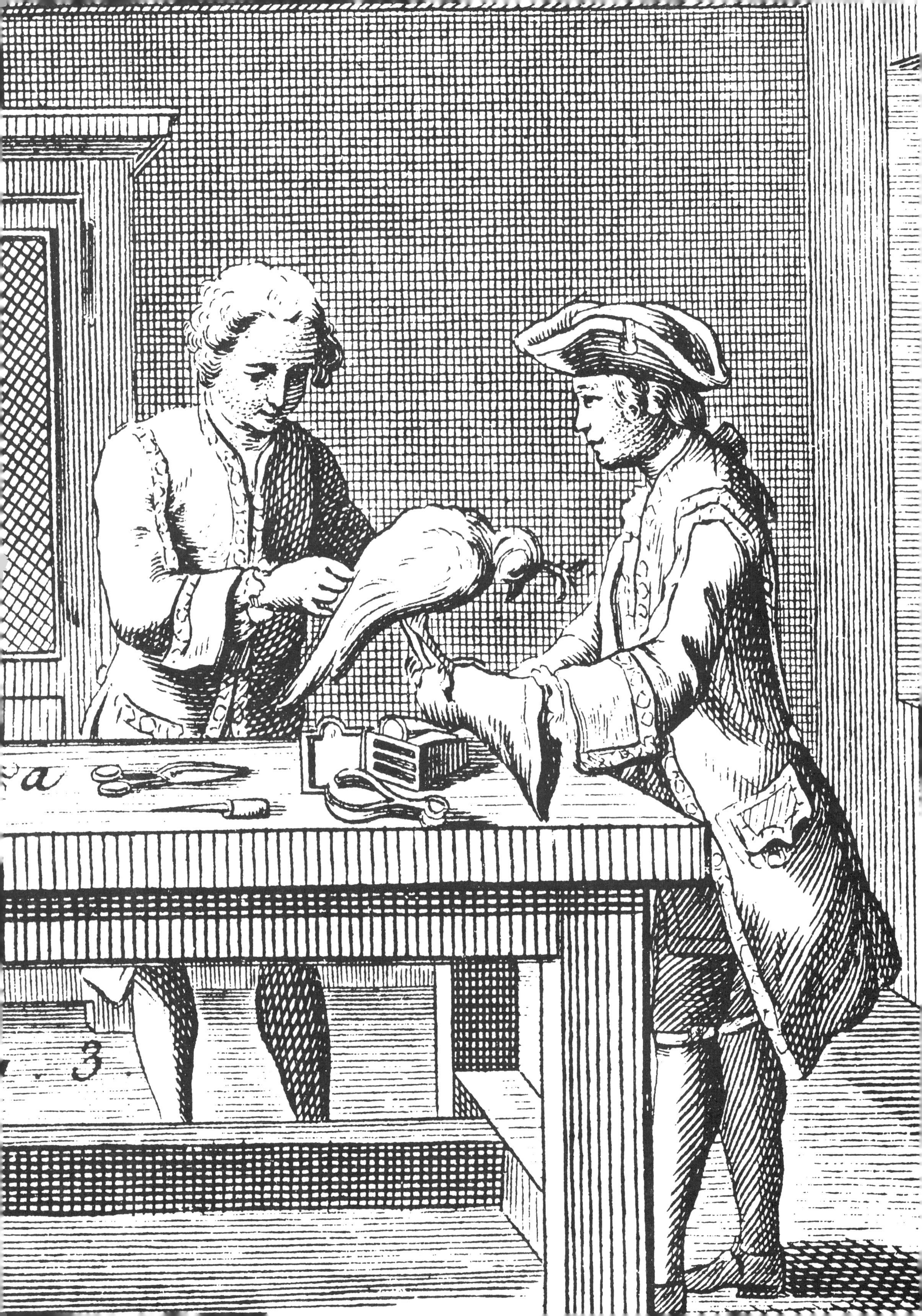

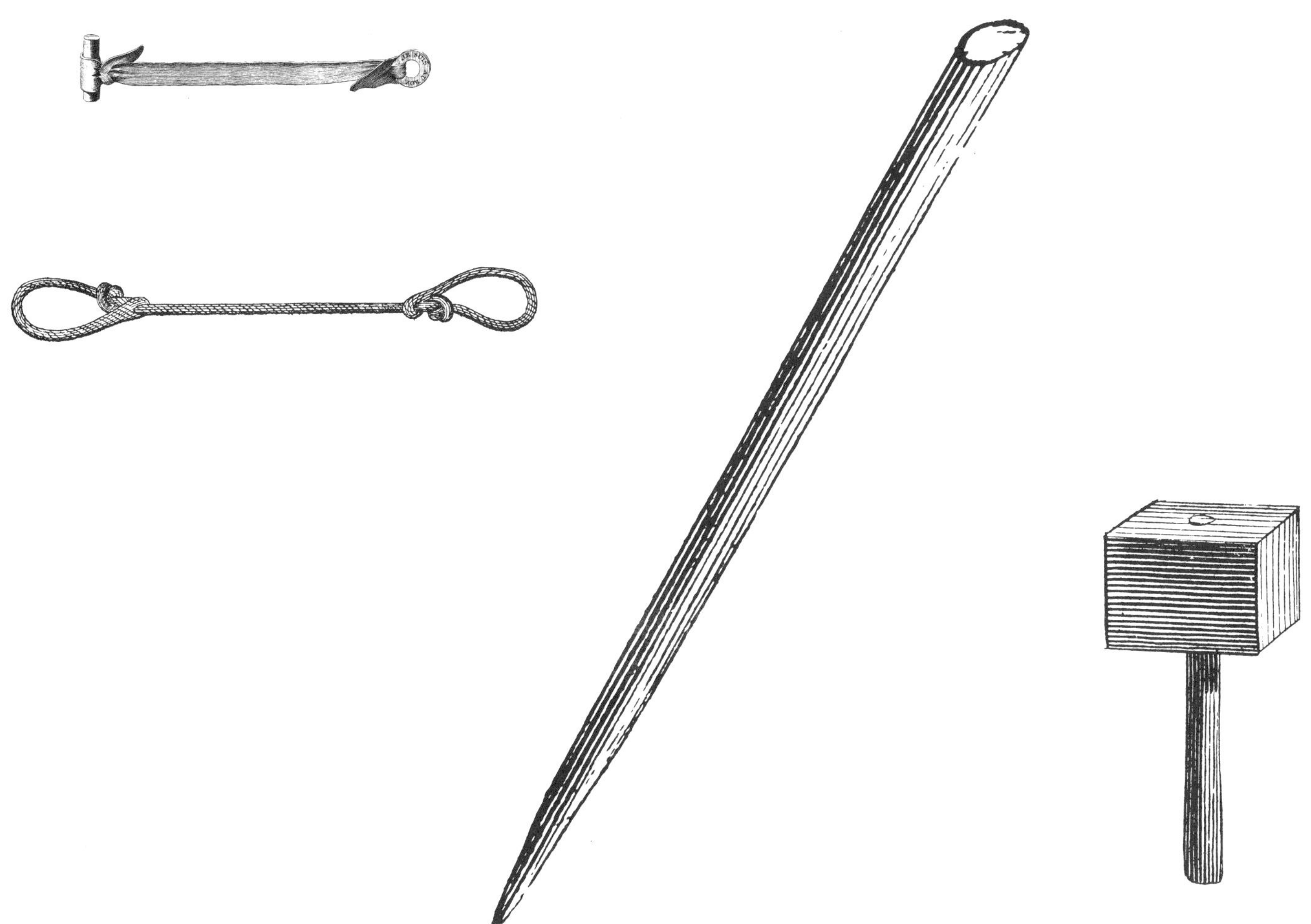

LES PLAISIRS DU GENTILHOMME

« Le *manège*, pris dans toute son étendue, embrasse tout ce qui concerne la figure, la couleur, l'âge, les tempéraments et les qualités des chevaux, leurs pays respectifs et leurs climats, la manière de les nourrir, d'en multiplier l'espèce, les usages auxquels ils sont propres, soit la guerre, les haras, la selle ou le labour et les moyens de les rendre propres à tous ces usages. Il embrasse aussi la connaissance des défauts et des maladies des chevaux, des remèdes qui leur conviennent, avec les diverses opérations qui y ont rapport, comme écouer, châtrer, ferrer... »
Extrait de l'article ***Manège****. Volume X, 1765.*

Les planches sur l'équitation, la chasse, le jeu de paume ou encore l'escrime...nous font découvrir les distractions du gentilhomme. Elles sont peu nombreuses et contrastent fort avec la représentation du monde laborieux que nous décrit L'Encyclopédie. On peut y voir tous les raffinements de la noblesse de l'époque. Ses chevaux sont de magnifiques pur-sang dressés pour la parade, les hommes et les femmes sont bien habillés, chassent à courre et avec des faucons, et habitent de magnifiques demeures.

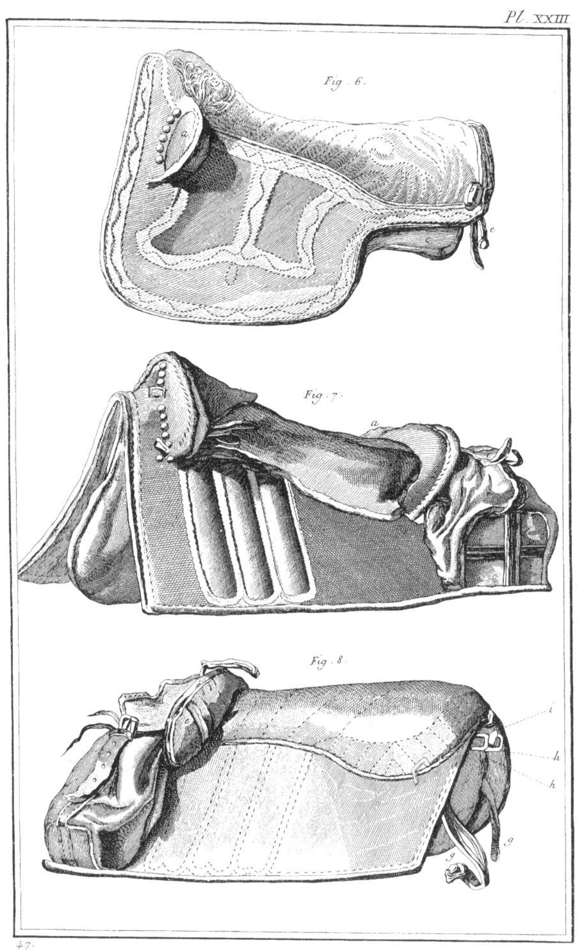

ÉQUITATION

PLANCHE IV. *(page 299)*

Cette Planche contient le galop uni à gauche et le galop faux à gauche.

Fig. 5. n° 2. Ce dessin represente le galop uni à gauche.

6. n° 2. Dans ce dessin est représenté le galop faux à gauche.

Dans le galop faux à gauche le cheval meut les jambes comme s'il galopait uni à droite. Il est en danger de tomber, puisque la jambe gauche de derrière ne s'avance pas sous le poids du corps pour établir l'équilibre.

PLANCHE XXIII.

Fig. 6. Selle anglaise piquée. *a* liège. *b* clou à crampon. *c* cuir du panneau. *d* toile du panneau. *e* étrier ou porte-étrier.

7. Selle de poste. *a* l'éventouse. *c*, le panneau.

8. Selle de postillon. *h* crampons de coussinet *i*, chape de croupière. *g* étrier ou porte-étrier. *e* poches.

28 G.D.S.

Manege, Le Galop uni à gauche et le Galop faux à gauche.

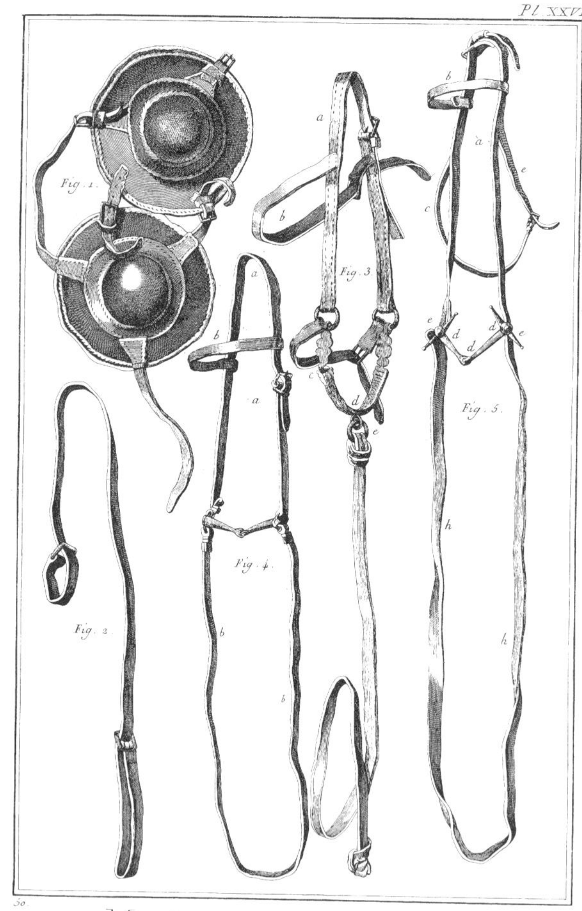

Manège, Suitte des Instruments servants à dresser les Chevaux.

PLANCHE VII. *(page 301)*

Fig. II. Ce dessin représente *le passage.*
Le passage est un air près de terre dans lequel le cheval marche au pas ou au trot, plus écouté et plus raccourci que le pas ou le trot ordinaire. Il tient les jambes plus longtemps en l'air et les pose naturellement par terre, en sorte qu'il fasse peu de chemin et n'avance pas plus d'un pied à chaque pas qu'il fait.

12. Ici on a représenté *la galopade.*
La galopade ou galop de manège est un galop en quatre temps, uni, raccourci du devant, actif et prompt des hanches, et dont les mouvements s'exécutent dans une cadence régulière et mesurée.

PLANCHE XXVI.

Fig. I. Lunettes.
2. Martingale.
3. Caveçon brisé servant à faire trotter les chevaux. *a* dessus de tête. *b* fausse sous-gorge. *c* dessous de muzerolle du caveçon. *d*, caveçon. *e* anneau du milieu du caveçon. *f* longe du caveçon.
4. Bridon à la royale, appelé vulgairement *filet. a* têtière. *b* rênes.
5. Bridon d'abreuvoir. *a* têtière. *b* frontal. *c*, sous-gorge. *d*, embouchure. *e* ailes du bridon. *h* rênes.

Æ. s.

Manége, Airs bas ou près de terre, le Passage et la Galopade.

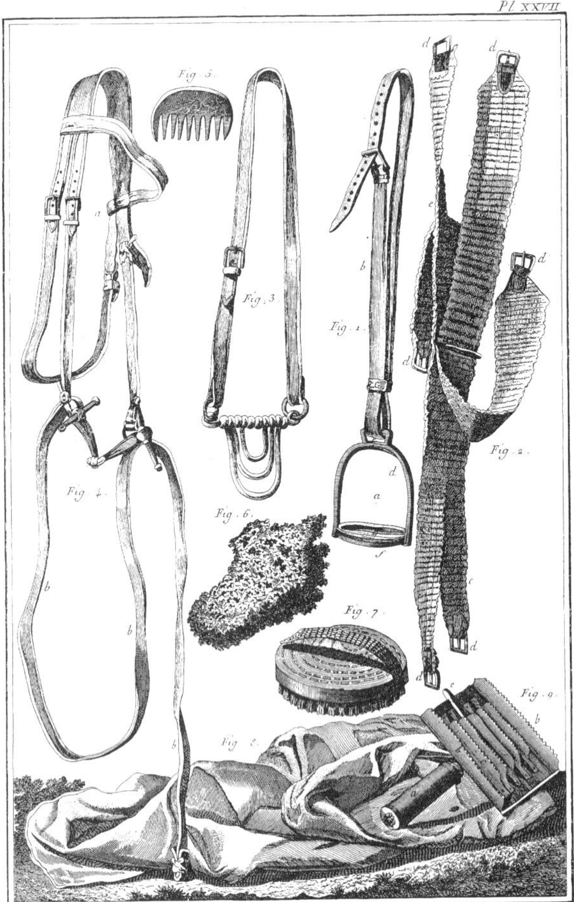

Pl. XXVII
Manège, Suitte des appartenances de la Selle et Meubles d'Ecurie

PLANCHE XXVII.

Contenant la suite des appartenances de la selle, et plusieurs meubles d'écurie.

Fig. I. *a* étrier. *b* étrivière. *c* bouton coulant de l'étrivière. *d* arcade de l'étrier. *e* œil de l'étrier. *f* planche de l'étrier. *g* grille. 2. Les sangles. *a* sur-faix. *b* sangle. *c* branches des sangles. *d* boucles enchapées. 3. Mastigadour. *a* têtière. *b c d* grand, moyen et petit pas-d'âne. 4. Bridon de main servant aussi à faire trotter les chevaux. *a* têtière. *b* longe pouvant aussi faire l'office de rênes. 5. Peigne de cornes. 6. Eponge. 7. Brosse. 8. Poussette. 9. Etrille. *a* manche de l'étrille. *b b* couteaux. *c* marteau.

PLANCHE XII. *(page 303)*

Fig. 21. Ce dessin offre aux yeux un exemple de *la cabriole.*

La cabriole est le plus élevé de tous les sauts. Le cheval étant en l'air, à hauteur égale, tant du devant que du derrière, achève le mouvement dont il n'avait fait que la moitié dans la ballottade, mais c'est avec la plus grande violence qu'il commence et achève ce mouvement, et il détache la plus vive ruade qu'il lui soit possible. On compte encore parmi les airs relevés *le pas et le saut.* Nous n'en donnons point l'exemple dans un dessin. L'image de cet air, que l'on se représentera aisément dans l'esprit, ne pourrait pas se mettre sur le papier rassemblée en une seule figure, puisque cet air se forme en trois temps, qui doivent exister l'un après l'autre et s'effacer réciproquement. Cet air est composé d'un temps de terre-à-terre qui forme le premier de ces trois temps, d'une courbette qui fait le second, et d'une cabriole qui achève le troisième, et ainsi alternativement. Nous allons donner un exemple de quelques leçons que les savants écuyers ont imaginées pour assouplir les ressorts des chevaux, leur donner toute la commodité et la sureté dont ils étaient susceptibles, et en tirer toute la grâce, toute l'élégance et toute la pompe que l'on pouvait en attendre.

22. Leçon du *piaffer dans les piliers.* Le piaffer est l'action du trot ou du passage sans avancer, reculer ni se traverser. C'est dans les piliers qu'il est plus aisé de dresser un cheval à cette cadence, qu'en liberté. Cette leçon donne un beau pli au bras du cheval, lui dénoue les épaules en leur imprimant un mouvement relevé et hardi, lui rend les hanches liantes, et lui ennoblit toute la posture. Dans le dessin on voit un écuyer monté sur un cheval qui est dans l'action du piaffer dans les piliers ; derrière est un autre écuyer attentif aux mouvements.

PLANCHE XIII. *(page 304)*

Fig. 23. Ce dessin représente la leçon de *l'épaule en dedans.* La leçon de l'épaule en dedans apprend à un cheval à croiser facilement une jambe par dessus l'autre pour se mouvoir de côté. Dans cette leçon un cheval ayant les hanches plus près de la muraille que les épaules environ d'un pied et demi ou deux pieds, la tête tournée vers le centre du manège, à la main où il va, obéit aux aides de l'écuyer qui le secourt de la rêne et de la jambe de dedans, et passant les jambes de dedans par-dessus celles de dehors, marche en avant dans une posture oblique le long de la muraille. Ses hanches décrivent une ligne et ses épaules une autre plus éloignée de la muraille que celle des hanches d'environ deux pieds, comme nous l'avons dit.

PLANCHE XV. *(page 305)*

La croupe au mur.

Fig. 25. Dans la croupe au mur un cheval marche entièrement de côté, la croupe tournée vers la muraille et les épaules vers le centre du manège. La moitié des épaules doit marcher avant la croupe, en sorte que si le cheval va à droite, le pied gauche de devant doit se trouver sur la même ligne que le pied droit de derrière, et cette ligne est perpendiculaire à la surface du mur. Les deux lignes que les hanches et les épaules décriront seront parallèles et distantes l'une de l'autre de l'éloignement des pieds de derrière du cheval aux pied de devant. Ces lignes seront dans une direction droite, la même que celle du pied du mur ; ce qui suppose que le cheval se portera uniformément de côté sans avancer ni reculer. La croupe sera placée à deux pieds de distance de la muraille pour éviter le frottement de la queue contre le mur. L'encolure du cheval doit former un beau pli du côté où il va.

Æ B s.

Manége, La Capriole. Leçon du piafer dans les piliers.

37 D. s.

Manege, Leçon de l'Epaule en dedans.

39

Daniotos.

Manege, La Croupe au Mur.

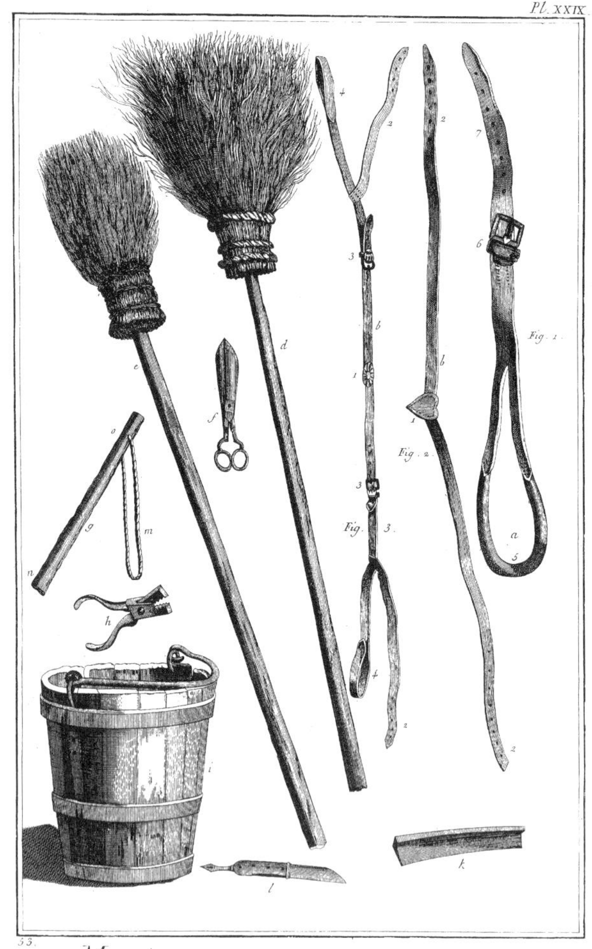

Pl. XXIX
Manège, Dependances de la Selle et suitte des Meubles d'Ecurie.

PLANCHE XXVIII. *(page 307)*

Suite des meubles d'écurie.
a Sac à queue vu par dessus. *b* sac à queue vu en dessous. *c* trousse-queue vu par dehors. *d* trousse-queue vu par dedans. *e* fourche de bois. *f* fourche de fer. *g* vannette. *h* pelle de bois. *i* boule du licol. *k* bouchon de paille. *l* cure-pied.

PLANCHE XXIX.

Des dessins de détails de l'Equitation.
Fig. 1. 2. 3. Dépendances de la selle. *a* croupière. 5 culeron de la croupière. 6 cachepure. 7 contresanglot. 6 poitrail. 1. cœur. 2 contresanglot. 3 contresanglot. 4 bouquetot. C poitrail.

Le reste de la planche représente la continuation des meubles d'écurie.

d balai de bouleau pour balayer l'écurie et l'urine des chevaux. *c* balai de jonc servant à nettoyer les harnais et équipages. *f* ciseaux pour faire les crins. *g* torche-nez pour assujettir un cheval. *m* corde du torche-nez. Pour faire usage du torche-nez on passe le bout du nez du cheval dans la corde du torche-nez, on tourne en moulinet l'extrémité *n* du bâton sur le centre *o* trou par lequel la corde est passée, et ce mouvement venant à diminuer, l'étendue de la ciconférence que forme la corde autour du bout du nez du cheval, le serre au degré où on le juge nécessaire pour le contraindre dans les cas où il en est besoin. *h* pince à poil. La pince sert au palefrenier pour arracher le poil des chevaux qui en trop au fanon. *i* seau. *k* couteau de chaleur pour abattre la sueur des chevaux qui arrivent à l'écurie. *l* couteau à poinçon, dont doit être muni un palefrenier et surtout un postillon dans les voyages, pour couper et faire des trous aux courroies en cas de besoin.

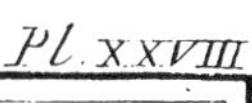

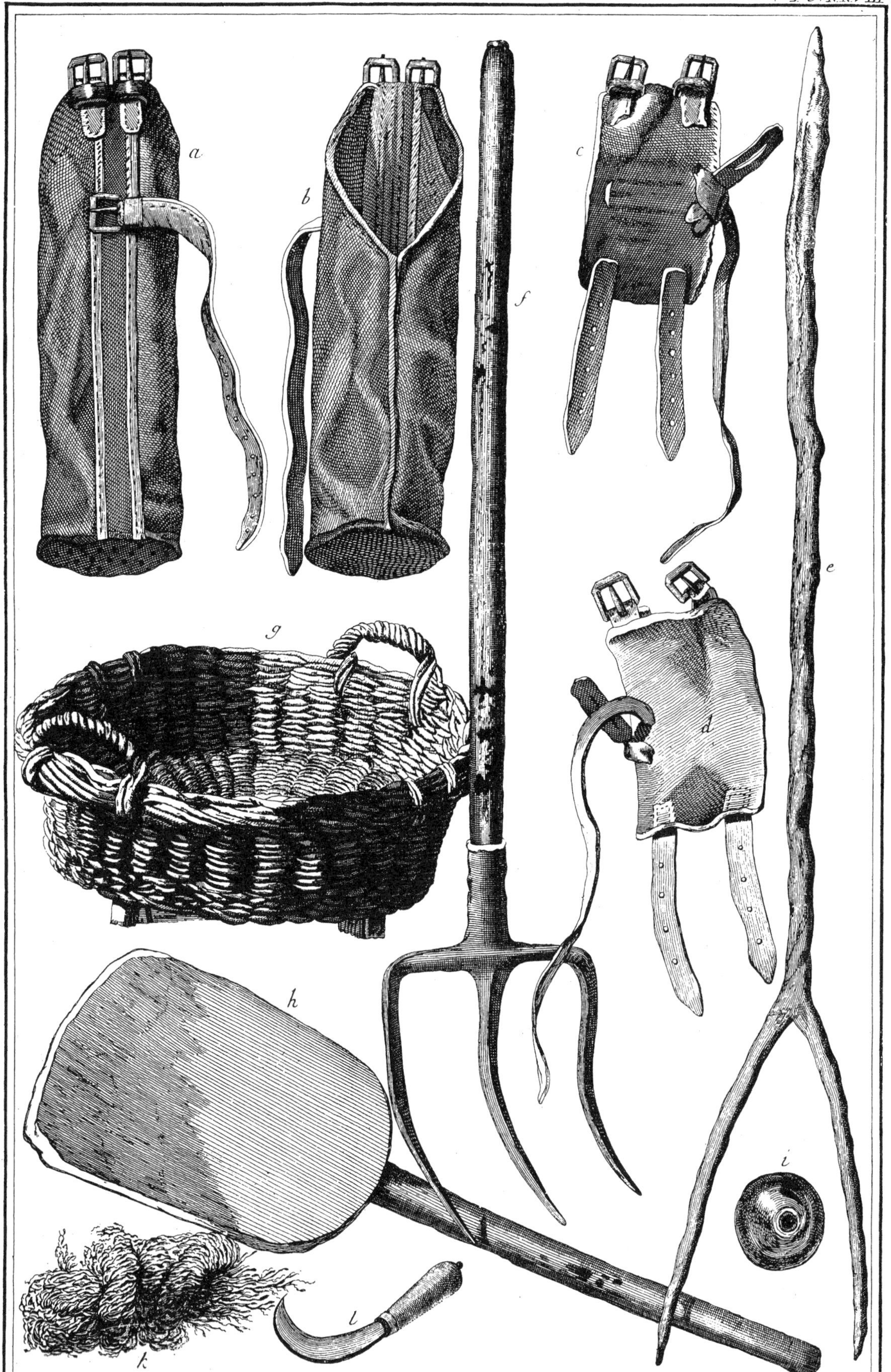

52

Manège, Suitte des Meubles d'Ecurie.

Chasse, Venerie, Quête du Cerf.

PLANCHE Ière**.**

De la vénerie. La quête du cerf, de la composition de Rhidinger, peintre allemand.

La vignette représente une forêt, dans le fond de laquelle on voit un cerf, et sur le devant un piqueur tenant le trait du limier qui marche devant lui, déployé. Le limier a la botte au col. le valet du limier n'est pas censé voir le cerf ; mais il suit le limier qui le conduit sur les voies ou pas du cerf. Voici la manière de dresser le limier.

Bas de la Planche. Connaissances du cerf par la tête et les fumées.

Fig. I. Tête d'un jeune cerf.
2. Tête d'un cerf, dix cors jeunement.
3. Tête d'un cerf, dix cors.
4. Tête d'un vieux cerf.
a, meules ou bosses, où tient la fraize.
b, fraise ou pierrure.
c, mairin ou perche.
d, gouttières.
e, andouillers ou cors.
f, empaumure.
5. Fumées en bousars.
6. Fumées en plateau.
7. Fumées en torches.
8. Fumées martellées.
9. Fumées aiguillonnées.

PLANCHE III. *(page 309)*

La vignette de la composition de Rhidinger, représente la curée qui se fait en cette sorte.

Bas de la Planche.

Fig. I. Pieds d'un cerf dix cors. A B, ergots du pied de devant qui est le plus grand. *a b*, ergots du pied de derrière qui est emboîté dans celui de devant.
2. Pied d'un vieux cerf.
3. Autre pied de vieux cerf.
4. Pied d'un jeune chevreuil.
5. Pied d'un chevreuil dix cors.
6. Autre pied de chevreuil.
7 et 8. Pieds d'une chevrette.
9. Pied d'un faon.

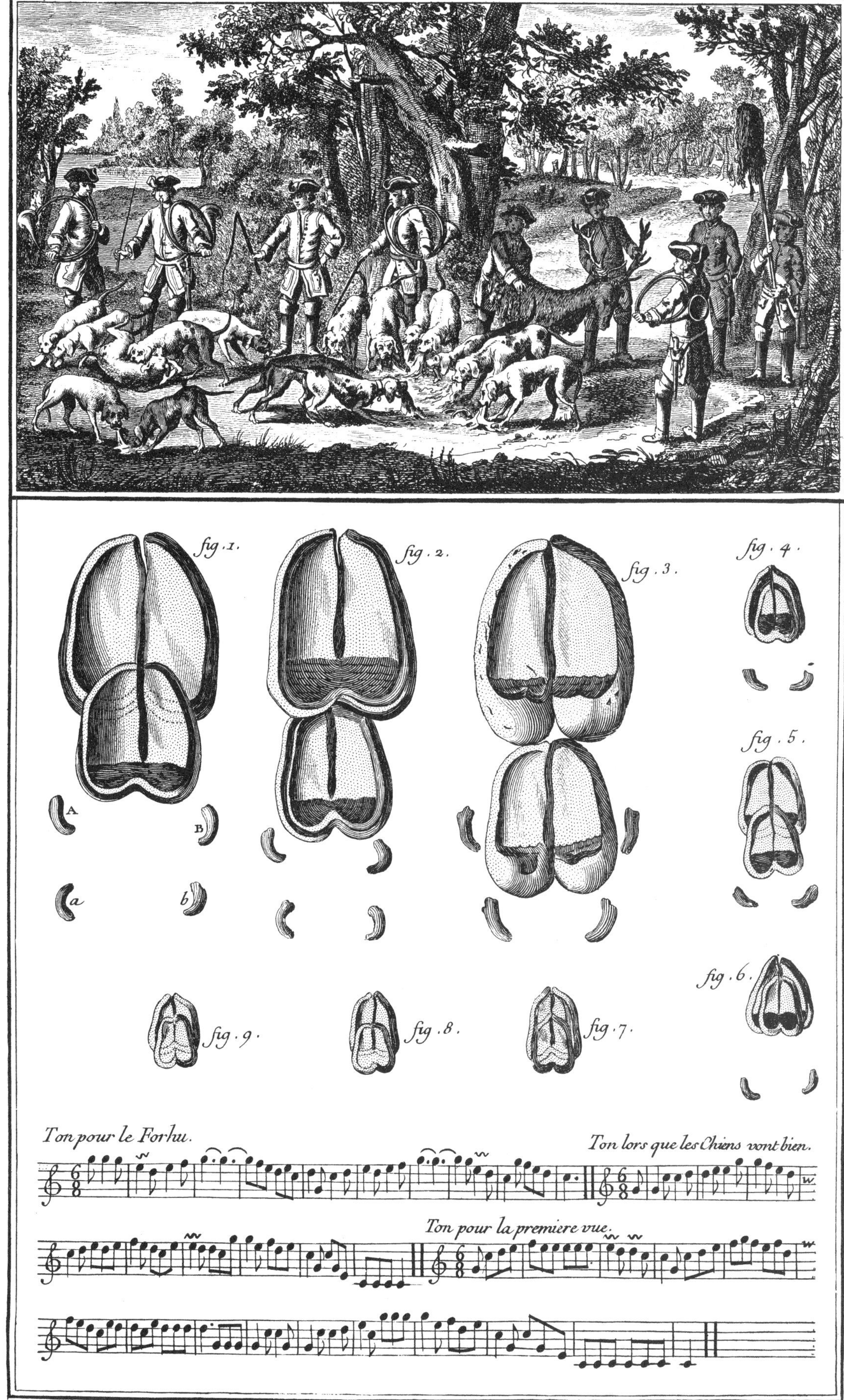

Goussier Del.

Prevost Fecit

Chasse, Venerie, la Curée.

PLANCHE IV.

Chasse du sanglier.

La vignette, d'après Rhidinger, représente l'instant où le sanglier, étant coincé par les chiens, est percé par un veneur, ainsi qu'il sera expliqué plus bas.

Voici les termes les plus usités à cette chasse.

Les pieds du sanglier, par lesquels les veneurs en connaissent, se nomment *traces*.

Les os ou ergots qu'ils ont au-dessus de leurs talons, s'appellent *gardes*, *fig*. I, 2, 3, 4, 5, du bas de la planche.

S'ils ont à leurs traces un bout des pinces plus long que l'autre, cela s'appelle *pigache*. *fig*. 3 et 5.

Les endroits où ils mettent leurs pieds, ou leurs traces, se nomment *marche* ou *voie*.

La distance qu'il y a de l'une à l'autre, *allure*.

Il faut, pour connaître un sanglier par les traces, se promener souvent dans les bois, dans un temps de beau revoir, c'est-à-dire, quand la terre est molle, par exemple en certain temps de l'hiver, ou en été après la pluie ; or voici à quoi l'on peut aisément reconnaître un sanglier et distinguer d'un coup d'œil s'il est jeune ou vieux, si c'est une laie ou un sanglier mâle.

La trace A du pied de devant d'un jeune sanglier, (*fig*. I.) est un peu plus grande que celle du pied de derrière, les pinces *a a* sont plus grosses que celles de la laie ; et les tranchant *b b* qui sont ses côtés, sont un peu déliés et coupants ; la trace de derrière se trouve ordinairement dans celle de devant, mais un peu à côté du milieu de celle-ci, à cause de ses fuites, qui commencent à être grosses, et qui le contraignent de marcher les cuisses un peu plus ouvertes que la laie ; il donne aussi de ses gardes B C en terre, mais elle sont bien tournées, et la pointe un peu en avant. Lorsqu'il avance vers son tiers-an, ses gardes sont plus près du talon et s'élargissent d'avantage, et elles donnent tout à fait en terre aux deux côtés de ses talons. Plus le sanglier vieillit, plus il est aisé d'en reconnaître par ses gardes qui étant alors bien moins tranchantes, donnent en terre de toute leur longueur. B C, gardes du pied de devant ; *b c*, gardes du pied de derrière.

Les pinces de la laie, *fig*. 2. sont plus pointues, les côtés des traces et les gardes plus tranchantes, le talon plus étroit, les traces de devant et de derrière sont toujours un peu ouvertes, excepté cependant celles d'une vieille laie, *fig*. 3. qui sont ordinairement plus serrées ; ses gardes sont aussi plus étroites et plus serrées vers la pointe que celles des sangliers : il faut encore observer que leurs traces de derrière sont en dedans, dans celles de devant. Les sangliers à leur quart-an, *fig*. 4. et les vieux sangliers, *fig*. 5. ont les pinces grosses et rondes, les tranchants ou côtés de leurs traces sont usés, le talon, ou les éponges D D s'usent au niveau de la trace qui est grosse et large ; les gardes *b c* sont tout à fait élargies et s'approchent du talon, et les allures sont grandes. La trace des vieux sangliers est toujours profonde et large, à cause de leur pesanteur ; ils ont les pinces fort rondes, la folle E E grande, leurs gardes paraissent dans un temps pluvieux parce qu'ils marchent très pesamment, ce qui fait que partout où ils passent il est très aisé d'en revoir ; on remarque aussi dans la trace, de grandes et grosse rides F F entre les gardes et les talons, et plus ces ride seront grosses, plus elles dénoteront la vieillesse du sanglier. La trace du pieds de derrière porte sur le talon, à moitié de la trace de devant, et à moitié aussi à côté en dehors, principalement lorsque le sanglier est en porchaison : il n'est pas si aisé d'en connaître dans le temps du rut, parce qu'alors leurs allures sont grandes et déréglées, ce qui déroute un peu le veneur.

Les jeunes veneurs encore peu expérimentés dans l'exercice de la chasse pourraient bien se tromper aux traces du sanglier dans la saison du gland ; car dans ce temps les pourceaux privés vont au bois, parce qu'ils ont aussi beaucoup de ressemblance dans leurs traces ; mais pour ne s'y pas méprendre, voici à quoi principalement il faut faire attention.

Les sangliers dans leurs allures mettent leurs pieds de derrière dans ceux de devant ; ils appuient bien plus de la pince que du talon, leurs pinces sont serrées et les côtés de leurs traces qui sont tranchantes donnent partout des gardes en terre, et ils les élargissent en dehors des deux côtés du talon.

Il n'en est pas de même des pourceaux privés, ceux-ci vont les pieds ouverts, ils les ont ordinairement longs et usés ; il appuient beaucoup plus du talon que la pince, et ils ne mettent pas leurs pieds de derrière dans ceux de devant, leurs gardes donnent droit dans la terre la pointe en avant sans s'écarter, le dessous de leur solle est charnu, ce qui fait paraître la forme de leur pied toute ronde et les côtés un peu gros ; enfin leurs pinces sont grosses et usées, et ils ont le pied court.

Fig. 6. Pieds de marcassins.

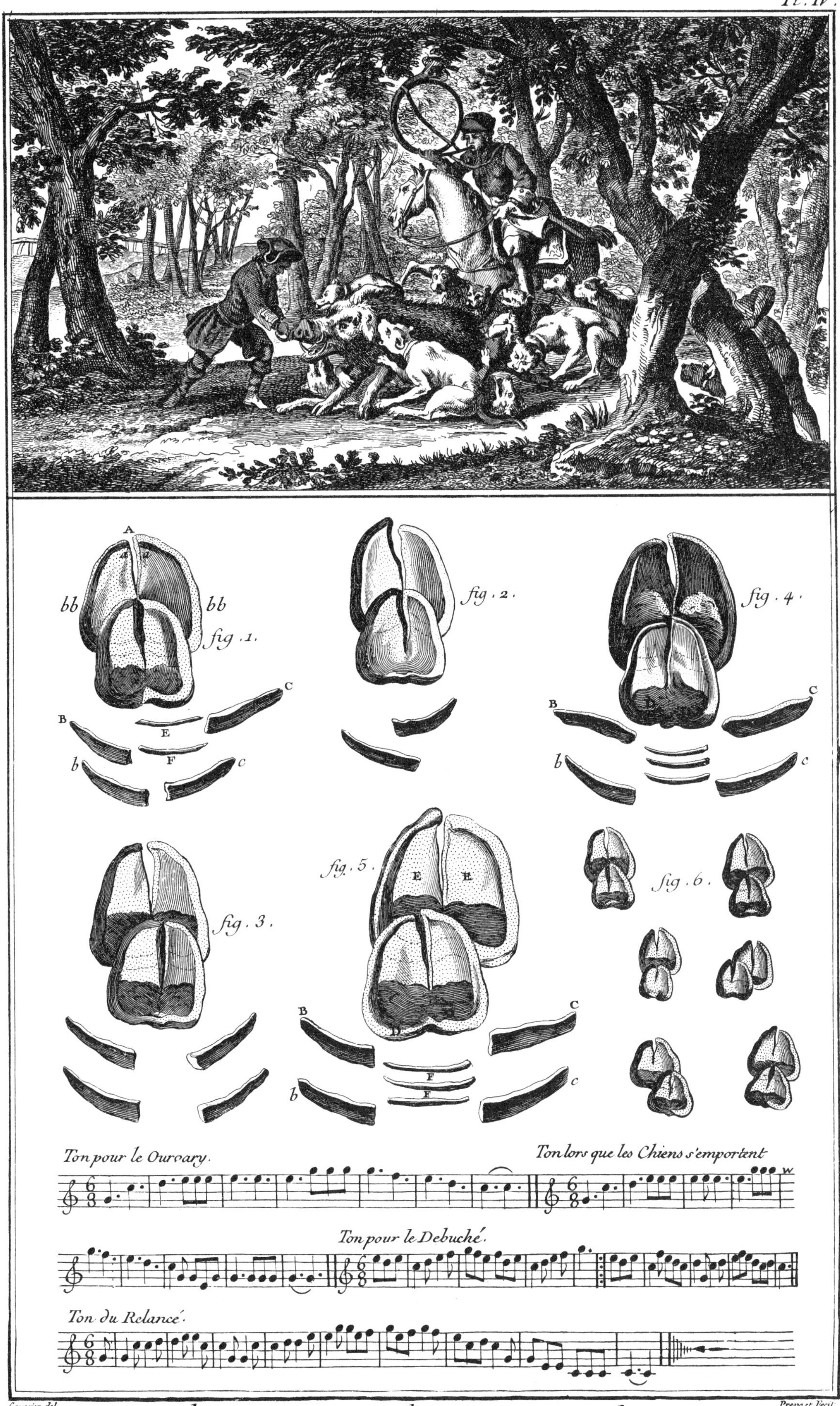

Goussier del. Prevost Fecit

Chasse, Venerie, Chasse du Sanglier.

Chasse, Fauconerie.

PLANCHE VIII.

Fauconnerie.

La vignette représente la cour du jardin attenant le logement du fauconnier : on voit des deux côtés une galerie couverte, sous lesquelles on met les oiseaux à la perche.

Fig. I. Fauconnier qui porte la cage, au moyen de deux bretelles qui lui passent sur les épaules : c'est sur les bords de cette cage que l'on porte les oiseaux au rendez-vous de la chasse.
2. Rangée de gazons sur lesquelles on met les oiseaux dans le beau temps.
3. Perche élevée de quatre pieds, sur laquelle on place les oiseaux : à cette perche pend une toile de deux pieds de large.
Bas de la Planche.
Fig. I. Représentation perspective et en grand d'une partie de la perche qui est, comme on l'a dit, élevée de quatre pieds, et de la toile qui y est attachée : cette toile est fendue par de longues boutonnières espacées de douze pouces ou environ, par lesquelles on fait passer les longes qui servent à attacher les oiseaux sur la perche : la perche qui a trois pouces de gros, est arrondie par-dessus, et éloignée de la muraile d'environ deux pieds.
2. Chaperon ou bonnet de l'oiseau, surmonté d'une aigrette de plumage.
A, le chaperon vu par devant, du côté de l'ouverture par laquelle on fait passer le bec de l'oiseau.
B, chaperon vu par derrière du côté ou sont les cordons, par le moyen duquel on serre le chaperon sur le col de l'oiseau, après que sa tête y est entrée.
3. Chaperon de rustre sans aigrette, et tel que l'oiseau peut manger à travers.
4. Gazon ou motte de terre, de dix-huit pouces de diamètre et six pouces d'élévation, où on place l'oiseau : à côté est un piquet auquel on attache la longe qui le retient.
5. Gazon, sur lequel un oiseau enchaperonné est posé.
6. Cage pour porter les oiseaux à la chasse : elle a quatre pieds de long, vingt pouces de large et un pied de haut.
7. Profil ou élévation de la cage, du côté de l'avant ou de l'arrière.

PLANCHE V. *(page 313)*

Chasse du loup.

La vignette, de la composition de Rhidinger, représente différentes manières ou pièges pour prendre les loups.
Fig. I. Enceinte ou parc dont les entrées A sont escarpées, en sorte que les loups peuvent bien y entrer en sautant à bas, mais n'en peuvent point sortir ; on met pour appât dans le parc quelques charognes que les loups viennent dévorer, et on peut les fusiller à son aise.
2. Représente une autre manière de prendre les loups dans une fosse avec l'appât d'une brebis vivante, pour cela on creuse un fosse d'une grandeur convenable, au milieu de laquelle on dresse un poteau sur lequel on met une roue de carrosse ou autre sur laquelle on attache une brebis vivante, dont le bêlement attire les loups ; on recouvre la fosse avec des menus branchages ou feuillages, et lorsque les loups veulent sauter jusqu'à la brebis ils retombent dans la fosse, où on les tue, ou bien on peut les prendre vivants ; cette manière est pratiquée en Allemagne.
Fig. I. Pieds de jeune loup. A, pied de devant. B, pied de derrière. 2. Pieds de jeune louve. A, pieds de devant. B, pieds de derrière. 3. Pieds de vieux loup. A, pieds de devant. B, pieds de derrière. 4. Pieds de vieille louve. A, pieds de devant. B, pieds de derrière. 5. Pied de renard.
6. Pied de blaireau. 7. Pied de lièvre. 8. Pied de lapin.
9. Pied de chat.
Les airs notés qui occupent le reste de la Planche, ainsi que le bas des Planches précédentes, servent dans les occasions qui sont marquées au-dessus.

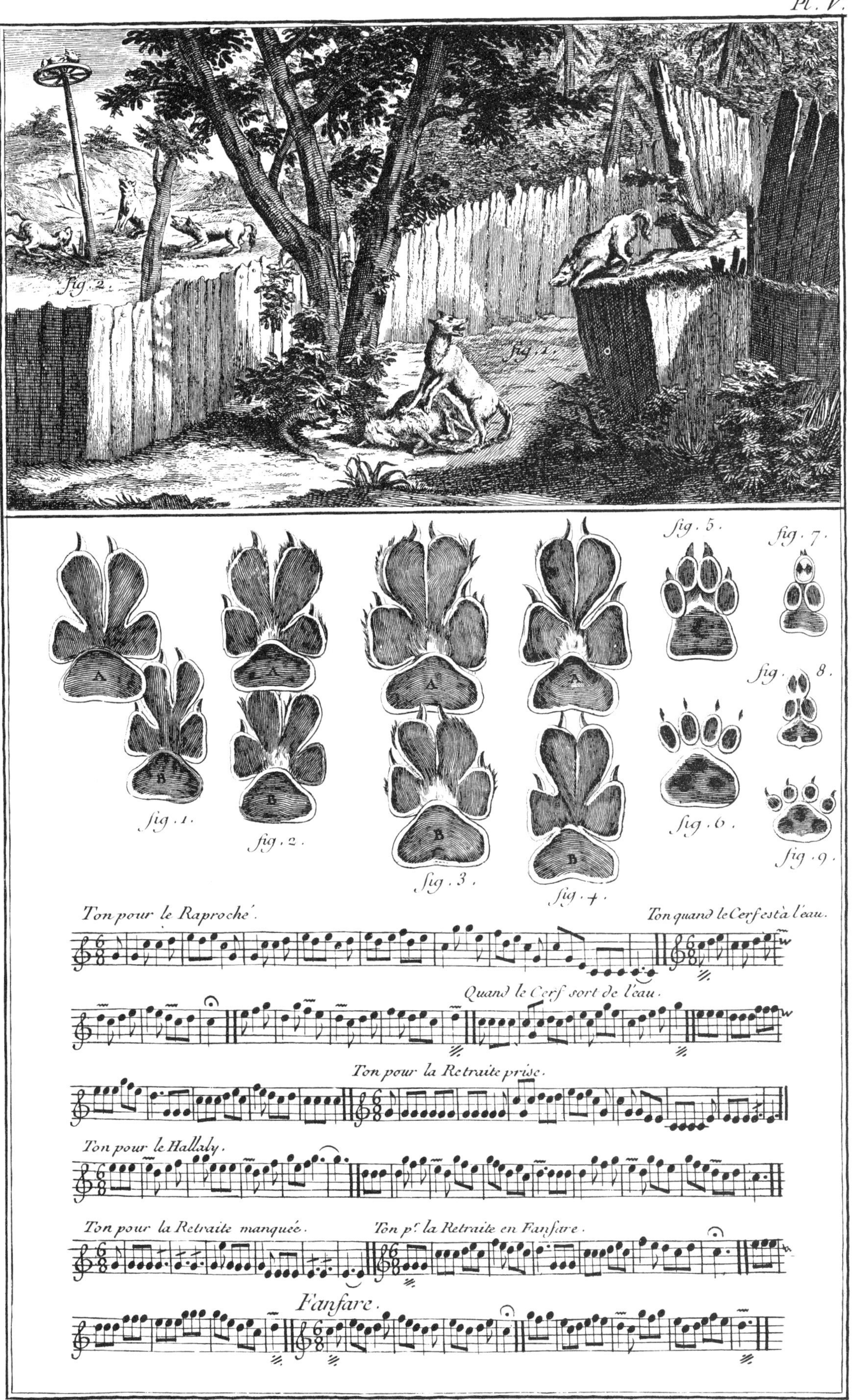

Goussier Del.

Prevost Fecit

Chasse, Venerie, Chasse du Loup.

BIBLIOGRAPHIE

Recueil de Planches. Préface par Alain Pons. Paris, Cercle du Livre Précieux, 1964.
L'Encyclopédie de Diderot et d'Alembert, Henri Veyrier, Paris, 1965.
Diderot et d'Alembert. *L'Encyclopédie, Dictionnaire raisonné des sciences des Arts et des Métiers.* Pergamon Press, New York.
Armes et Art Héraldique, Baudouin Editeur, Paris 1981.
Le Cheval, Baudouin Editeur, Paris 1981.
Dessein et Sculture, Baudouin Editeur, Paris 1981.
La Marine à Voile, Baudouin Editeur, Paris 1981.
Métiers Disparus, Baudouin Editeur, Paris 1981.
Minéralogie, Baudouin Editeur, Paris 1981.
Pêche, Poissons et Coquillages, Baudouin Editeur, Paris 1981.
Charles C. Gillispie. *A Diderot Pictorial Encyclopédia of Trades and Industry*, Dover, New York, 1959.
Jacques Proust. *L'Encyclopédie Diderot et d'Alembert*, Hachette, Paris, 1985.
P.M Grinevald et C. Paput. *L'Encyclopédie Diderot et d'Alembert, les Métiers du Livre.* Bibliothèque de l'image, Paris, 1995.

TABLE DES MATIÈRES

Achevé d'imprimer
à Bratislava en avril 1996
Dépôt légal 2è trimestre 1996
Isbn 2-87714-350-3